Pedro Baños

Así se domina el mundo
Desvelando las claves del poder mundial
Pedro Baños

Ariel

Certificado PEFC

Este libro procede de
bosques gestionados de
forma sostenible y fuentes
controladas

PEFC/14-38-00305   www.pefc.es

© Pedro Baños, 2017
© Editorial Planeta S. A., 2017
    Av. Diagonal, 662-664, 08034 Barcelona (España)
    Ariel es un sello editorial de Editorial Planeta, S. A.
    www.ariel.es

© 2017, por la cartografía y gráficos, El Orden Mundial / Abel Gil Lobo (director),
    Joaquín Domínguez y Daniel Aparicio
Imagen de la página 272: © Randy mexrevolution / Wikipedia Commons

Diseño de la colección: Booket / Área Editorial Grupo Planeta
Diseño de la cubierta: © Álvaro Valiño
Fotografía del autor: © Manuel Castells (UNAV)
Primera edición en Colección Booket: octubre de 2021

Depósito legal: B. 13.233-2021
ISBN: 978-84-08-24806-4
Impresión y encuadernación: Rodesa, S. L.
Printed in Spain - Impreso en España

Este libro está dedicado a todas las personas que cada día se esfuerzan por conseguir un mundo más justo, libre y seguro.

Índice

Nota del autor

Este libro representa un buen resumen de mis trabajos e investigaciones a lo largo de más de veinticinco años: desde numerosos artículos publicados en periódicos y revistas de toda índole, a capítulos y prólogos de los diversos libros en los que he participado. También he tenido en cuenta la infinidad de notas personales empleadas durante los cientos de clases y conferencias que he impartido durante este cuarto de siglo, en instituciones militares, universidades, centros y fundaciones, sobre geopolítica, estrategia, inteligencia, defensa, seguridad, terrorismo y relaciones internacionales. De valiosísima utilidad me ha sido la gran experiencia acumulada en mis muchos años de profesor de Estrategia y Relaciones Internacionales en el curso de Estado Mayor de la Escuela Superior de las Fuerzas Armadas y como jefe de la Unidad de Análisis Geopolítico del Ministerio de Defensa.

Todo ello lo he complementado con la extensa bibliografía consultada. He de hacer notar que las citas no siempre las he volcado literalmente, sino que las he modificado —sin por supuesto nunca variar su mensaje original— cuando he estimado que con ello se facilitaba la lectura. La intención ha sido hacer una obra agradable y atractiva para un amplio sector de lectores, desde los más avezados a los aficionados a estos temas, sin excluir a los que tan solo acudan a ella por curiosidad o mero entretenimiento.

No obstante, siempre que he empleado una idea o un concepto muy concreto procedente de una tercera persona, he intentado que la autoría quedara referenciada. En el resto de los casos, y para no aburrir al lector, la referencia está implícita en la bibliografía.

Por otro lado, el lector observará que, en ocasiones, se solapan varias estrategias ya que los ejemplos históricos expuestos pueden ser válidos para más de una de ellas.

Si me refiero más a unos países que a otros es, simplemente, porque aquellos tienen más poder y por lo tanto pueden ejercer principalmente el dominio mundial a través de estas estrategias. Pero no me dirijo contra ningún país, ideología ni religión en concreto, no existiendo por tanto especial animadversión contra nadie, salvo contra los que manifiestamente abusan de los desfavorecidos y los menos ilustrados, a los que con frecuencia se encargan de mantener en estado de atonía para su mejor control.

Con la finalidad de conseguir una obra lo más rigurosa posible, he comprobado y contrastado todos los datos aportados, empleando desde páginas web altamente especializadas a otras más genéricas. He incluido en las notas a pie de página aquellas referencias que he considerado de mayor interés para quien desee ampliar la información.

No obstante, y como todo es perfectible, si el amable lector detectase cualquier anomalía o discrepancia, su comentario será agradecido y bien acogido. Para ello, puede comunicarse conmigo a través de la dirección del correo electrónico: <director@geoestratego.com>.

Introducción

La esencia del poder es influir en el
comportamiento del adversario.

ROBERT D. KAPLAN,
La venganza de la geografía

Desde tiempos inmemoriales, los poderosos han intentado imponer su voluntad y dejar su impronta allá donde han llegado sus tentáculos y su influencia. Hasta el siglo XVI, la expansión de este poder abarcaba una zona geográfica limitada, pero se fue ampliando a raíz del descubrimiento de América. La Revolución Industrial supuso el último empujón para llevar ese predominio sobre ámbitos hasta entonces desconocidos, llegando a alcanzar recónditos rincones del planeta.

Con el paso del tiempo, el poder ha ido cambiando de titularidad, pero las ambiciones han sido las mismas. Además del intento de subyugar a cuantos grupos humanos se encontraba en su camino, procuraba impedir el acceso o la llegada de otros poderes que pudieran rivalizar con el suyo, fueran de índole militar, económica o religiosa. Esta constante histórica se sigue manteniendo en la actualidad, y estará vigente con independencia del tiempo que pase. Cambiará la tecnología y el modo de consumar las aspiraciones humanas, pero la ambición de dominación y sometimiento del prójimo seguirá siendo inmortal, como lo ha sido hasta ahora. La geopolítica se ha transformado en un instrumento de «geopoder» (que también se podría denominar «geocontrol» o «geodominio») encaminado tanto a controlar el mundo —o, cuando menos, los mayores ámbitos mundiales posibles— como a evitar caer subyugado por otro o serlo en demasía.

Por ello se hace preciso conocer cómo los poderosos han manejado, y manejan, el mundo a su alrededor. Ciertas estrategias han sido aplicadas desde hace siglos; otras son más recientes, pero nada hace pensar que se vayan a dejar de aplicar en el futuro, aunque sea con ciertas variaciones. Dentro de este marco, las veintisiete geoestrategias aquí tratadas no son más que la aplicación práctica de ese geopoder, la materialización y concreción de cómo se ha decidido actuar e influir en la esfera internacional.

Este conocimiento nos permitirá estar alerta para, en la medida de lo posible, no acabar manejados como meros títeres en manos de los grandes artífices del mundo. Aun así, tenemos que ser conscientes de la enorme influencia externa que pesa sobre nuestras vidas y de la dificultad para desprenderse de ella.

Pensamos que somos libres, que podemos elegir de forma autónoma nuestro destino, nuestros gustos, la manera de vestir o de comportarnos, lo que comemos o a qué dedicamos el tiempo libre, pero estamos permanentemente inducidos a adoptar acciones, decisiones y actitudes. Con creciente sutileza, los que deciden por nosotros nos imponen formas de vida, modelos sociales e ideologías, de modo que quedamos sometidos a sus designios. Esto es más cierto que nunca hoy en día, cuando se ha puesto de moda la palabra «posverdad» para definir el contexto global de desinformación, aunque en realidad sería más acertado denominarlo «prementira», «multimentira» o «plurimentira», pues lo que principalmente llega al público no es más que una gran falsedad disfrazada de verdad.

Solo conociendo estas realidades geopolíticas llegaremos a la certeza de que queda mucho camino por recorrer para conseguir un mundo en el que verdaderamente prime lo que es lo más importante: la seguridad humana.

1

Geopolítica y geoestrategia

> El drama de los países occidentales
> es que las democracias liberales ca-
> recen de una estrategia constante y
> confunden estrategia con táctica.
>
> ALEXANDRE DE MARENCHES

Para comprender el significado actual de la palabra «geopolítica» no basta con rebuscar en sus acepciones tradicionales. Sin
ignorarlas, hay que ir un paso más allá y enmarcarla correcta-
mente en el vigente contexto mundial.

Según la visión clásica, los acontecimientos políticos se
podían comprender, interpretar y hasta justificar por su vin-
culación a posiciones geográficas y antecedentes históricos. En
este enfoque se acepta la existencia de una serie de constantes
geopolíticas que conforman, casi de una manera inmutable e
imperecedera, el marco de desarrollo de sucesos que se repiten
desde tiempos pasados hasta el presente.

Sin desdeñar estas aproximaciones, la geopolítica actual
exige una perspectiva más amplia y profunda. La innegable
globalización y la creciente interdependencia de los países hacen que la geopolítica haya pasado de estar exclusivamente limitada a la tierra —el prefijo *geo-* la constreñía a un territorio
dado, a un espacio físico muy concreto— a referirse a la Tierra,

a todo el globo terráqueo. En consecuencia, hasta los países más pequeños están obligados hoy en día a establecer su geopolítica, pues poco habrá de lo que pase en el resto del mundo que no les afecte de un modo u otro. E incluso afecta ya al espacio exterior del planeta, pues la necesidad de buscar nuevas fuentes de recursos y energía, o simplemente lugares donde acomodar una población creciente en una cada vez más esquilmada superficie terrestre, hace que la moderna geopolítica también se interese por dimensiones extraterrestres.

Por otro lado, la expresión «geopolítica» ha ganado enormemente en dinamismo, siendo obligatorio profundizar no solo en el estudio del pasado y del presente, sino también escudriñar en el futuro. Si conseguimos dilucidar cómo se desarrollarán los acontecimientos en los próximos años, podremos adelantar acciones beneficiosas para los propios intereses, que deben ser los de toda la humanidad.

En el *Diccionario* de la Real Academia Española, las dos primeras acepciones de la palabra *política* proporcionan valiosa información para este estudio. La primera la define como el «arte, doctrina u opinión referente al gobierno de los Estados», mientras que la segunda expone que es la «actividad de quienes rigen o aspiran a regir los asuntos públicos», que bien se podría traducir como la aspiración a regir los destinos de los congéneres.

Así, la geopolítica actual podría definirse como la actividad que se desarrolla con la finalidad de influir en los asuntos de la esfera internacional, entendido este ejercicio como la aspiración de influencia a escala global, evitando, al mismo tiempo, ser influidos. Incluso se podría concretar como la actividad que realizan aquellos que persiguen regir los designios mundiales (o al menos de una amplia zona del mundo) al tiempo que tratan de impedir que otros actores internacionales dirijan los suyos, aspirando a que nadie tenga capacidad para entrometerse en sus decisiones.

A pesar de esta novedad en la terminología, la geopolítica sigue estando estrechamente ligada a las circunstancias geográficas (las que menos cambian), bien sean desde meros accidentes, como cadenas montañosas o estrechos, a la población allí asentada, pasando por los diferentes recursos naturales (energéticos, minerales, hídricos, agrícolas, pesqueros, etc.). Tampoco hay que olvidar que la geopolítica también va a actuar sobre otros factores menos tangibles, aunque no por ello menos importantes, como la economía y las finanzas.

Precisamente por abarcar tan amplio espectro, esta neonata geopolítica es, al mismo tiempo, la generadora de las demás políticas nacionales, a las cuales aglutina. Poco, o más bien nada, de lo que sucede en un país puede desligarse completamente de la situación internacional, de las tendencias mundiales dominantes y de los riesgos comunes. En este panorama de escala planetaria, donde la complejidad y la confusión no dejan de aumentar, se hace cada vez más imprescindible para los decisores geopolíticos disponer de inteligencia precisa que posibilite vislumbrar acontecimientos futuros.

Dentro del proceso de establecimiento de las directrices geopolíticas (el «qué»), en primer lugar se deben determinar las necesidades y los intereses del Estado (los «para qué»). De ahí surgirán las estrategias pertinentes, convertidas en geoestrategias, es decir, en los procedimientos, las acciones y los medios requeridos para satisfacer los fines geopolíticos (el «cómo» y el «con qué»). Dicho de otro modo, la geoestrategia es la concepción y puesta en práctica de líneas de acción para alcanzar los objetivos marcados por la geopolítica.

2

Cómo es el mundo

> La realidad que gobierna las rela-
> ciones internacionales es más triste
> y limitada que aquella que dirige los
> asuntos nacionales.
>
> ROBERT D. KAPLAN,
> *La venganza de la geografía*

EL MUNDO ES COMO EL PATIO DE UN COLEGIO

En todos los colegios del mundo hay niños y niñas que controlan a su pequeño círculo de compañeros. Son los dominadores de una clase o de un curso completo, conocidos, respetados y temidos en todo el colegio. Este orden de poder escolar
se percibe especialmente en los patios de los centros de enseñanza, durante los tiempos de asueto, cuando los alumnos
se muestran tal como son, una vez relajados de la tensión de
las aulas. Allí se puede observar con nitidez a quienes tienen
esa capacidad para influir sobre los demás, poder que puede
provenir de una o varias circunstancia diversas: fortaleza física, facultad innata de liderazgo, habilidad para la práctica
de deportes, pertenencia a una familia poderosa, elocuencia
aguda y viperina, caer en gracia a los maestros... o mera maldad unida a astucia.

Estos niños con especial ascendiente sobre los demás pueden actuar de modo benefactor con el grupo, arrastrándolo a realizar actos nobles. Pero, con frecuencia, suelen ser los incitadores de gamberradas, los responsables de organizar actividades ignoradas por los profesores y que vulneran las normas escolares o, lo que es aún más perverso, de agredir psicológica e incluso físicamente a compañeros más vulnerables o bien menos dotados o agraciados.

Los niños que así se comportan acostumbran a rodearse de aquellos otros que buscan en su acercamiento protección y reconocimiento, una fortaleza de la cual carecen o no poseen en tan alto grado como los líderes a los que se subordinan. Son estos los que ríen las gracias de los poderosos, los que los jalean cuando actúan pérfidamente contra los endebles objetos de burlas y chanzas, los que aplauden sus muestras de potencia y habilidad física. En definitiva, pertenecen al club de los que prefieren perder parte de su personalidad a cambio de integrarse en una corte de aduladores que les otorga cierto estatus y consideración.

Por supuesto, para que el líder y su séquito puedan actuar como tales deben convivir con otros alumnos a los cuales consideran inferiores, de modo que nunca les van a faltar justificaciones. A unos simplemente los ignorarán por no pertenecer a su nivel social o simplemente por no jugar tan bien como ellos a los deportes más populares del centro educativo. Otros, lamentablemente, se convertirán en la diana a la que lanzarán los dardos de malicia que les permiten sentirse superiores. Si estos desgraciados son también estudiantes sobresalientes, la ira del grupo poderoso se cebará en ellos para evitar que puedan hacerles la competencia y cuestionar su superioridad. A algunas de estas víctimas, si carecen de la suficiente fortaleza mental o apoyo familiar, pueden llegar a causarles un daño terrible, irreparable e indeleble. De entre ellas, puede haber personas que aspiren a integrarse en el grupo de los comparsas con la finalidad de dejar de ser el blanco cotidiano. Tristemente, estos reconvertidos pueden transformarse en los más crueles con los ajenos.

Pero también se encontrará a otros que se resisten a ser influidos por el líder o por la presión de todo el grupo, con resultado más o menos solvente. Habrá quien, también dotado de cierto poder, simplemente no desee formar camarilla ni ejercer la menor influencia, contentándose con llevar su propia vida, ser respetado y mantenerse al margen de actuaciones impropias contra sus compañeros. En ciertas situaciones quizá le interese la alianza temporal con el poderoso de turno, pero en general podrá gozar de independencia. Por último, existirán los que decidan aislarse del conjunto de los alumnos y no participar en ninguna actividad, ni positiva ni negativa, manteniendo una actitud sólida o reaccionando con desmesura en la primera ocasión en que alguien pretenda vilipendiarlos.

Lo mismo podría decirse de cualquier colectividad cuyos integrantes deben pasar muchas horas juntos, como puede ser un cuartel, una prisión o un lugar de trabajo. Y de modo similar sucede en la esfera internacional, donde existen potencias con distinto grado de capacidad de influencia en las decisiones mundiales.

La hipocresía, principio rector de la geopolítica

> El conquistador siempre es un amante de la paz; desea abrirse camino hasta nuestro territorio sin encontrar oposición.
>
> Carl von Clausewitz

No hay nada más hipócrita y cruel que la política internacional, pues todo lo que en ella se gesta y realiza está basado exclusivamente en los intereses de cada país, los cuales son siempre efímeros y cambiantes, y muy poco o nada tienen que ver con los de los demás Estados. La política nacional también es despiadada y cainita, sin ningún miramiento hacia el adversario político, pues cualquier medida que contra él se adopte se considera legítima mientras sirva para debilitarlo y expulsarlo del poder, con la única intención de ocupar su lugar. Aun así, es de suponer que todos los grupos políticos —incluso los más dispares— persiguen el mismo fin e interés, el bien de sus ciudadanos y de su nación, aunque cada uno lo interprete con una aproximación diferente según sus afinidades ideológicas.

Pero en el ámbito internacional en que se mueve la geopolítica no hay ningún fin común, al menos no permanente, que sirva para refrenar los más bajos instintos, ni siquiera un rescoldo que siempre se mantenga vivo y pueda servir de cohesionador. Los intereses comunes son tan perecederos que enseguida se pudren y pasan a ser sustituidos por otros, por lo que alianzas, amistades y enemistades fluyen con paradójica y sorprendente rapidez. Se vive en un permanente estado de rivalidad, en el que todas las partes se lanzan codazos para hacerse un hueco y conseguir que primen sus propios intereses.

Ni siquiera los peligros o amenazas que se podrían considerar comunes, como pueden ser las derivadas del cambio climático, ejercen una influencia real. Porque en este singular ambiente, cada país mira exclusivamente por su propio interés. Se puede decir más: cuanto más poderoso es un país, menos se preocupa realmente por las necesidades de las demás naciones. Aunque pueda parecer una frivolidad, para que todos los países adoptaran decisiones comunes que beneficiaran al conjunto de la humanidad, se tendría que dar una amenaza extraterrestre en forma de invasión o algo parecido. Mientras tanto, ha sucedido y sucederá que cada país tan solo mire su propio ombligo y actúe para su propio bien, aun cuando sea plenamente consciente del daño, directo o indirecto, que puede causar al resto.

El historiador militar Michael Howard resume el altísimo grado de hipocresía en que se basan las relaciones internacionales, siempre regidas, orientadas y legisladas por los poderosos, con esta frase: «Con frecuencia, los Estados que muestran mayor interés por la conservación de la paz son los que acumulan más armamentos».

> Los fuertes hacen lo que desean y los
> débiles sufren sus abusos.
>
> Tucídides

En la esfera internacional coexisten potencias con distinto grado de capacidad de influencia en las decisiones mundiales. Se puede considerar que existen dos tipos básicos de países: los dominadores y los dominados. Los primeros ejercen su control a escala regional o global. Los sometidos pueden estarlo de modo más o menos directo, de diversas formas (militar, económica, cultural, tecnológica, etc.) y aceptar de mejor o peor grado su condición, incluso con resignada pasividad. Si es necesario, pueden llegar a subordinarse a los más poderosos, con tal de ser respetados e incluso temidos.

Los países que, por el motivo que sea, no se sienten poderosos —disponer o no del arma atómica es un claro punto de inflexión— procuran cobijarse bajo el paraguas de una potencia superior, que, al menos teóricamente, les garantice tanto su seguridad como su inmunidad. Es lo que ofrecen las potencias nucleares, en cuanto a medios puramente estratégicos, al igual que hacen los miembros permanentes del Consejo de Seguridad de las Naciones Unidas (CSNU) frente a las hipotéticas sanciones internacionales. Así es como ha obrado China con Sudán y su presidente Omar al Bashir, quien se mantiene en su puesto a pesar de que la Corte Penal Internacional emitió, en marzo de 2009, una orden internacional de arresto por crímenes contra la humanidad y crímenes de guerra como consecuencia de la violencia ocurrida en Darfur. El presidente Al Bashir sabe que mientras se mantenga a la sombra de China es intocable. Pekín ofrece también este «servicio» a otros países durante los procesos negociadores, en los que emplea la política del *win-win*, una negociación aparentemente transparente en la que las dos partes ganan. Por ejemplo, en su relación con Sudán, Pekín obtiene acceso al crudo y las tierras cultivables del país. China tiene la ventaja de no haber sido potencia colonizadora, por lo que no genera los mismos recelos que otras potencias rivales, especialmente en África.

Siria es un ejemplo de cómo un Estado débil atacado por otro más belicoso se ve obligado a apoyarse en un tercero, el fortachón. Su presidente, Bashar al Asad, tuvo que aceptar la ayuda de Rusia —que por supuesto perseguía sus propios intereses— para evitar perder el poder en un momento en que sus fuerzas se tambaleaban ante el impulso de los rebeldes apoyados por Estados Unidos y algunos de sus aliados regionales y mundiales.

Por otro lado, cuando un país considera que no tiene suficiente peso o ascendente regional o mundial, se alía con otros países para ganar peso geopolítico. Algunos se escudan en una premisa expuesta por Otto von Bismarck, primer ministro de Prusia (1862-1873) y canciller de Alemania (1871-1890): «Los pueblos que se aíslan por completo, creyéndose que se bastan por sí solos para la defensa de su patria e intereses, llegarán a desaparecer, abrumados bajo el peso de las demás naciones». Cuando esto sucede, la subordinación puede alcanzar un grado tal que algunos países, incluso aquellos considerados potencias medias, se dejan arrastrar por las superpotencias del momento y entran en aventuras bélicas ajenas por completo a sus intereses. Ocurre así con los gobiernos que mandan a sus tropas a lugares remotos donde no tienen ningún verdadero interés propio que defender, aunque luego haya teóricos —siempre los hay y muy dispuestos a agradar a los gobernantes de turno— que lo justifiquen con teorías como las de la «defensa adelantada», los riesgos globales que no pueden ser abordados en solitario, la protección de los derechos humanos (como si solo en ese lugar se estuvieran vulnerando) o la promoción de los valores democráticos. En no pocas ocasiones, lo único que estos «países mariachis» consiguen es granjearse nuevos enemigos de los que no tenían ninguna necesidad. Y esto puede acarrearles desde atentados en su propio territorio —algo habitual si en la alejada área de operaciones han tenido que enfrentarse, o simplemente han perjudicado de algún modo, a un grupo que incluya el terrorismo entre sus tácticas— a una convulsión social por la falta de apoyo entre la ciudadanía a la imprecisa expedición militar que acabe con el derrocamiento del gobierno responsable del envío de las fuerzas.

Algunos Estados, muy pocos, no encajan en ninguno de los grupos anteriores. Unos, porque no disponen de la capacidad suficiente para ser dominadores pero tampoco desean ser dominados de ningún modo. Son los que se quedan aislados del sistema internacional y se convierten en «rebeldes». En la última Estrategia de Seguridad Nacional de Estados Unidos, del 9 de febrero de 2015, este adjetivo se reemplazó por el de «irresponsables», una categoría en la que hoy se incluye a países como Corea del Norte. Pero, al igual que sucede con los niños que intentan vivir al margen de los grupos que dominan sus escuelas, los Estados que se niegan a entrar en los juegos de poder e intentan aplicar sus propios sistemas políticos y sociales corren un indudable riesgo, pues deben defender su supervivencia en solitario.

Ciertos países —como Arabia Saudí, Turquía, Egipto e Irán— forman otro reducido grupo, el de aquellos que, siendo ya líderes regionales, aspiran a seguir creciendo e influyendo, pero renuncian a un poder más global por no ofender a las superpotencias, con las que mantienen una relación ambigua. Eso sí, tampoco aceptan ser relegados al grupo de los vasallos geopolíticos.

Una distinción parecida es la que ofreció el politólogo Zbigniew Brzezinski, para quien existían «jugadores estratégicos» y «pivotes geopolíticos». Entre los primeros están los Estados con capacidad y voluntad nacional para ejercer poder o influencia más allá de sus fronteras y alterar la situación actual de las cuestiones geopolíticas. Estos «jugadores estratégicos» son siempre países importantes y poderosos, aunque no todos los que reúnen estas características tienen por qué serlo, pues dependerá igualmente de la voluntad de sus gobernantes de entrar en el juego del poder. Por otro lado, los «pivotes geopolíticos» son aquellos Estados, como Ucrania, Azerbaiyán, Corea del Sur, Turquía e Irán, que deben su relevancia a una situación geográfica que les permite condicionar el acceso de otros países a ciertos recursos y lugares.

Rivalidad, ambición y violencia

> Los hombres luchan porque son hombres.
>
> Mauricio de Sajonia

El conflicto, consustancial con la naturaleza humana y la realidad social, es producto inevitable de una diversidad de intereses, percepciones y culturas. El conflicto armado, por su parte, es inmanente a cualquier sistema internacional. Relata el historiador ateniense Tucídides, al hablar de la guerra del Peloponeso (431-404 a. C.), que la verdadera causa de la guerra fue que los atenienses, al hacerse poderosos e inspirar miedo a los lacedemonios, obligaron a estos a luchar. Esto mismo puede aplicarse a cualquier otro momento de la Historia, pasado o futuro, pues el que tiene el poder impedirá por cualquier medio que surja otro, en cualquier ámbito, que pueda amenazar su hegemonía. De aquí se deduce que la pugna entre grupos humanos será eterna, por muchos intentos que se hagan por evitarla. Cambiará de forma, será más o menos cruenta y brutal, se emplearán procedimientos directos o sutiles, pero nada podrá acabar con ella. Es una visión sin duda pesimista, pero la realidad observable hace pensar que se ajusta totalmente al contexto actual y al previsible futuro.

En 1929, la Sociedad de Naciones encargó a Moritz Bonn y André Siegfried la elaboración de un informe titulado *Tendencias económicas que afectan a la paz mundial*. Estos dos estudiosos concluyeron que una gran parte de la Historia solo puede ser explicada por el deseo de los Estados saturados de mantener su posición privilegiada, en cuanto al poder y la riqueza, mientras los Estados no saturados aspiran a ganar riquezas para ser más poderosos o a conseguir poder con el fin de ser más ricos. Se podría decir que el que no tiene, quiere tener; el que tiene, persigue tener más; y el que tiene mucho, solo desea que no se lo quiten. Algo que sucede tanto a individuos como a Estados, pues no es más que la práctica imperecedera del egoísmo y la ambición. La historia demuestra que incluso los que, desde una posición desfavorecida, aseguran que nunca modificarán su vocación de igualdad entre semejantes, terminan por cambiar su perspectiva una vez alcanzado un nivel de privilegio, bien sea por fortuna o tras arduos esfuerzos, y adolecen de los mismos vicios que antes tanto criticaban.

Según los generales Peng Guangqian y Yao Youzhi —miembros de la Academia de Ciencia Militar china—, el tratado bélico *Wu Zi* (siglos v-iv a. C.) indicaba que durante el período de los Estados Combatientes (475-221 a. C.) las motivaciones para ir a la guerra eran cinco: lucha por la fama, lucha por el beneficio, acumulación de animosidad, desorden interno y hambre. Por su parte, el conde Alexandre de Marenches —director general del servicio de inteligencia francés entre 1970 y 1981— afirmaba con rotundidad que el conflicto internacional actual consiste en la lucha por el dominio de las materias primas y en el control psicológico de las poblaciones por los medios de comunicación, las Iglesias, la educación y la desinformación. Esto lo decía en 1986, antes de que surgiera la explosión de internet y las redes sociales, que han elevado exponencialmente esa manipulación psicológica de las masas.

La pugna siempre ha sido por el poder, el estatus, el dominio, el control de las personas y los recursos, empleando los medios disponibles en cada momento, convirtiéndose la ambición de ganancia en puro deseo de dominio. Y si la violencia es el medio más efectivo para salir victorioso del conflicto, no se duda en emplearla.

¿YUNQUE O MARTILLO?

> En esta dura tierra, hay que ser martillo o yunque.
>
> BERNHARD VON BÜLOW

Bismarck argumentaba que «la gratitud y la confianza no pondrán a un solo hombre de nuestro lado; solo el miedo lo hará, si lo sabemos emplear con habilidad y cautela». Dejaba claro que la fuerza y la violencia, tanto su ejercicio como la simple amenaza de su empleo, ejercen un efecto determinante en las relaciones humanas. Casi cuatro siglos antes, Nicolás Maquiavelo iba más allá al afirmar que es mejor ser temido que querido. Sin embargo, ser solo temido, como recomendaba el pensador italiano, puede funcionar a corto plazo, pero al mismo tiempo genera un odio que suele estallar con consecuencias imprevisibles. Por otro lado, intentar ser únicamente amado puede ser entendido como una manifiesta debilidad por algunos, que aprovecharán para abusar del superior e incluso intentar despojarle de su poder.

Aunque se diga que unos grupos humanos actúan y reaccionan por amor, otros por temor y los demás por convencimiento, en realidad suelen hacerlo por una combinación de esos tres elementos, y no siempre ofreciendo la misma respuesta. De este modo, en el campo de las relaciones internacionales lo más importante es saber de qué manera se puede conseguir que el resto de los actores se someta a los intereses propios en cada momento, debiendo ser plenamente conscientes de que un procedimiento exitoso en un supuesto no tiene por qué ser necesariamente válido para otros. La lección, en este caso, es que el temor a la aplicación de la fuerza, aunque lo sea exclusivamente en último extremo, no deja de ser un ingrediente básico en toda relación externa. Al fin y al cabo, es obvio que solo se puede dialogar con quien está dispuesto a escuchar, entender y racionalizar. Hay que ser consciente de que la educación y la cortesía nada pueden contra la violencia y el salvajismo, debiendo decirse, por lamentable que parezca, que hay quien solo reacciona ante la aplicación de la fuerza.

> Aunque el hombre logre esquivar cualquier peligro, nunca podrá esquivar por completo el constituido por aquellos que desean que no existan seres de su clase.

> Demóstenes

La guerra, como acto de violencia para imponer la voluntad social, nunca dejará de existir pues siempre habrá grupos humanos dispuestos a imponer a los demás sus ideas y su modo de vida, abocando hasta a los más pacíficos a luchar, salvo que prefieran rendirse. Kant, muy pesimista, entendía que «la guerra misma no necesita de motivos especiales, pues parece estar injertada en la naturaleza humana», asegurando que «el estado natural del hombre no es la paz, sino la guerra». Nada nuevo, pues mucho antes el filósofo griego Platón auguraba que «es una ley de la naturaleza que la guerra sea continua y eterna entre las ciudades». Para Erasmo de Rotterdam, «la guerra es tan cruel, que más conviene a las fieras que a los hombres». Lo que refleja a la perfección la absoluta deshumanización que significa, la espiral de violencia que desata, los instintos más bajos que saca a flote. La guerra hace aflorar y magnifica los aspectos más negativos del ser humano. Una vez desencadenada, sobran las razones, las motivaciones o su legitimidad. A partir de ese momento solo existe una obsesión: ganarla. Los medios para lograrlo importan poco, incluso los más impensables.

Vladímir Putin, durante el discurso que pronunció el 9 de mayo de 2007 con ocasión del sexagésimo segundo aniversario de la victoria soviética en la Segunda Guerra Mundial, dijo:

> Tenemos la responsabilidad de recordar que las causas de cualquier guerra estriban sobre todo en los errores y los fallos de los cálculos realizados en tiempo de paz, y que esas causas tienen sus raíces en una ideología de confrontación y extremis-

mo. Es extremadamente importante recordar esto hoy, porque esas amenazas no se están reduciendo, tan solo se están transformando y modificando su apariencia. Estas nuevas amenazas, como bajo el Tercer Reich, muestran el mismo desprecio por la vida humana y la misma aspiración a imponerse en exclusiva en todo el mundo.

Es posible que se refiriera tanto a la amenaza del yihadismo como a Estados Unidos, pero es indudable que, en cualquier caso, sus palabras reflejan la imperecedera ambición humana de imponerse sobre los demás.

Para el general y geopolitólogo francés Pierre M. Gallois, los fuertes no siempre son quienes inician las guerras porque, como adujo el pensador e historiador militar británico J. F. C. Fuller, «no hay nada de ilógico en el deseo de los desharrapados de apoderarse de las riquezas de los poderosos». El llamado «mundo occidental» acoge a unos 900 millones de personas,[1] pero actualmente en el planeta hay otros 6.600 millones de seres humanos, con visiones y culturas diferentes, que en cierto modo se consideran los perdedores del desarrollo y la globalización. Es evidente, por tanto, que la mayoría de los pobladores de la Tierra pueden estar deseosos de que cambien las tornas y sean ellos los privilegiados.

¿Es posible un control eficaz de la violencia?

> Nunca un general cree tanto en la
> paz que no se prepare a una guerra.
>
> Séneca

En este contexto mundial de violencia endémica, el político estadounidense Henry Kissinger —consejero de Seguridad

---

1. La versión más restringida de «mundo occidental» está formada por Europa, Estados Unidos, Canadá, Australia y Nueva Zelanda. En una perspectiva más amplia, habría que incluir otros países desarrollados como los hispanoamericanos, Israel y Sudáfrica.

Nacional (1969-1975) y secretario de Estado (1973-1977)— ha señalado que las superpotencias se comportan a veces como dos ciegos fuertemente armados buscando su camino dentro de una habitación, convencido cada uno de hallarse en peligro mortal frente al otro, al que supone con una visión perfecta. Con el tiempo, ambos pueden acabar por hacerse mutuamente un daño enorme, por no decir nada sobre la habitación que ocupan, es decir, el planeta Tierra. Esto ha sucedido y puede volver a suceder, convulsionando completamente a la humanidad habida cuenta del inmenso potencial destructor del que disponen en la actualidad las superpotencias, y no solo desde el punto de vista nuclear. Por este motivo, la solución sería el diálogo permanente entre los grandes, pero no deja de ser una utopía ante los eternos deseos de poder absoluto.

El problema principal lo subraya acertadamente el periodista y analista político Robert D. Kaplan cuando afirma que «el mundo continúa en un estado natural, en el que no existe Leviatán hobbesiano que castigue a los injustos». Lo que está diciendo es que, aunque aparentemente exista una jurisdicción internacional encaminada a tal fin, los poderosos siempre encuentran fórmulas para sortearla, aunque, eso sí, aplicándola con firmeza al resto de los actores. Como se verá detalladamente más adelante, una de las máximas en geopolítica es que las potencias medianas y pequeñas basan —o les gustaría que así fuera— las relaciones entre Estados en la legalidad internacional, en una jurisprudencia que realmente sea justa y equitativa con todos los países, independientemente de su tamaño y fortaleza. Sin embargo, los poderosos las basan precisamente en su poder, su peso geopolítico y su capacidad de influencia.

La otra gran cuestión que siempre surge es la de la legitimidad del uso de la fuerza, escenificada como una pugna entre el bien y el mal. El problema es que todas las partes enfrentadas siempre piensan que el bien, la justicia y la razón están de su parte, siendo el otro el errado, el que actúa de modo ilegítimo y perverso, pudiendo decirse que el combate se da entre formas análogas de entender el bien.

Por otro lado, cuando se habla de alianzas político-milita-res entre países como forma hipotética de alcanzar un mayor grado de seguridad colectiva, conviene precisar los términos. En el caso de que un grupo de Estados decida unirse para con-seguir mayor seguridad frente a otras naciones, lo más proba-ble es que estas últimas también acuerden aliarse entre ellas para defenderse de los primeros, abriendo así la posibilidad a una nueva guerra entre entes mayores que puede ser aún más demoledora. En definitiva, las nuevas alianzas reforzadas no suponen necesariamente mayor estabilidad que las viejas ni hacen el mundo menos violento.

¿Cómo sobrevivir en la jungla geopolítica?

> Realmente el hombre es el rey de las bestias, porque su brutalidad exce-de la de ellas.
>
> Leonardo da Vinci

En este mundo donde la violencia sigue imperando amplia-mente como si la humanidad hubiera sido incapaz de salir de la barbarie primitiva, Michael Howard recomienda: «Para con-servar la paz hay que tener presente a aquellos para quienes el orden existente no constituye la "paz"; y si están dispuestos a utilizar la fuerza para cambiar el orden que a nosotros nos parece aceptable». Avisa así de que se deben conocer las in-tenciones y capacidades del enemigo, actual y previsible, y no pensar que basta con que una parte considere erróneo entrar en guerra para que a los demás también se lo parezca.

En las siempre complejas relaciones internacionales no hay ni buenos ni malos. Cada uno persigue exclusivamente su propio interés del momento, que cada vez es más volátil y tornadizo. A los menos poderosos, cuya influencia mundial es mínima o inexistente, solo les queda analizar lo que les pue-de beneficiar o perjudicar de lo que hagan las grandes poten-cias, e intentar obtener el mayor beneficio posible, o el menor perjuicio, para su nación. Pueden mantenerse al margen de las luchas de los gigantes si este aislamiento no los perjudica, o aliarse con quien convenga, según las circunstancias. Cualquier otra postura idealista no revestirá más que lesiones para los intereses nacionales. Por tanto, podemos decir que en geopolítica nada es bueno ni malo por sí mismo, sino transitoriamente beneficioso o perjudicial. Y ante un escenario donde reina la hipocresía y el cinismo, únicamente cabe aconsejar: confía solo en tus propias fuerzas.

3

Principios geopolíticos inmutables

A lo largo de la Historia, una serie de principios geopolíticos han estado presentes constantemente. Aunque la geopolítica como tal ha cambiado con el paso del tiempo y al hilo de los acontecimientos y la tecnología, estos principios inmutables siguen rigiendo las relaciones internacionales y los asuntos del mundo al que pertenecemos.

EL ESTADO ES UN SER VIVO

Para los padres del concepto clásico de geopolítica, desarrollado en plena expansión de la Revolución Industrial durante la segunda mitad del siglo XIX, el Estado es un ser vivo que, como tal, necesita alimentarse para sobrevivir y crecer. El geógrafo alemán Friedrich Ratzel hizo esta analogía en *Sobre las leyes de la expansión espacial de los Estados*. En esta obra, el fundador de la geografía humana enumeró siete leyes que entendía como universales:

1) El crecimiento espacial de los Estados está relacionado con el desarrollo de su cultura.
2) Su expansión va en paralelo a su potencia económica, comercial o ideológica.

3) Los Estados se expanden incorporando o asimilando entidades políticas de menor importancia.
4) La frontera es un órgano vivo.
5) La lógica principal del proceso de expansión es absorber territorios más ricos.
6) El Estado se extiende por la presencia en su periferia de una civilización inferior a la suya.
7) La tendencia general de asimilar o absorber a los más débiles invita a multiplicar las apropiaciones de territorios en un movimiento que se autoalimenta.

La idea que subyace en esos postulados es que no todos los pueblos son iguales. Siempre los habrá con un mayor desarrollo cultural, militar o económico —o ellos así lo imaginarán— que los impulsará a hacerse con los considerados inferiores. Para Ratzel, los Estados están en permanente competencia por controlar y ampliar su espacio vital (*Lebensraum*). A principios del siglo XX, este aspecto era esencial para una Alemania en pleno proceso industrial pero carente de los casi ilimitados recursos de que disponían Francia y Gran Bretaña gracias a sus amplios territorios coloniales, o Rusia merced a su inmenso y rico suelo. Si bien en aquella época se podía limitar principalmente a una competición entre vecinos, el posterior proceso globalizador hizo que el campo de enfrentamiento se ampliara a todo el planeta.

En la misma línea, el geógrafo y político sueco Rudolf Kjellén —el primero en emplear el término «geopolítica», en 1899— consideraba que el Estado tiene vida. Como tal organismo, nace, lucha por sobrevivir, se desarrolla, ejerce su influencia, entra en decadencia y llega a morir, dando lugar a un nuevo sistema social. Además, como tal ser vivo, es actor de su propio destino.

Continuador de los principios de la geopolítica y el espacio vital que todo Estado precisa para garantizar su supervivencia, el alemán Karl Haushofer, fundador de la Escuela de Múnich y de la revista *Geopolitik*, tuvo un notable ascendiente en el desarrollo del pensamiento y las ambiciones políticas de una Alemania que se encaminaba hacia la Segunda Guerra Mundial. Para este general y geógrafo, la expansión alemana podría estar justificada por ser la única forma en que se garantizaba la satisfacción de las necesidades de un Estado en fase de crecimiento, amparándose en el ejemplo que había ofrecido Japón, país al que había sido enviado como asesor militar. El concepto de espacio vital influyó de modo acusado en la geopolítica de Hitler, a quien Haushofer facilitó la obra de Ratzel para que la leyera mientras permanecía encerrado en la prisión de Landsberg. Haushofer consideraba la situación del Reich extremadamente desfavorable desde el punto de vista de la geografía militar y de la limitación alemana en cuanto a recursos y materias primas. Tanto el pensamiento de Ratzel como el de Haushofer permitieron a Hitler encontrar una justificación casi científica para desarrollar sus ideas, que dejaría plasmadas en *Mein Kampf* («Mi lucha») y que continuaron presentes en sus planes expansionistas. Estas teorías tomaron cuerpo con la Operación Barbarroja, la invasión de la Unión Soviética, con la que el Führer ansiaba conseguir el *Lebensraum* que había estado buscando para Alemania.

Años más tarde, Pierre Gallois escribió que la guerra por el espacio —como fuente de aprovisionamiento al principio, de seguridad a continuación y de supremacía al final— es, de hecho, la historia de la humanidad. Implícitamente sigue la corriente de pensamiento de Ratzel y Kjellén al afirmar que los grupos, impulsados por su propia dinámica existencial, han perseguido objetivos expansionistas, adaptados a sus necesidades y capacidades, como constante histórica.

Estos postulados siguen plenamente vigentes. Como ser vivo, el Estado debe atender a sus necesidades vitales y existenciales, tanto las básicas de supervivencia y mantenimiento del *statu quo* como las de desarrollo y evolución. Para satisfacer estas prioridades «fisiológicas», debe atender a dos frentes diferentes aunque íntimamente relacionados entre sí: las necesidades básicas de la población, sobre todo centradas en la alimentación, y las de la industria, para las que precisará materias primas y recursos energéticos.

LA ECONOMÍA MANDA

> La guerra se hace con tres cosas:
> dinero, dinero y dinero.
>
> Napoleón Bonaparte

Lenin, líder de la Revolución rusa de 1917, decía que «la política es la expresión concentrada de la economía», algo que sigue siendo perfectamente válido en el momento actual, y que siempre lo será, pues los aspectos económicos han sido el motor principal de las relaciones interpersonales e interestatales. Si se añade la famosa frase del estratega prusiano Carl von Clausewitz «la guerra es la continuación de la política por otros medios», se podría llegar a la conclusión, en forma de silogismo, de que la guerra también es una continuación de la economía. E incluso se podría parafrasear a Lenin y decir que la geopolítica no es más que la expresión concentrada de la geoeconomía.

Se puede aventurar que las realidades económicas son las que verdaderamente marcan el ritmo del resto de las políticas, incluida la bélica (recordemos, por ejemplo, que las marinas de guerra se crearon con el principal objetivo de dar protección a las flotas mercantes). Igualmente sucede con la política internacional, en la cual, más allá de fachadas e idealismos dirigidos para el consumo de los propios ciudadanos, no se tiene ningún reparo en hacer negocios con dictadores, tiranos, absolutistas, reyezuelos o gobiernos que nada tienen de democráticos.

El dinero influye en la geopolítica

> Quien tiene dinero, tiene en su bolsillo a quienes no lo tienen.
>
> León Tolstói

En opinión del historiador alemán Walter Görlitz, uno de los grandes mecenas que hizo posible que Hitler llegara al poder fue el magnate del petróleo anglo-holandés Henri Deterding, director general del grupo Royal Dutch/Shell y enemigo acérrimo del régimen bolchevique ruso porque este se había apropiado de las ricas explotaciones de petróleo de la Shell en Bakú (Azerbaiyán). Görlitz también relata que, durante la guerra civil española de 1936-1939, la compañía estadounidense Texaco suministró a Franco todo el petróleo que necesitaba por valor de al menos seis millones de dólares. Como recompensa, Texaco no solo cobró la deuda contraída por Franco, sino que obtuvo el monopolio de la venta de petróleo a España durante años. El entonces presidente de Texaco, el magnate petrolero Torkild «Cap» Rieber, justificó esta acción argumentando que era preciso copar el mercado para impedir que en el futuro entrara más petróleo ruso en España, como hubiera sucedido de vencer los republicanos.

Incluso en plena guerra se adoptan medidas económicas para cuando llegue la paz. El diplomático belga Jacques de Launay cuenta que, el 10 de agosto de 1944, varios representantes de industrias alemanas (Krupp, Röchling, Rheinmetall y Volkswagenwerk, principalmente) se reunieron en Estrasburgo para examinar las medidas que podrían salvaguardar su patrimonio industrial tras la derrota alemana en la Segunda Guerra Mundial. En una segunda reunión, el enviado especial del Ministerio de Armamentos germano instó a los industriales a constituir, secretamente y sin tardanza, bases comerciales en el extranjero para la posguerra.

Tanta importancia e influencia tiene la economía en la estabilidad y la seguridad de un país que, al decir de Richard A. Clarke —director de la Oficina Antiterrorista estadounidense en 2001—, tras los atentados del 11-S la primera preocupación del presidente George W. Bush fueron los daños materiales causados por los ataques. Sus primeras instrucciones estuvieron dirigidas a mantener la economía en marcha: negocios, bancos, la Bolsa, los vuelos, etc. A pesar de los daños físicos que había sufrido la infraestructura de Wall Street, el jefe de la Casa Blanca ordenó que todo se volviera a abrir lo antes posible.

Marenches y el diplomático David A. Andelman aseguran, en una obra conjunta, que los italianos estaban muy próximos a Libia, ya que Muamar el Gadafi tenía grandes inversiones en Italia y, de hecho, era uno de los principales accionistas de Fiat. Lo mismo podría decirse hoy en día sobre la estrecha relación económica que mantienen algunos países europeos que presumen de valores y principios democráticos con el gobierno egipcio del general Abdelfatah al Sisi, quien llegó al poder por medio de un golpe de Estado en 2013. Alemania, por ejemplo, ha vendido a Egipto cuatro submarinos Tipo-209/1400 y, por su parte, Francia ha hecho lo mismo con doce aviones de combate Rafale, que pueden ser ampliados en otra docena.

Otro ejemplo que llama poderosamente la atención es el de la producción de opio en Afganistán. En este país asiático se ha cultivado tradicionalmente la adormidera de la que se extrae el opio, pero los talibanes,[1] en los años en que ejercieron el gobierno, prácticamente erradicaron su cultivo por considerarlo contrario al islam. Lo curioso es que desde que se produjo la invasión en 2001, la producción no ha dejado de crecer año a año, alcanzándose cifras récord de auténtico escándalo, sobre todo teniendo en cuenta que los beneficios procedentes de su comercialización son aprovechados para sostener la insurgencia. Según algunas fuentes, cuando el Ejército de Estados Unidos elaboró un informe detallando qué otros cultivos podrían sustituir a la adormidera, la conclusión fue que el más rentable sería el algodón, cuya producción podría ser muy elevada en algunas zonas especialmente acondicionadas. Pero cuando los productores estadounidenses del algodón tuvieron noticia de este proyecto, inmediatamente pusieron todos los impedimentos posibles para evitar la puesta en marcha, pues un algodón de calidad y muy barato, como el que podría vender Afganistán, les haría una feroz competencia que podría llevarlos a la ruina.

1. Aunque la palabra *talibán* es originariamente plural (singular *talib*), esta voz se ha acomodado ya a la morfología española y se usa *talibán* para el singular y *talibanes* para el plural, según la Real Academia Española.

Cada vez más, la conquista de los mercados y el dominio de las tecnologías punteras están ganando en importancia al mero control de los territorios. Esto induce a pensar que, en cierto modo, el arma económica ha reemplazado a la militar como instrumento al servicio de los Estados en su vocación de poder y de afirmación en la escena internacional.

Lo mismo podríamos decir de las políticas nacionalistas, que también llevan asociadas una fuerte carga económica. A este respecto, el geopolítico francés François Thual define el separatismo como el proceso por el que las regiones ricas de un país buscan desembarazarse de las regiones pobres, empleando para ello diversos pretextos. Esto no deja de ser una forma de egoísmo colectivo que persigue la expulsión de las regiones desheredadas.

LAS TRES OBSESIONES: RECURSOS NATURALES, ENERGÍA Y TECNOLOGÍA

> Los mansos heredarán la tierra... pero no sus derechos minerales.
>
> PAUL GETTY

Con su desesperada búsqueda de beneficios, propia de la pura y dura aplicación del capitalismo y del liberalismo económico, la globalización ha establecido unas pautas de las que ninguna nación se libra. Tras la desaparición del bloque comunista liderado por la Unión Soviética, cuyo proceso productivo, siguiendo los principios marxistas-leninistas, estaba marcado por las necesidades, casi todos los países rigen hoy en día sus economías por los principios mercantilistas del libre comercio. Incluso los todavía oficialmente socialistas-comunistas, como China o Vietnam, están más próximos a estos postulados que a los pasados preceptos económicos de corte soviético.

En este mundo actual de primacía del liberalismo comercial-financiero y capitalista, la economía está exclusivamente basada en los beneficios. Para conseguir esos anhelados resultados, tanto empresas como Estados necesitan vender a toda costa, y cuanto más, mejor. Para ello, además de la necesidad de captar, mantener y ampliar mercados solventes y estables —a los cuales hay que estar permanentemente extendiendo y protegiendo, en feroz pugna con una creciente competencia—, precisan de una serie de elementos imprescindibles para sostener, y potenciar en lo posible, una producción industrial eficiente y rentable, generadora de bienes «vendibles»: recursos naturales (minerales, madera, etc.), energía (principalmente hidrocarburos y electricidad) y tecnología. Aquí es donde comienza la pugna, dado que son bienes escasos y, por tanto, envidiados y codiciados.

En cuanto a los recursos naturales, estos son de lo más variado. En este amplio conjunto se incluyen la madera y los minerales estratégicos, que van desde los críticos para la industria hasta los generadores de energía o los precisos para los productos de alta tecnología, como el cobre, el níquel, el uranio, los diamantes, el oro, la bauxita o el coltán, entre otros.

Hasta la segunda mitad del siglo XVIII, con la implantación de la mecanización y del empleo de maquinaria, la energía procedía básicamente del ser humano, auxiliado por algunos animales. Por esto en las conquistas, la captura de prisioneros y esclavos se convertía en un objetivo tan fundamental como los recursos. A partir de la Revolución Industrial, la confrontación por la masiva necesidad de ingentes cantidades de materias primas (caucho, minerales, etc.) y energía (carbón para la maquinaria de vapor) se convirtió en una constante.

El acelerado desarrollo industrial que se está dando en todo el mundo, incluidos países que hasta hace no muchos años mostraban un amplio desfase, como China e India, consume cada vez mayores recursos naturales, entre los que destacan los hidrocarburos y los minerales. Para Thual, Estados Unidos comenzó su fuerte penetración en África durante la Administración Reagan con el propósito de controlar las riquezas del continente, desde las mineras y las energéticas, necesarias para la industria, hasta las agrícolas. Según este geopolítico francés, entre los principales factores del origen de los conflictos en el África contemporánea están los intereses de las grandes potencias,

Principales recursos naturales

Cobre ● Litio ○ Hidrocarburos ■ Uranio □ Coltán ▲ Tierras raras ◁ Oro ◆ Fosfatos ◇

cuyos objetivos han derivado en una guerra económica por el control de las materias primas. También añade que la Ucrania actual se ha convertido en un escenario de rivalidad entre Estados Unidos y sus aliados, de una parte, y Rusia, de la otra. Los motivos se encuentran en tratar de impedir el acceso de Moscú al mar Negro —de ahí la pugna por Crimea— y por los importantes recursos naturales de todo tipo que tiene el suelo ucraniano y que pueden ser una despensa esencial para la economía occidental. Del mismo modo, Thual y Labévière no tienen reparo en afirmar que lo que está en juego en el Ártico es el reparto de las riquezas petrolíferas y minerales. Según ambos, Estados Unidos persigue en Groenlandia asegurar que la futura exploración de las riquezas naturales y de las sociedades industriales y comerciales sea efectuada por empresas norteamericanas. Actualmente el principal empleador groenlandés es la empresa estadounidense Alcoa, una de las grandes productoras mundiales de aluminio en bruto, muy activa en los sectores clave de la industria, como el armamento, el aeroespacial, la automoción o la construcción.

En el caso concreto de los minerales existe una diversa problemática generadora de tensiones: una buena parte de estos recursos son muy escasos; aun habiendo generosos yacimientos, su extracción es muy costosa (terreno complicado, dificultades de transporte, problemas medioambientales, etc.); están en manos de un país o un pequeño grupo de ellos; se encuentran en zonas muy inestables y sometidas a episodios de violencia; y/o son elevados los riesgos sanitarios para los trabajadores. Por ello, hacerse con buenos yacimientos capaces de proporcionar a un ritmo sostenido significativas cantidades de estos minerales estratégicos es una de las prioridades de Estados y corporaciones multinacionales.

En cada momento histórico y de acuerdo con las necesidades, los minerales considerados estratégicos han variado. Del cobre al estaño, pasando por el hierro y el carbón que precisaba la Revolución Industrial, hasta el uranio, el cobre, el cobalto, el manganeso, la cromita, las tierras raras, el germanio, el berilio, la bauxita, el litio y los del grupo del platino, todos ellos esenciales hoy en día. Las principales potencias almacenan reservas de «guerra» que les permitan seguir manteniendo el ritmo de producción durante unos cuantos años —entre dos y cinco, normalmente—, incluso en el supuesto extremo de que un conflicto de alta intensidad les impida abastecerse de los minerales que precisan. Esto hace que el término «mineral estratégico» sea entendido habitualmente como directamente relacionado con el aspecto militar o bélico, aunque, en realidad, hoy en día haya que verlo más desde la perspectiva de la permanente pugna económica internacional que del hipotético enfrentamiento militar interestatal.

Siempre que los resultados finales sean rentables, naciones y empresas están dispuestas a los mayores sacrificios y a rozar, cuando no rebasar, los límites de la legalidad internacional y otros aspectos incluso más discutibles. Conocer datos exactos de la producción y comercialización de algunos de los principales minerales es tarea titánica, pues están sujetos a un ocultismo que impide su estudio detallado. En documentos oficiales de Estados Unidos, como el Minerals Yearbook que edita anualmente su Instituto Geológico, se reconoce que el coltán —una mezcla de columbita y tantalita que se emplea en microelectrónica, telecomunicaciones y en la industria aeroespacial— y otros minerales no son comercializados abiertamente. La importancia de los minerales y su localización geográfica la ejemplifica uno de los mensajes diplomáticos de Estados Unidos filtrados por WikiLeaks. Fechado en 2009, en él se citan los recursos críticos de los que dependen los estadounidenses y que se encuentran en otros países: bauxita, en Guinea; cobalto, en Congo; cromita, en Sudáfrica, Kazajistán e India; manganeso, en Gabón, Brasil y Ucrania; germanio, grafito y tierras raras, en China; estaño, en Indonesia; hierro, en Brasil; uranio, níquel y paladio, en Rusia.

Un caso que merece especial mención es el de Afganistán. Según diversos estudios e informes, el subsuelo afgano es una gigantesca despensa de minerales, algunos de ellos considerados actualmente como estratégicos. Entre los principales destacan: oro, cobre, hierro, cobalto, tierras raras, litio, cromo, plomo, zinc, berilio, fluorita, niobio y uranio. A ellos se podrían añadir otros conocidos desde la más remota Antigüedad por su calidad, como las piedras preciosas y semipreciosas. Esto ha llevado al presidente de Estados Unidos, Donald Trump —al parecer animado por Stephen Feinberg, el multimillonario presidente de DynCorp, y Michael Silver, director de American Elements, una empresa especializada en la extracción de tierras raras— a hacer, entre finales de julio y principios de agosto de 2017, las siguientes declaraciones: «La extracción de minerales podría ser una justificación para que Estados Unidos siga implicado en Afganistán»; «Estados Unidos no está haciendo lo suficiente para explotar la riqueza mineral de Afganistán»; «China está haciendo dinero en Afganistán con los minerales raros mientras que Estados Unidos hace la guerra».

En cuanto a la geopolítica en torno a la energía, esta podría definirse como la pugna por el control de las fuentes de energía (reservas, extracción-producción, transporte, transformación, almacenamiento y distribución) en un marco geográfico determinado, que puede llegar a ser planetario. Como explica el politólogo y diplomático John G. Stoessinger, la Primera Guerra del Golfo estuvo claramente marcada por la importancia del petróleo. Si Sadam Hussein hubiera conquistado los pozos de petróleo de Arabia Saudí, podría haber controlado casi la mitad de las reservas probadas de crudo, lo que hubiera afectado a Estados Unidos y a todo el mundo occidental. La defensa del territorio saudí se convertía así en un claro imperativo estratégico. Es fundamental recordar la importancia de las vías de tránsito de energía y recursos, muy especialmente las marítimas, por donde discurre más del 80 % del comercio mundial. No es aventurado afirmar que quien domina los mares (en la actualidad, Estados Unidos) controla los mercados mundiales y, por ende, tiene una posición preeminente en el mundo. Esto precisamente justifica la relevancia de zonas del mundo tan dispares como el Cuerno de África, los canales de Suez y de Panamá, o los estrechos de Ormuz y Malaca.

Hoy por hoy siguen siendo mayoritariamente los hidrocarburos (petróleo y gas) los que mueven el mundo, cubriendo desde las necesidades individuales de transporte y calefacción hasta los grandes consumos industriales. En un futuro no muy lejano, en cambio, quizá la estrella de las energías sea la electricidad, por lo que se puede aventurar que quien controle el futuro proceso de producción, almacenamiento y transporte de la energía eléctrica tendrá en sus manos la posibilidad de dominar el mundo.

Respecto a los aspectos tecnológicos, la clave actual de la pugna económica es el dominio de la innovación en ciencia y tecnología. Quien no invierta en estos aspectos fundamentales debe tener claro que se convertirá en el futuro esclavo tecnológico de los países más desarrollados.

La conquista de los recursos del espacio

> Las guerras comerciales se producen cuando una nación combate por tener derecho a comerciar libremente en ciertas zonas.
>
> GASTON BOUTHOUL

Para entender dónde se producirán algunos de los principales duelos por los recursos naturales hay que analizar el actual interés de las grandes potencias, como China, Estados Unidos, Rusia e India, por conquistar planetas. Esta nueva era de colonización está encaminada no solo a instalar en el futuro asentamientos humanos, sino también a acceder a recursos estratégicos escasos en la Tierra. Planetas, satélites y asteroides pueden así convertirse en fuentes inagotables de minerales estratégicos, recursos energéticos y hasta de agua. En este *ring* formado por los confines del cosmos, los púgiles se baten en dura pugna por el dominio del espacio exterior, convencidos de que quien logre llevar la delantera se convertirá en la próxima hiperpotencia.

Además, poner pie en otros planetas proporciona un indudable prestigio internacional y es un muestrario del potencial tecnológico y de la capacidad de influencia geopolítica de un Estado u organización internacional. Para ciertos países también se convierte en una cuestión de supervivencia. Es el caso de China, que, para mantener su ritmo de desarrollo y garantizar su progreso económico y social, precisa de enormes cantidades de recursos naturales y energía, así como de alimentos y agua para satisfacer las necesidades de su ingente población.

Pekín, en fuerte rivalidad con las otras grandes potencias e impulsada por sus deficiencias estructurales, busca alternativas en el mundo exterior, comenzando por la inmediata Luna. A menos de 400.000 kilómetros y tres días de viaje, el suelo selenita es rico en aluminio, titanio, neón, hierro, silicio, magnesio, carbono y nitrógeno. No es descartable que incluso se pueda obtener agua a partir de elementos presentes. Pero quizá su valor más destacable sea la confirmada presencia de ingentes cantidades de helio-3 a ras de suelo que pueden extraerse sin dificultad. Este isótopo no radiactivo, rarísimo en la Tierra, está considerado como la futura principal fuente de producción de energía mediante la fusión nuclear. Según algunas estimaciones, se podría acceder directamente a unas cinco toneladas de helio-3 lunar. Aunque puedan parecer poco, con ellas se podrían obtener 50.000 veces la energía eléctrica que se consume anualmente en todo el mundo.

Pero la verdadera conquista del espacio se materializaría con la llegada del ser humano a Marte. En el impresionante planeta rojo ya se ha confirmado la existencia de al menos tres millones de metros cúbicos de hielo de gran pureza en su superficie y de posible agua líquida en sus entrañas. Con características muy similares a la Tierra, Marte se convierte en el lugar ideal para albergar un amplio asentamiento permanente de humanos, lo que serviría para aliviar la creciente presión poblacional o como refugio alternativo en caso de desastre terrestre —natural o provocado—, y permitiría establecer una base para proseguir la imparable colonización espacial.

> Las guerras modernas se han convertido en la forma en que las naciones realizan sus negocios.
>
> Colmar von der Goltz

Todos los conflictos han tenido una vertiente económica, con mayor o menor peso en su surgimiento y desarrollo. Este lado económico puede ser un objetivo en sí mismo —principal o secundario— o bien constituir una forma de la acción. El sociólogo francés Gaston Bouthoul afirma que Alemania tuvo que recurrir a la guerra de 1914 como consecuencia de la demasiado costosa lucha económica que había sostenido contra otras grandes potencias industriales y exportadoras. El escritor y periodista Amin Maalouf, en su ensayo *Identidades asesinas*, y los militares chinos Qiao Liang y Wang Xiangsui entienden que China sufrió la infame guerra del Opio (1839-1842), en nombre de la libertad de comercio, porque se negaba a abrirse al lucrativo tráfico de drogas que Gran Bretaña pretendía dominar y que desembocó en el mayor narcotráfico organizado por un Estado que haya conocido la Historia.

Una de las voces que mejor exponen la relación entre guerras y economía es la de Fuller, quien afirma que la guerra civil estadounidense (1861-1865) se debió en su mayor parte a causas económicas, y se centra muy especialmente en la rivalidad anglo-germana como origen de las dos guerras mundiales.

Por otro lado, en los preludios de la conflagración entre India y Pakistán (1947-1948), Mahatma Gandhi llegó a la conclusión de que una guerra contra el país vecino sería menos costosa que la carga económica de hacer frente al problema de los refugiados durante un solo año (los refugiados bengalíes rondaban los diez millones y suponían un gasto diario de unos 2,5 millones de dólares).

Como secuela de la Primera Guerra Púnica (264-241 a. C.), librada entre Roma y Cartago, ambas ciudades quedaron agotadas. Pero fue la urbe africana la que salió peor parada por las cuantiosas pérdidas sufridas al haber interrumpido la guerra el comercio marítimo. Además, ser derrotada le supuso a Cartago tener que asumir gravosas condiciones, entre las que se encontraban la obligación de compensar a los romanos con 3.200 talentos de plata y renunciar a la rica Sicilia. En este contexto surge la Segunda Guerra Púnica (218-201 a. C.) entre los mismos contendientes. Cartago, agobiada por su precaria economía y la pérdida de Sicilia, decidió enviar una expedición, liderada por Amílcar Barca, a la península Ibérica para hacerse con nuevas tierras fértiles, que desembocaría pocos años más tarde en un nuevo enfrentamiento con Roma.

La Tercera Guerra Púnica (149-146 a. C.) también fue provocada por manifiestos intereses económicos. Como resultado de salir derrotada de la guerra anterior, Cartago había perdido todos sus dominios fuera de África y fue obligada a satisfacer una reparación anual de 200 talentos de plata durante medio siglo. Además, los romanos prohibieron a Cartago disponer de barcos de guerra y declarar la guerra sin su autorización. Por otro lado, al haber sido forzados los cartaginenses a aceptar la independencia del reino de Numidia, este aprovechó para expandirse, con el apoyo explícito de los romanos y aprovechando la debilidad de Cartago.

Pero curiosamente, estas limitaciones tuvieron un efecto que los romanos no esperaban. Los cartagineses, al estar imposibilitados para emplear las riquezas —que como buenos comerciantes no habían dejado de acumular— con fines bélicos, optaron por invertirlas en transformar Cartago en un potente y desarrollado polo comercial. Cuando el censor romano Marco Porcio Catón, conocido como Catón el Viejo, visitó Cartago a mediados del siglo II a. C., se quedó estupefacto al observar una ciudad rica, próspera y con un floreciente comercio, pues esperaba hallarla sumida en la miseria. Este impacto llevó a

Catón a plantearse que, de seguir a ese ritmo, era solo cuestión de tiempo que los cartagineses sintieran el impulso de ir a una nueva guerra de revancha contra Roma. A partir de ese momento, Catón el Viejo no cejaría en su empeño por tratar de convencer al Senado romano para que lanzara una guerra preventiva contra Cartago antes de que se convirtiera en un enemigo demasiado poderoso. Para recalcar y hacer prevalecer su idea de la necesidad de realizar un ataque preventivo sobre Cartago, Catón terminaba todas sus alocuciones en el Senado romano con las frases «*Carthago delenda est*» (Cartago debe ser destruida) o «*Ceterum censeo Carthaginem esse delendam*» (Además opino que Cartago debe ser destruida).

Pero detrás de las ambiciones de poder y de los personalismos, había otra razón práctica que tenía un peso clave en la decisión de ir a la guerra, y que no era más que la rivalidad económica entre ambas ciudades. Cartago hacía una feroz competencia a los mercaderes romanos en productos como los higos y el vino, por lo que estos se manifestaron abiertamente favorables a una confrontación bélica. A ello se unía un crecimiento demográfico en Roma que exigía disponer de nuevas tierras cultivables, como las de los cartagineses. Finalmente, los romanos encontraron la excusa perfecta para atacar Cartago y expulsarla del Mediterráneo: los cartagineses habían comenzado a construir los barcos que el acuerdo de paz les había prohibido.[2]

Las guerras napoleónicas desde la perspectiva económica

El enfrentamiento de Londres contra los países europeos continentales por intereses económicos viene de lejos, advierte Fuller. Durante la época de Napoleón, Inglaterra tenía que exportar sus artículos manufacturados para seguir siendo próspera y poderosa. Por su parte, Francia debía proteger su embrionaria industria para alcanzar la prosperidad y conservar su

2. Excusa no muy diferente a la empleada para atacar Irak en 2003 (armas de destrucción masiva) o la Siria actual (armas químicas).

poder. Para ello, Napoleón intentó estrangular el comercio inglés y arruinar su crédito, impidiendo que Inglaterra suministrara sus artículos a las naciones europeas. Por otro lado, Londres no podía permitir una Europa federada que le impidiera seguir siendo la potencia marítima dominante. La conclusión fue que los ingleses respondieron prohibiendo el comercio de los neutrales con Francia y sus aliados. De este modo, comenzó la guerra económica entre ambas naciones, que se dirimiría en los campos de batalla.

España y la guerra de Cuba

La guerra de Cuba (1868-1898) se desarrolló en un contexto económico y geopolítico muy concreto que hacía prácticamente inevitable el enfrentamiento entre una gran potencia emergente —Estados Unidos— y otra en manifiesto declive como era España. Este conflicto se inserta en la permanente búsqueda histórica del equilibrio de poderes, sean regionales o mundiales. El poder de Estados Unidos había crecido de tal forma que las potencias europeas se mantuvieron al margen de la guerra hispano-estadounidense para no tener que enfrentarse a la Casa Blanca.

En ese momento, la Revolución Industrial impulsaba a los países industrializados, o en fase de industrialización, a conseguir materias primas y fuentes de energía para su cadena productiva, así como mercados a los que vender sus productos. Paralelamente se estaba desarrollando un importante comercio desde la costa Oeste estadounidense orientado a China y Japón, por lo que Filipinas aparecía como una plataforma prioritaria. Estados Unidos necesitaba que esas materias primas procedentes del sur del continente e incluso de su propio territorio fluyeran a su creciente tejido industrial norteño. La cuestión era que las mercancías que viajaban desde el sur a las fábricas del norte del territorio estadounidense debían transitar por el estrecho de Florida, mientras que las procedentes de América Central y del Sur debían además atravesar el canal de Yucatán. Pero además, Washington consideraba como un riesgo

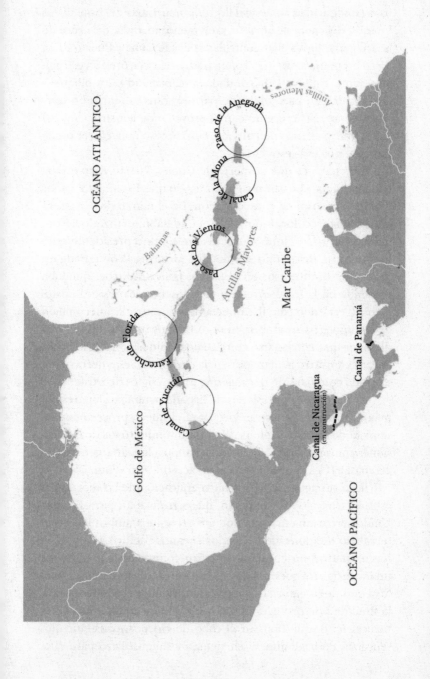

para su seguridad comercial las rutas marítimas del paso de los Vientos, del canal de la Mona y, en menor medida, del cruce de la Anegada, todas ellas controladas desde Cuba y Puerto Rico.

La creencia de que España podría ejercer presión estratégica sobre Estados Unidos, dada su capacidad para bloquear esos puntos de paso obligado para el tránsito marítimo estadounidense, se acrecentó con el proyecto de construcción del canal interoceánico de Panamá, cuyo acceso debería ser precisamente por esos estrechos.

Lo cierto es que la suerte de Cuba y Puerto Rico estaba echada hacía ya casi un siglo, antes de que España y Estados Unidos entraran en confrontación. En el marco de la carrera imperialista y colonizadora a la que se habían lanzado las potencias europeas, John Quincy Adams, sexto presidente estadounidense, desarrolló la Doctrina Monroe. Propugnada en 1823 por su antecesor en el cargo, James Monroe, quedaba resumida en la frase «América para los americanos». El postulado de esta doctrina iba directamente contra la intervención de cualquier país europeo en el continente americano so pena de tener que enfrentarse con Estados Unidos, lo cual se podía hacer extensivo a la mera presencia europea en esas tierras, considerada colonialismo por más que tuviera siglos de existencia.

Dado que las posesiones de España ocupaban lugares del máximo interés geoestratégico para el nuevo proceso expansionista de Estados Unidos, Washington intentó en varias ocasiones comprar Cuba a Madrid, llegando a lanzar amenazas de arrebatar la isla por la fuerza si no accedía a su venta.

Esta situación se tensó con la aplicación de las teorías del estratega naval Alfred Mahan, que significaban para Estados Unidos crear una armada potente presente a ambos lados del territorio estadounidense, en los océanos Pacífico y Atlántico. Las escuadras en cuestión deberían comunicarse a través de una arteria transoceánica —el futuro canal de Panamá, una idea que ya habían acariciado las autoridades españolas— con la finalidad de proteger el trasvase de mercancías entre océanos sin tener que bordear el cabo de Hornos, consiguiéndose así un enorme ahorro en tiempo y dinero. Pero para ello,

Washington precisaba el pleno dominio de Centroamérica y de las aguas aledañas. En ese contexto, la presencia española en Cuba representaba una amenaza de primera magnitud para los proyectos de la Casa Blanca.

Por si fuera poco, importantes inversores estadounidenses presionaban a su gobierno para que se hiciera con el control de la isla, pues tenían interés en el próspero sector azucarero cubano, cuya producción se destinaba casi en su totalidad al consumo de los norteamericanos.

Las guerras decimonónicas iberoamericanas

En Iberoamérica hay ejemplos de conflagraciones relativamente recientes motivadas sobre todo por los recursos naturales. Uno de ellos es la denominada Guerra del Pacífico, que tuvo lugar de 1879 a 1883, en la que Chile se enfrentó a Bolivia y Perú por el control del guano y el salitre. En un escenario cercano, pocos años después, concretamente entre 1899 y 1903, tuvo lugar entre Bolivia y Brasil la conocida como Guerra del Acre, cuyo origen fue la disputa de territorios con abundantes yacimientos auríferos y especialmente con árboles de los que se extraía caucho —material fundamental en aquellos años para la industria automovilística—, motivo por el cual también es conocida como la Guerra del Caucho.

Las naciones van a la Primera Guerra Mundial

A partir de 1873, y fruto de la crisis económica surgida ese año, se impuso un nuevo modelo económico que abandonaba el libre cambio que había imperado en los últimos años para dar origen a un renovado proteccionismo que imponía altos aranceles. Este contexto llevó a una abierta guerra económica entre los principales países industrializados, que fueron incapaces de resolverla por la vía diplomática. A la inestabilidad económica se unía el surgimiento de nuevas potencias que buscaban su propio espacio de desarrollo, como Alemania, Japón y Estados Unidos.

En el contexto europeo, un Reino Unido convertido en el principal dominador económico empezó a ver con preocupación el pujante desarrollo de Alemania, que en poco tiempo había sido capaz de superarlo en sectores como el siderúrgico o el químico, además de contar con una gran población bien preparada para actuar con eficacia en todos los ámbitos laborales. Londres también era consciente de que Berlín carecía de amplias colonias de las que extraer recursos naturales a bajo coste, por lo que, dado su crecimiento industrial, era solo cuestión de tiempo que se lanzara a la aventura de conquistar nuevos territorios, que también significarían mercados prioritarios. Las sospechas de los británicos se confirmaron cuando los teutones comenzaron a construir una potente flota, de la que hasta ese momento habían carecido. Viendo así amenazado su dominio marítimo en prácticamente todos los mares, Inglaterra empezó a vislumbrar la entrada en guerra con Alemania. Ya solo faltaba la excusa para llevarla a cabo.

Fuller afirma que las causas de la Primera Guerra Mundial fueron ampliamente industriales y comerciales, siendo el objetivo prioritario de Gran Bretaña destruir a Alemania como rival económico. La rápida expansión del comercio exterior alemán y el incremento de su marina mercante a finales del siglo XIX amenazaban el comercio británico. Por si fuera poco, Bismarck había aumentado el potencial de su armada para proteger su comercio exterior y evitar la preponderancia naval francesa. Para Gran Bretaña y Francia, esta situación se convertía en una lucha económica por la supervivencia y, por tanto, ambas adoptaron el objetivo de destruir a su competidor comercial.

Para Lenin, la guerra de 1914 había tenido como finalidad el reparto del mundo, la distribución y redistribución de las colonias, las zonas de influencia y del capital financiero. El resultado fue que más de la mitad de la población mundial terminó bajo la dependencia de los grandes Estados industriales. Por su parte, el historiador francés Pierre Renouvin, experto en las relaciones internacionales, estima que lo que empujó a Estados Unidos a intervenir en el conflicto europeo a partir de 1917 fue la defensa de su prestigio y de sus intereses económicos.

Antes de que diera comienzo la Segunda Guerra Mundial, Estados Unidos y Gran Bretaña representaban el poder mundial del dinero. Según Fuller, este contexto hegemónico fue contestado por la pretensión de Hitler de crear una Alemania independiente del capitalismo prestamista. Con esta finalidad, el Führer decidió rehusar los empréstitos extranjeros con interés y basar la moneda alemana en la producción y no en sus reservas de oro. Además de importar mediante un sistema de trueque y subvencionar las exportaciones que fueran necesarias, se planteó acabar con la libertad de cambios (tráfico de divisas y transferencias de fortunas particulares entre países según la situación política). Pero aquello era inaceptable para el capitalismo internacional, que dependía de la concesión de préstamos con interés. Además, si Hitler tenía éxito, otras naciones podrían imitar su ejemplo, lo que significaría que los gobiernos carentes de oro intercambiarían mercancías entre sí, haciendo que el noble metal perdiera valor. No hay que olvidar que, en esos momentos, Estados Unidos tenía el 70 % de las reservas mundiales de oro. Por tanto, demoler el sistema financiero de Hitler se convirtió en el objetivo del capitalismo prestamista, estallando la guerra económica.[3] A ello se unió que la floreciente industria alemana necesitaba mercados para sus productos y que, en septiembre de 1937, una rápida y demoledora depresión económica dejó sin trabajo a millones de estadounidenses, mientras que Alemania —donde apenas siete años antes, en 1930, 17,5 millones de personas eran mantenidas por el Estado y 15 millones pasaban hambre— había acabado con el desempleo y restablecido la prosperidad.

En este enfrentamiento bélico, Alemania también se vio obligada a actuar en el plano táctico-estratégico militar mo-

---

3.   Muchos años más tarde, Muamar el Gadafi, Sadam Hussein, Hugo Chávez y otros líderes que intentaron modificar los modelos económicos imperantes, empezando por sortear la supremacía del dólar, terminaron pagando cara su osadía.

vida por intereses económicos. Según el historiador militar británico Basil Liddell Hart, en *Al otro lado de la colina*, durante la Segunda Guerra Mundial los dirigentes de la economía alemana presionaron mucho a Hitler para que se apoderara del petróleo del Cáucaso y del trigo de Ucrania, indispensables para la evolución de la guerra. Lo mismo sucedía con los yacimientos de manganeso y los suministros de mineral de hierro procedentes de Narvik, en Noruega, que resultaban indispensables para la industria alemana del acero.

Walter Görlitz opina que a principios de 1937, en plena guerra civil española, Alemania elaboró el Proyecto Montaña con la finalidad de controlar una serie de minas españolas de hierro, cobre, plomo, wolframio, estaño, níquel y otros minerales vitales. El wolframio, por ejemplo, era empleado para reforzar el blindaje de los carros de combate. Tras el cierre, a principios de la década de 1940, de las minas de Corea y China, que hasta ese momento habían sido los principales proveedores mundiales, los alemanes lo obtuvieron en Galicia y León, no solo por considerar a España un país afín que les debía la ayuda prestada durante su reciente guerra civil, sino también por proximidad geográfica, convirtiéndose así la península Ibérica en el principal suministrador de este estratégico mineral. Tal era la necesidad de estos productos que Hermann Göring destacó a expertos para que siguieran la campaña de Vizcaya con la atención fija en cómo poner nuevamente en marcha las minas, paralizadas por falta de mano de obra, y proceder al envío inmediato a Alemania de los millares de toneladas de minerales que se hallaban en los depósitos del puerto de Bilbao.

La economía desestabiliza Oriente Medio

Las guerras en Oriente Medio, aunque rebozadas con otros factores étnico-religioso-políticos, siempre han tenido un profundo trasfondo económico. El diplomático estadounidense William C. Bullitt relata que, a finales de la década de 1940 y durante la de 1950, Irán se había convertido en el campo de batalla entre la Unión Soviética, Estados Unidos y el Reino Unido por hacerse con los pozos de petróleo iraníes y controlar el golfo Pérsico. En esos años, la finalidad de Washington en Arabia Saudí se limitaba exclusivamente a la adquisición de sus reservas de petróleo, pues el único interés político especial que este país árabe merecía a los estadounidenses consistía en querer mantener la paz y seguridad apropiadas para permitir la explotación de sus campos petrolíferos.

Volviendo al caso iraní, no debe olvidarse que en 1953 el Reino Unido y Estados Unidos fomentaron la ejecución de un golpe de Estado en Irán porque el primer ministro Mohamed Mossadeq, elegido democráticamente, quería nacionalizar el petróleo, lo cual hubiera supuesto que los británicos perdieran el control de los campos petrolíferos persas. Según Amin Maalouf, en *El desajuste del mundo*, cuando Mossadeq hizo que el Parlamento votase la nacionalización de la Compañía Petrolífera Anglo-Iraní —controlada por Londres, pagaba al Estado iraní cantidades ínfimas—, la reacción británica fue terriblemente eficaz, imponiendo el embargo mundial del petróleo iraní. Ya nadie se atrevió a comprarlo y, en poco tiempo, el país quedó sin recursos y su economía se asfixió, apareciendo así las condiciones propicias para el golpe de Estado, que la CIA denominó Operación Ajax. Para acelerar el proceso de derrumbe del gobierno, el servicio de inteligencia exterior británico —MI6— y la CIA utilizaron a la organización terrorista Fedayines del Islam para crear disturbios en las calles.

Una década más tarde le tocó el turno a Irak. En 1963, la Administración Kennedy fomentó un golpe de Estado contra el gobierno del general Abdul Karim Qasim, quien hacía un lustro había puesto fin al reinado de Faisal II. La CIA, que perseguía recuperar la influencia occidental en el país y favorecer a las petroleras estadounidenses y británicas, colaboró con el nuevo gobierno del Partido Baaz con la excusa de acabar con los comunistas, propiciándose el asesinato en masa de miembros de la sociedad culta iraquí, en algunos casos empleando listas de sospechosos proporcionadas por la propia agencia de inteligencia norteamericana.

Marenches aporta un excelente ejemplo de la hipocresía que significan la geopolítica y los intereses económicos en esta parte del mundo. Hablando de la guerra Irán-Irak (1980-1988), comenta que muchos Estados —incluidos los productores de petróleo— estaban interesados en que las fuerzas militares de ambos países se mantuvieran en equilibrio con la finalidad de que ni Bagdad ni Teherán incrementaran su producción de crudo, pues ello podría significar el hundimiento de los precios y, en consecuencia, una crisis financiera mundial. Marenches incide además en la importancia de los intereses armamentísticos que había en juego, los cuales llevaron a varias potencias extranjeras a suministrar material bélico a los dos adversarios. En el caso de Francia, mientras por un lado vendía aviones de combate, armamento muy avanzado y municiones a los iraquíes, también proporcionaba a Irán las piezas de repuesto que necesitaban, eso sí, en secreto, en colaboración con Israel y a través de circuitos muy complicados. Con estos fines se llegaron a crear empresas fantasma en España y Portugal que no solo proporcionaban repuestos, sino que también reparaban aviones y barcos. El objetivo final era que ambas potencias, Irán e Irak, se desgastaran mutuamente y así no fueran objeto de preocupación en la región. Igualmente existía el temor a que Teherán rompiera el equilibrio de fuerzas en Oriente Medio y se hiciese con el control de Bagdad, lo que le permitiría constituir un imperio chií que iría desde Pakistán hasta el Mediterráneo, situación que se tornaría muy peligrosa para la Organización del Tratado del Atlántico Norte (OTAN), comenzando por Turquía.[4]

Sobre la misma guerra, Clarke pone de relieve una especulación nada disparatada. Cuando, en 1980, Sadam Hussein decidió invadir Irán e inició un enfrentamiento que duraría ocho años, Estados Unidos dio luz verde al dirigente iraquí para lanzar el ataque con la esperanza de que capturara la pro-

---

4. Es justo lo que está sucediendo ahora. La expansión de Irán ha alcanzado los territorios de Siria, Irak, Líbano y Yemen, y aspira a llegar a Afganistán. Por eso, la nueva Administración Trump persigue reencontrar el equilibrio haciendo frente a Irán.

vincia petrolífera de Juzistán y los estadounidenses pudiesen así seguir teniendo acceso al crudo iraní. Es muy probable que Washington confiara en que el nuevo régimen establecido en Teherán se derrumbaría rápidamente sin su principal fuente de ingresos.

Los intereses económicos en el ataque a Libia

En un artículo del exmarine y periodista Brad Hoff publicado en 2016, queda patente que, a pesar de que Francia fue quien propuso al Consejo de Seguridad de las Naciones Unidas la emisión de la Resolución 1973 —destinada a imponer una zona de exclusión aérea en Libia para proteger a los civiles, en aplicación de la doctrina de la «responsabilidad de proteger» propugnada por la ONU—, las verdaderas motivaciones del entonces presidente galo Nicolás Sarkozy habían sido hacerse con el petróleo libio, asegurar la influencia francesa en la región, aumentar su propio prestigio ante el electorado francés, mostrar el potencial militar de su país y evitar la influencia de Gadafi en los países africanos francófonos.[5]

El 19 de marzo de 2011, un solemne Sarkozy afirmaba con relación a la intervención en Libia: «Hacemos esto para proteger a la población civil de la locura asesina de un régimen que, asesinando a su propio pueblo, ha perdido toda legitimidad. Intervenimos para permitir al pueblo libio que elija por sí mismo su destino». Pocos meses después, el diario francés *Liberation* publicaba que el Consejo Nacional de Transición libio había firmado un convenio con el gobierno galo mediante el cual empresas francesas obtendrían el 35 % del total del petróleo bruto como contrapartida a su apoyo. Según el rotativo, Amr Musa —secretario general de la Liga Árabe— recibió una copia de este acuerdo, redactado diecisiete días después

5. Hoff, Brad, «New Hillary Emails Reveal Propaganda, Executions, Coveting Libyan Oil and Gold», *Levant Report*, 4 de enero de 2016. En <https://levantreport.com/2016/01/04/new-hillary-emails-reveal-propaganda-executions-coveting-libyan-oil-and-gold>.

de que el Consejo de Seguridad de las Naciones Unidas adoptase la citada Resolución 1973.[6]

Pero la razón oculta de mayor peso para atacar al país y expulsar del poder a Gadafi podría ser de índole financiera, en concreto la significativa amenaza que representaban sus reservas de oro y plata —calculadas en unas 143 toneladas de cada uno de esos metales, con un valor de unos 7.000 millones de dólares en total— para un franco CFA[7] empleado como la principal moneda en buena parte de África. Al parecer, la idea del dirigente libio era crear una moneda panafricana basada en el dinar de oro libio que sirviera como alternativa a aquella divisa y que estuviera respaldada precisamente por las mencionadas reservas de metales preciosos. Para comprenderlo mejor, baste decir que si un líder de la zona CFA deja de cumplir las exigencias francesas, París inmediatamente bloquea sus reservas de divisas y cierra además los bancos en estos países considerados «rebeldes». Esto ocurrió, por ejemplo, en Costa de Marfil con Laurent Gbagbo, presidente del país entre 2000 y 2011. El tema dista mucho de ser baladí, ya que, según el expresidente Jacques Chirac, «el gobierno francés recauda de sus antiguas colonias 440.000 millones de euros anuales en impuestos. Francia depende de los ingresos procedentes de África para no caer en la irrelevancia económica».[8]

Paralelamente, algunas fuentes apuntan a que Gadafi estaría planificando vender su petróleo en otra moneda que no fuera el dólar estadounidense. Washington no puede permitirse tal cosa puesto que en gran medida sobrevive económicamente gracias a que la inmensa mayoría de las transacciones internacionales se realizan en dólares; cualquier dirigente que

6. Para más información, véanse <http://www.publico.es/inter nacio nal/francia-asegura-35-del-petroleo.html>, <http://www.ambas sadefrance- tn.org/Soutien-au-peuple-libyen> y <http://www.liberati on.fr/monde/2011/09 /01/petrole-l-accord-secret-entre-le-cnt-et-la-france_758320>.

7. El franco CFA (franco de la Comunidad Financiera Africana) es la moneda común de catorce países africanos, casi todos ellos antiguas colonias francesas.

8. En <http://umoya.org/2017/02/02/escandalo-segun-un-periodico -aleman-africa-desembolsa-400-000-millones-de-euros-cada-ano-a-francia>.

proponga el empleo de cualquier otra moneda alternativa se convierte por tanto en un objetivo que batir.

China está decidida a golpear mortalmente al dólar

China, el mayor importador de petróleo del mundo, está preparando el lanzamiento de un nuevo formato de contrato para las transacciones de petróleo en el que se emplee el yuan, el cual sería totalmente convertible en oro en las bolsas de Shanghái y Hong Kong. De llegar a materializarse, daría lugar a la principal referencia del mercado del petróleo asiático, permitiendo a los exportadores de crudo sortear las referencias dominadas por el dólar.

Este novedoso escenario, que Pekín lleva fraguando desde hace años y que definitivamente podría ver la luz a finales de 2017, permitiría a algunos de los principales exportadores, como Rusia, Irán y Venezuela, esquivar las sanciones estadounidenses.

Esta iniciativa se une al reciente reconocimiento del yuan como garante para los derechos especiales de giro (SDR, por sus siglas en inglés), lo cual constituye un severo revés a la hegemonía del dólar en las transacciones monetarias internacionales.

Estas acciones hay que enmarcarlas en el actual pulso económico que mantienen China y Estados Unidos. Ahora queda por ver la reacción de la Casa Blanca ante estas indudables amenazas financieras, que de tener éxito podrían ser empleadas y emuladas por otros países y mercados, poniendo en graves aprietos a Washington, como antes se ha indicado.

La ira contra Corea del Norte

Robert D. Kaplan deja entrever que en el contexto de Corea del Norte coinciden un fuerte componente económico y la pugna norcoreana por conservar su régimen político y su forma de gobierno. La península de Corea controla todo el tráfico marítimo del noreste de China, encerrando además en su perímetro el mar de Bohai, donde se encuentra la mayor reserva de petróleo de China en alta mar. Según el razonamiento de Kaplan, es posible aventurar que, de unirse ambas Coreas, el Estado resultante se podría convertir en una significativa potencia económica, dado que actualmente cada una de ellas destaca en lo que la otra carece (tecnología y desarrollo en el Sur; recursos naturales y disciplinada mano de obra en el Norte). Además, la Corea unificada pasaría a contar con unos 75 millones de habitantes, frente a los 127 millones de Japón. Tokio no vería con buenos ojos esta unión porque la nueva Corea, con suficientes motivos históricos para recelar de los nipones, se convertiría en un potente competidor. Sobre todo si se considera que la Corea unificada podría quedar completamente dentro de la órbita de China, el principal socio comercial de Corea del Sur. Esta situación agudizaría el enfrentamiento entre Pekín y Tokio, e impulsaría a Japón a potenciar aún más su proceso de rearme.

Tampoco hay que desdeñar la posibilidad de que las intenciones de Estados Unidos hacia Corea del Norte pasen por el interés de Washington en cambiar el actual régimen en el poder en Pyongyang por un gobierno más cercano que permitiera la participación de empresas estadounidenses en la prometedora industria minera norcoreana. Según diversos estudios poco difundidos, el territorio norcoreano esconde inmensas reservas de minerales, prácticamente sin explotar, cuyo valor podría superar los diez billones de dólares. Además de los abundantes y conocidos yacimientos de carbón, entre los minerales más destacados se podrían encontrar: oro, magnesita, cobre, molibdeno, plata, tungsteno, vanadio, titanio, zinc, tierras raras, hierro y grafito. Solo de tierras raras, se cree que Corea del Norte podría disponer de las dos terceras partes de todas las reservas mundiales, seis veces más que China. Las de magnesita podrían ser las segundas del mundo, mientras que su subsuelo podría alojar las sextas reservas de tungsteno (wolframio) del planeta. Un tesoro demasiado apetecible como para que haya pasado desapercibido a los ojos de los estrategas norteamericanos.

> En los negocios no existen amigos,
> no hay más que clientes.

> Alejandro Dumas

Aunque pueda pasar desapercibido, vivimos en un estado de guerra permanente. Hoy en día tiene lugar a través de los servicios de inteligencia (públicos y privados), la diplomacia y los medios de comunicación (la manipulación mediática), siendo el ciberespacio el nuevo escenario de confrontación. En este nuevo panorama cuasi bélico, la economía llega a superar en importancia al elemento militar, aunque este siempre sirva como respaldo a las demás acciones. Así lo entienden los analistas franceses Pascal Lorot y François Thual al afirmar que la actualidad geopolítica está caracterizada por la marginación relativa del factor militar-estratégico en beneficio del económico y por la búsqueda de la potencia económica como objetivo estratégico central de los gobiernos occidentales y desarrollados. Liang y Xiangsui también consideran que las amenazas militares suelen ser factores secundarios a la hora de influir en la seguridad nacional. Incluso si las diferencias territoriales, los enfrentamientos nacionalistas, los conflictos religiosos y la delimitación de las zonas de influencia siguen siendo los grandes móviles de la guerra, sus agentes tradicionales están cada vez más ligados a factores económicos como la apropiación de recursos, la captura de mercados, el control de los capitales y las sanciones comerciales.

Pero además de los medios antes citados con los que se hacen las guerras de nuestros días —que algunos llaman «posmodernas»—, se utilizan con abrumadora eficacia instrumentos económicos y financieros para intentar debilitar y en último extremo derrotar al enemigo: concesión de préstamos,[9]

---

9. Como algunos apuntan con gran cinismo, los préstamos internacionales no se conceden para que sean devueltos, sino precisamente para que no lo sean, pues es una forma de asegurar la dependencia y la sumisión del país deudor.

imposición de sanciones, informes de agencias de califica-
ción, inversiones de fondos soberanos y capital riesgo, dominio de los mercados, control de las bolsas, manejo de la deuda
y otras herramientas bancarias en constante evolución. De este
modo, cuando la economía se convierte en un medio de la acción, la guerra deviene económica, es decir, se convierte en
una confrontación que emplea instrumentos económicos para
conseguir fines principalmente económicos. En principio, la
guerra económica es incruenta, no sangrienta, aunque algunos o muchos de sus efectos y consecuencias, e incluso sus formas de actuar, puedan implicar un derramamiento de sangre.

Un ejemplo de cómo se maneja a los países a través de la
economía lo muestra el analista estadounidense Fareed Zakaria. En la década de 1990, Rusia dependía por completo de la
ayuda y los préstamos americanos. Lo que sin duda impulsó a
Vladímir Putin, como señala Michel Eltchaninoff, a intentar desarrollar a marchas forzadas un imperio basado en la expansión del rublo cuyo fin es competir con las grandes potencias
económicas del mundo.

Para los estrategas Liang y Xiangsui, no hay la menor
duda de que en las guerras futuras se multiplicarán las hostilidades financieras, en las que un país será subyugado sin que
se derrame una gota de sangre. Para avalar su teoría, estos
visionarios chinos hacen referencia a la condición que Estados
Unidos impuso a Corea del Sur a finales de la década de 1990
a cambio de recibir un préstamo de 55.000 millones de dólares del Fondo Monetario Internacional: la apertura total de
su mercado. Esta condición ofrecía a los capitales estadounidenses la oportunidad de recomprar las empresas coreanas a
precios irrisoriamente bajos, ejerciendo, por tanto, una forma
de ocupación económica.

Liang y Xiangsui no tienen reparos en afirmar con rotundidad que la guerra financiera se ha convertido en un
arma «hiperestratégica», que permite actuar en secreto y con
un poder destructor terrible. Para ellos, una de las formas de
este tipo de enfrentamiento es la «guerra de los fondos mo-
netarios». A día de hoy, la riqueza de las fundaciones creadas

por multinacionales y multimillonarios rivaliza con las de los Estados —por ejemplo, el magnate de las finanzas George Soros forzó al Banco de Inglaterra a devaluar la libra esterlina en 1992— y puede llegar a controlar los medios de comunicación, financiar organizaciones políticas, oponerse a los poderes existentes e incluso provocar un cambio radical del orden social y la caída de gobiernos legales. Otro caso ejemplarizante es el de la crisis financiera que tuvo lugar en los años noventa en el Sudeste Asiático. Según Liang y Xiangsui, esta ofensiva iniciada por sorpresa fue planificada a conciencia y lanzada por los poseedores de los capitales flotantes internacionales. El principal protagonista de este capítulo no habría sido un hombre de Estado ni un estratega, sino Soros. De forma muy similar, el canciller alemán Helmut Kohl utilizó el marco durante la Guerra Fría para abrir una brecha en el Muro de Berlín.

En muchos casos, las aparentes sanciones van por un lado y la realidad por otro, normalmente oculta al gran público, sobre todo cuando hay en juego significativos intereses económicos y geopolíticos que impulsan a seguir haciendo negocios en paralelo a la guerra, abierta o latente. A juicio de Richard A. Clarke, a pesar de que, desde el inicio de la guerra irano-iraquí en 1980, Washington había establecido sanciones económicas y congelado en fideicomisos los activos iraníes en territorio estadounidense, Irán siguió exportando petróleo a Estados Unidos por valor de hasta 1.600 millones de dólares en 1987.

Lo mismo sucede incluso en situaciones de máxima tensión entre países. Según Amin Maalouf, en la década de 1960 Israel recibió durante años petróleo de Irán a través del golfo de Áqaba en virtud de un acuerdo secreto con el sha de Persia. También en Oriente Próximo, a pesar de que Israel y Siria no han firmado un acuerdo de paz permanente desde la guerra del Yom Kipur en 1973 —tan solo impera un alto el fuego, vigilado desde 1974 por la Fuerza de las Naciones Unidas de Observación de la Separación (FNUOS)—, desde entonces las relaciones comerciales entre ambos países han sido fluidas y fructíferas. Como dato curioso, el hecho de que el gobierno sirio siga reclamando la soberanía de los Altos del Golán, actualmente ocupados por Israel, no es impedimento para que gran parte de lo que producen los israelíes en ese territorio sea exportado a Siria. De igual forma, a pesar de las tensas relaciones entre Estados Unidos y Venezuela, el país caribeño vende importantes cantidades de petróleo a su vecino del norte, ya que las refinerías capaces de transformar el crudo pesado venezolano están en territorio estadounidense.

LA NEOGLOBALIZACIÓN

El proceso globalizador, inventado y fomentado principalmente por el mundo anglosajón —Reino Unido y Estados Unidos—, está sufriendo una profunda transformación, cuyo resultado final es aún impredecible. Ahora China, todavía oficialmente comunista, quiere convertirse en el paladín del capitalismo. Este país asiático es actualmente la segunda economía mundial, por detrás de Estados Unidos, pero la primera en términos de paridad de poder adquisitivo, y se ha marcado como objetivo llegar a ser el líder mundial de la globalización y el libre comercio. Así lo expresaba su presidente, Xi Jinping, el 18 de enero de 2017 durante el Foro de Davos, donde además hizo gran hincapié en potenciar la liberalización del comercio y la inversión. Simultáneamente, el líder chino mostró su firme oposición a cualquier tipo de proteccionismo, en clara alusión a las amenazas del recién llegado a la Casa Blanca, Donald Trump, quien había manifestado en repetidas ocasiones su voluntad de imponer elevadas tasas a los productos chinos para que no perjudicaran a la economía estadounidense. Xi Jinping llegó a decir que nadie saldría vencedor en una guerra comercial. Para alcanzar esos ambiciosos objetivos, claramente encaminados a un dominio de la economía mundial, Pekín ha optado por la innovación, como principal motor de su actual «salto adelante», y ha apostado por una red de acuerdos comerciales libres y abiertos.

En realidad, lo que el gigante asiático persigue es crear una «neoglobalización» de la que sería no solo su director, sino el claro dominador. Tendría capacidad para inundar los mercados de todo el mundo con productos variados —desde manufacturas a alta tecnología—, pero a un precio muy inferior al que puedan proporcionar los países con un grado de desarrollo socioeconómico más elevado. Esta competencia sin par le aportaría gigantescos beneficios, que a su vez llevarían a un desarrollo en otros campos —desde el militar convencional al ciberespacio y el espacial—, lo cual preocupa sobremanera a los países que hasta ahora han llevado la batuta de la orquesta planetaria.

Para dirigir este desarrollo económico tan ambicioso, China lleva adelante planes concretos de conectividad física y virtual a escala mundial con la finalidad de conseguir enlazar económicamente un territorio que abarca casi el 60 % del PIB mundial y el 75 % de la población del planeta. Entre otros, la nueva Ruta de la Seda —el transporte directo por ferrocarril desde su territorio a los países europeos— y la Ruta de la Seda Marítima del Siglo XXI, que conectaría China con África, América del Sur y el océano Atlántico.

La paradoja de observar a un país oficialmente comunista convertirse en el abanderado del capitalismo más desaforado no es más que un perfecto ejemplo de la influencia de la economía en la política interna y en la geopolítica. Lo que ahora queda por ver es la reacción de Estados Unidos ante esta «usurpación», por parte de China, de su obra globalizadora. No esperemos que Washington se quede de brazos cruzados mientras Pekín intenta adueñarse económicamente del mundo mediante esta «neoglobalización». Sin duda, el enfrentamiento con medios económicos está servido y va a ser a muerte. Tan solo queda esperar que no se convierta en una guerra abierta convencional, lo que no puede descartarse, especialmente si es llevada a cabo con actores interpuestos o en territorios de terceros (en cierto modo, Corea del Norte podría ser ese escenario en el que se batan indirectamente Estados Unidos y China).

Según un informe publicado el 24 de mayo de 2016 en la página web Investopedia,[10] las cinco familias más ricas del mundo son:

1) Los Rothschild, establecidos desde sus orígenes en el siglo XVIII en algunas de las principales ciudades europeas (Frankfurt, Londres, Nápoles, París y Viena). Las ramificaciones de esta extensa dinastía, que ha hecho de la discreción una marca de identidad, siguen acumulando una inmensa fortuna que ciertos analistas financieros estiman en hasta dos billones de dólares (es decir, 2.000.000.000.000 dólares).

2) La Casa Saúd, de Arabia Saudí, cuya fortuna se calcula en unos 1,4 billones de dólares.

3) La familia estadounidense Walton, dueña de los grandes almacenes Walmart y poseedora de unos 152.000 millones de dólares. Sus empleados superan los 2,2 millones, siendo el mayor empleador no estatal del mundo.

4) La familia Koch, también estadounidense, que atesora unos 89.000 millones de dólares, invertidos en numerosos negocios.

5) La familia Mars, igualmente estadounidense y propietaria de la mayor compañía privada de dulces diversos. Su fortuna se eleva a unos 80.000 millones de dólares.

Como puede observarse, la familia Rothschild destaca holgadamente sobre las demás fortunas. Aunque las cifras siempre sean muy imprecisas, resulta evidente que su poder económico es gigantesco. Lo mismo sucede con su capacidad de influencia en todos los sentidos, un aspecto que, sumado a su tradicional alejamiento del foco mediático, ha dado lugar a múltiples especulaciones sobre su capacidad real para intervenir en decisiones claves de alcance mundial.

10. Disponible en <http://www.investopedia.com/articles/insights/05 2416/top-10-wealthiest-families-world.asp?ad=dirN&qo=investopediaSiteSear ch&qsrc=0&o=40186>.

El mercado mundial de grano, cereales y leguminosas está prácticamente dominado en su totalidad por cuatro grandes corporaciones: ADM (estadounidense), Bunge (de origen brasileño, con sede en Estados Unidos), Cargill (estadounidense) y Dreyfus (de origen francés y asentada en Holanda). Conocidas como las ABCD, directamente o a través de empresas subsidiarias, tienen la capacidad de establecer a escala mundial los precios de alimentos tan básicos como el arroz, el maíz, el trigo o la soja.

Dentro del mismo ámbito alimentario, unas pocas empresas controlan el importantísimo e influyente sector de las semillas, los pesticidas e insecticidas, los productos químicos y los alimentos transgénicos. Estas son las tres estadounidenses Monsanto, Dupont y Dow, la alemana Bayer, la suiza Syngenta y la china ChemChina.

LA IMPORTANCIA DE LA INTELIGENCIA ECONÓMICA

> Controla los alimentos y controlarás a la gente; controla el petróleo y controlarás a las naciones; controla el dinero y controlarás el mundo.
>
> HENRY KISSINGER

Indefectiblemente, la economía es una parte vital de la estabilidad de cualquier Estado. Por ello, todo lo que se invierta en garantizar la seguridad económica nunca será un desperdicio. Y para conocer en profundidad y con detalle cuáles son las verdaderas necesidades del país, hacia dónde apuntan sus intereses, cuáles son las amenazas que se ciernen sobre su economía o las que pueden llegar a convertirse en tales, quiénes son los principales actores que pueden dañar a la nación con mecanismos económicos, y qué medidas tanto activas como defensivas se pueden adoptar, es imprescindible un requisito esencial: inteligencia económica.

Un magnífico ejemplo que retrata a la perfección la extrema importancia de las cuestiones económicas en la sostenibilidad de un Estado, e incluso en su supervivencia, es el documento elaborado en 2011 por François Fillon, entonces primer ministro del gobierno de Nicolás Sarkozy. Titulado *La acción del Estado en materia de inteligencia económica*,[11] este texto —que bien se puede extrapolar a cualquier país— define la inteligencia económica como la actividad consistente en «recolectar, analizar, dar valor, difundir y proteger la información económica estratégica, a fin de reforzar la competitividad del Estado», y continúa exponiendo que «la política de inteligencia económica de Francia constituye uno de los apartados de la política económica global. Contribuye al crecimiento, así como al apoyo de la economía en territorio nacional, preservando la competitividad y la seguridad de las empresas francesas». Además, indica que los objetivos de la acción del Estado en materia de inteligencia económica se organizan alrededor de tres ejes:

1) Asegurar una vigilancia estratégica que facilite la toma de decisiones de los actores públicos en materia económica.

2) Sostener la competitividad de las empresas y la capacidad de transferencia de tecnología de las entidades de investigación en prioridad para el provecho de las empresas francesas y europeas.

3) Garantizar la seguridad económica de empresas y organismos de investigación.

El documento finaliza dando instrucciones a ministerios y prefecturas sobre el papel que cada institución debe desempeñar en el marco de la inteligencia económica. Pero quizá lo más destacado es el cometido específico tan sumamente relevante que encarga al aparato diplomático, señalando sin ambigüedades que «el apoyo a los grandes contratos es en particular una

11. Disponible en <http://circulaire.legifrance.gouv.fr/pdf/2011/09/cir_33781.pdf>.

prioridad de los puestos diplomáticos que velan por la detección precoz de las necesidades y los proyectos, los contextos políticos, los circuitos de decisión, la competencia y el acompañamiento de la oferta francesa».

Nada debe extrañar lo expuesto por Fillon, pues Francia ha sido pionera no solo en el campo de la inteligencia económica,[12] sino también en la exquisita coordinación entre los medios públicos y las empresas privadas para conseguir ventajas económicas en el exterior (contratos de ventas, ejecución de obras públicas, etc.). Plenamente consciente de que solo con esa sinergia se puede superar a otros países, la iniciativa francesa redunda en un claro beneficio para el Estado y, por tanto, para los ciudadanos.

DINERO ES PODER

Si hay un motor indiscutible que mueve al ser humano, ese es el dinero. Y no por el vil metal en sí mismo, sino por lo que con él se consigue: bienes, servicios y voluntades. Pues el dinero es un instrumento para satisfacer el fin supremo: el poder. Por eso, la lucha por conseguirlo, conservarlo y disponer de mayores sumas que los demás ha sido y será un combate eterno.

EL DETERMINANTE PESO DE LA HISTORIA

> Una cosa es continuar la Historia y otra, repetirla.
>
> JACINTO BENAVENTE

En 1992, el politólogo estadounidense Francis Fukuyama declaró que el final de la Historia había llegado. El Muro de Berlín, símbolo de la división entre dos maneras de entender el

---

12. La Escuela de Guerra Económica de París, creada en 1997, es un referente mundial en el campo de la inteligencia económica.

mundo, había caído. La desintegración de la Unión Soviética era ya un hecho. La Guerra Fría había acabado y parecía que la democracia alcanzaría al resto del planeta, de la misma manera que había llegado a Europa del Este. Se había erigido el liberalismo económico y político como la única opción frente a otro tipo de ideologías y esto implicaba que se había llegado al punto final de la evolución sociocultural de la humanidad. La globalización permitiría instaurar un modelo de seguridad internacional global. Sin embargo, pese a los cantares esperanzadores de Fukuyama, la realidad fue bien distinta. Los atentados del 11 de septiembre de 2001 iniciaron una nueva era que cambió el panorama mundial y la manera de entender la sociedad. Ideologías nuevas —o, más bien, renovadas y revitalizadas— se enfrentaron y se siguen enfrentando hoy a la tendencia que Fukuyama consideraba vencedora: los postulados occidentales. La Historia, por tanto, no puede decirse que haya acabado, sino que continúa y se mantiene más presente que nunca.

Marx, como los primeros evolucionistas, consideraba que el ser humano trascendía de una etapa evolutiva a otra, dejando atrás los rasgos primitivos para encaminarse hacia la consecución de la civilización y el raciocinio pleno, de modo que la lucha entre clases y creencias dejaría de existir. Ese era el objetivo hacia el cual debían dirigirse los pueblos. Cuando cayó la Unión Soviética, diversos pensadores, entre los que se encontraba Fukuyama, consideraron que la etapa final del progreso humano había llegado. No concebían la posibilidad de que pudiera surgir un enfrentamiento entre nuevas formas de entender las sociedades y el mundo.

Otros, sin embargo, entendieron que el desmoronamiento de un sistema que había dividido el mundo en dos tendencias provocaría un nuevo reajuste, creando una realidad diferente. Entre estos se encontraba el politólogo estadounidense Samuel P. Huntington, quien, en su teoría sobre el choque de las civilizaciones y la reconfiguración del orden mundial, publicada en 1996, estableció que las sociedades occidentales y no occidentales estarían siempre en perpetua tensión y que la violencia se convertiría en el único canal de comunicación entre ellas.

Sin caer en las tesis pesimistas de Huntington, lo cierto es que el enfrentamiento entre diversas corrientes de pensamiento está presente hoy en día. Sin embargo, en muchos casos esta rivalidad no se debe a conceptos ideológicos, sino a procesos históricos clásicos de lucha por el espacio y por los recursos. Para comprender el juego de relaciones internacionales actual y su relación con la Historia, es esencial entender el funcionamiento y los mecanismos de relación entre los diferentes actores.

Entrado ya el siglo XXI, el ser humano vive obsesionado con los incidentes del día a día, pero realmente tiene una visión sesgada del panorama general. Vivimos inmersos en la sociedad de la información, pero aun así hay falta de interés por conocer o concretar qué ocurre de verdad. Las pequeñas píldoras de información que recibimos solo narran sucesos aislados que realmente no explican la casuística o los antecedentes de enfrentamientos, conflictos o guerras. La Historia se convierte en el instrumento perfecto con el que desentrañar las razones de tales acontecimientos. Recoge situaciones similares en el tiempo, que pueden ayudar al establecimiento de pautas, patrones y tendencias comunes a lo largo de los siglos. Permite mirar hacia atrás, contemplar y analizar las causas profundas que desencadenaron la situación actual. Al fin y al cabo, según una frase atribuida al escritor estadounidense Mark Twain, dotado de un fino sentido del humor, «la Historia no se repite, pero rima».

En griego, *historia* significa «investigación». Investigar sobre lo que ocurre y orientar a las personas sobre lo que se puede esperar del futuro, porque, como expresaba Cicerón, la Historia es *magistra vitae*, es decir, la maestra de la vida que enseña y guía, y «no saber lo que ha sucedido antes de nuestro nacimiento es como seguir siendo aún niños». Pero la Historia no es una ciencia experimental, ni mucho menos práctica, en la que tras una serie de operaciones matemáticas o de estudios estadísticos se llegue a una serie de conclusiones positivas, medibles, cuantificables e irrefutables. Más bien es una ciencia humanística que estudia al ser humano en un tiempo y espacio concretos, atendiendo a hechos y acciones, evaluando también sus repercusiones en la actualidad, tanto en el plano material como de pensamiento, creencias, etcétera. Por tanto, la Historia permite configurar el presente mediante el análisis de sus acciones pasadas. Quizá por ello sea una materia tan controvertida y sensible a la manipulación.

Reinventar el pasado

Durante la Segunda Guerra Mundial, los nazis destruyeron o hicieron desaparecer millares de obras de arte y libros que no se correspondían con su ideología. En las últimas décadas, distintos grupos islamistas han destruido milenarias ruinas arqueológicas como los Budas de Bamiyán (Afganistán) o la ciudad de Palmira (Siria). Estas acciones no responden a un ansia de destrucción y violencia, sino más bien al afán por borrar de la faz de la Tierra un pasado que representa una manera de vivir de sus antepasados que no comparten. Poner en el olvido, modificar o reescribir el pasado son las armas preferidas por diferentes grupos de poder desde tiempos inmemoriales para reconducir la sociedad y facilitar el control y la manipulación de la población.

Dictadores, líderes autoritarios, gobiernos opresivos o nacionalistas exacerbados han buscado sistemáticamente crear una realidad paralela a través de la reeducación en materia histórica. Incluso hoy, dirigentes políticos teóricamente menos opresivos y autoritarios utilizan y deforman los hechos históricos. Por ello, la Historia no es ningún asunto baladí. Conocer la realidad de los sucesos —o la versión más ajustada a ellos— nos ayuda a determinar quiénes somos y hacia dónde vamos, pero también, más importante aún, nos fortalece en la búsqueda de la verdad, de la verdad objetiva, siempre esquiva.

Historia y geopolítica

Puesto que la geopolítica se nutre de las relaciones entre los acontecimientos para entender el paso de un hecho histórico a otro y analizar la evolución de las distintas sociedades, la Historia —que, insisto, conecta los aspectos del pasado con el presente— constituye la raíz de su existencia. Sería difícil entender, por ejemplo, las tensas relaciones actuales entre Armenia y Turquía si no se tuvieran en cuenta las acusaciones derivadas del genocidio cometido por los turcos sobre el pueblo armenio hace más de un siglo.[13] Tampoco se entenderían las buenas relaciones entre Estados Unidos y Reino Unido, o los lazos de ciertas naciones africanas con algunos países europeos, si se desconocieran los vínculos entre las metrópolis y las colonias durante el imperialismo.

El mapa político del mundo actual no es igual al de hace cincuenta años. Y es probable que tampoco sea el mismo en breve tiempo. Sin embargo, el espacio geográfico no ha cambiado ni cambiará fundamentalmente. Lo que ha ocurrido simplemente es que sobre esos espacios geográficos han nacido, crecido y desaparecido diferentes Estados. Unas veces, las nacionalidades han tratado de congregarse alrededor de una sola entidad estatal. Otras, un Estado multinacional no ha resistido las presiones de las fuerzas centrífugas de sus diversas etnias y ha estallado dejando tras de sí el recuerdo de su grandeza y realización histórica, para dar paso a la creación de varias nuevas naciones. Por ello, la Historia es importante para la geopolítica pues muestra la evolución de los Estados, los intereses y conflictos que han persistido y los que se han resuelto. La Historia ofrece lecciones para ayudar a aprender de los errores, aunque en muchos casos estos errores se repitan y se tropiece de nuevo en la misma piedra, como es propio de la condición humana.

13.   El de Armenia puede considerarse el primer genocidio del siglo xx. Desde 1915 hasta 1923, entre un millón y medio y dos millones de civiles armenios fueron deportados o exterminados por el Gobierno de los Jóvenes Turcos en el Imperio otomano. En 1975, sesenta años después de la masacre, surgieron en Armenia dos grupos con ansias de venganza: el Ejército Armenio para la Liberación Secreta de Armenia y los Comandos Justicieros del Genocidio Armenio. Aunque eran rivales ideológicos, ambas organizaciones coincidían en que Turquía debía asumir la responsabilidad del genocidio y compensar económicamente a los supervivientes y a sus descendientes. Entre 1975 y 1985, ambos grupos acabaron con la vida de más de cuarenta diplomáticos turcos y familiares de estos.

> Todo aquel que desee saber qué ocu-
> rrirá debe examinar qué ha ocurri-
> do: todas las cosas de este mundo, en
> cualquier época, tienen su réplica
> en la Antigüedad.
>
> NICOLÁS MAQUIAVELO

En el transcurrir de los siglos, hechos similares han sucedido prácticamente iguales en los mismos escenarios y en condiciones parecidas. Aunque haya antropólogos y estudiosos de la cultura que lo consideren el resultado de la belicosidad de algunos pueblos y de un determinismo cultural o geográfico, la repetición a lo largo de la historia de ciertos enclaves como lugares de confrontación se debe principalmente a que son áreas especiales de conflicto, de choque, de interés.

Si analizamos el mapa mundial histórico, podemos señalar determinados espacios que han estado en permanente tensión

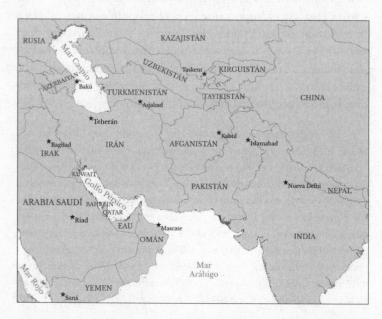

por ser zonas habituales de confrontación. En algunos casos, estos enfrentamientos son el reflejo de un desajuste entre el espacio físico y el espacio virtual marcado por las fronteras. Y es que los límites entre algunos Estados fueron marcados siguiendo las líneas naturales del terreno, pero no tuvieron en cuenta las diferencias étnico-culturales-religiosas de los pueblos que allí vivían, como ocurre en gran parte de África. En otros casos, los recursos necesarios para la supervivencia, el bienestar y la riqueza se circunscriben a unos espacios que están en «tierra de nadie» y esto genera luchas por su control y gestión; la presión demográfica también puede hacer necesaria la expansión hacia nuevos territorios. Pero en muchas otras ocasiones, los conflictos se generan porque esos entornos no son más que zonas de paso, «países encrucijada» que son claves para el dominio y el acceso a recursos u otros espacios geopolíticos.

Uno de esos lugares es Afganistán. A mediados del siglo XIX, los británicos intentaron controlar este país montañoso para frenar el avance zarista hacia sus fronteras coloniales en la India. Fue una campaña inútil, puesto que los afganos se resistieron a tal ocupación y expulsaron a los ingleses, pero estos, pese a ser los primeros, no fueron los últimos en caer en semejante error. Un siglo más tarde, los soviéticos intentaron nuevamente hacerse con el control del país para incrementar su esfera de influencia internacional dentro del juego de la Guerra Fría, pero nuevamente fracasaron. La Operación Libertad Duradera encabezada por tropas estadounidenses tras los atentados de las Torres Gemelas en 2001, acabó en una nueva derrota. Afganistán ha demostrado ser, por ahora, una nación «inconquistable» y un ejemplo reincidente de conflicto permanentemente abierto. Verdad es que quienes no comprenden el pasado están condenados a repetirlo, pero es igualmente cierto que cuanto más se entienda el pasado, tanto menos se deseará recrearlo.

Otro es Rusia. En 1812 Napoleón Bonaparte, en su obsesión por controlar Europa, emprendió una campaña contra el imperio del zar Alejandro I y fracasó estrepitosamente. Más de un siglo después, en 1941, Hitler buscó también ocupar las tierras soviéticas en la llamada Operación Barbarroja. Al igual que Napoleón, fue derrotado. Ambos líderes menospreciaron las fuerzas y capacidades del enemigo, pero además no calcularon la amenaza que suponía el frío del invierno. Manifiestos errores de cálculo que quizá se hubieran evitado si Hitler hubiera estudiado la Historia o, al menos, hubiese tenido la voluntad de aprender algo de ella.[14]

La Historia en el ámbito militar

Como apunta el historiador militar estadounidense Victor Davis Hanson, «la falta de comprensión de los hechos reales de la historia militar conduce a hacer exigencias irrazonables a soldados y oficiales cuando la guerra estalla», y pone como ejemplo la incapacidad del Estado Mayor estadounidense para reaccionar en Corea cuando los comunistas la invadieron. Otro ejemplo de las repercusiones negativas que tiene ignorar la Historia, incluso en el plano táctico, lo ofrece el también historiador Michael Coffey. En *Días de infamia* relata cómo en 1944, durante la Segunda Guerra Mundial y tras el desembarco de la Operación Overlord en Normandía, las fuerzas de tierra norteamericanas se vieron frenadas al toparse con un obstáculo que no habían previsto: setos vivos que los campesinos celtas habían plantado dos mil años antes como límites de sus campos. Estas líneas de tres metros de altura, formadas por raíces entrelazadas, piedras y tierra, y separadas unos 100 metros entre sí, ofrecían a los alemanes unas defensas casi inexpugnables que habían sido totalmente ignoradas por los atacantes. Así pues, el general Douglas MacArthur recomendaba a los alumnos militares que no buscaran aprender de la Historia el detalle del método y la técnica, ya que «en cada época ambos han sido decisivamente influidos por las características del armamento disponible y los medios asequibles

14. Curiosamente, en una frase a él atribuida, Adolf Hitler aseguraba que «quizá la más grande y mejor lección de la Historia es que nadie aprendió las lecciones de la Historia».

para maniobrar, suministrar y controlar a las tropas». Sin embargo, decía MacArthur, «la investigación sí que clarifica los principios fundamentales y sus combinaciones y aplicaciones, los cuales condujeron al éxito en el pasado. Estos principios son ilimitados en el tiempo».

Conocer la historia de un pueblo

El conocimiento histórico parte de tener en cuenta todos los aspectos que se relacionan con la persona y con su entorno. La cultura, la religión o la lengua se convierten en elementos indispensables para comprender la realidad y evolución de los pueblos, pero el condicionamiento social de las personas está determinado por el espacio geográfico que ocupan. Las culturas, tradiciones y creencias, hoy más difusas que nunca a causa de la globalización, vienen determinadas por el entorno que las rodea. Incluso la vestimenta, la alimentación o la construcción de viviendas son representaciones de un modo de entender el entorno. El espacio geográfico impregna una determinada manera de ser que repercute en la evolución de las naciones, las cuales entran en tensión y enfrentamiento, generando un complicado panorama internacional que en muchos casos parece indescifrable si no se estudia su pasado.

Al mismo tiempo, uno de los errores que se cometen con más frecuencia cuando se trata con otro pueblo, cultura o civilización es el de ignorar la importancia que sus habitantes y sus dirigentes dan a los acontecimientos históricos. Para algunos grupos humanos, las circunstancias vividas por sus ancestros tiene una impronta determinante en su forma de ver el mundo —comenzando por la percepción de quién es su amigo o su enemigo—, en la manera de comportarse y en las creencias. En ciertos casos, el peso de la Historia es concluyente para entender las motivaciones que llevan a pueblos enteros a actuar de un modo determinado, que puede ser totalmente diferente incluso al de sus vecinos más próximos. Todo lo pasado, sean victorias o derrotas, dominios o sometimientos, glorias o fracasos, fortalezas o debilidades, penalidades o momentos de esplendor, configura la visión que una nación tiene de sí misma. En este sentido, también deben tenerse en cuenta las interpretaciones y reinvenciones de los hechos históricos, algo más frecuente de lo que podría pensarse, especialmente en procesos nacionalistas.

Resulta imprescindible conocer la historia de un pueblo, sin obviar cómo la percibe este, cuando se trata de interactuar con él; de otro modo, puede ser casi imposible entender el contexto del momento. Por ejemplo, no se puede entender la trama de lo que sucede hoy en Ucrania si se desconoce la historia del pueblo ruso. Al igual que es preciso saber que en Kosovo Polje, el Campo de los Mirlos, tuvo lugar una decisiva batalla en 1389 —en la que el Imperio otomano derrotó al ejército serbio— si se quiere comprender el significado de este enclave para Serbia.

La poco conocida historia del pueblo norcoreano

La imagen que habitualmente transmiten los medios de comunicación occidentales sobre el pueblo norcoreano es poco menos que el de un conjunto uniforme de seres sin mayor capacidad de discernimiento personal y que tan solo siguen ciegamente a un líder que les ha lavado el cerebro y los tiene sometidos.

Con independencia de que en un régimen político de la naturaleza del que actualmente rige los destinos de Corea del Norte se impongan líneas de pensamiento generalizadas desde la infancia y en todos los estamentos, la simplificación de basar el carácter de la sociedad norcoreana exclusivamente en este aspecto no se corresponde con la realidad. Este pueblo, considerado como el más homogéneo del mundo en todos los aspectos (étnico, lingüístico, histórico, cultural y religioso), tiene su propia personalidad y además muy acusada, forjada a lo largo de los años, en definitiva, una idiosincrasia tan específica como ampliamente desconocida.

Para entender la mentalidad, las actitudes y las reacciones de este pueblo asiático, más allá del contexto político, es imprescindible conocer su historia reciente. Solo así se podrá comprender la animosidad y el resentimiento de los norcoreanos hacia Estados Unidos y sus aliados, especialmente Japón, y, por extensión, la predisposición contra el mundo occidental y capitalista, representado de modo inmediato por Corea del Sur, visto este conjunto como una amenaza que solo espera el momento para volver a atacarlos.

Durante el siglo XIX, Corea era un «reino ermitaño», contrario a establecer relaciones diplomáticas y comerciales con los países occidentales. Corea prefería mantener una alianza con una China que también pugnaba por librarse de la injerencia occidental. La primera guerra sino-japonesa (1894-1895) fue motivada principalmente por el dominio de Corea, alzándose Tokio con la victoria. En 1897, el emperador Gojong proclamó el Gran Imperio de Corea, que significaba dejar de ser el apéndice de China que llevaba siendo desde 1636.

Japón, convertida en potencia industrial, se anexionó el Imperio de Corea en 1910 para explotarlo económicamente. El gobierno nipón promovió la llegada a la península coreana de agricultores y pescadores japoneses, a los que hacía entrega gratuita de tierras o se las vendía a un precio simbólico. Mientras los coreanos pasaban hambre, los japoneses se llevaban la mayor parte de las cosechas de arroz para alimentar a su propia población. Los japoneses consideraban a los coreanos como étnicamente inferiores y no se reprimieron a la hora de aplicar sobre ellos las mayores crueldades. Entre las barbaridades cometidas con el pueblo coreano destaca de modo notable el empleo de las denominadas eufemísticamente «mujeres de consuelo», que fueron forzadas a prestar servicios sexuales a los soldados japoneses durante la guerra del Pacífico (1931-1945). Estas mujeres procedían principalmente de Corea, estimándose que al menos fueron empleadas unas 200.000 coreanas, de las cuales unas 150.000 morirían durante la guerra

Además, los ocupantes japoneses llevaron a cabo una acusada política de asimilación. Esto hizo que algunos intelectuales coreanos se rebelaran e intentaran conservar su cultura y sus valores, lo que costó miles de vidas en toda la península a partir de 1919. Aunque el movimiento fracasó, impregnó a los coreanos de fuertes sentimientos patrióticos y anticoloniales. Los coreanos no se librarían de los japoneses hasta que estos fueron derrotados en la Segunda Guerra Mundial, pero inmediatamente cayeron en las garras de los vencedores de la contienda.

Finalizada la conflagración mundial, en 1948 la Unión Soviética y Estados Unidos acordaron dividir la península coreana por el paralelo 38, quedando el norte ocupado por tropas soviéticas y el sur por las estadounidenses. En el norte se estableció un gobierno comunista y se agudizaron las tensiones a ambos lados del paralelo. Con la finalidad de unificar de nuevo la península, Corea del Norte, apoyada desde Moscú por Stalin, invadió Corea del Sur en junio de 1950. La razón esgrimida por el entonces líder norcoreano, Kim Il-sung, para adoptar esta decisión fue que los simpatizantes comunistas que vivían en Corea del Sur habían sido brutalmente reprimidos por el régimen militar en el poder en Seúl. Washington, con el respaldo de la Organización de las Naciones Unidas, tomó la decisión de rechazar la ofensiva del Norte, ante el temor de que el comunismo se extendiera por toda la península.

Si bien en un principio los bombardeos estadounidenses sobre bases militares y otros objetivos estratégicos parecían ser suficientes para frenar la ofensiva norcoreana, la entrada de China en el conflicto de parte de Pyongyang hizo que la balanza se inclinara del lado de los atacantes. Pekín, que no podía permitir que las tropas estadounidenses se plantaran en su frontera, lanzó incesantes oleadas de sus soldados al combate, los cuales, aunque deficientemente equipados, empezaron a causar numerosas bajas a los norteamericanos. Fue entonces cuando el general en jefe estadounidense, Douglas MacArthur, decidió lanzar la Operación Estrangular, una guerra aérea total, con la finalidad de doblegar lo antes posible al Norte. A partir de ese momento, Corea del Norte fue sometida a un inmisericorde, despiadado y sistemático bombardeo que arrasó hasta las más pequeñas poblaciones.

Aunque los datos varían según las fuentes, las cifras son escalofriantes. En los tres años de guerra se pudieron lanzar unas 650.000 toneladas de bombas sobre Corea del Norte, incluyendo más de 35.000 toneladas de napalm, que habrían reducido a escombros a más de 600.000 viviendas, 5.000 escuelas y un millar de centros sanitarios. Cuando se acabaron los objetivos urbanos, comenzaron a bombardear pantanos y presas, lo que provocó la inundación de granjas y destruyó las cosechas. En comparación, Estados Unidos arrojó más toneladas de bombas en Corea del Norte que en todo el Pacífico durante la Segunda Guerra Mundial, y se destruyeron más ciudades que en Alemania o Japón.

Treinta años después de finalizada la conflagración, el general del Ejército del Aire Curtis E. LeMay, que había sido jefe del Mando Aéreo Estratégico durante la guerra, afirmaba sin rubor a la Oficina de Historia de la Fuerza Aérea estadounidense que se había aniquilado alrededor de un 20 % de la población norcoreana. Para hacernos una mejor idea de la magnitud de la masacre, baste decir que durante la Segunda Guerra Mundial, y a pesar de los intensos bombardeos sufridos, el porcentaje de la población británica fallecida fue del 2 %. Y todavía se podría haber superado la cifra de los tres millones de norcoreanos muertos pues el general Douglas MacArthur propuso lanzar entre treinta y cincuenta bombas atómicas sobre el Norte, pensando que así pondría fin a la guerra en diez días, como reconoció en una entrevista al poco de acabar la guerra.

Kim Il-sung fue considerado por su pueblo como el héroe que hizo frente al todopoderoso Estados Unidos y le impidió conquistar su país. Esta imagen de resistencia heroica, a la que el pueblo norcoreano rinde devoción, ha sido posteriormente heredada por Kim Jong-il, su hijo, y por Kim Jong-un, su nieto y actual líder supremo.

Por más que el mundo occidental considere a Corea del Norte como un país con una población a la que hay que librar a cualquier precio de la tiranía de una dictadura comunista hereditaria —incluida desde hace años en la lista estadounidense de países «rebeldes» o del «Eje del Mal»— y liderada por un excéntrico personaje maligno y torpe, los norcoreanos se ven a sí mismos de un modo bien distinto: como un pueblo determinado a seguir resistiendo la injerencia extranjera.

La población norcoreana no ha olvidado las demoledoras incursiones aéreas, motivo por el cual apoya sin fisuras los grandes esfuerzos hechos por el gobierno de Pyongyang, de forma obsesiva, para dotarse de potentes defensas antiaéreas activas y pasivas (instalaciones subterráneas y refugios), así como para disponer de un armamento nuclear que disuada a cualquier posible agresor. En definitiva, la historia arroja suficientes motivos por los cuales los ciudadanos norcoreanos repudian cualquier acción que pueda provenir de Estados Unidos o Japón, sin necesidad de que se los presione políticamente. Es un sentimiento nacional que han interiorizado y que no será arrancado aunque cambiara el régimen político.

Con este ejemplo tan ilustrativo se demuestra la importancia de conocer la historia para entender la idiosincrasia de los pueblos contra los que se pretende actuar, pues puede que cualquier movimiento esté condenado al fracaso de antemano.

NO HAY ALIADOS ETERNOS, SINO INTERESES PERMANENTES

> Toda amistad es cambiante, solo el interés personal es constante.
>
> PROVERBIO CHINO

En las relaciones internacionales, cada parte intenta satisfacer sus propios intereses de forma acorde a sus circunstancias y con los medios a su alcance. La maldad o la bondad de su proceder vendrán determinadas por la forma de actuación empleada en la consecución de esos fines, según el daño y el sufrimiento que se inflija a personas, seres vivos y medio ambiente. Además, a cada uno, sea individuo o Estado, le parecerá que los demás obran de modo adecuado o incorrecto dependiendo de cómo esa actuación afecte a sus propios intereses. La pura aplicación de la *realpolitik* conlleva que en las relaciones entre Estados priman los intereses nacionales, de modo que el fundamento de todas ellas es el beneficio propio y no la moral o la ética.

Puesto que sus intereses son cambiantes, las relaciones internacionales varían sin cesar y están en permanente estado de transformación. Dentro de este juego, en ocasiones las naciones deciden aliarse con otras para conseguir fines concretos, más o menos temporales, que pueden ir desde los económicos a los de seguridad o puramente bélicos. Pero siempre dentro de un contexto en el que el amigo y aliado presente puede convertirse en el peor adversario de mañana, lo que se hace cada vez más cierto si se tiene en cuenta el ritmo acelerado con que se desarrollan actualmente los acontecimientos. Los aliados perfectos, según Robert Greene, son aquellos que te aportan algo que no puedes conseguir por ti mismo, y a los que puedes ofrecer algo en lo que también están interesados. Del mismo modo, entre los soberanos no hay alianza que no esté basada en sus ventajas recíprocas. Así pues, el gran secreto de la negociación es encontrar la manera de compartir esas ventajas comunes.

LOS INTERESES CREAN EXTRAÑAS ALIANZAS

> No hay más alianzas que las que trazan los intereses, ni las habrá jamás.
>
> ANTONIO CÁNOVAS
> DEL CASTILLO

Los intereses y las necesidades obligan en ocasiones a formar alianzas extrañas, incluso contrarias a los valores que se dice defender. Los casos históricos son numerosísimos.

En el siglo XVI, a pesar del enfrentamiento entre los Estados cristianos europeos y el entonces todopoderoso Imperio otomano, no faltaron alianzas cuando menos sorprendentes, en las que se mezclaban cambiantes intereses económicos, de seguridad y geopolíticos. Así, la católica Venecia, que se abastecía en gran medida del grano otomano, empleó en repetidas ocasiones a Estambul para presionar a otras ciudades-estado vecinas y rivales. Y puesto que Venecia tenía como principal preocupación la defensa de sus rutas comerciales marítimas, y el Imperio otomano era su principal socio comercial, hubo entre ellos mucho más de cooperación que de enfrentamiento. A principios de ese mismo siglo XVI, la Francia del rey Francisco I y el Imperio otomano dirigido por el sultán Solimán el Magnífico realizaron operaciones navales conjuntas contra el emperador Carlos V; paralelamente, los Habsburgo se aliaron con la dinastía chií safávida en Persia. Durante la guerra de Crimea (1853-1856), Francia y Gran Bretaña, ante la posibilidad de que Rusia venciera al Imperio otomano y se desequilibrara el juego de poderes europeo, no dudaron en posicionarse a favor de los otomanos y en contra de los rusos. Y a finales del siglo XIX, Gran Bretaña utilizó al Imperio otomano para bloquear la avanzada rusa sobre los estrechos.

LAS ALIANZAS SON SIEMPRE EFÍMERAS

> Actúa con tus amigos como si algún día
> tuvieran que convertirse en tus enemigos.
>
> CARDENAL MAZARINO

Todas las alianzas, incluso las que se intuían más sólidas e imperturbables, se han caracterizado por ser efímeras y cambiantes en cuanto se mudaban las causas que las habían motivado. Durante las dos guerras mundiales se firmaron y rompieron una multitud de alianzas y acuerdos secretos. Valga como ejemplo que el reino de Rumanía —que antiguamente había sido aliado del káiser alemán— entró en guerra contra Alemania y Austria en el verano de 1916. A pesar de que Japón había luchado en la Gran Guerra contra los alemanes y a favor de estadounidenses y británicos, pocos años más tarde cambió de bando y en la segunda contienda mundial combatió al lado de Alemania contra Estados Unidos.

Si bien durante la guerra Irán-Irak (1980-1988), según Richard A. Clarke, Estados Unidos ayudó a los iraquíes pasándoles informaciones, escoltando su petróleo en buques kuwaitíes y cortando suministros militares a Irán,[15] la Casa Blanca no tuvo el menor reparo en considerar, apenas dos años después de finalizar esa contienda, que Sadam Hussein era el peor y más antiguo de sus enemigos. No debe olvidarse tampoco que en esa contienda entre Irán e Irak, el entonces presidente estadounidense Ronald Reagan envió a Bagdad, en 1983, a un emisario especial para establecer relaciones diplomáticas con Sadam Hussein y ofrecerle ayuda para derrotar a Irán. Este enviado fue Donald Rumsfeld, quien había sido secretario de Defensa siete años antes. Veinte años más tarde, precisamente Rumsfeld, de nuevo al frente del Departamento de Defensa, fue el artífice directo de la invasión de Irak y del derrocamiento de Sadam.

Desde la Antigüedad se ha demostrado que, para que una alianza sea verdaderamente eficaz y tenga cierta duración en el tiempo, es preciso que sus integrantes compartan la misma percepción de que sobre todos ellos pesa una amenaza común que además compromete su existencia. En cuanto algún miembro de la alianza sienta amenazas diferentes, o considere que estas no pueden llegar a perjudicarle de un modo radical por no afectar a su estabilidad como sociedad, la alianza estará abocada a desaparecer. Aunque pudiera mantenerse, las diferentes partes que la componen nunca actuarían de manera absolutamente coordinada, por lo que los esfuerzos se concretarían en acciones bilaterales o multilaterales, pero sin incluir a la totalidad de los miembros. Así lo ve también Pierre Celerier, quien asegura que los agrupamientos de naciones no pueden ser viables y fortalecerse si no hay una suerte de acuerdo entre una comunidad

15.   A tan buen extremo llegaron las relaciones con Sadam Hussein que, en 1980, el dirigente iraquí recibió las llaves de la ciudad estadounidense de Detroit en reconocimiento a las donaciones que este había hecho a las iglesias locales.

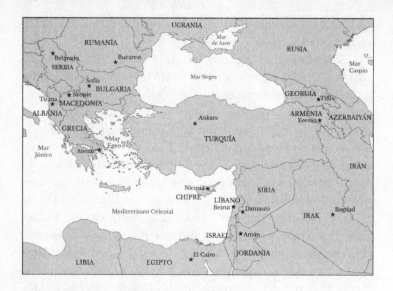

de intereses y de ideas en un marco geopolítico homogéneo, en cuyo defecto los lazos se rompen en cuanto la fuerza ya no interviene o la causa generadora de la alianza desaparece. Quizá por ello los Estados miembros de la Unión Europea no tienen suficientes intereses en común para compartir su poder militar.

A pesar de que Grecia pertenece tanto a la Unión Europea como a la OTAN, durante la guerra de Kosovo de 1999 el pueblo griego se situó de manera categórica del lado de Rusia y de los serbios, y por tanto en contra de Europa. Este dato tiene una gran trascendencia, dado que si Grecia llegara, por voluntad propia o forzada por Bruselas, a abandonar la zona euro e incluso la Unión Europea, Rusia podría aprovechar ese apoyo popular para volcar el país hacia su órbita, lo cual geopolíticamente le sería muy beneficioso. El Kremlin podría reforzar su presencia en el Mediterráneo y obtener un mayor control de la salida del mar Negro, donde se encuentra su flota de Sebastopol. No es descartable que, en este escenario, Moscú instalara una base naval en puntos clave como el Peloponeso. De hecho, otra gran potencia actual, China, ya ostenta una posición comercial dominante en el puerto de El Pireo.

Una alianza también puede romperse por el desequilibrio de poder entre los que la forman. Como advertía el cardenal Mazarino, primer ministro de Luis XIV, en su *Breviario para políticos*, «en una comunidad de intereses, existe peligro desde el momento en que un miembro se vuelve demasiado poderoso». Trasladándolo al ámbito mundial actual, se podría entender que los países que empiezan a despuntar pueden convertirse en una amenaza para los demás. Sería el caso de China, si bien la única alianza que se podría desbaratar sería la de las Naciones Unidas, que tampoco son un modelo de organización donde prime la comunidad de intereses.

Las traiciones en el ámbito internacional están a la orden del día, del mismo modo que los acuerdos secretos son la norma, estando incluso presentes como anexos opacos en negociaciones públicas. En octubre de 1898, Inglaterra firmó con Alemania un acuerdo para repartirse las posesiones portuguesas en África, dado que Portugal, en mala situación financiera, ofrecía a las dos potencias la venta o empeño de sus colonias africanas. Pero poco más de un año después de firmado el acuerdo, Inglaterra estableció un pacto secreto con Portugal, el Tratado de Windsor, en el que renovaba viejos acuerdos por los cuales la poderosa Inglaterra y el reino luso se garantizaban la integridad de sus territorios con el compromiso de recíproca defensa en caso de peligro, en aplicación del proverbio inglés *«In love and in politics, everything is fair»* («En el amor y en la política todo vale»). Como consecuencia, Portugal formó parte de los Aliados en la Primera Guerra Mundial y actuó militarmente en África.

Es innegable que las alianzas forman parte de ese gran juego hipócrita que son las relaciones internacionales, por lo que nada debería sorprender. Ni siquiera que Winston Churchill, respondiendo en la década de 1930 a la acusación de que era antialemán, dijera: «Si las circunstancias se revirtieran, podríamos ser igualmente proalemanes y antifranceses». Al fin y al cabo, el conflicto internacional actual está basado en utilizar todos los medios posibles para obligar al enemigo a satisfacer el interés propio, y las alianzas pueden ser uno de ellos.

En este panorama lleno de artimañas en el que impera la desconfianza permanente se dan paradojas muy curiosas, como que Stalin retirara en 1944 la orden de asesinar a Hitler, temeroso de que, faltando este, los Aliados occidentales buscasen obtener una paz independiente con el líder sucesor. O que, en la década de 1950, los franceses forzaran la entrada de Estados Unidos en Indochina como respuesta al ingreso de París en la Comunidad Europea de la Defensa. En aquel momento, Washington deseaba incluir a Francia y su potencial militar en la OTAN, y a cambio el gobierno galo exigía que se le ayudara a contener el comunismo en Asia, lo que favorecía a su imperio.[16]

16. El fallido proyecto de la Comunidad Europea de la Defensa (CED) es un ejemplo de la ambigua contribución de Francia a la construcción de la Unión Europa. La CED fue propuesta en 1950 por el primer ministro francés René Pleven, y tenía como finalidad dotar a una incipiente Europa de unas fuerzas armadas unificadas de modo que, al no existir capacidades militares estatales —salvo en supuestos excepcionales—, se evitara una nueva conflagración entre países europeos. La iniciativa fue apoyada por Estados Unidos, que la entendía como un refuerzo a la capacidad de la OTAN para hacer frente a la Unión Soviética. Fue firmada el 27 de mayo de 1952 por los gobiernos de Alemania Occidental, Bélgica, Francia, Italia, Luxemburgo y Países Bajos. Pero, inesperadamente, en agosto de 1954 la Asamblea Nacional francesa se opuso a su ratificación, abortando así el nacimiento de una defensa propiamente europea. En ese momento se culpó del rechazo a la corriente gaullista por haber mostrado una firme posición soberanista, fruto de la derrota tres meses antes de las tropas galas en Dien Bien Phu.

Pero no sería la última vez que Francia paralizara la consolidación del proyecto europeo. El 29 de octubre de 2004, los jefes de Estado y de gobierno de los 25 países que entonces conformaban la Unión Europea firmaron en Roma el Tratado por el que se establecía una Constitución para Europa, también conocido como Constitución Europea. Como paso previo a la ratificación por los parlamentos nacionales, algunos países decidieron someterlo a referéndum. Y de nuevo, Francia fue uno de los dos Estados que se opusieron al proyecto, al votar el 54,87 % de los franceses en contra.

En otros supuestos, el afán y las ansias incontroladas por conseguir con inmediatez ciertos intereses llevan a precipitarse y a adoptar decisiones que se convierten en irreversibles errores. En el siglo XVIII, el rey prusiano Federico II el Grande escribió que, «de todos los vecinos de Prusia, el más peligroso es Rusia, tanto por su fuerza como por su situación. Así pues, los gobernantes prusianos harían bien en cultivar la amistad con estos bárbaros». A pesar de esto, a finales del siglo siguiente el káiser Guillermo II, arrastrado por sus consejeros, denunció el tratado de seguridad recíproca con Rusia después de haber garantizado al embajador ruso que sería mantenido, lo que hizo caer a Moscú en brazos de Francia, como Bismarck había previsto.

Un caso que no deja de llamar la atención, y que refleja muy bien lo cambiantes que son las alianzas, es el de los hijos de los ucranianos que en la década de 1980 combatieron en el bando soviético durante la guerra de Afganistán. De repente, a partir de 2001 se encontraron luchando contra la misma insurgencia afgana, solo que ahora del lado de la OTAN, la organización de defensa colectiva que había sido la gran enemiga del Pacto de Varsovia al que habían pertenecido sus progenitores.

España, Francia e Inglaterra se alían

A lo largo del siglo XVIII y principios del XIX, las alianzas entre las potencias europeas sufrieron significativos vaivenes, dependiendo de los intereses que los distintos países tenían en cada momento. Entre 1733 y 1789 se sucedieron tres acuerdos entre las monarquías reinantes en España y Francia dirigidos contra Gran Bretaña y su hegemonía naval. Fueron conocidos como los Pactos de Familia debido a que todos sus reyes pertenecían a la Casa de Borbón y, por tanto, eran parientes.

El inicio de la Revolución francesa en 1789 dio al traste con estos pactos al ser guillotinado Luis XVI, y verse los Borbones españoles abocados a entrar en guerra con el país fronterizo. De este modo, en 1793 las alianzas mutaron de tal modo que el Reino Unido y España unieron sus fuerzas contra las de Francia. Las armadas de la nueva coalición hispano-británica se enfrentaron a las fuerzas navales francesas, infligiéndoles una importante derrota y dejándolas muy debilitadas.

En el contexto del enconado enfrentamiento entre Londres y París, a España se le planteaban dos opciones. Una era asociarse con Francia, con lo que, al tiempo que garantizaba la seguridad de la frontera pirenaica, equilibraba el poderío naval inglés y así protegía sus intereses de ultramar. La segunda pasaba por aliarse con los ingleses y hacer frente común a los franceses. Finalmente, Madrid optó por coaligarse con París y declarar la guerra a los británicos, unión que se materializó el 18 de agosto de 1796 mediante el Tratado de San Ildefonso.

Cuando en 1805 Napoleón Bonaparte se planteó invadir Gran Bretaña, no tuvo ninguna duda de que para esa aventura Francia precisaba apoyarse en la marina española como única forma de vencer a la poderosa flota británica. Prácticamente obligó a Madrid para que aportara sus barcos. En este punto de la historia tuvo lugar una de las batallas navales más conocidas de todos los tiempos, la de Trafalgar. Librada el 21 de octubre de 1805 en las inmediaciones del cabo homónimo, situado en la costa gaditana, las fuerzas navales británicas capitaneadas por el almirante Horatio Nelson derrotaron a la flota hispano-gala comandada por el almirante francés Pierre Villeneuve.

Tras la entrada de las tropas napoleónicas en España en 1808, las alianzas volvieron a modificarse. Gran Bretaña se posicionó del lado de los españoles para expulsar conjuntamente de la Península a los franceses e intentar dar el golpe de gracia al imperio creado por Bonaparte, como así sucedió finalmente en 1815.

A partir de entonces, a Francia le llevó varias décadas recuperar parte de su peso en el continente europeo, mientras que España pasó a un discreto segundo plano del que no volvió a salir. Gran Bretaña fue la vencedora indiscutible de los vaivenes de esos agitados años, que aprovechó para convertirse en cierto modo en el árbitro y el contrapeso de lo que iba a acontecer en Europa y en buena parte del planeta. Londres se erigió en el centro dominador del comercio marítimo y las finanzas mundiales hasta que la figura de Estados Unidos surgió con fuerza a finales del siglo XIX.

La Unión Soviética, entre la Alemania nazi y Estados Unidos

En la primavera de 1939, Stalin buscó mejorar las relaciones comerciales con Alemania y, secretamente, repartirse Polonia con Hitler si este iniciaba una guerra contra el país por cuestiones fronterizas. Tal situación fructificó en agosto del mismo año con la firma entre rusos y alemanes de un nuevo tratado comercial y un pacto de amistad y no agresión calculado para diez años. El Pacto Ribbentrop-Mólotov —así llamado por los responsables alemán y ruso que encabezaron las negociaciones— beneficiaba a ambas partes, ya que el Tercer Reich suministraba maquinaria y la Unión Soviética cereales, petróleo y minerales. Pero esta aproximación de Hitler a la Unión Soviética despertó los recelos de Estados Unidos, que veía en ella una amenaza directa a sus intereses. Fue entonces cuando los estadounidenses decidieron mejorar la oferta de apoyo de los alemanes y lanzaron el Programa de Préstamo y Arriendo (*Lend-Lease*) de ayuda a la Unión Soviética, que consistía en un auténtico torrente de material de guerra americano —aviones, carros de combate, municiones y suministros— por valor de catorce millones de dólares. Stalin acogió encantado la inesperada «generosidad» de Washington, por lo que quedaba roto el pacto con Alemania.[17]

17. Una situación similar a la que podría haberse dado si, décadas después, se hubieran coaligado la Unión Europea y Rusia, lo que habría perjudicado notablemente a Estados Unidos, que se habría visto obligado a tomar medidas para evitar o, en su caso, romper esa hipotética relación.

Un ejemplo de la rapidez con la que se puede pasar de aliado a enemigo en cuestión de horas es la masacre de Cefalonia, ocurrida en Grecia durante la Segunda Guerra Mundial. Tras ser invadido por las potencias del Eje, el territorio griego se había repartido entre italianos y alemanes. Uno de los lugares que correspondió a las fuerzas italianas fue la isla de Cefalonia, en el Heptaneso del mar Jónico, donde prestaba guarnición la 33 División de Infantería Acqui, con unos 12.000 efectivos entre tropa y mandos.

La relación entre estas fuerzas italianas y sus homólogas alemanas era permanente, fluida y amigable. Tanto era así que el general italiano al mando, Antonio Gandin, era un declarado germanófilo que había sido condecorado con la Cruz de Hierro por sus combates en Rusia. Hasta que todo dio un giro radical con la capitulación de Italia en 1943, cuando, viendo el imparable avance de los Aliados por la península itálica, el rey Víctor Manuel III firmó el Armisticio del 8 de septiembre y ordenó el arresto de Mussolini.

A partir de ese momento, los italianos destacados en la isla se encontraron con el dilema de entregar las armas o enfrentarse a los mismos alemanes que habían sido sus amigos hasta entonces. De hecho, a estos últimos se había sumado unos meses antes un contingente integrado por dos batallones con unos 2.000 efectivos, llegados probablemente en previsión de lo que iba a suceder. Sin barcos con los que organizar una evacuación, tres días más tarde el general italiano recibió la orden de no hacer entrega de las armas a los alemanes, a los que debería considerar enemigos.

La batalla entre quienes habían sido estrechos aliados comenzó cuarenta y ocho horas después. Los alemanes, fuertemente reforzados, pronto se hicieron con el control de la situación ante unos italianos que, abandonados por los Aliados, tuvieron que rendirse el 22 de septiembre.

Las fuerzas italianas, que ya habían sufrido más de 1.300 bajas, fueron acusadas de traición y sometidas a ejecuciones, tanto sumarias en el mismo momento de ser capturados como tras un breve cautiverio y el paso por una corte marcial. Más de 5.100 italianos, casi la mitad del total, murieron a manos de los alemanes. Los restantes no corrieron mucha mejor suerte —quitando los que pudieron demostrar que procedían del Tirol, por haber sido esta región anexionada por Alemania—, pues se les ofreció seguir en la isla como prisioneros condenados a trabajos forzados o ser enviados a un campo de concentración. Los que eligieron esta última opción, unos 3.000, fallecieron en altamar al ser hundidos los barcos que los transportaban.

La relación Estados Unidos-URSS

Durante la Segunda Guerra Mundial, Estados Unidos y Rusia fueron estrechos colaboradores. Para conseguir acabar con Alemania y Japón, Washington necesitaba el potencial humano del que disponían los rusos, quienes carecían de los medios materiales que sí podía facilitar, y además en cantidades gigantescas, la poderosa industria estadounidense.

En este contexto, la Casa Blanca prestó decenas de barcos a la Unión Soviética como contraprestación por la declaración de guerra de los soviéticos a Japón, que se hizo efectiva el 8 de agosto de 1945. Para ello, ambas potencias habían firmado un pacto secreto a principios de ese mismo año. Esa declaración de guerra instigada desde Washington rompía el pacto de neutralidad que Tokio y Moscú habían firmado cuatro años antes, y que hasta ese momento les había garantizado tener las espaldas cubiertas para dedicarse a actuar contra otros adversarios (la Unión Soviética contra Alemania, y Japón ante Estados Unidos).

A cambio de esa ruptura con Japón, el Kremlin exigía a los estadounidenses que le suministraran una significativa cantidad de diverso material —incluidos barcos y aviones— para crear unas potentes y modernas fuerzas armadas. Ese acuerdo se concretó en un programa de gran envergadura denominado *Milepost* y, más tarde, *Hula*. Se previó entregar a los soviéticos 180 barcos, de los cuales Estados Unidos prestó finalmente 149, entre ellos 30 fragatas de la clase Tacoma. Además, los militares estadounidenses llegaron a formar a más de 12.000 soldados soviéticos, de los cuales unos 750 eran oficiales.

Curiosamente, estos militares de ambos países pasaron de ser aliados y de formarse juntos a ser enemigos declarados pocos meses después, dado que sus respectivas naciones comenzaron una fase de enfrentamiento ideológico y geopolítico que marcaría el curso de los siguientes decenios.

El caso actual de Filipinas

Pekín, en su particular enfrentamiento con Washington por el control de las aguas e islas del mar del Sur de China, está actualmente consiguiendo atraer a sus filas al que fue uno de los principales aliados estadounidenses en la región del Pacífico: Filipinas.

Desde que Filipinas dejó de ser española en 1898, la alianza con Estados Unidos fue estrecha y ha permitido a este último país disponer de una pieza clave en el cerco estratégico al que intentaba someter a China. Sin embargo, desde que Rodrigo Duterte fue elegido presidente el 30 de junio de 2016, la situación ha dado un giro inesperado que puede poner en un serio aprieto a la Casa Blanca.

Ampliamente criticado por los países occidentales por su forma de combatir la delincuencia y el tráfico de drogas con procedimientos alejados de los derechos humanos más elementales, su relación con el presidente estadounidense Barack Obama se deterioró de tal manera que finalmente Duterte decidió dar un giro total a la política exterior del país, abandonando así las filas de Washington para unirse a las de Pekín.

Pero la importancia geopolítica de este país es de tal envergadura que no sería de extrañar que el nuevo inquilino del Despacho Oval, Donald Trump, intente que las aguas retornen a su cauce y el presidente Duterte regrese al redil norteamericano. La clave estará en las ventajas que Estados Unidos pueda ofrecer al gobierno filipino frente a la obvia cercanía geográfica y comercial con China y su enorme atractivo económico.

La complicada alianza Estados Unidos-Japón

Corea del Norte puede no ser más que la cortina de humo tendida por Estados Unidos para ocultar sus graves dilemas en el mar de la China. Dilemas que se iniciaron con el bombardeo atómico de Hiroshima y Nagasaki en agosto de 1945, y que sembraron de incógnitas el futuro de Washington en el continente asiático. Para la mayoría de los expertos en esta parte del mundo, Japón no renunciará —mientras exista como nación— al chantaje que ejerce sobre las élites estadounidenses por el inhumano comportamiento nuclear.

Tokio podría llevar en cualquier momento a Estados Unidos frente a los tribunales internacionales por crímenes probados contra la humanidad, lo que infligiría un daño infinito a Washington en Asia y en el resto del mundo. Japón ejerce tal coacción de muchas maneras, hasta ahora de modo muy discreto pero eficaz. De ahí la necesidad que tiene la Casa Blanca de una permanente cortina de humo en el mar de la China, porque su principal «aliado» en la zona es también una soga al cuello. Todo cuanto la Administración norteamericana quiere hacer o deshacer en el mar de la China ha de ser aprobado y «negociado», a brazo partido, con el gobierno japonés.

Es más, el odio visceral del pueblo coreano hacia el ejército japonés, por la ya comentada despiadada ocupación de su península desde 1910 hasta el fin de la Segunda Guerra Mundial, impide cualquier acuerdo leal y duradero entre Corea del Sur y Estados Unidos mientras Japón figure como aliado. Y estas flaquezas son bien conocidas en Pekín y Taipéi. La conclusión viene rodada: Washington es el rehén de Japón en el mar de la China, y Corea del Norte la tapadera sobre tan patético escenario.

Confía solo en tus propias fuerzas

Las alianzas son muy arriesgadas para los países menos fuertes, que fácilmente se pueden ver arrastrados por los poderosos a acciones que en nada o poco los favorecen. Cierto es que no siempre es posible sustraerse al influjo de los grandes, pero los dirigentes de los Estados más débiles deben actuar con la suficiente valentía y dignidad para no ceder en todo lo que se les indique, si realmente quieren servir a sus ciudadanos en vez de pensar en sus propios intereses. Y sin olvidar que, en el momento en que pierdan su utilidad, serán apartados sin miramientos por los mismos que les prometían la gloria. Una de las lecciones que se pueden extraer de lo expuesto es, como decía Maquiavelo en *El príncipe*, que «las únicas defensas buenas, seguras y duraderas son las que dependen de ti mismo».

4

Las geoestrategias inmortales

Una vez visto cómo es el mundo y establecida la geopolítica, es decir, qué se pretende hacer y para qué, el siguiente paso consiste en desarrollar las geoestrategias para conseguir esos objetivos. En otras palabras, cómo se van a alcanzar las políticas internacionales, tanto las pacíficas como las bélicas, con el objetivo de influir, dominar y controlar —de modo más o menos directo— territorios, poblaciones y mercados allá donde sea factible, desde el ámbito regional al mundial, o cuando menos intentar ser lo menos influidos o dominados posible por los más poderosos. Si prestamos atención a las geoestrategias de dominio empleadas tanto a lo largo de la historia como en los tiempos presentes, observamos que muchas son recurrentes.

LA INTIMIDACIÓN

> La labor del estratega es pensar en lo que hay que hacer si fracasa la disuasión.
>
> Michael Howard

Parafraseando la conocida sentencia de que no hay mejor defensa que un buen ataque, se podría decir que la mejor defensa es la amenaza de atacar. En línea con el pensamiento del estratega chino Sun Tzu («La mejor victoria es vencer sin combatir») y de Lao-Tse («Quien sabe vencer al enemigo no lucha con él»), este principio significa que, bien conducida, la disuasión es la más rentable de las estrategias.

QUE VIENE EL COCO

> Hay que ser un zorro para conocer las trampas, y un león para amedrentar a los lobos.
>
> NICOLÁS MAQUIAVELO

Esta estrategia consiste en convencer a los demás para que actúen como uno desea mediante el temor o la amenaza del uso de la fuerza o la aplicación de un castigo, sea físico o emocional (insulto, humillación, ninguneo, etc.). Los defensores de aplicar la disuasión en la criminología afirman que las personas obedecen o no la ley después de haber calculado todas las ventajas e inconvenientes de sus acciones. Esto es difícil de comprobar, ya que solo se tiene conocimiento de aquellos que la han desobedecido. En los siglos XVII-XVIII, Thomas Hobbes, Cesare Beccaria y Jeremy Bentham —padres de la teoría moderna de la disuasión en la criminología— propugnaban un contrato social que debía ser defendido por el Estado, el intimidador, como medio de prevenir el crimen mediante un sistema en el cual el castigo por la trasgresión fuera mayor que los beneficios de cometerla.

El uso de la intimidación puede extrapolarse a las relaciones internacionales: los Estados buscan defender sus intereses, y en un sistema anárquico, sin una autoridad central, el carácter de la política internacional es inevitablemente conflictivo. La disuasión es entonces uno de los instrumentos a disposición de los Estados para emprender acciones dirigidas a influir en el comportamiento de otros países de modo que responda a sus intereses, lo que no es más que una forma de ejercer el poder.

Dentro del contexto geopolítico, la disuasión radica básicamente en amenazar con recurrir a la fuerza en una proporción que cause daños difícilmente asumibles, evitando así un ataque por temor a las represalias. Así lo entiende también Hanson, para quien la disuasión consiste en crear el presentimiento de que entrar en guerra contra un Estado intrépido podría resultar una empresa en exceso costosa, poco rentable y muy prolongada. En definitiva, según Michael Howard, el objeto de la disuasión es persuadir a un adversario de que la solución militar de sus problemas políticos le resultaría más onerosa que los beneficios que pudiera obtener.

La primera misión de las fuerzas armadas de un país en tiempo de paz es ejercer la debida disuasión sobre todos aquellos que pretendan ofender de cualquier modo a su patria, a los que debe intimidar de modo efectivo. Entendida de esta manera, la disuasión puede aplicarse a cualquier relación entre entes políticos a lo largo de la historia.

Tras la Segunda Guerra Mundial, el mundo se dividió en dos bloques, con dos potencias luchando por el primer puesto en el orden mundial, en una carrera ideológica, estratégica y armamentística marcada inevitablemente por la confrontación y la principal amenaza disuasoria: las armas nucleares. Durante la Guerra Fría, Estados Unidos y la Unión Soviética mantenían el «equilibrio de terror» basado directamente en la estrategia de la disuasión. Los bombardeos de Hiroshima y Nagasaki habían dejado prueba de lo que una bomba nuclear era capaz de hacer, y ambas superpotencias querían evitar ataques de esa magnitud en su propio territorio, para lo que calculaban no solo la posibilidad de combatir al enemigo, sino también cómo defenderse de él en caso de un ataque nuclear mientras ganaban terreno en esa carrera hacia la dominación mundial. También pesaba la teoría de la destrucción mutua asegurada —muy en boga en aquellos años debido al imparable desarrollo del armamento nuclear, y según la cual ninguna de las partes en conflicto se beneficiaba—, lo que hizo que las grandes potencias optaran por dirimir sus diferencias a través de actores interpuestos y en terceros escenarios, manteniendo el conflicto en unos niveles bajos para evitar una escalada autodestructora.

El punto álgido de la Guerra Fría, que mantuvo al mundo en vilo ante la posibilidad de un holocausto nuclear, fue la crisis de los misiles en Cuba. A principios de la década de 1960, Washington y La Habana rompían relaciones diplomáticas mientras el líder cubano Fidel Castro se acercaba a la Unión Soviética, pasando a formar parte del bloque comunista. En octubre de 1962, la inteligencia de Estados Unidos descubrió misiles balísticos nucleares en la costa cubana con capacidad para llegar a territorio estadounidense. Esto suponía un avance estratégico para Moscú y un ejemplo de la estrategia de cerco y contracerco (véase más adelante), ya que Estados Unidos contaba con bases militares y de misiles nucleares en Turquía y otros países aliados europeos, cerca de las fronteras de la Unión Soviética. La Casa Blanca se planteó atacar Cuba o imponer un bloqueo a la isla, y se decidió por esto último. La semana del 22 al 28 de octubre fue la más tensa, cuando varios buques soviéticos se acercaron a la isla. Ante esta situación, Washington trazó una línea roja imaginaria: si los buques de la URSS la traspasaban, el ataque nuclear sería inminente. Se sucedieron otros incidentes que podrían haber desencadenado la guerra, como la detención de un submarino soviético por parte de Estados Unidos, el derribo de un avión estadounidense por los cubanos y la pérdida de otro en espacio aéreo soviético. Sin embargo, la amenaza del holocausto nuclear frenó el aventurismo de las dos potencias: los buques soviéticos dieron la vuelta sin llegar a traspasar la línea roja, la URSS desmanteló los misiles en Cuba y Estados Unidos hizo lo mismo en Turquía, al tiempo que se estableció la línea telefónica directa entre la Casa Blanca y el Kremlin.

Aunque las armas nucleares siguen siendo una de las principales amenazas para la paz y la seguridad internacional en el siglo XXI, actualmente hay otras maneras de ejercer la estrategia disuasoria más allá incluso de la mera fuerza militar, como puede ser empleando métodos relacionados con la economía, que tienen el potencial para causar un gravísimo daño al país que los sufre. Por ejemplo, amenazando con el bloqueo de algún paso importante, como Irán en el estrecho de Ormuz, por el que circula el 40 % del petróleo mundial. O los países de la Organización de Países Exportadores de Petróleo (OPEP) utilizando el precio del crudo. Incluso cuando se juega con los tipos de cambio de las monedas o la nacionalización de grandes corporaciones extranjeras. De este modo, el campo de batalla de la disuasión no pasa solo por el ámbito nuclear, aunque es el más peligroso para la humanidad, ni siquiera por el militar, pues cada vez se emplea con mayor frecuencia la intimidación económica, política y social.

LOS PILARES DE LA DISUASIÓN

> Mostrar la fuerza es la mejor forma
> de no tener que utilizarla.
>
> LOUIS-HUBERT GONZALVE
> LYAUTEY

Para conseguir el objetivo de que el oponente se sienta verdaderamente intimidado y convencido de que entrar en guerra abierta puede significar un daño inmediato e insoportable, superior al perjuicio actual, la estrategia de la disuasión debe estar basada en tres pilares:

1) Disponer de fuerzas y medios capaces y creíbles, propios o compartidos con aliados.
2) Contar con la voluntad política de emplear estas capacidades bélicas, es decir, la fuerza, si es necesario.
3) Transmitir al adversario, aunque solo lo sea en potencia, que se dispone de esos medios y convencerlo de que los gobernantes pueden ser capaces de utilizarlos en beneficio de su seguridad nacional.

Si los medios y la voluntad de emplearlos son importantes, no lo es menos que el mensaje llegue al adversario. De nada sirve disponer de potentes capacidades si el posible enemigo las desconoce, salvo que esto responda a una intencionada estrategia de decepción que tenga como finalidad que el enemigo opte por un ataque, confiado en su superioridad, para que, ante la sorpresa de encontrarse con fuerzas que lo superan, sea plenamente derrotado.

Esta es la estrategia aplicada por Corea del Norte en su intento de preservar su soberanía y su sistema político y social. Ante su visión de que en cualquier momento puede ser atacada o invadida por aquellos que difieren de sus planteamientos ideológicos, proclama a los cuatro vientos sus medios militares, incluidos los nucleares, como forma de que estos mensajes lleguen a sus rivales, Trata así de evitar lo sucedido a otros países como Irak o Libia, en la creencia de que estos países no fueron invadidos porque dispusieran de armas de destrucción masiva —justificación empleada en 2003 para atacar el Irak de Sadam Hussein—, sino precisamente porque carecían de ellas. No debe sorprender la postura norcoreana pues, según sostiene Michael Howard, el castigo de los ataques nucleares sobre Hiroshima y Nagasaki fue posible por la falta de capacidad disuasoria japonesa.

Sin duda, en la disuasión juegan un papel fundamental las percepciones, pues tan importante es el poder real del que se dispone como la imagen que el enemigo tiene de él y de cómo se puede emplear. Al final, como en otras facetas de la vida, no vale lo que se es y se tiene, sino lo que se representa.

La intimidación en las redes sociales

Un caso muy particular de disuasión es el que hoy en día posibilitan las redes sociales, cuyo uso perverso puede generar muy graves daños a personas y entidades. Dado su poder de influencia, lo mismo crean que destruyen socialmente en pocos días u horas, bastando solo para ello que alguien muy influyente, o un grupo concreto, se lo proponga.

Una de las formas en que se puede emplear esa capacidad de influir —basada en los parámetros de credibilidad y difusión— es apartando a personas o entes de la sociedad digital mediante la «disuasión de estar», es decir, excluyendo o nin-guneando a alguien del mundo cibernético, lo que puede consi-derarse como un asesinato virtual.

CERCO Y CONTRACERCO

> Cercar es una ley de la geopolítica a lo largo de la historia y hasta nues-tros días.
>
> FRANÇOIS THUAL,
> *Contrôler et contrer*

La geopolítica se plantea como un tablero de ajedrez. En el siglo VI, el rey persa Cosroes II se preguntaba: «Si un gobernan-te no entiende el ajedrez, ¿cómo puede gobernar un reino?». Efectivamente, cada jugada está estratégicamente pensada para presionar al enemigo, sobre el que se estrecha un cerco hasta llegar al jaque mate. Dentro de este juego, en el que solo sirve la victoria, se sacrificarán peones, se inducirá a engaño al adversario haciéndole caer en celadas, se protegerá el centro de gravedad con enroques o se permutarán unas fichas por otras. Toda artimaña servirá para alzarse con el éxito, destru-yendo al contrincante, doblegando su voluntad. En esta pugna sobre un escenario determinado, si bien la fuerza bruta —el número de fichas— es importante, la astucia —cómo se mue-ven— también reviste gran trascendencia.

Los ejemplos históricos del empleo de esta estrategia son numerosos. A principios del siglo XX, la política inglesa tenía como objetivo encerrar el poder saudí en un territorio rodeado de micro-Estados, los emiratos. Durante la misma época, Francia intentaba contener el resurgimiento del nacionalismo sirio me-diante la maniobra de privar a Siria de su fachada marítima y de dividir el interior del país, desgajando el Líbano de la Gran Siria.

Toda la Guerra Fría fue un claro ejemplo de jugadas es-tratégicas en las que se intentaba asfixiar al enemigo, restarle zona de influencia, al tiempo que se procuraba ampliar la propia mediante la suma de otros Estados al bloque respectivo. Las fichas con las que se jugaba eran desde países —fuera en Iberoamérica, África u Oriente Medio— a personas, los pobres peones cuya existencia era tenida por despreciable y prescindible. Lorot y Thual mantienen que Estados Unidos y sus aliados volcaron sus esfuerzos en cercar a la Unión Soviética, así como a sus aliados y a China, mediante una serie de pactos.

Otro ejemplo de este juego ajedrecístico es, como vimos anteriormente, la crisis de los misiles cubana: Estados Unidos tenía misiles en Turquía y la Unión Soviética buscaba ponerlos en Cuba, ambos con el objetivo de presionar al otro y tener más control o más poder.

Y, sin ir más lejos, Estados Unidos se apoya hoy en día en una serie de aliados para bloquear a Rusia en ciertas regiones.

Igualmente se podría citar el caso de Israel, sometido a un cerco por los países árabes vecinos y que permanentemente está planeando cómo romperlo. Una de las maneras, por ejemplo, es colaborando en la construcción de presas en el Nilo Azul, en Etiopía, para así tener una herramienta con la que presionar a Egipto, llegado el caso, mediante el control del agua que llega a sus tierras y que le resulta imprescindible para la alimentación de su pueblo.

En otro contexto geográfico, según Thual en *Géopolitique des Caucases*, Azerbaiyán le sirve a Washington para vigilar tanto a Rusia como a Irán. Así mismo, Estados Unidos ha maniobrado para rodear a Armenia por el sur, en beneficio de Turquía y Azerbaiyán, aislándola de su vecino y aliado Irán. Por esa razón, los armenios están convencidos de que hay un complot contra su país con el objetivo de establecer una continuidad territorial entre las diferentes partes del inmenso mundo turcófono, que se extiende desde el Mediterráneo hasta China.

Por otro lado, los coroneles chinos Liang y Xiangsui exponen que a sus compatriotas les preocupa el cerco al que ven sometido a su país por un refuerzo del sistema de alianzas o la presencia militar de Estados Unidos. De ahí que Pekín esté intentando romperlo en lugares como Pakistán —enemigo de una India aliada de Estados Unidos y que colabora en el cerco a China— y el mar del Sur de China.

Para evitar caer en la estratagema del cerco geopolítico, Michael Howard avisaba de la conveniencia para un país de contar con un territorio aliado fuera de sus fronteras o bien con la capacidad de controlar los mares que rodean las costas propias si quiere impedir la acumulación de unas fuerzas superiores que puedan llegar al asalto o imponer un bloqueo. Sin duda, estas han sido siempre las obsesiones de Rusia.

LOS ESTRECHOS MARÍTIMOS COMO HERRAMIENTA DE CERCO

Hoy en día, al igual que durante gran parte de la historia, sigue siendo cierto que quien domina los mares, domina el mundo. Para ejercer el cerco y contracerco marítimo, las piezas claves son los puntos de paso obligado a través de los cuales históricamente ha circulado el comercio y, por tanto, la economía. En la geopolítica actual, la mayor parte del tráfico marítimo comercial se concentra en Malaca y Ormuz, por una parte, y Suez y Panamá, por otra. Cuatro pasos —dos estrechos naturales y dos canales artificiales, respectivamente— por los que se mueve el 63 % del petróleo mundial.

El canal de Suez, que conecta el Mediterráneo con el mar Rojo desde 1869, trajo consigo un gran avance en las rutas marítimas pues ya no había que rodear África para llegar a Europa desde Asia. La historia sitúa en el siglo XIII a. C. la primera construcción de una vía entre ambos mares, aunque el canal actual se remonta a la época de Napoleón Bonaparte. El Gran Corso pensó que construir un canal en el istmo de Suez supondría una ventaja para los franceses sobre los británicos, ya que Francia controlaría el canal (y sus tarifas) y los británicos tendrían que pagar peajes a Francia o rodear África por el cabo de Buena Esperanza. He aquí un claro ejemplo estratégico de cómo el control de Suez suponía el poder de una potencia sobre otra. El canal lo construyeron finalmente egipcios y franceses, pero la deuda acumulada obligó a los primeros a vender sus acciones al Reino Unido en 1875. Aunque en 1888 se firmó una convención internacional para que el canal pudiera ser utilizado

Pasos marítimos estratégicos

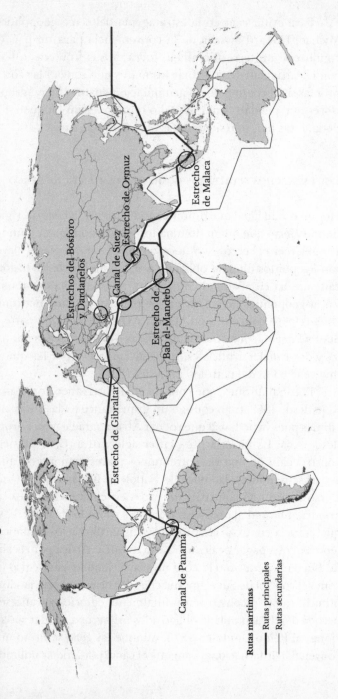

Rutas marítimas
— Rutas principales
— Rutas secundarias

Estrechos del Bósforo
y Dardanelos

Canal de Suez

Estrecho de Ormuz

Estrecho de
Bab el-Mandeb

Estrecho
de Malaca

Estrecho de Gibraltar

Canal de Panamá

por cualquier nación, los conflictos sobre su derecho y su uso se sucedieron a lo largo del siglo xx. En 1956, Francia, Israel —tras la creación de su Estado en 1948— y el Reino Unido se enfrentaron a los egipcios en la llamada Crisis de Suez, durante la cual el canal fue nacionalizado por Egipto ante la negativa de franceses y británicos a financiar la presa de Asuán. Como represalia, Egipto hundió cuarenta barcos en el canal y lo bloqueó. Finalmente, la ONU, liderada por la diplomacia de Estados Unidos, organizó una tregua. El Cairo obtuvo financiación soviética para la construcción de la presa y el canal se reabrió en 1957.

Entre el mar Caribe y el océano Pacífico encontramos el canal de Panamá, otro paso clave por donde transitan 235 millones de toneladas anuales y que han cruzado más de un millón de barcos desde su apertura en 1914. Antes de su construcción, los navegantes se veían obligados a rodear el continente americano, superando el estrecho de Magallanes o el cabo de Hornos, situados en Chile, para conectar los océanos Atlántico y Pacífico. Los nativos americanos ya utilizaban el istmo panameño, lo mismo que hicieron los españoles cuando llegaron a América, para favorecer el comercio y reducir el tiempo de travesía. La idea de la construcción de un canal estuvo presente desde el siglo xv, pero no fue hasta los primeros años del siglo xx cuando la segregación de Panamá —antes parte de Colombia—, apoyada por Estados Unidos, dio luz verde al inicio de las obras. La Constitución panameña define el canal, en manos de su gobierno, como un «patrimonio inalienable de la nación». Desde 2014, China y Rusia planean construir un nuevo canal interoceánico en Nicaragua, precisamente para competir con el panameño, tanto desde el punto de vista económico como geopolítico, pues, una vez terminado, no pesará sobre estos dos países el riesgo de que en cualquier momento Estados Unidos decida bloquear o impedirles el paso por Panamá.

Los principales pasos naturales del comercio internacional son los de Ormuz y Malaca. Por el estrecho de Ormuz circula una quinta parte del petróleo mundial, unos trece millones de barriles al día, esenciales para distribuir el crudo del golfo Pérsico a Oriente y Occidente. Está controlado en su mayoría por Irán, aunque comparte derechos sobre las aguas con Omán y los Emiratos Árabes Unidos. En los últimos años, Teherán ha amenazado con su bloqueo, una situación agravada por el conflicto en Yemen, donde se han tensado todavía más las relaciones entre Irán y Arabia Saudí. Es una clara situación de cerco y contracerco ya que, si Arabia Saudí y sus aliados perjudican a Irán en Yemen, Teherán reaccionará contracercando los intereses de estos países en Ormuz.

Por otro lado, el estrecho de Malaca une el océano Índico con el Pacífico y por él pasa el 50 % del tráfico marítimo mundial. Acuerdos como el Tratado de Comercio Regional de la Asociación de Naciones del Sudeste Asiático (ASEAN, por sus siglas en inglés) liberalizan las relaciones económicas entre los países de la zona, de manera que encuentran en Malaca el punto en común frente a sus tensiones políticas. No es extraño que cualquier movimiento de China en la zona sea visto con recelo por otros países asiáticos, como Japón y Filipinas, pero también por Washington, que ha pivotado su política exterior hacia Asia-Pacífico en los últimos años. Es decir, los intereses políticos y económicos de las relaciones China-Estados Unidos se manifiestan, en el plano geográfico, por su interés en el control de este estrecho y con los tensos incidentes en el mar del Sur de China.

Así pues, a través de esta estrategia del cerco y contracerco se busca controlar o ejercer presión sobre los puntos estratégicos del adversario para debilitarlo y afianzarse en una posición de poder. Cuando en la partida intervienen varias potencias que intentan defender sus intereses, como en este caso, las piezas claves se convierten en puntos calientes (*hotspots*), polvorines donde solo el equilibrio de fuerzas y mucha diplomacia logran evitar el conflicto.

Esta estrategia puede desempeñarse en cualquier plano. La anexión de Crimea por Rusia le valió el bloqueo y sanciones económicas por parte de la Unión Europea, al tiempo que la OTAN comenzó un potente y retador despliegue en las inmediaciones de las fronteras rusas, lo que impulsó a Moscú a realizar una maniobra de contracerco en lugares como Siria. Y si se sigue presionando a Rusia, es muy probable que esta reaccione mediante acciones de contracerco en otros lugares, como Transnistria, Nagorno-Karabaj, Asia Central, Egipto o Libia.

La importancia del Ártico

Otro punto del planeta que cada vez reviste más trascendencia, como consecuencia del calentamiento global asociado al cambio climático, es el Ártico. Quien controle los pasos marítimos y los ingentes recursos que se le conocen o presuponen dará un paso de gigante en el dominio mundial. Por esta razón, los países de su entorno, y muy principalmente Estados Unidos, Canadá y Rusia, están haciendo grandes esfuerzos diplomáticos y militares para dominarlo. Valga como ejemplo que Moscú está potenciando la instalación de bases militares y la construcción de potentísimos rompehielos de propulsión nuclear como el *Arktika*, con 75.000 CV de potencia.

Intereses geopolíticos en el Ártico

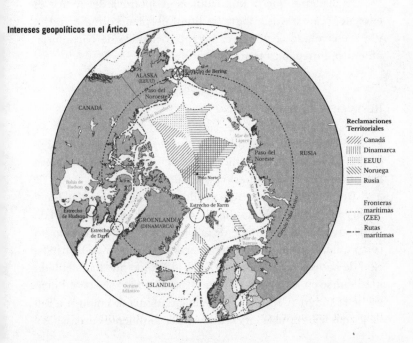

Atravesar el Ártico permite evitar los cuellos de botella del canal de Panamá y, por otro lado, de los de Suez y Malaca (ya desde principios del siglo XX, los rusos temían un bloqueo naval de estos dos estrechos, sobre todo del de Suez, por parte de Alemania y Turquía). Este «atajo» supone un considerable ahorro en costes al evitarse los caros peajes de los dos primeros. Por ejemplo, cruzar por Panamá cuesta una media de 150.000 dólares por barco, más otros 35.000 dólares por cada día anclado a la espera de paso. Además, emplear el paso ártico en vez de Panamá o Suez implica un enorme ahorro en tiempo, ya que, al reducirse la distancia a casi la mitad, la ruta entre Europa y Asia pasaría de los 31 días actuales a solo tres semanas. Las ventajas son aún mayores para los barcos de gran tonelaje que no pueden utilizar ni Panamá ni Suez para moverse desde Estados Unidos, y que se ven obligados a transitar por el cabo de Hornos —en el extremo meridional de América del Sur— o bien a navegar por el cabo de Buena Esperanza, en Sudáfrica, para ir desde Europa a países asiáticos tan importantes como China, Japón y Corea del Sur.

Es evidente que la importancia geopolítica del Ártico es enorme, pues si Rusia logra su dominio pleno o mayoritario, y si a eso añade el nuevo canal interoceánico de Nicaragua, obtendrá innegables ventajas estratégicas.

RUSIA SE VE CERCADA

El Kremlin se siente sometido a un progresivo cerco geoestratégico por parte de Estados Unidos y los demás países de la Alianza Atlántica, e intenta romperlo por cualquier medio.

Desde 1991, como ha remarcado el geopolítico español Jorge Verstrynge, Estados Unidos ha intentado explotar la debilidad de Rusia surgida del derrumbe de la Unión Soviética ejerciendo un cerco militar creciente de las fronteras rusas mediante la instalación de bases propias y de la OTAN, al tiempo que ha intentado inmiscuirse en los asuntos internos rusos y en la zona de influencia de la antigua URSS, con la finalidad última de empujar a Rusia lo más lejos posible en el corazón del continente euroasiático.

Así mismo, en su afán por conseguir la posesión definitiva del imperio del mundo, Estados Unidos —afirma Verstrynge— también pretende expulsar a Rusia, lo mismo que a China, de África e Iberoamérica, lo que es prácticamente todo el mundo no incluido en Occidente (ya controlado en gran medida por Washington).

Thual coincide con Verstrynge en que, desde la desaparición de la Unión Soviética, se ha intentado cercar a Rusia con un doble objetivo: impedir que este país vuelva a convertirse en una gran potencia e intentar que se mantenga en el papel de potencia regional. Para ello se ha llevado a cabo el proceso de «otanización» de su antiguo espacio imperial-soviético, así como el fomento de los conflictos identitarios en el Cáucaso y en Asia Central. Actualmente se podría añadir la situación que se vive en Ucrania, y que claramente ha sido dirigida para restar bazas geopolíticas a Moscú. El geopolítico francés es rotundo al afirmar que, para Moscú, no hay ninguna duda de que existe una voluntad de reducir a Rusia favoreciendo los separatismos y la imposición de una especie de *cordon sanitaire*[1] entre ella y los antiguos territorios que controlaba durante la época de los zares o del comunismo soviético.

Rusia intenta romper el cerco en Georgia

En los primeros años del siglo XXI, la Federación Rusa gozaba de un indiscutible poderío económico, consecuencia de los altos precios a los que podía vender sus inmensos recursos energéticos. Estados Unidos, inquieto, estaba a la espera de una justificación para provocar una caída en picado de los precios del petróleo, con el claro propósito de dañar la economía rusa y de ese modo aplacar las ansias expansionistas del Kremlin.

En un momento en que se sentía cada vez más acorralada por Estados Unidos, la OTAN y Japón, de poco le valía a Rusia

---

1. Expresión francesa aplicada a la restricción del movimiento de personas para evitar el contagio de enfermedades. Se utiliza metafóricamente para referirse a las medidas destinadas a impedir la difusión de ideologías consideradas peligrosas.

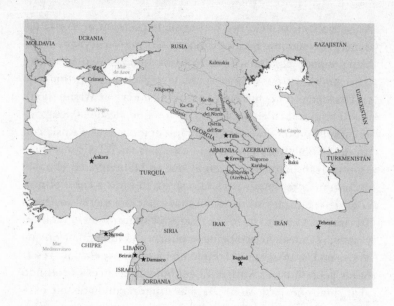

su dinero para intentar romper el cerco estratégico al que se veía sometida. Tras perder la batalla de Kosovo (1999), intentaba actuar en una zona vital para su supervivencia: el Cáucaso. El apoyo a la separatista Osetia del Sur y el enfrentamiento militar con Georgia, en agosto de 2008, respondían así a intereses geopolíticos perfectamente calculados.

Desde que a principios del siglo XIX el Imperio ruso se lanzó a la conquista de los principados georgianos, los nacionalistas de Georgia han soñado con expulsar a los rusos de su territorio. Esta frustración se ha materializado habitualmente en forma de represión contra las minorías armenia, abjasia, adzaria y, sobre todo, la oseta, dado que la mayoría de las personas de esta etnia se consideran rusas. Aprovechando esta coyuntura, durante todo el siglo XX las potencias occidentales utilizaron el nacionalismo georgiano y su repulsa a lo ruso para debilitar la posición del Kremlin en la zona, y las minorías fueron el frontón al que iban a parar todos los pelotazos de los intentos rusos y georgianos por debilitarse mutuamente.

En 2008, Georgia se había convertido en uno de los ejes de aplicación de la geopolítica de Estados Unidos en el Cáucaso. El apoyo recibido era incondicional, y la antigua república soviética estaba en la lista de aspirantes a ingresar en la OTAN, al igual que Ucrania e incluso Azerbaiyán. Mucho más de lo que Moscú podía tolerar, pues consideraba que la Alianza había pasado de ser una organización defensiva a aplicar una implacable ofensiva geoestratégica (lo que sigue sucediendo en la actualidad, incluso con vigor renovado). Sintiéndose respaldada por sus viejos aliados —norteamericanos, alemanes, ucranianos y turcos—, Tiflis se creyó con fuerzas para una acción sobre Osetia del Sur, la cual siempre había aspirado a unirse a sus hermanos de etnia de Osetia del Norte y, así, pasar a formar parte de la Federación Rusa.

Rusia lo vio claro: había que reaccionar. No se podía permitir ceder, y no lo hizo. Por un lado, se sentía tan presionada estratégicamente que no le habían dejado otra salida. Dar un paso atrás significaría el fin de su credibilidad y prestigio como potencia, tras el fracaso del sistema comunista. Tenía que demostrar que hay que contar con ella en el juego geopolítico, y para ello debía recuperar sus antiguas posiciones e influencias en el mundo, tal y como ahora está haciendo en Siria.

En ese intento, Moscú estimó oportuno aliarse en la zona con Armenia e Irán. El primero le podría servir para azuzar los sentimientos de los nacionales armenios que vivían en Georgia y amenazar a Azerbaiyán con acciones militares sobre el territorio de Najicheván. Teherán, que esperaba beneficiarse de un ventajoso reparto de los recursos del Caspio, podría ejercer mucha presión desde el sur.

Las ventajas estratégicas inmediatas de esta operación militar eran notables. Con una Osetia unida, Rusia podría dominar los principales pasos centrales de la cordillera del Gran Cáucaso y las vías de comunicación entre los mares Caspio y Negro, al tiempo que terminaría de asfixiar a Chechenia.

En cuanto a Abjasia, la otra región separatista georgiana, tenía una importancia geopolítica para Rusia incluso mayor que Osetia del Sur. Este puerto del mar Negro les permitiría contar con una alternativa al de Sebastopol, en la península de Crimea. No hay que olvidar que para Rusia siempre ha sido una prioridad estratégica contar con salidas a mares calientes.

Sebastopol fue el lugar ideal durante la época soviética. Alquilado desde 1997 —a cambio de setenta millones de euros anuales— por una Ucrania independiente, Kiev había mostrado poco antes su voluntad de rescindir el contrato en 2017. Mala noticia precisamente cuando la marina rusa, después de lustros oxidándose amarrada, había recomenzado tímidamente su singladura por los mares del mundo.

Con el posterior reconocimiento de Osetia del Sur y Abjasia como Estados independientes, Moscú demostró al mundo, ya sin tibieza ninguna, que el imperio ruso estaba contraatacando.

Rusia también lo intenta en Venezuela

En 2008, al igual que ahora, Rusia percibía a Estados Unidos como su principal competidor geopolítico y lo consideraba la amenaza principal para recuperar su pretérita y privilegiada posición de superpotencia. Así lo había constatado el entonces presidente ruso, Dmitri Medvédev, el 31 de agosto de ese año cuando, al exponer los cinco puntos cardinales de su política exterior, rechazó de plano la imposición de decisiones por efecto de la hegemonía norteamericana. En su visión multipolar del mundo, el Kremlin planeaba tejer una red de bases e infraestructuras estratégicas que le posibilitaran la futura proyección de su potencial, cortejando a Yemen, Kirguistán, Tayikistán, Libia o Siria. Y uno de los mayores esfuerzos de contracerco lo estaba realizando en Iberoamérica, donde buscaba reforzar lazos con países como Nicaragua o Cuba. Pero su socio por excelencia allí era Venezuela.

El antiamericanismo declarado del gobierno de Caracas, así como su empeño en expandir su particular revolución bolivariana al resto de la región (Proyecto ALBA), fueron claves para venderle al entonces presidente Hugo Chávez 3.400 millones de euros en armas entre 2005 y 2007, a los que se añadieron más tarde otros 800 millones de euros gracias a un préstamo ruso. A pesar de que el artículo 13 de la Constitución venezolana prohibía la instalación de bases militares extranjeras en su territorio, se abría entonces incluso la posibilidad de alojar una presencia permanente de tropas rusas. La cooperación con Caracas incluso facilitaría a Moscú, llegado el caso, amenazar el canal de Panamá. Si los venezolanos optaran por replicar los planes de japoneses y alemanes durante la Segunda Guerra Mundial, los nuevos aviones rusos que adquiría Chávez podrían interrumpir el tránsito entre los dos mayores océanos del mundo, atacando las esclusas o a los barcos de paso.

Ante esta osadía ruso-venezolana, Estados Unidos resucitó la IV Flota que había desmantelado en 1950, con la finalidad de defender sus intereses en el Caribe y en América Central y del Sur, y por supuesto proteger el canal de Panamá. Al tiempo, planeó instalar una base gigantesca en la península colombiana de La Guajira, prácticamente la única parte de la frontera entre Colombia y Venezuela donde es posible una acción convencional con medios mecanizados y acorazados. Asímismo, y a pesar de la desmilitarización completada en 1999, el presidente panameño Martín Torrijos (2004-2009) ofreció poner a disposición de Washington un nuevo puerto de amarre en el país a cambio de potenciar su aparato militar y de inteligencia. Resultaba evidente que la proximidad militar rusa inquietaba al gobierno estadounidense.

UN ZARPAZO COMO RESPUESTA

La historia demuestra —asegura François Thual— que, cada vez que un país se ha sentido cercado, ha terminado por radicalizarse y adoptar posturas más agresivas, lo que puede terminar siendo el caso de una Rusia sometida a una creciente presión, o incluso de Corea del Norte o Irán, pues basta con ver un mapa del mundo que indique dónde hay instaladas bases de Estados Unidos, la OTAN y otros países aliados de Washington para darse perfecta cuenta de quién rodea a quién. Baste señalar que el analista estratégico estadounidense Fareed Zakaria estima que Estados Unidos dispone de 766 bases en el exterior, diseminadas en cuarenta países, que alojan a casi 200.000 efectivos y ocupan 275.000 hectáreas de territorio extranjero.

Principales bases de EE.UU. en el mundo

Guam
Chinhae
Okinawa
Diego Garcia
RUSIA
CHINA
Ramstein
Croughton
Rota
Thule
Guantánamo
EE.UU.

Manas
Camp Leatherneck
Balad
IRÁN
Kuwait
Bahréin
Qatar
Incirlik
Bezmer
Camp Bondsteel

PATADA A LA ESCALERA

> Una vez que se ha alcanzado la cima
> de la gloria, es una argucia muy común
> darle una patada a la escalera por la
> que se ha subido, privando así a otros
> de la posibilidad de subir detrás.
>
> GEORG FRIEDRICH LIST

Aunque esta estrategia se puede aplicar a todos los ámbitos de las relaciones internacionales, tiene su origen en el campo de la economía. A mediados del siglo XIX, el economista alemán Georg Friedrich List decía —en su tratado *El sistema nacional de economía política*— que para cualquier nación que, por medio de medidas protectoras y restricciones a la navegación, hubiese elevado su poder industrial y su capacidad de transporte marítimo hasta tal grado de desarrollo que ninguna otra nación pudiera sostener una libre competencia con ella, nada era más sabio que eliminar la escalera por la que subió a las alturas y predicar a otras naciones los beneficios del libre comercio. List daba las gracias a Inglaterra por haberse constituido en una superpotencia y lo atribuía en parte a sus colonias, que la proveían de productos básicos mientras ella se encargaba de manufacturarlos y comerciarlos con su flota. Aunque, si bien entendía que el mundo le debía a Inglaterra y a sus revoluciones industriales gran parte de su avance, también se preguntaba si se debía desear el dominio universal de Londres sobre las ruinas de las otras naciones.

LA APLICACIÓN DE LA «PATADA A LA ESCALERA»

El economista surcoreano Ha-Joon Chang ha profundizado en la teoría de List sobre la «patada a la escalera» en el plano económico. Su tesis, muy popular entre aquellos que se sienten perjudicados por la globalización fomentada por los países más desarrollados y encabezados por Estados Unidos, se basa en que los

Estados menos evolucionados están sometidos a una gran presión para que adopten determinadas políticas económicas que no siempre están destinadas a su beneficio, sino al de aquellos que dirigen la economía y las finanzas mundiales. Paralelamente, a esos países se les impide poner en práctica medidas que sirvieron en su momento a los actuales promotores del libre cambio para llegar a su privilegiada posición de dominio en el presente, con lo que estos dan una «patada a la escalera» que los aupó a la cúspide económica para que los demás países no puedan alcanzarlos.

Chang afirma que los países actualmente más entusiastas y difusores del libre comercio, al que consideran o al menos quieren hacer ver como el principal artífice de la prosperidad generalizada, no seguían sus postulados cuando se encontraban en sus primeras etapas hacia el desarrollo, sino que protegían su propio tejido industrial aplicando a los productos foráneos todo tipo de aranceles y tasas aduaneras, al tiempo que favorecían su industria nacional mediante ayudas a la exportación, ventajosos créditos estatales y otras medidas de fomento.

Gran Bretaña, de hecho, derrotó así a la Francia intervencionista del siglo XVIII y se estableció como máxima potencia económica mundial y fábrica del mundo. En este nuevo orden y a finales del siglo XVIII empezaron a predominar las políticas del *laissez-faire* y del libre comercio, seguidas de una época de prosperidad hasta el estallido de la Primera Guerra Mundial. Sin embargo, no hay que olvidar que Inglaterra llevaba promoviendo políticas para desarrollar las manufacturas de lana desde el siglo XIV, y aunque sea difícil establecer el impacto concreto que tuvieron en el desarrollo industrial, fueron de todo punto necesarias. Destaca la reforma promulgada en 1721 por Robert Walpole, el primer ministro de Jorge I, que promovió deliberadamente las industrias manufactureras para obtener la exportación de las mismas y la importación de materias primas extranjeras, que eran las que obtenían de las colonias. Estados Unidos y Reino Unido eran así los dos países más proteccionistas de los siglos XVIII y XIX, con aranceles que llegaban a superar el 50 %. A estos países se añadían, entre otros, Alemania, Francia, Japón y Holanda.

Esto se rompió en la Primera Guerra Mundial, cuando los países levantaron barreras al comercio para proteger su economía. Hasta después de 1945, una vez concluida la siguiente contienda mundial, no se retomaron las conversaciones para liberalizar el comercio, promovidas principalmente por Estados Unidos tras una época proteccionista y con medidas proteccionistas ocultas que incluían, por ejemplo, restricciones voluntarias a la exportación, cuotas para textiles y ropa, subsidios a la agricultura y el uso de impuestos para evitar el *dumping*, es decir, que las empresas exportaran productos a un precio inferior al que aplicaban normalmente en los mercados de su propio país. En este caso, la «patada a la escalera» tras la crisis de los años ochenta, que afectó principalmente a los Estados más dependientes y en vías de desarrollo, se plasmó en el Consenso de Washington.

El Consenso de Washington —término acuñado por el economista británico John Williamson en 1989— establecía diez grupos de recomendaciones orientadas a la premisa de que, para crear riqueza, es necesario eliminar las barreras arancelarias y abrirse al mercado mundial. Estos diez puntos estaban orientados a los países de Iberoamérica, sumidos en una gran crisis de deuda y controlados por el Banco Mundial, el Fondo Monetario Internacional y el Departamento del Tesoro estadounidense. Cuando estos puntos fueron aplicados a los países iberoamericanos, con altas tasas de interés y plazos cortos, no tuvieron en cuenta los efectos sociales adversos y, finalmente, la iniciativa fracasó debido a la crisis mexicana de 1994, provocada por la falta de reservas internacionales del país y que tuvo repercusiones mundiales. Algunos criticaron el Consenso por impulsar ideas neoliberales cuando los Estados que promovían el libre comercio ya estaban en posición de supremacía. Con la crisis financiera de 2008 se empezó a afirmar que el Consenso de Washington había muerto. Y en 2010, durante la cumbre del G20 —un foro en el que participan los países más ricos del mundo más la UE— en Corea del Sur, se firmó el Consenso de Seúl para el Desarrollo, destinado a reducir la desigualdad y abordar la pobreza global mediante un crecimiento sostenible y equitativo.

Y amparándose en esta «patada a la escalera», algunas economías en vías de crecimiento, como la china o la brasileña, justificaban en dicha estrategia sus elevadas emisiones contaminantes en su búsqueda de un tratado favorable en los acuerdos para reducir el cambio climático. Alegaban así la necesidad de su propio desarrollo y que los Estados que ahora buscaban reducir esas emisiones las habían utilizado sin límite alguno anteriormente para su desarrollo económico.

El caso del proteccionismo inglés

> El mercado libre es el arma del más fuerte.
>
> Otto von Bismarck

El 9 de octubre de 1651, Inglaterra establecía la primera de las Actas de Navegación *(Navigation Acts)*. En aplicación de los principios del mercantilismo, Inglaterra perseguía con estas normas legales que todos los beneficios del comercio quedaran dentro de su imperio, para lo cual imponía que solo los barcos ingleses pudieran comerciar con sus colonias, al tiempo que impedía que estas dispusieran de un tejido industrial que pudiera rivalizar con el de la metrópoli.

Esta jurisprudencia nacía de la penosa situación en que había quedado el comercio inglés tras la guerra de los Ochenta Años (1568-1648) y del levantamiento en 1647 del embargo español al comercio entre el Imperio español y Holanda, que significaba importantes ventajas para este último país en el mercado mundial. De esta forma, el gobierno inglés pretendía hacer frente a la hegemonía marítima de Holanda, que respondió declarando la guerra a Londres, aunque las leyes también afectaban a otros países poderosos como Francia y España. La derrota de Holanda en ese conflicto, en el que se enfrentaron la armada del inglés Robert Blake con la del holandés Maarten Harpertszoon Tromp, marcó su declive como potencia.

El resultado de convertirse en un monopolio comercial fue notablemente beneficioso para Inglaterra, que vio multiplicarse los ingresos aduaneros. Los mercaderes ingleses se lucraban comprando mercancías a bajo coste para después venderlas a un precio más elevado, cuyos beneficios luego emplearían en la industrialización del país, teniendo además a las colonias como mercados cautivos. La continuidad del proceso comercial e industrial estaba garantizada por el Estado, convertido en protector del orden interno y en defensor de los intereses ingleses en el exterior, para lo que en un siglo duplicó el tamaño de su flota, convirtiéndose así Inglaterra en la principal potencia marítima mundial.

Las sucesivas *Navigation Acts* constituyeron, durante casi dos siglos, la base del comercio exterior inglés. Su repercusión económica no solo provocó las guerras anglo-holandesas, sino que también influyó más tarde en las causas que llevaron a la guerra de Independencia norteamericana. No serían derogadas hasta 1849, momento en que era mucho más beneficioso para los intereses británicos imponer el librecambismo por todo el planeta.

El rechazo que el libre cambio provocaba en Inglaterra mientras se consolidaba como potencia económica mundial era tal que, a finales del siglo XVIII, en plena guerra con Francia y España, todavía existía la creencia entre una parte de la intelectualidad inglesa de que era preferible combatir en el mar a esos dos países, en pos de beneficiar al comercio, antes que establecer con ellos una paz que pudiera significar el librecambismo entre París y Madrid. Pero en el último cuarto de ese siglo, cuando Inglaterra se había posicionado como la proveedora mundial de productos industriales —los precios a los que podía venderlos, gracias a la mecanización, no tenían rival—, los gobernantes ingleses se convirtieron en los paladines del libre cambio, sabedores de que no tendrían competencia.

Ulysses S. Grant, decimoctavo presidente de Estados Unidos (1869-1877), enseguida cayó en la cuenta de la añagaza de los británicos que tan beneficiosa les había resultado y no dudó de que a su país también le resultaría rentable (así lo haría muchos años más tarde, una vez consolidado su poder económico). Grant era un visionario que estaba adelantando la globalización, en cuanto que proceso fundamentalmente económico, como la palanca que impulsaría a Estados Unidos en todo el mundo. Pero se equivocó en el plazo temporal, pues a los estadounidenses les costó tan solo un siglo, y no dos como había predicho.

El portero de discoteca

> Cuando no te deja entrar, el portero de una discoteca es tu peor enemigo; cuando ya has entrado, se convierte en tu mejor aliado.
>
> JAIME CAMPMANY

El G8 podría compararse con uno de esos porteros de discoteca a los que se refiere el periodista satírico español Jaime Campmany. Su origen se remonta al G6, formado en 1973 por las seis potencias económicas mundiales en ese momento: Estados Unidos, Japón, Alemania, Italia, Francia y el Reino Unido. Después, se unieron Canadá (G7, 1997) y Rusia (G8, 2002). Se supone que esos ocho países son los más industrializados del mundo, pero también deberían estar China e India si se siguiera un criterio de desarrollo económico. Sin embargo, en este selecto club se negocian consensos y se acercan posiciones respecto a las decisiones que marcarán la economía y la política mundiales, de ahí que deseen que siga siendo tan exclusivo. Su composición se asemeja bastante al grupo formado por los miembros permanentes del Consejo de Seguridad de las Naciones Unidas: China, Estados Unidos, Francia, Reino Unido y Rusia. Y todos estos «porteros de discoteca», con derecho de veto en las cuestiones internacionales que amenacen la paz y la seguridad, no tienen mucho interés en dejar entrar a nuevos socios.

El exclusivo club nuclear

La estrategia del «portero de discoteca» también está presente en el ámbito del Tratado de no Proliferación Nuclear (TNP) firmado en 1968, que restringe el acceso al desarrollo y posesión de armas nucleares a todos los países del mundo a excepción de Estados Unidos, Reino Unido, Francia, Unión Soviética-Rusia y China, los únicos que habían realizado ensayos nucleares anteriormente. A partir de ahí, 190 Estados soberanos firmaron el TNP, comprometiéndose a no realizar pruebas nucleares. India, Pakistán e Israel nunca lo firmaron (tampoco Sudán del Sur, dados su reciente nacimiento y su convulsa situación) y, sin embargo, poseen armamento nuclear. Israel lo habría conseguido, por lo que se rumorea, con la transferencia de tecnología por parte de Estados Unidos, quien habría violado así uno de los pilares del TNP. Por otra parte, Corea del Norte abandonó el TNP en 2003 y también realiza pruebas nucleares. Respecto a Irán, comenzó a recibir ayuda de Estados Unidos para desarrollar la tecnología militar en la década de 1950, pero esta cesó tras la Revolución iraní de 1979. A finales de la década de 1980, China y Pakistán ayudaron al ayatolá Jomeini a desarrollar tecnología nuclear para uso civil, aunque dejaron de hacerlo por las sanciones de Estados Unidos ante la sospecha de que estaba utilizándola para desarrollar armamento nuclear.

Este «portero de discoteca» sigue muy vigente y activo, como se puede comprobar. El TNP establece que no se puede transferir tecnología nuclear, y que los Estados no nucleares se comprometen a no desarrollarla y los nucleares a reducir de buena fe su armamento. Un estatus con el que se han comprometido legalmente la gran mayoría de los Estados soberanos, mientras el Consejo de Seguridad de las Naciones Unidas sigue dispuesto a emplear medidas para no dejar entrar a ningún nuevo miembro, perpetuándose así el Club de los Cinco (y alguno más consentido).

El de las armas nucleares es quizá uno de los asuntos más hipócritas en el de por sí hipócrita y cínico escenario internacional. No deja de resultar paradójico que en la última Estrategia de Seguridad Nacional estadounidense se diga que «ninguna amenaza plantea tan grave peligro para nuestra seguridad y bienestar como el potencial uso de armas y materiales nucleares por Estados irresponsables o terroristas», cuando precisamente Estados Unidos ha sido el único país que ha empleado el arma nuclear contra población civil y, por si fuera poco, en dos ocasiones. Pero eso no parece ser óbice para considerar «rebelde» o «irresponsable» a cualquier otro país que, con todo derecho, pretenda dotarse de la bomba atómica.

Por otro lado, la promesa hecha por el presidente Barack Obama durante su campaña electoral de 2008 de encaminarse hacia un mundo libre de armas nucleares —uno de los motivos principales por los que le concedieron el premio Nobel de la Paz cuando todavía no había ni empezado a calentar el sillón del Despacho Oval— se vio enseguida truncada. Estados Unidos y Rusia habían firmado en 2010 un tercer Tratado para la Reducción de Armas Estratégicas (START III, por sus siglas en inglés), que limitaba a un máximo de 1.550 el número de cargas nucleares estratégicas para cada uno de los dos signatarios, pero las negociaciones se interrumpieron en diciembre de 2014 por los acontecimientos en Ucrania.

Bien es verdad que el número de cabezas nucleares operativas en el mundo se ha reducido sustancialmente, desde la plusmarca de 64.500 cargas alcanzada en 1986 hasta las 10.315 estimadas en la actualidad.[2] Pero tampoco es menos cierto que Washington y Moscú, como gigantes del club nuclear, se han embarcado desde hace tiempo en un cuestionado y multimillonario proceso de modernización de sus respectivos arsenales. De hecho, Rusia, mientras ha durado su bonanza económica, ha dedicado casi un tercio de su creciente presupuesto de defensa a mejorar su arsenal nuclear. Y otro tema que no se aborda es el relacionado con la potencia de las cabezas, pues tan solo se negocia el número, pero no su capacidad destructora real. A esto habría que añadir

2. Se calcula que unas 6.000 cabezas más han sido retiradas a la espera de ser desmanteladas, un proceso especialmente laborioso y costoso. De las que están operativas, unas 4.000 cargas estarían listas para ser utilizadas y otras 1.800 se encontrarían en estado de alta alerta para su rápido empleo. Muchas se han desmantelado no por razones humanitarias, sino económicas, pues su mantenimiento en situación de operatividad es muy gravoso. En cualquier caso, es imposible conocer exactamente las armas nucleares que se encuentran plenamente operativas por ser un secreto de Estado celosamente guardado que ningún país está dispuesto a desvelar.

las cargas tácticas, pequeñas bombas nucleares de baja potencia para ser empleadas contra objetivos muy limitados, cuyo riesgo de utilización accidental, no autorizada o inadvertida es aún mayor. De estas armas, que pueden no estar contabilizadas ni incluidas en los programas de reducción de las estratégicas, se cree que Estados Unidos tiene unas 500 y Rusia cerca de 2.000.

En cuanto al desafío que aparentemente suponen Corea del Norte e Irán en materia nuclear —lo que se podría extender al resto de las armas de destrucción masiva—, cuando menos hay que hacer un ejercicio de honestidad y realismo, poniéndolo en su debido contexto. Corea del Norte apenas tiene 10 cabezas nucleares[3] —frente a las 4.700 de Estados Unidos y las 4.500 de Rusia—; ha realizado, hasta septiembre de 2017, seis ensayos nucleares —frente a los 1.032 de Estados Unidos y los 715 de Rusia—; y, en cuanto al poder detonante, las explosiones más potentes se registraron en pruebas realizadas por la Unión Soviética (50 megatones, 1961) y Estados Unidos (15 megatones, 1954), muy lejos de los aproximadamente 60 kilotones[4] alcanzados por los norcoreanos el 3 de septiembre de 2017 (aunque conviene recordar que la bomba lanzada sobre Hiroshima liberó unos 16 kilotones).

Lo mismo podría decirse de los portaviones de propulsión nuclear, pues de los doce actualmente en servicio en el mundo, once pertenecen a Estados Unidos y el restante a Francia. De igual modo, en el planeta hay solo cinco países con submarinos de propulsión nuclear: Estados Unidos, Reino Unido, Francia, China y Rusia. De nuevo, y no por casualidad, aparecen los

3. Algunos expertos elevan esta cifra hasta las 60, pero sin aportar pruebas concluyentes.

4. Las cifras ofrecidas por diferentes expertos y centros especializados oscilan entre los 50 y los 300 kilotones, pero están basadas exclusivamente en el temblor de tierra que generó la explosión. La mayoría coincide en que fue inferior a 100 kilotones y muy probablemente próxima a los 60 citados. Tampoco hay ninguna certeza de que se empleara un bomba termonuclear (de hidrógeno), a pesar de que así lo ha anunciado oficialmente el régimen de Pyongyang.

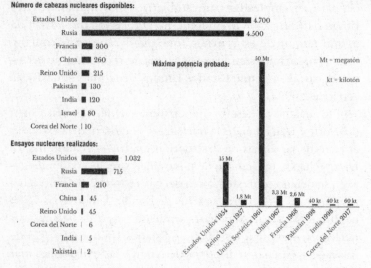

La hipocresía de las armas nucleares

Número de cabezas nucleares disponibles:

- Estados Unidos: 4.700
- Rusia: 4.500
- Francia: 300
- China: 260
- Reino Unido: 215
- Pakistán: 130
- India: 120
- Israel: 80
- Corea del Norte: 10

Ensayos nucleares realizados:

- Estados Unidos: 1.032
- Rusia: 715
- Francia: 210
- China: 45
- Reino Unido: 45
- Corea del Norte: 6
- India: 5
- Pakistán: 2

Máxima potencia probada:

Mt = megatón
kt = kilotón

- Estados Unidos 1954: 15 Mt
- Reino Unido 1957: 1,8 Mt
- Unión Soviética 1961: 50 Mt
- China 1967: 3,3 Mt
- Francia 1968: 2,6 Mt
- Pakistán 1998: 40 kt
- India 1998: 40 kt
- Corea del Norte 2017: 60 kt

miembros permanentes del Consejo de Seguridad de las Naciones Unidas. Obviamente, ninguno de estos «porteros de discoteca» tiene el menor interés en que otro país se una al selecto grupo, aunque tanto Brasil —con ayuda de Francia— como Corea del Sur —en colaboración con Estados Unidos— han mostrado su intención de disponer de un submarino nuclear y, de hecho, el brasileño podría entrar en servicio en 2018.

Como afirma Fareed Zakaria, cuando Estados Unidos —que junto con Rusia posee el 85 % de las armas nucleares del mundo— dice a los demás países que fabricar una sola arma nuclear es una abominación moral, política y estratégica, mientras que él mismo mantiene un arsenal de miles de misiles cargados con cabezas nucleares y fabrica y prueba otras nuevas, la condena suena a hueco. Además, que no se haya empleado el arma atómica desde 1945, a pesar de las derrotas soportadas por las potencias nucleares en escenarios como Corea, Vietnam, India, Afganistán e Irak, puede responder a la pésima imagen del único país que las ha utilizado: Estados Unidos.

Desde que se tiene conocimiento, las potencias hegemónicas del momento han tratado de impedir que ninguna otra nación, reino, imperio o Estado pudiera trepar por la misma escalera que ellos habían utilizado para alcanzar la cúspide, por el lógico temor no solo a tener que repartir el poder que tanto les había costado conseguir, sino a que incluso fueran despojados de él.

Un documento estadounidense fechado en 1992, el Informe Wolfowitz, recogía que la posición hegemónica de Estados Unidos debía ser preservada frente a cualquier intento de puesta en entredicho por la vía del surgimiento de otros centros fuertes de poder en cualquier parte del mundo. Para ello, entre otras cosas, Estados Unidos debería actuar para impedir la creación de un sistema de seguridad exclusivamente europeo.

Del mismo modo, el analista geopolítico George Friedman opina que Estados Unidos intentará bloquear a todas las potencias emergentes. La estrategia estadounidense consistirá en desgastar cualquier amenaza durante un largo período de tiempo, provocando que los oponentes se vean envueltos en conflictos a los que no puedan poner fin y que tampoco puedan abandonar fácilmente. Mientras dure esa estrategia, Estados Unidos invocará los principios de la autodeterminación y los valores democráticos como justificación.

Patea la escalera... por si acaso

Los países ahora dominantes de la economía y la geopolítica mundial intentan impedir que otros apliquen las mismas medidas que a ellos les permitieron alcanzar su posición preponderante. Para lograrlo, están dando patadas a la escalera que los aupó para que no pueda ser empleada para trepar por países que se podrían convertir en feroz competencia e incluso —como sucede con los que llegan con el ímpetu de los «hambrientos»— en los futuros Estados hegemónicos.

EMPOBRECE Y DEBILITA A TU VECINO

> Nada es grande ni pequeño salvo por comparación.
>
> Jonathan Swift

En un constante estado de comparación en que, para que un Estado predomine, el de al lado debe ser inferior, es lógico que exista una estrategia para debilitar y empobrecer al vecino y/o enemigo que ha tocado en suerte. A lo largo de la historia han sido muchos los procedimientos a los que los Estados han recurrido para mantener así su estatus.

Un ejemplo palmario es la aplicación de la Doctrina Monroe. Se invocó por primera vez a finales de la década de 1840 y fue a partir de 1850 cuando empezó a tomar sentido, llevándose a la práctica a finales del siglo XIX y principios del XX con acciones como la apropiación del canal de Panamá y la guerra de Cuba. El objetivo no era otro que extender la influencia por el continente americano a la vez que se buscaba debilitar los imperios europeos no aliados, ya en decadencia, y que constituían el verdadero enemigo de Estados Unidos.

Por su parte, Gran Bretaña entró en la Primera Guerra Mundial, entre otros motivos, porque Alemania había construido una formidable flota que ponía en riesgo el dominio británico de los mares, algo que Londres no se podía permitir pues afectaba directamente a su preponderancia en el comercio marítimo. Así lo entendía Bernhard Bülow, quien opinaba que, antes de la Primera Guerra Mundial, Inglaterra tenía dos motivos de inquietud, uno industrial y otro colonial, que obligaban a los ingleses a mirar a Alemania como su competidora y su rival.

La oposición que encontró España para entrar en la Unión Europea por parte de Francia era una maniobra encaminada a mantener la posición de primacía gala en Europa respecto a los productos agrícolas. A los franceses les preocupaba que España les hiciera sombra con productos más competitivos al entrar en el mercado común y no tener aranceles. Aunque no prosperó, se observa claramente una relación de vecindad en la que Francia quería seguir predominando económicamente.

En nuestros días, Estados Unidos considera que su vecino molesto es México. A Washington le interesa una cierta estabilidad del país vecino, pero no que evolucione tanto que llegue a convertirse en un fuerte competidor. México, con 125 millones de habitantes (a los que hay que añadir otros 35 millones de mexicanos o de origen mexicano que viven en Estados Unidos) y una tasa de crecimiento demográfico un 50 % superior a la estadounidense, puede convertirse en pocos años en una de las diez economías más potentes del mundo, pasando de la manufactura a la producción industrial de alta tecnología, y encima con grandes reservas de petróleo y un floreciente turismo. Por si fuera poco, los salarios en México llegan a ser diez veces inferiores a los estadounidenses, según los sectores, por lo que la competencia es feroz. Esta puede ser la razón de que el actual presidente norteamericano, Donald Trump, haya anunciado cambios en las relaciones comerciales entre ambos países.

No se ha de olvidar el siempre excluyente nacionalismo que, en palabras de Pedro Herranz, «exaltando la potencialidad de cada nación, favorece y estimula el odio de las naciones vecinas, a veces antagónicas por razones de concurrencia en la adquisición de materias primas o en la venta de productos».

La Guerra del Peloponeso

Como luego ocurriría con frecuencia en siglos posteriores, la Guerra del Peloponeso (431-404 a. C.) es la historia clásica de un poder que se consideraba a sí mismo como hegemónico —regional en este caso—, Esparta, y su percepción de la amenaza que suponía el surgimiento con fuerza de un rival que aspiraba al dominio regional: Atenas.

El desarrollo de esta conflagración, relatada por el militar y escritor ateniense Tucídides en su libro *Historia de la Guerra del Peloponeso*, se ha analizado desde muy diversas perspectivas, desde la puramente militar —estrategias, batallas, armamento, generales, combatientes, etc.— al contexto político interno de cada ciudad participante en el conflicto y la situación de las relaciones regionales.

Pero quizá el aspecto menos abordado haya sido el económico, a pesar de que se puede considerar que es el factor clave subyacente en el surgimiento y evolución del enfrentamiento, además de ser también relevantes las consecuencias económicas de esta guerra. Pues esta rivalidad geopolítica regional, tantas veces replicada luego a lo largo de la historia, en la que también entraban en liza dos sistemas de gobierno opuestos —la democracia ateniense y la oligarquía espartana—, estaba impulsada por la competencia económica.

En el 445 a. C., Esparta y Atenas habían firmado la «paz de los 30 años», por la que los atenienses aceptaban que sus rivales siguieran siendo la potencia hegemónica en el Peloponeso mientras que, en compensación, a ellos se les permitía desarrollar su capacidad marítima. Pero con el paso de los años, Esparta se dio cuenta de que Atenas estaba controlando los mercados mediterráneos, lo que permitía a esta ciudad ser cada vez más rica y poderosa.

Además, Atenas se servía de la Liga de Delos, creada en el 477 a. C. por el estadista ateniense Arístides con el propósito de hacer frente a las invasiones de los persas, lo que le confería una gran fortaleza dado que los integrantes de dicha confederación estaban formalmente comprometidos a proporcionar tropas, barcos y financiación a las campañas que Atenas, en su papel de líder, emprendiera para defender al resto de la coalición de los ataques persas. En gran medida, el acierto ateniense había sido justamente construir esta alianza que le facilitaba el acceso a elevadas cantidades de dinero del fondo común, que a su vez le permitían su propio desarrollo social y político.

Hay que retroceder en el tiempo para comprender en su totalidad la situación de Atenas cuando entró en guerra con Esparta en el 431 a. C. Durante los primeros años de funcionamiento de la confederación de Delos, y a pesar de que algunos de sus miembros desconfiaran del creciente poder de Atenas y de su posición privilegiada en el seno de la coalición, en general abundaba el concierto, dado que todos los integrantes, en mayor o menor medida, se beneficiaban del comercio que fomentaban los atenienses.

Pero la cohesión dentro de esta Liga se fue deteriorando con el paso del tiempo, pues Atenas abusaba de su posición dominante para aumentar los impuestos a los otros miembros —a los que había obligado a emplear su moneda— con la justificación de mantener el adecuado dispositivo bélico. En el 453 a. C., algunos de los miembros de esta coalición comenzaron a negarse a pagar los tributos que Atenas les imponía, a lo que habían respondido los atenienses con penalizaciones por los retrasos.

La Paz de Calias, ocurrida en el 449 a. C., por la que se ponía fin a las Guerras Médicas entre la Liga de Delos y el Imperio persa, llevó a la mayoría de los miembros de la coalición liderada por Atenas a plantearse su utilidad una vez desaparecida la razón que había motivado su origen. Como quiera que los atenienses deseaban preservar la alianza que les otorgaba tanto poder, adoptaron la posición de convertir a sus antiguos socios en súbditos de un nuevo imperio. De este modo, Atenas llegó a tener más de 250 tributarios, ejerciendo un absoluto dominio del comercio marítimo en la región.

En este proceso de desarrollo, Atenas necesitaba expansionar su comercio a fin de conseguir más ganancias para mantener los gastos sociales,[5] que le permitían tener contenta a una población de donde extraía, principalmente de las clases más bajas, a los remeros para los navíos de la inmensa flota en la que se asentaba su fortaleza. Para ello, sus objetivos se focalizaron en hacerse con las principales minas de oro y plata de los territorios adyacentes.

En un principio, Esparta no veía como un peligro a su poder hegemónico el incremento del comercio de la Liga de Delos encabezada por Atenas. Pero no sucedía lo mismo con algunos de los participantes en la Liga del Peloponeso, lide-

---

5. En las épocas de mayor esplendor, la mayor parte de los atenienses gozaban de un salario público por sus diferentes aportaciones a la comunidad.

rada por los espartanos, que viendo amenazada su economía empezaron a poner trabas al comercio de los afiliados a Delos. Esto llevó a que Atenas se planteara imponer algún tipo de bloqueo a las ciudades que le hacían la principal competencia.

Uno de los grandes rivales económicos —además de militar, por su potente flota— de la Liga de Delos era Corinto, integrada en la rival Liga del Peloponeso. Era una ciudad rica y su privilegiada posición le permitía controlar algunas de las principales rutas comerciales marítimas y terrestres. Para Atenas llegó a convertirse en una auténtica obsesión, pues Corinto, exportadora de cotizados productos por todo el Mediterráneo, rivalizaba con los atenienses por copar el importante mercado siciliano, que llevaba asociado el dominio del mar Jónico.

Durante el trascurso de la guerra, una vez destruida la mayor parte de su flota y los territorios que controlaba en el estrecho de los Dardanelos (conocido en aquella época como el estrecho de Helesponto), Atenas ya no podía abastecerse de las mercancías provenientes del mar Negro —especialmente cereales, que eran la base de la alimentación—, teniendo esta circunstancia un peso trascendental en la derrota final de los atenienses, pues los espartanos la aprovecharon para, junto con otras maniobras encaminadas al mismo fin, imponer la pena del hambre a sus adversarios, abocándolos a la rendición.

En cuanto a las consecuencias del final de la guerra, Atenas, una vez vencida y sometida militar y políticamente por Esparta, se encontró con la prosperidad económica de antes de la guerra completamente destruida y su impotencia para recuperarla. El resto del Peloponeso fue igualmente afectado por el enorme desgaste económico que la contienda había exigido, adueñándose así la pobreza de los griegos.

Cabe destacar, entre otras consecuencias económicas, que buena parte de las ciudades de la Liga del Peloponeso tuvieron que pedir dinero prestado, sobre todo a los persas, lo que no deja de ser sorprendente pensando que en realidad eran estos los enemigos comunes de todos los griegos. En cierto modo, la economía les proporcionaba a los persas una victoria inesperada sobre sus históricos enemigos.

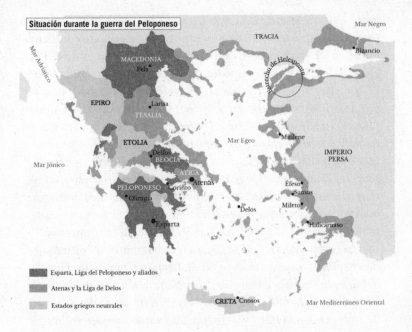

Otro efecto colateral de la guerra fue el surgimiento de la piratería en los mares antes controlados por los navíos atenienses, lo cual entorpecía al ya muy debilitado comercio. El importante número de muertos en los escenarios de confrontación también repercutió negativamente en una economía regional que entró en recesión por la falta de personas para trabajar el campo o reflotar los negocios.

LOS SISTEMAS BISMARCKIANOS

En 1871, Alemania derrotó a Francia en la guerra franco-prusiana, consolidando así la unificación alemana y formando el Imperio alemán, con Guillermo I como káiser. El Tratado de Paz de Frankfurt entregó las ricas provincias francesas de Alsacia y Lorena a Alemania, y se le impusieron a Francia duras reparaciones de guerra en forma de elevadas cantidades de dinero (como luego se haría con Alemania tras perder la Primera Guerra Mundial, lo que provocó un fuerte sentimiento revanchista que terminó degenerando en el siguiente conflicto mundial). El país galo se sumió en un deseo de paz y de debacle política, lo que fue aprovechado por Otto von Bismarck. El canciller alemán, consciente de este interés francés por la paz, lo utilizó para debilitar a su vecino durante veintitrés años, hasta el estallido de la Primera Guerra Mundial, a través de los llamados «sistemas bismarckianos». Estos no tenían otro objetivo que aislar a Francia de la esfera internacional y evitar su rearme, mientras se elegían las guerras adecuadas para mantener la supremacía de Alemania en el continente. Bismarck invirtió un gran esfuerzo político en establecer frentes diplomáticos entre 1873 y 1877 para asegurarse de que se apoyaba el régimen republicano en Francia en detrimento de los monárquicos. Precisamente el objetivo de Bismarck era reemplazar al presidente francés Patrice de Mac Mahon y a sus aliados monárquicos. Para ello fomentó la creación de un *cordon sanitaire* de gobiernos liberales y anticlericales en los países vecinos a Francia (España, Bélgica e Italia) con la intención de apoyar a los republicanos franceses a la vez que minaba a los monárquicos de Mac Mahon. De hecho, consiguió que Francia se convirtiera en república en 1877, aunque no sin altos costes. La política de contención de Bismarck era bastante pragmática, haciendo y deshaciendo gobiernos republicanos según su interés, y esto despertaba grandes recelos entre los países europeos que temían las aspiraciones hegemónicas germanas.

Entre 1871 y 1878 se formó la Liga de los Tres Emperadores, mediante la cual Alemania se alió con Austria y Rusia, comprometiéndose a la defensa mutua en caso de agresión por parte de un tercero, así como a prestar apoyo militar si era Alemania la que atacaba a un tercer país. Austria y Rusia solo se comprometían entre ellas a la defensa mutua ante una agresión exterior. Esta liga concluyó con el conflicto de los Balcanes de 1878, creándose en la Conferencia de Berlín, que ponía fin a esta guerra, una nueva alianza a la que se sumaba Italia. La segunda coalición entre Alemania, Austria, Rusia e Italia duraría hasta 1887, cuando, para frenar la expansión rusa en el Imperio otomano, Gran Bretaña se unió a ella, formando el Pacto del Mediterráneo hasta 1890. En ese año, el sucesor de Guillermo I, el emperador Guillermo II,[6] destituyó a Bismarck y acabó con su sistema de alianzas, fomentando, con su política expansionista, el caldo de cultivo que daría origen a la Primera Guerra Mundial.

Los «vecinos» de la Guerra Fría

Durante su etapa como consejero de Seguridad Nacional del presidente estadounidense Jimmy Carter, Zbigniew Brzezinski diseñó una nueva estrategia para debilitar a la Unión Soviética. La idea era actuar contra los soviéticos mediante una combinación de medidas, que iban desde fortalecer las relaciones entre Washington y Pekín —con la doble finalidad de restar aliados a Moscú y potenciar el cerco geopolítico a los soviéticos— a fomentar el debate del respeto de los derechos humanos en los países comunistas. Pero también se incluían acciones dirigidas a quebrar su economía, como imponer el embargo agrícola y tecnológico. Pero quizá lo más conocido fue el boicot a los Juegos Olímpicos de Moscú en 1980, que tenía como finalidad atacar directamente la imagen internacional de la Unión Soviética.

China, la que se avecina

La República Popular de China es el país con más vecinos directos, pues comparte fronteras con catorce Estados diferentes (Corea del Norte, Rusia, Mongolia, Kazajistán, Kirguistán, Tayikistán, Afganistán, Pakistán, India, Nepal, Bután, Myanmar, Laos

---

6. En realidad, Guillermo I de Alemania y Prusia fue sucedido por su hijo Federico III de Hohenzollern el 9 de marzo de 1888, quien falleció 99 días después a consecuencia de un cáncer de laringe, siendo a su vez sucedido por su hijo primogénito Guillermo II de Alemania, el último emperador o káiser del Imperio alemán.

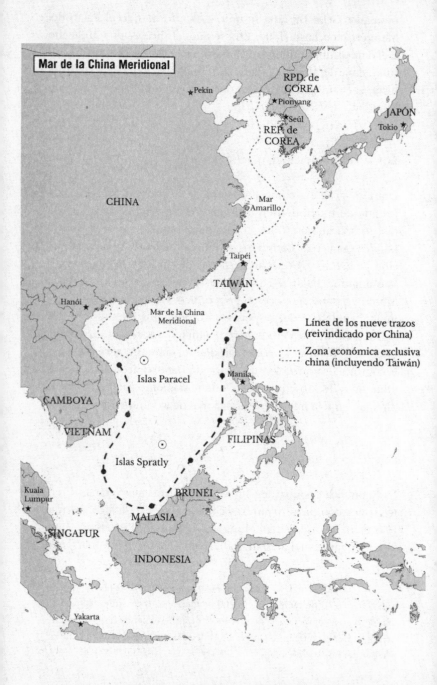

Mar de la China Meridional

y Vietnam) y bordes marítimos con Japón, Corea del Sur, Filipinas y Vietnam.

Las últimas disputas en el mar del Sur de China, que enfrentan a Pekín con sus vecinos marítimos, han llamado también la atención de un Estados Unidos interesado en detener la carrera de China hacia la cumbre del poder mundial. En el mar de China Meridional se encuentran dos cadenas de islotes rodeadas de cayos, atolones y bancos de arena deshabitados y que en ocasiones se inundan con la marea. Sin embargo, tienen un alto valor geoestratégico y económico porque se cree que es una zona muy rica en recursos naturales, especialmente gas y petróleo. Además, por esta zona transita un tercio del tráfico marítimo mundial y contiene reservas pesqueras muy importantes para las poblaciones de la región.

China, Vietnam, Malasia, Filipinas, Brunéi y Taiwán son los países que se disputan la soberanía (aunque en menor medida, también tienen intereses en la zona Indonesia, Singapur, Tailandia y Camboya) y habrá que estar atentos a su evolución, ya que China ha aumentado la presencia militar en la región, lo mismo que Estados Unidos. Así mismo, Japón se ha manifestado oponiéndose a la posición china por intereses propios. La disputa fue elevada ante la Corte Permanente de Arbitraje de La Haya por Filipinas, que en 2013 acusó a China de violar el derecho internacional marítimo —basándose en la Convención de las Naciones Unidas sobre Derecho Marítimo (UNCLOS, por sus siglas en inglés) firmada por 163 países—, pidiendo además al Tribunal que se manifestara sobre la «línea de los nueve trazos» que reclama China, una línea en forma de U que delimita las reivindicaciones del gobierno chino en el mar del Sur de China y que incluye las islas Paracel y Spratly. Pekín ya había advertido que no reconocería la competencia del Tribunal en este caso, y cuando la Corte dictaminó, en julio de 2016, que China no tenía base legal para apelar a derechos históricos dentro de esa línea, el gobierno chino se desvinculó de la sentencia. Así pues, aunque la sentencia es vinculante, el Tribunal no tiene capacidad ni recursos para forzar su cumplimiento, por lo que el conflicto geopolítico sigue candente y en manos de los Estados con intereses en la zona.

Esta estrategia aplicada desde el principio de los tiempos por las grandes potencias antagónicas la emplean actualmente los rivales regionales: Arabia Saudí e Irán; India y China; Pakistán e India; Argelia y Marruecos; Venezuela y Colombia; Corea del Sur frente a la del Norte. Y también las superpotencias: Estados Unidos con China y Rusia. La principal diferencia es que, hoy en día, el vecindario es todo el planeta y los vecinos son los 195 Estados soberanos y reconocidos oficialmente que componen la esfera internacional.[7] En este contexto de vecindad ampliada, el mundo se ha convertido en una lucha de todos contra todos.

El concepto de «vecindad» ha evolucionado notablemente en los últimos tiempos, transformado por la globalización. Este proceso —iniciado en el segundo tercio del siglo XX y potenciado, desde finales de los años ochenta, merced al incremento de las relaciones internacionales y la evolución de las tecnologías de la información y la comunicación— es fundamentalmente económico, aunque también tecnológico, político, social y cultural, y ha generado una gran interdependencia entre los países, convirtiendo el mundo en la «aldea global» que ya anunciaba el filósofo canadiense Herbert Marshall McLuhan hacia finales de la década de 1960.

En el actual mundo globalizado, cualquier país, por alejado que esté físicamente de otro, se convierte en vecino virtual y, por tanto, también en un hipotético competidor con el que se puede tener que pugnar por intereses económicos y/o geopolíticos. Esto implica que ya no basta con tener controlados a los tradicionales vecinos geográficos, pues es preciso ampliar el foco de la contestada rivalidad vecinal por la supremacía, aunque solo sea de forma muy localizada. Por ejemplo, si un país está hiperespecializado en una producción determinada, como

7. Estos son los actualmente reconocidos por la ONU, de los cuales 193 son Estados miembros y los otros dos, observadores (Ciudad del Vaticano y la Autoridad Palestina). Además, hay otros muchos más no reconocidos por nadie o tan solo por un puñado de Estados, pudiéndose incluir también los microestados e incluso los virtuales.

puede ser un cierto campo de la alta tecnología, su principal rival puede estar a miles de kilómetros de sus fronteras, lo que no es óbice para que la competencia sea feroz y, en consecuencia, ambos intenten entorpecerse y empobrecerse mutuamente.

El síndrome de Procusto

Según la mitología griega, en una zona remota existía un posadero de nombre Procusto que tenía la aterradora costumbre de cortar las extremidades que sobresalían de la cama, intencionadamente corta, en la que invitaba a yacer a los desdichados viajeros que en su establecimiento buscaban descanso. Como su objetivo no era otro que causar dolor, si por el contrario, el infeliz era más pequeño que el lecho —es probable que dedicara uno distinto a cada caso—, procedía a su estiramiento a golpes.

La pérfida anécdota ha pervivido en el tiempo, siendo a menudo empleada para referirse a aquellos que no toleran que alguien destaque en modo alguno. Por tanto, en cuanto perciben esa falta de regularidad, adoptan acciones para imponer la «norma», no dudando en emplear para conseguirlo cualquier medio a su alcance, que puede ir desde la aparente violencia física a la tortura psicológica o el asesinato social.

En geopolítica, este síndrome se manifiesta cuando un Estado adopta medidas para impedir que otro adversario en cualquier campo —militar, económico, estratégico, etc.—, especialmente si es un vecino, destaque de tal modo que le pueda hacer sombra o simplemente dificulte de algún modo la consecución de sus objetivos.

Cuando el vecino es un potente y desagradable competidor

El vecino no siempre tiene por qué ser un enemigo acérrimo en el sentido clásico, un invasor o un rival histórico con el que se hayan mantenido multitud de enfrentamientos bélicos. Puede ser simplemente un competidor por el predominio económico, religioso, ideológico o geopolítico.

Incluso es posible que se mantengan ciertas relaciones diplomáticas y comerciales, por más que sean hipócritas y de delicada estabilidad. Y hasta que participen en las mismas alianzas políticas y militares. Dicho de otro modo, el vecino al que se aplica esta estrategia es considerado como un «amigo» competidor. Grecia y Turquía son ambos miembros de la OTAN y de la ONU, pero eso no les priva de mirarse mutuamente con el mayor de los recelos, llegando periódicamente a puntos de máxima tensión.

A principios de junio de 2017, Arabia Saudí abrió una fase de hostilidad hacia su vecina Qatar, con quien tantas cosas había compartido. Aunque el hecho de tener un perfil similar —país musulmán suní rico gracias al petróleo— podría ser suficiente para mantener relaciones amistosas, Doha pareció cometer el imperdonable error de no querer someterse a los designios de la poderosa potencia regional que representa Riad. Para llegar a esta situación, los qataríes fueron acusados de apoyar a grupos extremistas que estaban sembrando el caos en la región (como podrían ser Al Qaeda y el Estado Islámico). Pero detrás de la decisión saudí, y dejando al margen otros intereses económicos que planeaban sobre esta crisis, también se encontraba la pugna por la supremacía religiosa dentro del mundo musulmán suní. Mientras Arabia Saudí acaudilla la corriente rigorista wahabí, en la que invierte ingentes cantidades de petrodólares para expandirla por buena parte del mundo, Qatar es afín a otro movimiento no menos radical: el de los Hermanos Musulmanes.[8]

Además, Arabia Saudí se vale de la desproporción de fuerzas para retar a su vecina, pues con unos 30 millones de habi-

8. Originarios de Egipto, donde fueron creados en 1928 por Hasan al-Banna, los Hermanos Musulmanes siguen teniendo una fuerte presencia en el país a pesar de haber sido expulsados del poder, legítimamente alcanzado en las urnas, mediante un golpe de Estado en julio de 2013. Turquía es otro de los países donde tienen creciente influencia.

tantes y un ejército de casi medio millón de efectivos, es consciente de que tiene sobrada capacidad para aplastar a Qatar, de apenas dos millones de personas y 11.000 soldados.

Esta rivalidad entre vecinos en la que se mezclan religión, economía y geopolítica, animada desde el exterior por otros intereses, tiene el potencial de desencadenar aún mayor inestabilidad en una región incapaz de llegar, hoy día, a planteamientos duraderos de paz.

No te fíes ni del vecino

> No conozco muchos casos de Estados pequeños, ricos y militarmente débiles que, estando en rivalidad política con vecinos grandes y poderosos en sus fronteras, hayan mantenido su autonomía durante mucho tiempo.
>
> MICHAEL HOWARD

A lo largo de los siglos, los países han intentado mantener una superioridad relativa sobre sus vecinos, de modo que no supusieran una amenaza, ni militar ni económica. En ocasiones también han procurado que estos se conviertan en un importante mercado para sus productos, para lo cual han procurado que gozaran de cierta estabilidad. Cuando el vecino se ha visto como una amenaza, en primer lugar se han aplicado medidas de desestabilización interna, creando o fomentando grupos subversivos. Ante un agravamiento de la tensión, normalmente la situación ha desembocado en un conflicto armado de intensidad variable.

Actualmente, los Estados compiten en un escenario global donde todos son vecinos. Hay distintos tipos de instrumentos para debilitar al vecino: económicos, políticos, diplomáticos y militares. Pero cualquiera de ellos obedece al mismo interés de mantener el poder y la supremacía frente a los demás, por lo que hundir al vecino es una forma de mantener el *statu quo*.

Por todo ello, no hay que fiarse nunca de la fingida buena voluntad de los vecinos. En el fondo, para ser ellos superiores y tener el control (al menos regional), están siempre encantados de que en el país vecino haya división política, florezcan los nacionalismos separatistas, proliferen los enfrentamientos sociales, surjan disturbios o incluso se pueda llegar a romper. Eso cuando no es el mismo país vecino quien propicia, de forma más o menos encubierta, todas esas debilidades intestinas en la nación contigua. Y todo, por supuesto, mientras no perjudique directamente su economía, su seguridad o su estabilidad.

En general, un Estado prefiere la existencia de una cierta inestabilidad y amenaza de ruptura, la cual impida al vecino progresar en exceso o incluso superarlo. Esto siempre es mejor que un caos total que le afecte directamente, tanto por perder un mercado —que ya no puede pagarle— como simplemente porque, por reflejo, se produzcan altercados sociales en su propio territorio o bien se genere un éxodo masivo de personas procedentes del país desmoronado. Pero la historia demuestra que los vecinos siempre han sido eternos adversarios, por lo que no hay que fiarse... y menos de los más próximos.

SIMULA Y DISIMULA

> Las cosas no pasan por lo que son, sino por lo que parecen.
>
> BALTASAR GRACIÁN,
> *Oráculo manual*
> *y arte de prudencia*

Simular lo que no se es; disimular lo que se es. En este sentido, el cardenal Mazarino ofrece muchos ejemplos de cómo hacerlo para conseguir beneficios propios y, aunque escritos para quienes ejercen la política, pueden aplicarse igualmente al ámbito de la geopolítica. Y es que, como dice Pedro Herranz, «la política internacional siempre ha sido como un juego de naipes, en el que los jugadores se guardan muy bien de enseñar las cartas si quieren hacer baza». Es la regla de fingir ser amigo de todo el mundo que con gran habilidad aplica Suiza, siempre caracterizada por su neutralidad.

EL ARTE DE ENGAÑAR

> En la guerra, el fraude es siempre glorioso.
>
> PEDRO HERRANZ,
> *Status belli*

A lo largo de la historia, los espías han sido y son las extensiones de los Estados que disimulan en los países enemigos, o incluso aliados, con el fin de obtener información beneficiosa para los intereses de los Estados a cuyas órdenes trabajan. Max Hastings, por ejemplo, relata cómo, durante la Segunda Guerra Mundial, algunos de los principales agentes soviéticos que actuaban en los países europeos se convirtieron en enérgicos empresarios capitalistas para disimular sus labores como recopiladores de datos de inteligencia para los comunistas.

No hacían más que aplicar la premisa de Lenin según la cual, para conseguir sus objetivos ideológicos, los comunistas debían hallarse dispuestos, en caso de necesidad, a emplear todo tipo de ardides, planes y estratagemas ilegales, incluso negar o disimular la verdad. Algo que no se diferencia demasiado de lo que en el mundo musulmán es la *taqiyya*, el disimulo, y concretamente en el chiismo, el *kitman*, el engaño, con frecuencia empleado por los salafistas-yihadistas para no ser descubiertos antes de cometer un atentado terrorista.

Es evidente que confundir aparentando lo que no se es y disimular para que nadie sepa lo que en verdad se es o se tiene, es una estrategia geopolítica que ha servido para que los Estados crezcan al amparo de la sombra del engaño y se hayan descubierto a sí mismos tan solo cuando han estado preparados para dar el salto a la esfera internacional.

Pero hasta para simular y disimular hay que ser todo un maestro, evitando que se note lo que se presume o se oculta. En su obra *Elogio de la locura o encomio de la estulticia*, Erasmo de Rotterdam decía que «fingir estulticia oportunamente es el colmo de la sabiduría». Efectivamente lo es, pues en ocasiones es preferible parecer débil y pobre para no crearse enemistades ni envidias. Lo mismo sucede a los Estados, ya que a menudo es mejor ocultar los recursos de los que se dispone para evitar que otros se quieran apropiar de ellos.

Parafraseando a Nicolás Maquiavelo cuando decía que «la política es el arte de engañar», se puede concluir que, en geopolítica, el engaño se convierte en el arte supremo.

La maestría de Sun Tzu

El general y estratega militar chino Sun Tzu (siglos VI-V a. C.), en su influyente tratado *El arte de la guerra*, recomienda numerosas estratagemas sobre cómo y cuándo simular y disimular, insistiendo en que la guerra se basa en el engaño: cuando seas capaz, finge incapacidad; cuando seas activo, pasividad; si estás próximo, haz creer a tu enemigo que estás lejos; si alejado, que estás cerca; ofrece al adversario un señuelo para hacerle caer en una trampa; simula el desorden y sorpréndelo; finge estar en inferioridad de condiciones y estimula su arrogancia.

El líder chino Mao Zedong reconoció en repetidas ocasiones la influencia que sobre su victoria sobre Chiang Kai-shek y el Kuomintang en 1949 había tenido el pensamiento de Sun Tzu. Su tratado militar influyó de manera determinante en los escritos de Mao sobre la guerra de guerrillas, una de las claves para las insurgencias comunistas surgidas por todo el mundo.

> Para ocupar un lugar distinguido en
> el mundo se hace todo lo posible para
> aparentar que ya se está ocupando.
>
> François
> de La Rochefoucauld

En la actualidad, China «simula y disimula». Deng Xiaoping fue uno de los dirigentes comunistas más importantes durante la época de Mao Zedong, impulsor del Gran Salto Adelante, la política que pretendía reformar la economía china. Apartado del partido durante la Revolución Cultural atizada por Mao frente a los reformistas, Deng volvió a la política en 1978, tras la muerte del Gran Timonel. Introdujo las reformas económicas de tipo capitalista, pero manteniendo el discurso comunista, lo que ha convertido a China en menos de cuarenta años en líder regional y gran potencia mundial. Sin embargo, si se piensa en la China de hace veinte o incluso diez años, nadie la consideraría hoy una digna competidora de Estados Unidos. Al menos no una tan importante como para que Washington pivote su política exterior desde Europa y Oriente Medio a Asia-Pacífico, como empezó a hacer la Administración Obama.

De hecho, en las cumbres mundiales sobre cambio climático, China todavía se presenta a sí misma como país en vías de desarrollo. Así lo han manifestado los líderes chinos de los últimos años, Hu Jintao (2003-2013) y su sucesor, Xi Jinping, quienes han recordado en los foros internacionales que China todavía se está desarrollando y, por tanto, tiene que comportarse de acuerdo a su naturaleza. Pero ¿es efectivamente un país en desarrollo? Deng Xiaoping decía: «Esconde tu fuerza, espera tu momento». Es lo que hace China desde la década de 1980. En 1974, durante un discurso ante las Naciones Unidas, Deng recordó que China era un «país socialista» y «en vías de desarrollo también». Desde entonces, la economía china se ha multiplicado por 64, manteniéndose con un nivel de crecimiento del 7 al 10 % anual. Como se ha indicado con anterioridad, de hecho ya es la segunda economía mundial; ha superado a la primera, Estados Unidos, en paridad de poder adquisitivo y se espera que aumente la diferencia en los próximos años.

Respecto al gasto militar, China es el segundo país del mundo, solo por detrás de Estados Unidos, y desde luego el mayor de Asia, empleando un 2 % del PIB según datos oficiales.[9] Además, según estudios del Stockholm International Peace Research Institute (SIPRI), esta tendencia sigue en aumento. No hay que olvidarse de las organizaciones que ha creado China y de los foros de cooperación Sur-Sur, como la Organización para la Cooperación de Shanghái,[10] el Banco de los BRICS,[11] el Banco de Desarrollo Chino y el Banco Asiático de Inversiones, que podrían hacer sombra a las organizaciones internacionales creadas en su momento por Estados Unidos y otros países occidentales, como el Fondo Monetario Internacional y el Banco Mundial.

A pesar de esto, lo cierto es que China sigue en gran medida en fase de desarrollo. Lo justifican los más de mil millones de personas que viven en zonas rurales y suburbios de grandes ciudades, y que están sumidas en la pobreza. China manifiesta que su prioridad y su responsabilidad como potencia es centrarse en los asuntos domésticos y fomentar

9. Como se aprecia en el gráfico, según datos del *Military Balance 2017* publicado por el International Institute for Strategic Studies (IISS), Estados Unidos destinó 604.452 millones de dólares en 2016, mientras que China apenas gastó 145.039 millones de dólares. Si bien la diferencia en números absolutos es abismal, China lleva sin aportar datos oficiales a la ONU desde 2014 y las cifras son estimaciones basadas en lo que manifiesta el gobierno chino.

10. La Organización de Cooperación de Shanghái (OCS) es un ente intergubernamental, dedicado a la cooperación en materia de seguridad, económica y cultural, del que forman parte China, Rusia, Kazajistán, Kirguistán, Tayikistán, Uzbekistán, India y Pakistán.

11. El acrónimo BRICS corresponde a la asociación económico-comercial de las cinco economías emergentes más importantes del mundo: Brasil, Rusia, India, China y Sudáfrica (superada recientemente por Nigeria).

Mayores presupuestos militares en 2016

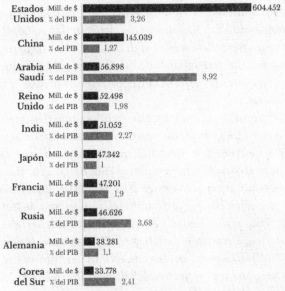

Según International Institute for Strategic Studies, *Military Balance 2017*

Estados Unidos	Mill. de $	604.452
	% del PIB	3,26
China	Mill. de $	145.039
	% del PIB	1,27
Arabia Saudí	Mill. de $	56.898
	% del PIB	8,92
Reino Unido	Mill. de $	52.498
	% del PIB	1,98
India	Mill. de $	51.052
	% del PIB	2,27
Japón	Mill. de $	47.342
	% del PIB	1
Francia	Mill. de $	47.201
	% del PIB	1,9
Rusia	Mill. de $	46.626
	% del PIB	3,68
Alemania	Mill. de $	38.281
	% del PIB	1,1
Corea del Sur	Mill. de $	33.778
	% del PIB	2,41

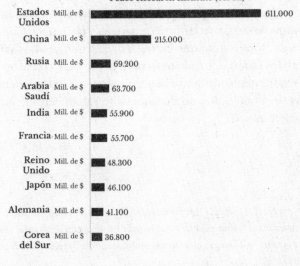

Según Stockholm International Peace Research Institute (SIPRI)

Estados Unidos	Mill. de $	611.000
China	Mill. de $	215.000
Rusia	Mill. de $	69.200
Arabia Saudí	Mill. de $	63.700
India	Mill. de $	55.900
Francia	Mill. de $	55.700
Reino Unido	Mill. de $	48.300
Japón	Mill. de $	46.100
Alemania	Mill. de $	41.100
Corea del Sur	Mill. de $	36.800

la riqueza y el crecimiento económico en el interior del país. Según algunos estrategas chinos, el relativo parón que ha sufrido su economía en los últimos años ha sido plenamente intencionado, con la finalidad de intentar homogenizar la distribución de la riqueza entre una población que estaba comenzando a polarizarse con el surgimiento de decenas de millones de millonarios. En definitiva, se trataría de ir consolidando una clase media que dé estabilidad al Estado, evitando percepciones de injusticia que pudieran provocar un estallido social.

También pudiera ser que simplemente China esté llevando a cabo una estrategia mediante la cual puede actuar como una superpotencia mundial, pero sin tener que asumir las responsabilidades que conlleva. Una de las grandes inquietudes geopolíticas actuales es si el despertar de China será pacífico o agresivo, no olvidando que, en marzo de 2014, Xi Jinping comparó a China con un león que despertaba, aunque «pacífico, agradable y civilizado».[12] Las dudas proceden de la desconfianza que produce que China oculte sus verdaderas intenciones tras el humo del desarrollo. Además, ¿quién ha visto un león pacífico?

En cualquier caso, China es un gran ejemplo de esta estrategia, como no podía ser menos teniendo en cuenta su rico y largo pasado, y su cultura de astucia y paciencia. Como Erasmo de Rotterdam pone en boca de Eurípides: «Los sabios tienen dos lenguas, una la usan para la verdad y con la otra dicen las cosas que consideran convenientes en cada momento». Y si hay un pueblo dotado de semejante sabiduría milenaria, ese es el chino.

12.   La analogía del presidente chino al comparar su país con el despertar de un felino podría estar basada en una cita atribuida a Napoleón Bonaparte: «China es un león dormido. Cuando despierte, el mundo temblará».

> Saber uno vender sus cosas vale mu-
> cho, que ya no se estiman por lo que
> son, sino por lo que parecen.
>
> BALTASAR GRACIÁN,
> *El Criticón*

Muchas actuaciones internacionales han pretendido disimular las verdaderas intenciones tras mantos de propósitos humanitarios y ecologistas o mediante la creación de enemigos. Baste recordar la invasión de Irak en 2003, con la justificación de las supuestas armas de destrucción masiva. Lo mismo que el veto o la limitación de la producción de ciertos materiales, o los embargos preventivos, cuando en realidad se trata de frenar un crecimiento económico o bien de asegurar el propio (con tasas sobre productos que puedan afectar a la economía nacional). Por no mencionar la declaración de la *war on terror* de George W. Bush, que creó el pretendido enemigo común mundial: el terrorismo internacional o global, concepto erróneo y ambiguo que desde 2001 sigue sin estar definido.

Por todo lo dicho, queda patente que ante toda actuación de una potencia o aspirante a serlo debemos preguntarnos cuáles son los verdaderos motivos que se esconden tras ella. Seguirá sucediendo en el futuro en los planos económico, militar, ecológico y también humanitario, donde al final, las razones que nos ofrezcan —por más que pueden tener algo de cierto— serán mayoritariamente excusas que obedezcan a la agenda política, económica y geopolítica de cada Estado, habitualmente muy poco confesable.

EL *BREAKING POINT*

Todo pueblo, nación, Estado o imperio ha tenido flaquezas y luchas intestinas por el poder que cualquier adversario, hábil estratega, que quisiera debilitar o eliminar del tablero de juego a su competidor sabía cómo aprovechar. Nacionalismos, separatismos, diferencias sociales o movimientos subversivos, adecuadamente fomentados y dirigidos desde la sombra, han procurado dar con ese *breaking point* o punto de ruptura, el talón de Aquiles que fragmente y hasta acabe con el rival.

Los estrategas chinos Liang y Xiangsui comentan la utilidad de encontrar y explotar los puntos débiles del enemigo con la finalidad de desequilibrar el poder de los más fuertes. Se puede conseguir, afirman, mediante la guerrilla —principalmente la urbana—, la guerra terrorista, la guerra santa, la guerra prolongada y la guerra de redes. En todas ellas, el centro de gravedad de los ataques son los puntos susceptibles de provocar una inmensa conmoción psicológica en el adversario. En un momento en que algunos países occidentales se han embarcado en enfrentamientos con el terrorismo yihadista, cabe recordar que el experto en estrategia militar Pierre Servent señala que los civiles y la opinión pública son los objetivos de la nebulosa terrorista, convertidos en el punto vulnerable de las sociedades democráticas.

ESTADOS UNIDOS APROVECHA LA DEBILIDAD DE ESPAÑA

Toda superpotencia tiene su talón de Aquiles y, por poderosa e invencible que parezca, cualquier día puede llegar un avispado que se lo encuentre. Un claro ejemplo es la guerra de Cuba de 1898. En la Conferencia de Berlín de 1884-1885, las grandes potencias europeas se habían repartido los territorios africanos que querían convertir en colonias, lo mismo que hicieron posteriormente con Asia. Estados Unidos, que no había participado en ninguno de estos dos repartos, inició su carrera expansionista centrándose en lo que tenía más cerca: el Caribe. Al principio, algunos de los presidentes estadounidenses habían intentado comprar la isla de Cuba por su valor estratégico, agrícola y económico, pero España siempre lo había rechazado. Desde la Revolución de 1868, había nacido en Cuba un sentimiento nacionalista que se veía favorecido por el surgimiento de la burguesía en la isla y por las limitaciones políticas y comerciales impuestas por la metrópoli. Se sucedieron distintas sublevaciones, como la guerra de los Diez Años (1868-1878), la guerra Chiquita (1879-1880) y la guerra del 95, acompañadas de campañas mediáticas por parte de Washington, que dibujaba a los revolucionarios cubanos como libertadores, y de Madrid, caricaturizando al gobierno norteamericano como un ladrón con pretensiones de anexionarse la isla y sin historia política ni militar.

Con la excusa de proteger los intereses de los residentes estadounidenses en la isla, presunta causa justa para una intervención, la Casa Blanca envió el buque acorazado *Maine* en enero de 1898, el cual, al volar por los aires en febrero de ese mismo año, fue el detonante que desencadenó la guerra hispano-norteamericana, una contienda que terminó con la victoria de Estados Unidos y confirmó la decadencia del Imperio español. España perdió Cuba, Puerto Rico y Filipinas en lo que se conoce como el Desastre del 98.

En ese momento, España atravesaba una crisis política y financiera después del reinado de Isabel II, y Washington supo aprovechar el sentimiento nacionalista de Cuba para debilitar a la metrópoli y además conseguir su propósito: ejercer su influencia en la isla.

Alemania envía a Lenin a Rusia

Esta estrategia, íntimamente relacionada con la de «siembra cizaña», se puede llevar a cabo identificando, fomentando y explotando las rivalidades políticas, sociales y religiosas internas del contrario. Fue lo que hizo Alemania con Rusia durante la Primera Guerra Mundial. El régimen del káiser Guillermo II llevaba tiempo intentando debilitar a sus oponentes a través de la desestabilización interna, para lo que apoyaba los movimientos independentistas existentes en Irlanda, India, Egipto y Marruecos. Pero con Rusia era diferente, y además se planteó como un asunto de vital importancia para la victoria germana en la Gran Guerra.

En ese momento, los teutones tenían divididas a sus tropas en los frentes occidental y oriental. Con la llegada de Estados Unidos en 1917 para defender a los británicos, Alemania necesitaba retirar sus fuerzas del este para hacerse fuerte en la frontera con Francia. Por otro lado, en Rusia, el régimen del zar Nicolás II pendía de un hilo, especialmente después del Domingo Sangriento de 1905. Aunque, en 1917, la burguesía de la Duma hizo abdicar al zar, este hecho no impidió que los rusos continuaran su guerra contra Alemania. Lenin, exiliado en Suiza desde hacía más de diez años, era vital para que ganaran los bolcheviques sobre los burgueses y los zaristas, y el káiser pensó que un gobierno en manos de este revolucionario sería más proclive a rendirse. Así las cosas, Alemania pactó con Lenin un salvoconducto que le llevara a territorio ruso. La mera presencia del agitador en San Petersburgo sirvió para poner en marcha el movimiento socialista, sacar a Rusia de la guerra y controlar en menos de un año el país entero.

A pesar de que el ardid no sirvió para que Alemania ganara la guerra, sí ejemplifica la estrategia del *breaking point*. En realidad, tan solo se había aplicado lo que argumentaba el estratega prusiano Carl von Clausewitz: «Rusia no es un país que pueda ser conquistado, es decir, ocupado realmente... Un país como este puede ser vencido solo por su debilidad propia y la acción de las discordias internas».

EL RIESGO DE JUGAR CON LOS RADICALISMOS

Cuando se explotan y aprovechan los fanatismos, hay que obrar con sumo cuidado para evitar en lo posible que se tornen en un monstruo difícil de controlar que termine por abalanzarse sobre su creador.

En las postrimerías de la Guerra Fría, Estados Unidos decidió formar, en colaboración con Arabia Saudí, a los muyahidines[13] para que lucharan contra la presencia soviética en Afganistán

13. Si bien la palabra *muyahidín* es originalmente plural (singular *muyahid*), esta voz se ha acomodado ya a la morfología española y se usa *muyahidín* para el singular y *muyahidines* para el plural, según recoge la Real Academia Española.

y así ganar terreno a favor del bloque occidental. Este adiestramiento y la financiación de grupos radicales islamistas en la década de 1980 sería una de las causas del posterior surgimiento de grupos terroristas como Al Qaeda y el autodenominado Estado Islámico, los cuales, persiguiendo objetivos propios, han desestabilizado buena parte de Oriente Medio y declarado la guerra a Occidente.

LOS VULNERABLES CENTROS DE GRAVEDAD GEOPOLÍTICOS

Hasta los más poderosos tienen un centro de gravedad, un punto neurálgico, tan vital y esencial que si se ve perturbado puede desestabilizarlos por completo. Para Brzezinski, la primacía global de Estados Unidos depende directamente de por cuánto tiempo y cuán efectivamente pueda mantener su preponderancia en el continente euroasiático. Su tesis es que Eurasia es el mayor continente del planeta y su eje geopolítico. Por ello, la potencia que domine esa amplia parte del planeta podrá controlar dos de las tres regiones del mundo más avanzadas y económicamente más productivas. En definitiva, Eurasia sería el verdadero centro de gravedad mundial, por el que todas las superpotencias pugnan sin descanso.

Aunque no centrado exactamente en la misma zona geográfica, Brzezinski no está muy lejos de las muy conocidas teorías del geopolítico inglés Harold Mackinder: quien gobierne Europa Central dominará el *heartland* (la tierra-corazón, el centro de gravedad); quien gobierne el *heartland* dominará la isla mundial; y quien gobierne la isla mundial dominará el mundo. Para Mackinder, el *heartland* sería la Europa Central y Oriental.

Dentro de esta visión geopolítica de la vulnerabilidad, Fuller recuerda que Japón dependía de Manchuria y de Corea para la mayor parte de sus materias primas y una considerable fracción de sus cereales tenían que cruzar el mar de Japón y el mar Amarillo, por lo que la marina mercante japonesa constituía su centro de gravedad estratégico. Como sin ella su supervivencia se encontraría amenazada, se convertía en su *breaking point*.

Como sucede con las personas y las familias, no hay sociedad que no tenga un punto débil que pueda ser aprovechado por sus adversarios para derribarla. El principal medio para intentar evitarlo es identificar ese talón de Aquiles, el *breaking point*, y ser conscientes de la vulnerabilidad. A partir de ahí, queda ocultarlo y protegerlo en la medida de lo posible.

FOMENTA LA DIVISIÓN

> Aunque un ejército enemigo tenga muchas tropas, un experto puede dividirlas, de forma que no puedan ayudarse entre sí cuando son atacadas.
>
> SUN BIN

La estrategia de romper las estructuras de poder existentes y evitar la agrupación de entes más pequeños, de forma que no aparezca otro poder que pueda hacer frente al establecido, se remonta como poco al Imperio romano y Julio César la resumió en la máxima *Divide et impera*, «divide y vencerás». Ha generado muchos estudios en la literatura y todos parecen coincidir en su efectividad.

Durante la Gran Guerra, Inglaterra creyó que una rebelión árabe derrotaría al Imperio otomano, aliado de Alemania. Gracias a este hecho, la guerra se inclinaría a favor de los ingleses, que luchaban contra el país germano.

En la Segunda Guerra Mundial, Churchill hizo todo lo posible para que Rusia rompiera su pacto con Hitler y forzarla a combatir contra Alemania y a favor de los Aliados. En la misma guerra, las grandes potencias no estaban interesadas en un fuerte liderazgo árabe musulmán, por lo que fomentaron las rivalidades. El Imperio británico mantuvo las fronteras regionales entre los distintos grupos étnicos de la India, con el propósito de mantener las fricciones y reclamaciones territoriales de un grupo sobre otro, sin darles la oportunidad de unirse por la independencia. Cuando, después de la contienda mundial, la India se independizó, estas fricciones continuaron y la India británica terminó por dividirse en seis Estados: India, Pakistán, Nepal, Bangladesh, Bután y Sri Lanka.

En 1973, como consecuencia de la guerra del Yom Kipur (6-25 de octubre), los países árabes miembros de la OPEP embargaron las exportaciones hacia Estados Unidos y Holanda. Simultáneamente, muchos de estos países nacionalizaron el sector energético. En siete años, el precio del petróleo pasó de tres dólares el barril hasta unos 35 dólares. A partir de ese momento, Washington y sus principales socios comenzaron a fomentar la división de los miembros de la OPEP con la finalidad de impedir nuevos pactos entre ellos que siguieran disparando el precio del petróleo, del que Estados Unidos era el principal consumidor mundial (una cuarta parte del total).

Durante la Guerra Fría, los diseñadores de la política exterior estadounidense veían en las sociedades multiétnicas un potencial instrumento para provocar o potenciar la desestabilización de los países contrarios a sus intereses, pero también una debilidad que presentaban los países amigos y que podría ser aprovechada por potencias adversarias para generar inestabilidad regional en áreas de interés para Estados Unidos, por lo cual este aspecto era tenido muy en cuenta.

Así mismo, según comenta Olivier Entraygues, de los escritos del general y estratega británico J. F. C. Fuller se puede extraer que, en todas las épocas, Gran Bretaña ha sido hostil a la dominación de Europa por una única potencia. Sin haber buscado aniquilar completamente a su adversario, ha intentado reducir su potencia hasta un punto en el que el equilibrio esté restablecido.

LA TRAMPA PARA DIVIDIR A LOS ÁRABES

Los británicos, aprovechando el descontento árabe con la dominación turca, firmaron, el 15 de junio de 1915, un acuerdo secreto con el jerife Sharif Hussein ibn Ali, emir de Hiyaz y líder religioso de La Meca y Medina, al que prometieron la creación de un Estado árabe que abarcaría desde Siria hasta el mar Rojo y el golfo Pérsico, y desde Damasco a La Meca, a cambio de que les ayudara a vencer al Imperio otomano. Confiado, Hussein declaró la guerra a los otomanos en junio de 1916, proclamándose rey de Arabia cinco meses más tarde.

El duodécimo punto de los Catorce que enumeró el presidente estadounidense Woodrow Wilson el 8 de enero de 1918 —y que debían servir como base para las negociaciones de paz entre la Triple Entente y los Imperios Centrales— afirmaba que los árabes, junto con el resto de los pueblos sometidos por el Imperio otomano, debían disfrutar «de una indudable y segura soberanía, junto con una oportunidad de desarrollo autónomo absolutamente libre de trabas».

Sin embargo, cuando el emir Faisal —nombrado rey de Siria por los británicos— expuso sus argumentos a favor de la independencia árabe ante el Consejo Supremo de la Conferencia de Paz de París en enero de 1919, su discurso tuvo una acogida muy escéptica. Pese a que el príncipe hachemita creía tener derecho a contar con el apoyo de los países de la Entente, después de haber servido lealmente a la causa aliada al ponerse al frente de la rebelión árabe que había combatido al Imperio otomano, lo cierto es que sus reivindicaciones chocaban con las ambiciones que Francia deseaba materializar en Siria.

Si se tienen en cuenta los extensos territorios que sir Henry McMahon —a la sazón alto comisario británico en El Cairo— había prometido a Hussein, la posición de su hijo Faisal era muy moderada, pues demandaba la inmediata y total independencia de los reinos árabes de la Gran Siria —lo que actualmente es Siria, Líbano, Jordania, Israel y la Autoridad Palestina— y del Hiyaz. A cambio aceptaba la mediación extranjera en Palestina y reconocía la reivindicación de Gran Bretaña de controlar Mesopotamia.

La consecuencia fue que el reino sirio de Faisal tuvo una vida muy efímera. Por otra parte, el jerife Hussein, que había guardado todas las cartas que había intercambiado con McMahon, fue consciente de que los británicos habían roto todas las promesas que le habían hecho. Por medio de estas cartas, Gran Bretaña, que, como se ha dicho, necesitaba disponer de un aliado musulmán para que combatiera contra los otomanos, había convencido a Hussein para que iniciara la revuelta árabe contra el Imperio otomano como modo de conseguir la independencia de su pueblo. Hussein y los nacionalistas árabes creyeron que con esto evitarían el dominio europeo.

Al mismo tiempo, Londres firmó un tratado con la monarquía de la Arabia central encabezada por Abdul Aziz al-Saúd, conocido también como Ibn Saúd, por el que los británicos le aportaban una elevada cantidad de dinero todos los meses. Tras una guerra que no finalizó hasta 1932 y que causó casi medio millón de víctimas y el doble de desplazados, Saúd arrebató los santos lugares de La Meca y Medina a los hachemitas y terminó por crear la actual Arabia Saudí. Posteriormente los ingleses intrigaron para impedir que los saudíes unificaran la totalidad de la península arábiga, de modo que aislaron lo más posible el océano Índico del golfo Pérsico. La conclusión a la que se puede llegar es que todo fue una gran farsa montada con la única finalidad de ofrecer a París y Londres la oportunidad de hacerse, de forma más o menos directa, con unos territorios que albergaban en su seno las principales y más rentables reservas de hidrocarburos del mundo.

El autodenominado Estado Islámico, proclamado a sí mismo como califato en junio de 2014, pretendía acabar con el acuerdo Sykes-Picot[14] y establecer el gran Estado árabe que en su momento se les negó. Lo que, nuevamente, ni Londres ni París, junto con Washington, estaban dispuestos a permitir.

14. El acuerdo Sykes-Picot, firmado el 16 de mayo de 1916, fue un pacto secreto entre Reino Unido y Francia, con el consentimiento de Rusia, para definir las esferas de influencia y control en Oriente Medio, en previsión de la derrota del Imperio otomano. De este modo, París controlaría Líbano, Siria y el norte de Irak; Londres dominaría Transjordania y el sur de Irak; Palestina, bajo control internacional, no se incluía en las zonas árabes que se independizarían. Rusia, a la que le habría correspondido Palestina, se salió del acuerdo tras la revolución de 1917. Este acuerdo fue ratificado tras la guerra por la Sociedad de Naciones.

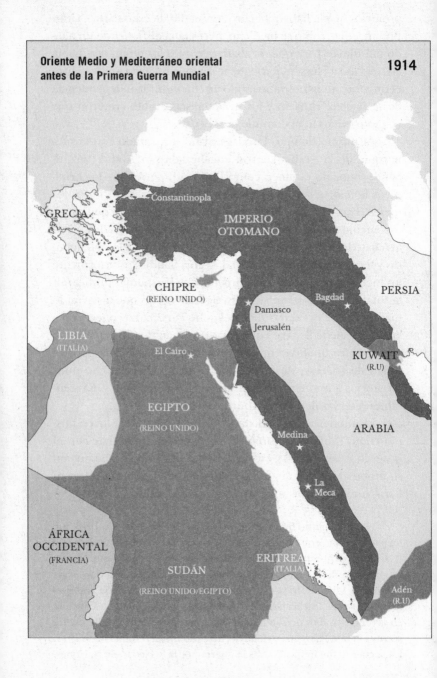

Oriente Medio y Mediterráneo oriental antes de la Primera Guerra Mundial

1914

GRECIA

Constantinopla

IMPERIO OTOMANO

CHIPRE
(REINO UNIDO)

PERSIA

Bagdad ★

Damasco ★

Jerusalén ★

LIBIA
(ITALIA)

El Cairo ★

KUWAIT
(R.U)

EGIPTO
(REINO UNIDO)

ARABIA

Medina
★

La
Meca ★

ÁFRICA
OCCIDENTAL
(FRANCIA)

ERITREA
(ITALIA)

SUDÁN

(REINO UNIDO/EGIPTO)

Adén
(R.U)

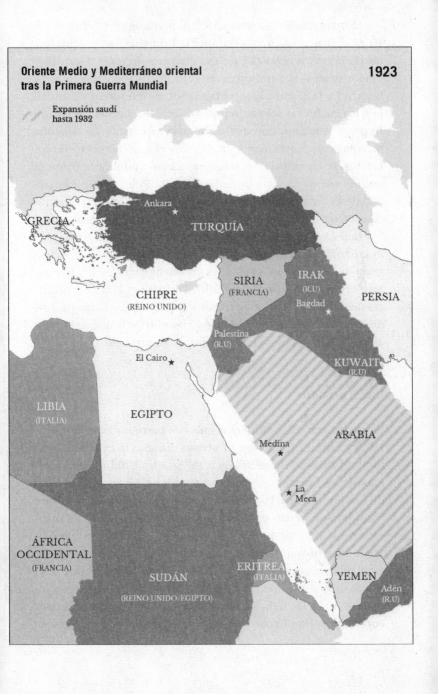

Oriente Medio y Mediterráneo oriental
tras la Primera Guerra Mundial

1923

Expansión saudí
hasta 1932

GRECIA

TURQUÍA

Ankara ★

CHIPRE
(REINO UNIDO)

SIRIA
(FRANCIA)

IRAK
(R.U)

Bagdad ★

PERSIA

Palestina
(R.U)

El Cairo ★

KUWAIT
(R.U)

LIBIA
(ITALIA)

EGIPTO

ARABIA

Medina
★

La
★ Meca

ÁFRICA
OCCIDENTAL
(FRANCIA)

SUDÁN
(REINO UNIDO/EGIPTO)

ERITREA
(ITALIA)

YEMEN

Adén
(R.U)

En una maniobra comparable a la trampa tendida por París y Londres a los árabes durante la Primera Guerra Mundial, las potencias vencedoras de esa guerra —Francia, Gran Bretaña e Italia— se reunieron en abril de 1920 en San Remo y llegaron a acuerdos, luego plasmados en diferentes cláusulas, por los cuales no solo se repartían los despojos del derrotado Imperio otomano, sino que incluían la repartición de Anatolia oriental entre armenios y kurdos. En el caso concreto de los kurdos, se les ofreció un territorio situado junto a la frontera meridional de la zona armenia y centrado en torno a la ciudad de Diyarbakir. Pero lo más importante era que, de acuerdo con los términos del tratado, los kurdos también tenían total libertad para separarse del Imperio otomano y crear un Estado independiente. La esperanza del pueblo kurdo se vio truncada cuando Mustafá Kemal Atatürk fue designado en 1923 como primer presidente de la República Turca, pues entre sus primeras decisiones estuvo revocar este derecho que se había otorgado a los kurdos, sin que las potencias europeas que lo habían asegurado hicieran nada para cumplir su promesa.

Libia, dividida

En un artículo dedicado a los miles de correos electrónicos de Hillary Clinton filtrados a la prensa durante la campaña electoral de 2016 por la presidencia de Estados Unidos, Brad Hoff expone las razones que llevaron a atacar Libia en 2011.[15] Uno de los puntos que Hoff destaca está relacionado con lo que considera un hecho confirmado y que se ha repetido en otros escenarios de Oriente Medio: los países occidentales habrían apoyado a movimientos insurgentes, algunos sospechosos de estar relacionados con Al Qaeda. En el caso concreto de Libia, tropas de operaciones especiales británicas, francesas y egipcias entrenaron a las milicias libias tanto a lo largo de la frontera entre Libia y Egipto como en los suburbios de Bengasi. Estas ac-

15. Hoff, *ibidem.*

ciones encubiertas se efectuaron apenas un mes después de que comenzaran las protestas en febrero de 2011. De este modo, los levantamientos populares fueron fomentados desde el exterior.

Esas fuerzas extranjeras de operaciones especiales facilitaron armas y suministros a los rebeldes, incluidas enormes cantidades de fusiles AK-47 y munición. Esto coincide con la noticia, recogida por el diario galo *Libération* en 2011, de que la Dirección General de la Seguridad Exterior (DGSE), la agencia de inteligencia exterior francesa, había lanzado con paracaídas una gran cantidad de armas a los opositores a Gadafi. Entre estos pertrechos habría ametralladoras, fusiles de asalto, lanzagranadas y sobre todo misiles contracarro Milán. Este extremo fue confirmado posteriormente por Thierry Buckhard, portavoz de las fuerzas armadas francesas.[16]

SU APLICACIÓN EN LA ACTUALIDAD

¿Cómo se divide y se vence en el siglo XXI? François Thual afirma que las grandes potencias —principalmente Estados Unidos, Gran Bretaña y Francia—, así como las multinacionales (el poder económico), han instrumentalizado la compartimentación del mundo con la finalidad de asegurar más eficazmente su poderío, de modo que les otorgue mayores beneficios y el control de las materias primas necesarias para la economía mundial. También asegura, en *La planète émiettée,* que la «parcelación del mundo es el resultado de manipulaciones genéticas, la mayoría de las veces efectuadas con la ayuda de los países ricos y poderosos que intentan de este modo asegurar sus intereses estratégicos y económicos». Según el estratega francés, no sería descabellado plantearse que, de aquí a una genera-

16. Para más información, véanse <http://www.lefigaro.fr/internatio nal/2011/06/28/01003-20110628ARTFIG00704-la-france-a-parachute-des-armes-aux-rebelles-libyens.php> y <http://www.rtve.es/ noticias/20110629/ francia-enviado-armas-rebeldes-libios-montanas-del-sur-tripoli-segun-figaro/ 444407.shtml>.

ción, una treintena de nuevos Estados pudieran nacer en nombre de la afirmación de una identidad nacional o confesional. La actual situación en países como Irak, Siria o Libia podrían indicar que la tesis de Thual no va muy desencaminada. Algo similar podría acontecer incluso en algún país europeo, donde las fuerzas centrífugas separatistas son cada vez más vigorosas.

Robert D. Kaplan afirma que cuanto más unida esté Europa, mayor será la tensión con Washington. De momento, lo único que podría hacer que Europa fuera un firme competidor de Estados Unidos sería llevar a la práctica una política exterior realmente unificada y, por tanto, disponer de una potente Política Común de Seguridad y Defensa, con un ejército único y un servicio de inteligencia unificado, creando así lo que en su día ansiaba Churchill: los Estados Unidos de Europa. Recordemos que cuando se estuvo más próximo a conseguirlo fue con la Constitución Europea, que nunca llegó a ser aprobada por las reticencias de algunos países poderosos, como Francia, temerosa de perder su posición privilegiada. Si a eso se unen la actual salida del Reino Unido de la UE y las tensiones por el tema de los refugiados, se ve con nitidez que, hoy por hoy, este proyecto es una mera utopía. Por no mencionar las críticas que reciben algunos de los principales líderes europeos, en el sentido de que no son más que piezas movidas desde Washington actuando en beneficio más de los intereses estadounidenses que de los propios ciudadanos europeos a los que en teoría representan y que son los que les pagan el sueldo.

Según lo que asevera Kaplan, Estados Unidos nunca permitirá una verdadera Europa unida, como tampoco puede permitir que la UE se una con Rusia, pues le significaría un enorme perjuicio geopolítico y económico. No obstante, habrá que ver cómo se desarrollan los acontecimientos futuros, ya que Europa siempre ha sido aliada de la Casa Blanca, y una Europa débil no le interesaría a un Washington que tuviera que hacer frente a nuevos retos. En un mundo globalizado y donde las amenazas a la paz y seguridad internacional hay que enfrentarlas en coalición, es decir, multilateralmente, Estados Unidos sabe que tiene que mantener a sus aliados a su lado. Por otra parte, Europa es consciente de que, individualmente, cada Estado no tiene peso suficiente en la comunidad internacional y si los países quieren hacer valer sus intereses, necesidad principal que subyace en todas las estrategias, tendrán que mantenerse unidos. Cada vez más unidos. Al menos en teoría así debería ser, aunque se vuelve a oír hablar con insistencia de la Europa de las «dos velocidades», que, de ponerse finalmente en práctica, podría ser otra piedra en el camino hacia una unidad europea efectiva.

¿La desunión rompe la fuerza?

Si no puedes acabar con todos tus enemigos a la vez, tendrás que hacerlo de uno en uno. Para eso, nada mejor que dividirlos. Un principio universal aplicable a cualquier orden de la vida y, por supuesto, de máxima utilidad en geopolítica.

Pero en ocasiones, por ignorancia, se puede conseguir el efecto contrario, es decir, conseguir que los adversarios se unan en lugar de dividirlos. Ya el historiador griego Jenofonte (siglos V-IV a. C.) avisaba de que «el hecho de que un jefe se disguste al mismo tiempo con todos sus subordinados me parece un gran error pues, por infundir temor a muchos, forzoso es granjearse muchas enemistades, y por disgustarse al mismo tiempo con todos, forzoso es que ellos, a su vez, se unan en una conjura contra él». Y esto le puede llegar a pasar a la actual Administración estadounidense.

LA DOMINACIÓN INDIRECTA

> El mundo está gobernado por personajes muy diferentes de los que se imaginan los que no están detrás de los escenarios.
>
> BENJAMIN DISRAELI

Al leer «dominación indirecta» nos vienen a la mente todas las artimañas estratégicas ejercidas por quien tiene el poder, por las grandes potencias, para controlar y mantener sus intereses sin que parezca una imposición forzosa. Mucho se ha escrito sobre cómo las potencias dominan indirectamente a los países menos desarrollados, a través de la cultura o de la economía, en lo que se ha llamado «neocolonialismo». Según Michael Coffey, tras la Segunda Guerra Mundial el ministro soviético de Asuntos Exteriores, Viacheslav Mólotov, vio en la iniciativa estadounidense para la recuperación de Europa, el Plan Marshall, un pretexto destinado a la dominación angloamericana del continente. Y lo cierto es que tan determinante fue para la reconstrucción europea como para que Estados Unidos haya tenido un fiel aliado en Europa hasta el presente.

La dominación indirecta, las influencias sutiles e imperceptibles, desempeñan un gran papel en la esfera internacional. Cuando lo directo es ineficaz, se pasa a utilizar este tipo de estrategia. Como señala Brzezinski, el sistema global estadounidense se basa en gran medida en el ejercicio indirecto de la influencia sobre las élites extranjeras dependientes.

El gobierno norteamericano es un gran y habilidoso dominador indirecto. Para hacer prevalecer sus intereses energéticos, políticos y estratégicos, Washington emplea no solo las manifestaciones del imperialismo clásico, sino que también despliega una maquinaria diversificada que va desde la influencia económica a una presencia militar y de seguridad, pasando por los múltiples discursos de los mantras mundialistas: la preservación de paisajes y la biodiversidad, el desarrollo sostenible, la democracia, el buen gobierno y la promoción de los derechos humanos.

De acuerdo con Lorot y Thual, los conflictos de baja intensidad son instrumentalizados por las grandes potencias para reforzar su poder sobre los países más débiles. De este modo, los conflictos identitarios se conjugan con otros elementos de dominación económica y política. Por ejemplo, según Friedman, si el petróleo árabe está en manos de la familia real saudí y de otras monarquías del Golfo es porque la Casa Blanca así lo ha preferido, ya que al ser instituciones «débiles» e impopulares dependen estrechamente de la ayuda norteamericana.

El escritor y periodista Amin Maalouf afirma, en *Identidades asesinas*, que «los ciudadanos de muchos países sospechan de una modernización que se percibe como el caballo de Troya de una cultura extranjera dominante, habitualmente representada por Estados Unidos, pues consideran que mundialización es sinónimo de americanización». Una idea que enlaza con el término «McDonalización» acuñado por el sociólogo George Ritzer para referirse a la sociedad actual.[17] Aunque no lo hacía como crítica a la empresa McDonald's, Ritzer utilizó como ejemplo a esta cadena norteamericana de comida rápida para referirse a la sociedad que busca algo inmediato, idéntico y a cualquier hora. Podría equipararse a una estrategia de dominación indirecta en la que se identifique la globalización o sociedad del siglo XXI como una McDonalización de la colectividad.

La estrategia de dominar indirectamente también es utilizada por China. Una perspectiva interesante es la que aportan los militares Liang y Xiangsui al asegurar que «la cultura estratégica china favorece el empleo de la estrategia de la dominación indirecta, como puede ser la búsqueda del sometimiento del enemigo y la consecución de la victoria sin combate». Demuestran así que la habilidad para los ardides es consustancial al pueblo chino.

Una característica de la dominación indirecta es que se lleva a cabo con astucia y sin despertar sospechas ni susceptibilidades. Marenches dice que la astucia consiste en inculcarle al otro el propio pensamiento con la finalidad de que se imagine ser el autor y el que ha aportado los elementos de una decisión en el sentido que se preconiza. Sería algo parecido a lo que sucede en la película estadounidense *Origen* (*Inception*, Christopher Nolan, 2010), en la cual el protagonista es un ladrón especializado en infiltrarse en los sueños de otras personas para robarles ideas o claves mientras duermen. Para conseguirlo, Dom Cobb (Leonardo DiCaprio) emplea un dispositivo llama-

17. Ritzer, George. *La McDonalización de la sociedad*, Ariel, Barcelona, 1996. Disponible en <https://socialesenpdf.files.wordpress.com/2013/08/ritzer-george-la-mcdonalizacion-de-la-sociedad.pdf>.

do «la máquina de los sueños», que genera un sueño inducido controlado por el ladrón, de modo que la víctima no sospecha que está soñando.

La dominación indirecta a través del arte y la cultura

Según la Oficina de Actividad Económica de Estados Unidos, el ámbito del arte y la cultura ha experimentado un crecimiento positivo desde 1999. Desde 2012 está creciendo un 3 % cada año. Esto supone una contribución a la economía estadounidense de más de 700.000 millones de dólares anuales, casi un 4,5 % del PIB nacional. También es el segundo producto que más exporta. Este sector agrupa diferentes actividades, como teatro, servicios de comunicación, arquitectura, publicidad y bellas artes, entre otras, destacando sobremanera el cine. Según el Observatorio Audiovisual Europeo, el mercado mundial de películas está distribuido de tal manera que los productos estadounidenses ocupan casi el 70 %, mientras que el porcentaje restante se divide entre la Unión Europea (26,2 %) y el resto del mundo (3,8 %).

Una industria que es dueña del mercado mundial y que gasta miles de millones anuales en la producción de sus películas, no solo exporta historias. Detrás de la ficción, dotada de un indiscutible poder de atracción, se esconden valores como el modelo americano de justicia, educación, gobierno y consumo. En resumen, el estilo de vida americano y su visión maniqueísta del mundo: quiénes son los buenos y quiénes son los malos. En las películas de la Guerra Fría, los «malos» eran los soviéticos, los comunistas. Ahora, los malos son los terroristas.

Detrás de las producciones estadounidenses también está el Pentágono. En 1927, la película muda *Alas* (*Wings*, W. A. Wellman), con Gary Cooper en un pequeño papel, obtuvo la ayuda del ejército norteamericano para recrear algunos combates aéreos de la Primera Guerra Mundial. Con ella empezó la colaboración entre la industria cinematográfica y los militares. Durante la Segunda Guerra Mundial, desde el momento en que Estados Unidos entró en el conflicto, se potenció esta colaboración como forma de propaganda entre sus propios ciudadanos, para animar al alistamiento e inclinar la opinión pública a favor de la guerra.

Pero la colaboración no terminó con la guerra. En 1949, el Pentágono elaboró un manual de cooperación entre la industria del entretenimiento y las fuerzas armadas norteamericanas. Según el acuerdo, si una producción reúne los requisitos adecuados, tendrá acceso a las bases militares del ejército, así como a asesoramiento y recursos (carros de combate, helicópteros, submarinos, portaviones o cualquier vehículo o arma militar; también podrá contar con soldados reales como extras). Esto supone un ahorro enorme para las productoras. Solo hay que cumplir los requisitos, entre ellos que el guion de la película contribuya a crear una buena imagen de las fuerzas armadas, ayudando a los «programas de reclutamiento y retención» de personal, y que sea acorde con la política del gobierno estadounidense. Cierto es que las productoras son libres de aceptar o no estas condiciones, pero es una forma velada de subvención con fondos públicos, promoviendo un determinado discurso.

Tom Secker y Matthew Alford publicaron a principios de julio de 2017 un artículo en la página web Insurge Intelligence[18] en el que llegaban a la conclusión de que los militares y las agencias de inteligencia estadounidenses (Agencia Central de Inteligencia [CIA] y Agencia de Seguridad Nacional [NSA]) han influido en más de 800 películas de éxito y un millar de programas de televisión. Haciendo uso de la Ley de Libertad de Prensa *(Freedom of Information Act)*, Secker y Alford investigaron más de 4.000 páginas de documentos pertenecientes al Pentágono y la CIA. En ellas se demostraba cómo el gobierno norteamericano manipula argumentos e impide que se reali-

---

18.   Titulado *Documents expose how Hollywood promotes war on behalf of the Pentagon, CIA and NSA.* Disponible en: <https://medium.com/insurge-intel ligence/exclusive-documents-expose-direct-us-military-intelligence-influence -on-1-800-movies-and-tv-shows-36433107c307>.

cen películas demasiado críticas con el mundo militar o los servicios secretos, habiendo influido en las películas más populares de los últimos años. Para no perjudicar su imagen, el Pentágono por norma rechaza prestar apoyo o intenta cambiar el argumento cuando en una película se abordan temas como el suicidio entre los militares, la guerra de Vietnam o el asunto del Irán-Contra.

De este modo, mediante un sistema de censura, Hollywood se convierte en un instrumento de propaganda para el entramado de seguridad nacional de Estados Unidos, con la finalidad de fomentar una mentalidad favorable a la guerra en una sociedad ya de por sí proclive a emplear el poder militar en el exterior. Dada esta situación, parece obvio que haya una línea general en la que los soldados norteamericanos siempre sean los buenos y promuevan los derechos humanos y la democracia. En resumen, siempre son los héroes de todas las películas o, por lo menos, de su inmensa mayoría. Sin duda, transmitir esa imagen y esos valores no deja de ser una manera de dominación indirecta.

LA DOMINACIÓN POR EL MIEDO

Otra forma de dominación indirecta es el miedo, el temor que se inculca a las poblaciones sobre alguna amenaza que presuntamente se cierne sobre ellas. Si bien puede ser real, se magnifica hasta tal extremo que los ciudadanos se someten voluntariamente a los deseos de quienes los manejan como a títeres. El grado de perfección se alcanza cuando es la misma ciudadanía la que —más allá de aceptar con sumisión las normas y medidas que se le imponen y una vez convencida del peligro inminente— solicita mansamente su aplicación, incluso con tenaz insistencia.

Philip Zimbardo está convencido de que el miedo es la mejor arma psicológica de que dispone el Estado para manipular a los ciudadanos, hasta el punto de que estén dispuestos a sacrificar sus libertades y garantías básicas a cambio de la seguridad que les promete su gobierno omnipotente. Según este psicólogo social, la Administración Bush declaró la guerra contra el terrorismo tras los ataques del 11-S por ser este la principal amenaza a la seguridad nacional y a la patria, por lo que había que oponerse a él con todos los medios necesarios. Para el mismo autor, esta base ideológica ha sido empleada prácticamente por cualquier país que haya buscado el apoyo popular y militar a campañas de agresión y represión, como se hizo en las décadas de 1960 y 1970 en las dictaduras de Brasil, Grecia y otros países para justificar torturas y ejecuciones.

El miedo también impulsa a que se creen sociedades entusiastas y favorables a mantener e incrementar el esfuerzo bélico, lo que indudablemente beneficia al complejo militar-industrial tan relevante en la economía de algunos países, que suelen coincidir con aquellos que tienen el encargo de mantener la paz mundial, es decir, los miembros permanentes del Consejo de Seguridad de las Naciones Unidas. Baste saber que, según la revista especializada en temas de defensa *Jane's,* en 2014 los principales exportadores de armamento fueron Estados Unidos (23.700 millones de dólares), Rusia (10.000 millones), Francia (5.000 millones) y Reino Unido (4.200 millones), a lo que habría que añadir las ventas grises —realizadas a través de canales legales «alternativos»— y las de tecnología de doble uso, tanto civil como militar.[19] Así mismo, entre 2012 y 2016, Estados Unidos exportó el 33 % de todas las armas del mundo, frente al 23 % de Rusia, el 6,2 % de China, el 6 % de Francia y el 4,6 % del Reino Unido, según el SIPRI.[20]

Dentro de este marco tan sumamente inquietante, tras la Segunda Guerra Mundial las grandes potencias plantearon la necesidad de mantener el «frente de guerra» lo más lejos físicamente posible de sus propias poblaciones, a las que se había convencido de la exigencia de potenciar el esfuerzo bélico. La

19.   En <http://www.janes.com/defence>.
20.   Fleurart, A.; Wezeman, P.; Wezeman, S., y Tian, N., «Trends in International Arms Transfers 2016», febrero de 2017. En <www.sipri.org>.

Principales exportadores e importadores de armamento* en 2016

Exportadores en mill. de $

Estados Unidos	9.894
Rusia	6.432
Alemania	2.813
Francia	2.226
China	2.123
Reino Unido	1.393
Israel	1.260

Importadores en mill. de $

Arabia Saudí	2.979
Argelia	2.882
India	2.547
Irak	1.734
Egipto	1.483
Corea del Sur	1.333
Emiratos Árabes Unidos	1.278

*Solo armamento principal
Fuente: *SIPRI (2017)*

finalidad era que, al no sufrir directamente en sus carnes la crueldad y el horror de la guerra, los ciudadanos no opusieran ninguna resistencia a la masiva fabricación de armamento para hacer frente a los enemigos a los que se les decía que como sociedad debían temer, pues podrían acabar con su modo de vida e impedir a sus hijos tener un futuro esperanzador. En este sentido, el Consejo de Seguridad de las Naciones Unidas ha servido para la consecución de este fin de distribuir los focos de violencia lo más alejados posible de las poblaciones de sus miembros permanentes.

Un excelente ejemplo de cómo los grandes grupos de presión que actúan en el mundo manipulan a las opiniones públicas a través de los medios de comunicación salió a la luz el 15 de agosto de 2016, cuando la plataforma DC Leaks desveló 2.576 documentos internos de las Fundaciones para una Sociedad Abierta (OSF, por sus siglas en inglés) del magnate y especulador financiero George Soros.[21] Famoso por haberse enriquecido provocando la quiebra del Banco de Inglaterra en 1992, Soros controla una red mundial de organizaciones no gubernamentales localizadas en una cuarentena de países. En esta masiva filtración se mostraba cómo Soros y su equipo habían intervenido antes, durante y después del controvertido cambio del gobierno en Ucrania en 2014, empleando para tal fin las OSF y, dentro de ellas, la oenegé ucraniana Fundación por el Renacimiento Internacional (IRF, por sus siglas en inglés), también creada por Soros.

Entre otras medidas para conseguir sus objetivos de expulsar del poder al presidente ucraniano Víktor Yanukóvich, elegido democráticamente, y mantener en el puesto al nuevo presidente Petró Poroshenko, en contra de los intereses de Rusia, uno de los documentos dados a conocer por DC Leaks expone cómo Soros manifestaba la necesidad de hacer frente a la «comprensión hacia Rusia» en Europa, especialmente en Grecia, muy ligada cultural y religiosamente a Moscú, donde por tanto se debería hacer un esfuerzo específico para poner a la opinión pública en contra de Rusia y a favor del nuevo gobierno ucraniano. Para lograrlo, se proponía efectuar en el país heleno una campaña de propaganda dirigida a periódicos, cadenas de radio y televisión, páginas de internet y los cincuenta principales líderes de opinión de las redes sociales.

Esta campaña mediática de desprestigio de la posición rusa sobre la cuestión de Ucrania y favorable a Kiev se debía replicar

21. En <http://soros.dcleaks.com>.

en otros principales países europeos. Se comenzaría por contrarrestar cualquier actuación contraria a los intereses perseguidos por Soros por parte de partidos políticos como el Movimiento Cinco Estrellas italiano, el español Podemos o el griego Syriza, considerados como «antisistema».

Entre los documentos filtrados hubo uno que llamó especialmente la atención, pues explicaba cómo OSF/IRF debía manipular a los periodistas europeos para que informaran a favor del gobierno de Poroshenko y en contra del Kremlin. Dividido en tres partes principales, sin ningún miramiento hacia el democrático principio de la libertad de prensa, venía a decir:

> Periodismo de investigación: Seleccionar periodistas de los cinco países objetivo (Alemania, Francia, España, Italia y Grecia) y ofrecerles viajes de reportaje de larga estancia en Ucrania. Más que especificarles sobre lo que deben escribir, se les deben sugerir artículos. Mantendremos el veto sobre historias que pensemos pueden ser contraproducentes. Se sugiere que contactemos directamente con los periodistas para determinar los intereses.

> *Ventajas*
> Táctica similar a lo que hemos hecho en otros viajes de prensa. Oportunidad para construir relaciones con periodistas y canales de noticias.

> *Inconvenientes*
> Credibilidad: La estrategia del «veto» significa que no es adecuado el periodismo independiente y podemos dañar nuestra credibilidad ante los periodistas.
> Control: Los periodistas pueden producir historias que no tengan relevancia para la narrativa que perseguimos transmitir o historias que sean contraproducentes (potenciar la narrativa del fascismo, etc.).[22]

Aunque no se ha dudado de la autenticidad de los documentos desvelados, la finalidad y el origen de DC Leaks se han puesto en entredicho. No obstante, los objetivos que persigue

22. *Ukraine Media Project*, en <http://soros.dcleaks.com>.

son manifiestos. Según se menciona en su página web, considera al húngaro-americano George Soros como el artífice y promotor de casi todas las revoluciones y golpes de Estado que han tenido lugar en todo el mundo durante los últimos veinticinco años. Así mismo, DC Leaks sostiene que Soros ha patrocinado al Partido Demócrata estadounidense, a Hillary Clinton —la candidata demócrata a las elecciones presidenciales de 2016— y a cientos de otros políticos de todas partes del planeta. Además de la finalidad implícita de desvelar las presuntas maniobras de Soros para influir en la esfera social y política mundial, en la portada de la página web de DC Leaks puede leerse que el objetivo es permitir el libre acceso al interior de las OSF y de las organizaciones relacionadas, ofreciendo los planes de trabajo, las estrategias, las prioridades y otras actividades de Soros, poniendo en evidencia a una de las redes más influyentes que actúan a lo largo y ancho de todo el mundo. Y en cuanto a la relación con Hillary Clinton, los documentos desvelados apuntan que existiría una estrecha colaboración entre la Iniciativa Global Clinton (Fundación Clinton) y las OSF con el propósito de influir en terceros países.

La principal controversia surge a la hora de identificar el origen o quién puede haber detrás de DC Leaks. De atenerse a lo declarado por sus propios creadores, se trataría de una entidad estadounidense integrada por «hacktivistas». Pero hay empresas especializadas en ciberseguridad que aseguran con rotundidad que detrás de esta web, creada en junio de 2016, se esconde una trama bien organizada dirigida por el departamento de inteligencia militar ruso (GRU, por sus siglas en ruso) y, más concretamente, un grupo de hackers relacionado con él que se denomina Fancy Bear, también conocido como Pawn Storm o APT28. Por su parte, la inteligencia estadounidense relacionó las filtraciones de DC Leaks con el presunto empeño del Kremlin de influir en las elecciones presidenciales de 2016 en Estados Unidos, sobre todo para desprestigiar a Hillary Clinton.

Dejando aparte el asunto de DC Leaks, la figura de Soros es muy controvertida. En diversos documentos y reportajes periodísticos se lo acusa igualmente de patrocinar a los defensores de la teoría del cambio climático, entre otras muchas actividades de corte progresista y liberal en todo el mundo. Actualmente, el gobierno húngaro de Viktor Orbán mantiene una pugna particular contra Soros por la implantación de la Universidad Centroeuropea (CEU) de Budapest, financiada por el magnate estadounidense, y también por diferencias ideológicas, al acusar Orbán al filántropo de origen magiar de ser partidario de la inmigración —a la que abiertamente se opone el gobierno húngaro— y de apoyar a oenegés de corte liberal.

INTERFERENCIA EN PROCESOS ELECTORALES

A finales de diciembre de 2016, en un momento en que era portada de periódicos y noticieros de todo el mundo la hipotética intervención de los servicios de inteligencia rusos en el resultado de las elecciones presidenciales estadounidenses, el periodista Shane Dixon Kavanaugh dio a conocer el estudio que había elaborado el analista político Dov Levin, del Instituto de Política y Estrategia de la Universidad Carnegie Mellon (Pittsburgh, Pensilvania), sobre los intentos de Estados Unidos para influir en los procesos electorales de otros países.

Tras consultar una multitud de fuentes —documentos desclasificados de los servicios de inteligencia estadounidenses, memorias de antiguos agentes de la CIA, informes del Congreso sobre actividades de inteligencia, archivos diplomáticos de la época de la Guerra Fría y estudios académicos—, Levin llegaba a la conclusión de que entre 1946 y 2000 la Casa Blanca había interferido en 81 elecciones realizadas en 45 países. Desde las campañas de Filipinas de la década de 1950 a las nicaragüenses de 1990, cuando la CIA había filtrado información que perjudicaba a los sandinistas. Y eso sin incluir los golpes de Estado o los intentos de cambio de régimen cuando salía elegido un candidato contrario a los intereses de Washington.

Las acciones realizadas por la Casa Blanca eran muy variadas, se adaptaban a las circunstancias e incluían distribución de propaganda, apoyo a la campaña de los partidos y candidatos preferidos, ayudas económicas y amenaza de retirarlas a quienes ya las recibían.

Si bien la mayor parte de estas injerencias en los procesos electorales extranjeros tuvieron lugar en el contexto de la Guerra Fría para contrarrestar la influencia de la Unión Soviética en los partidos de izquierdas, Levin afirmaba que después de 1991, cuando ya había caído el Telón de Acero, la Casa Blanca siguió interfiriendo en elecciones, incluso en la propia Rusia en 1996. Por cierto, Moscú tampoco se libró del proceso investigador de Levin, pues asignaba a los rusos haber intentado influir también en las elecciones de otros países en 36 ocasiones desde 1946 a 2000.

El último caso conocido tuvo lugar a principios de mayo de 2017, poco antes de que se celebrara la segunda vuelta de las elecciones presidenciales en Francia, cuando se filtraron a las redes sociales decenas de miles de correos electrónicos personales y profesionales del entonces candidato liberal Emmanuel Macron, que presuntamente se habrían robado semanas antes. En apariencia, la filtración tenía como objetivo perjudicar a Macron en beneficio de su contrincante, la ultraderechista Marine Le Pen. Según ciertos analistas, Macron era el candidato creado por la izquierda francesa, con apoyo de la masonería e incluso del sionismo, que habría contado con el respaldo mayoritario de la prensa europea y de las instituciones de la Unión Europea. Para algunos, esta operación, a que se dio en llamar «MacronLeaks», respondería a una maniobra del Kremlin, mientras que para otros podría corresponder a una operación de falsa bandera —como se denomina a aquellas acciones encubiertas realizadas con la intención de que sean atribuidas a un tercero—, precisamente para desprestigiar a Le Pen y, de paso, a un Moscú que abiertamente le había manifestado su apoyo.[23] A diferencia de lo que había sucedido durante la campaña electoral estadounidense de 2016, en la que los co-

23. Lo mismo que Obama se lo había manifestado a Macron. Los medios europeos se hicieron eco de una llamada alentadora del expresidente estadounidense al político francés.

rreos electrónicos filtrados de la candidata Clinton parecían ser todos auténticos, en este caso, según los investigadores, se mezclaban reales y falsos.

LA DOMINACIÓN INDIRECTA
MEDIANTE LA EXPANSIÓN DE LA DEMOCRACIA

Una de las organizaciones estadounidenses más polémicas es la Fundación Nacional para la Democracia (NED, por sus siglas en inglés). Creada en 1983, durante la presidencia de Ronald Reagan, desde entonces ha tenido como finalidad promocionar la democracia en el mundo.

En el contexto surgido de la Guerra Fría, Estados Unidos financió diversas iniciativas dirigidas a fomentar el respeto de los derechos humanos y el pluralismo político en la URSS a través de diversas organizaciones, lo que era visto por los dirigentes soviéticos como un manifiesto intento de subvertir el orden establecido en los países comunistas que se encontraban bajo su égida.

Durante sus primeros años de existencia, la NED focalizó sus esfuerzos en los países de Europa Oriental, especialmente en Polonia. Entre sus actividades más destacadas cabe reseñar el patrocinio al Centro de Ayuda a los Prisioneros de Conciencia de Estonia (1986) y la financiación de la Asociación Americana-Lituana y de Americanos por los Derechos Humanos en Ucrania (1988). Tras la llegada de George H. W. Bush a la presidencia de Estados Unidos en 1989, la NED comenzó a financiar a otras instituciones, como la Alianza para la Autodeterminación de Armenia, el Proyecto del Centro para la Democracia en la Unión Soviética —destinado a ayudar al movimiento tártaro de Crimea— y la Asistencia Religiosa Católica Lituana.

Al margen de la rivalidad propia del momento entre Washington y Moscú, la NED nunca dejó de interesarse por el destino político del continente americano. Así, en 1984 financió a un candidato a la presidencia de Panamá que era partidario del general Noriega y favorito de la CIA. Seis años más tarde, en 1990, patrocinó casi en su totalidad la campaña presidencial haitiana de Marc Bazin, el representante de la derecha. Por otro lado, durante varios años a principios de la década de 1990, aportó importantes cantidades de dinero a la Fundación Nacional Cubano-Americana, opositora a Fidel Castro. El gobierno venezolano, por su parte, ha venido denunciando, desde el inicio de los mandatos de Hugo Chávez, injerencias de la NED en la política del país mediante la financiación de grupos contrarios al chavismo.

Para llevar a cabo su cometido en buena parte de los países del mundo, la NED actúa a través de varias entidades que dependen de ella económicamente, como la Casa de la Libertad, el Instituto Nacional Demócrata para los Asuntos Internacionales y el Instituto Republicano Internacional.

La Casa de la Libertad, financiada mayoritariamente por el gobierno estadounidense, tiene como finalidad el fomento de la democracia, los derechos humanos y la libertad política. Creada en 1972, su sede principal está en Washington y tiene representación en más de diez países. Publica informes anuales sobre el estado, en todo el mundo, de la libertad política *(Freedom in the World)* y la libertad de prensa *(Freedom of the Press)*, así como sobre la gobernabilidad democrática *(Countries at the Crossroads)*. Los países situados en los puestos más bajos de esas listas acusan un significativo desprestigio, que puede implicar la retirada de fondos internacionales o la huida de inversores ante la amenaza de inestabilidad.

El Instituto Nacional Demócrata para los Asuntos Internacionales, también creado como la NED en 1983, está relacionado con el Partido Demócrata estadounidense y sostenido con fondos gubernamentales. Con las mismas finalidades que la Casa de la Libertad, desde su sede en Washington dirige oficinas repartidas por más de setenta países y mantiene contactos con organizaciones nacionales e internacionales afines a su ideología liberal y progresista. Por su parte, el Partido Republicano de Estados Unidos tiene asociada otra organización dependiente de la NED, el Instituto Republicano Internacional, que comparte los mismos datos y características que el anterior, salvo que su ámbito de relaciones se focaliza en las ideologías conservadoras foráneas.

Además, hay otras dos organizaciones que se nutren de los fondos aportados por la NED: el Centro para Iniciativas Privadas Internacionales, creado en 1983 por la Cámara de Comercio estadounidense, y el Centro Americano para la Solidaridad Laboral Internacional, que se fundó en 1997.

Los detractores de la NED alegan que, aunque es una entidad privada, el hecho de que la mayor parte de sus ingresos provengan del Congreso de Estados Unidos hace que no sea más que otra herramienta en manos de Washington para conseguir sus fines geopolíticos en defensa de los intereses nacionales estadounidenses. De este modo, los más críticos no dudan en afirmar que ha sido empleada desde su creación —junto con las organizaciones que de ella reciben fondos— para sembrar la discordia y la disensión en el seno de los países contrarios a la orientación política impuesta por la Casa Blanca, dispensando apoyo a medios de comunicación, partidos políticos, sindicatos y una diversidad de organizaciones civiles opuestas al gobierno en el poder. En realidad, la NED habría estado haciendo lo mismo de lo que se ha acusado a la CIA, aunque de forma algo más transparente.

Mano de hierro, guante de seda

En la medida de lo posible, siempre hay que evitar el enfrentamiento directo, salvo que, bajo determinadas circunstancias, produzca mayores y más inmediatos efectos. Dice el proverbio castizo que «más vale maña que fuerza», lo que sin duda es muy cierto, aunque se puede añadir que «siempre y cuando la maña no sea la fuerza».

Eso es lo que intentan las grandes potencias, pues, por grande que sea su poder militar, es más rentable ejercer otras formas de dominio que no generen suspicacias, recelos y ansias de zafarse de ellas. Sobre todo en un contexto en el que resulta casi imposible emplear todo ese potencial destructor sin echarse encima a la opinión pública.

RETUERCE LA LEY PARA RETORCER A TU ENEMIGO

> No existe tiranía peor que la ejercida a la sombra de las leyes y con apariencias de justicia.
>
> MONTESQUIEU

El canciller Otto von Bismarck afirmó, en el siglo XIX, que todos los gobiernos deciden sus acciones basándose pura y exclusivamente en sus intereses, aunque los disfracen con consideraciones legales. Años después, en 1975, dos profesores australianos, John Carlson y Neville Yeomans, utilizaron el término *lawfare* con el significado de transformar la guerra de las armas en la guerra de las palabras. Esta expresión cobró cierta notoriedad en 2001 con un ensayo de Charles J. Dunlap.[24]

En ese documento, Dunlap definía la *lawfare* («guerra jurídica») como el empleo de la ley como arma bélica. Aunque este general del Cuerpo Jurídico estadounidense se centraba en la manipulación de la legalidad internacional por parte de los talibanes en Afganistán, estaba abriendo el campo a un concepto que han usado, y del que han abusado, desde hace muchos siglos las partes enfrentadas en un conflicto, comenzando por la determinación de qué guerras deben ser consideradas justas —desde el punto de vista religioso, moral y jurídico— y, por tanto, dignas de ser llevadas a cabo.

De modo similar, los coroneles chinos Liang y Xiangsui introducen un nuevo concepto que denominan «guerra del derecho internacional», que para ellos consiste en aprovechar las ocasiones para crear nuevas normativas beneficiosas a los propios intereses.

---

24. Carlson, John, y Yeomans, Neville, «Whither Goeth Law-Humanity or Barbarity?», en Smith, Margaret, y Crossley, David John (eds.), *The Way out: Radical alternatives in Australia*, Lansdowne, Melbourne, 1975; Dunlap, Charles J., Jr., *Law and Military Interventions: Preserving Humanitarian Values in 21st Century Conflicts*, Carr Center, Universidad de Harvard, Washington, 2001.

> ¿Qué diferencia hay para los muertos, los enfermos, los huérfanos y los sin hogar si la destrucción loca se inicia en el nombre del totalitarismo o en el del sagrado nombre de la libertad y la democracia?
>
> Mahatma Gandhi

En 2011, la OTAN intervino en Libia bajo el mandato de Naciones Unidas, que había invocado el principio de la «responsabilidad de proteger» ante un presumible ataque inminente sobre la población civil de Bengasi. Pero este mandato, que tenía como único fin proteger a civiles, terminó provocando un cambio de gobierno al tomarse partido a favor de los rebeldes libios. Cierto es que el régimen de Gadafi estaba cometiendo crímenes y violando los derechos humanos de sus ciudadanos, pero igualmente ciertos eran los intereses petroleros. El país norteafricano producía casi 1,6 millones de barriles diarios antes de la guerra, lo que suponía el 2 % de la producción mundial y el tercer mayor volumen de África, por detrás de Nigeria y Angola, y las petroleras europeas tenían intereses en el país.

¿Por qué se interviene en determinados conflictos y no en otros? ¿Por qué Francia tiene misiones desplegadas en sus zonas de influencia en algunos países de África y presiona para que desplieguen fuerzas de la Unión Europea? ¿Qué legitima una intervención? No hablamos de la ya citada *war on terror* que declaró G. W. Bush tras los atentados del 11-S, mucho más ambigua, sino de refugiarse en un principio aceptado por la comunidad internacional, en una ley nacional o internacional, para conseguir fines geopolíticos y geoeconómicos. En eso consiste precisamente la estrategia de la *lawfare*, empleada por los Estados para ampararse en la legalidad, la cual retuercen y tergiversan tanto como les place para así legitimar sus acciones.

Especialmente a partir del siglo XVII, los países alcanzaron principios consensuados que hacían referencia a la autodefensa, la autopreservación y la necesidad como causas justas para ir a la guerra contra otro Estado. En el siglo XXI ha aparecido uno nuevo: la responsabilidad de proteger.

A primera vista podría parecer que no hay nada que objetar al respecto, pues lo lógico es auxiliar a los que sufren, son perseguidos o están siendo aniquilados por sus propios gobernantes. El problema radica cuando el principio que se invoca no está claramente definido y puede, por tanto, ser libremente interpretado. Esto ocurre en aquellos conflictos donde los conceptos de soberanía, no intervención y derechos humanos son utilizados para argumentar la intervención militar en un Estado. En este sentido, Kissinger opinaba que conceptos como democracia, derechos humanos y derecho internacional reciben interpretaciones divergentes que las partes beligerantes invocan regularmente unas contra otras como gritos de batalla.

Esta búsqueda de la justificación y legitimidad del conflicto no es ni mucho menos nueva. Si la conflictividad y la guerra son igual de antiguas que el ser humano, también lo es el intento de explicarlas y justificarlas. Marco Tulio Cicerón sostenía que su legitimidad estaba sujeta a la esfera de la moralidad, plantando así el germen de lo que luego se denominarían guerras justas. Las teorías sobre ellas nacieron en la época medieval de la mano de pensadores cristianos, como Agustín de Hipona, Tomás de Aquino, Francisco de Vitoria, Francisco Suárez y Hugo Grocio, que trataban de concretar los criterios que hacían lícito declarar una guerra y llevarla a cabo (*ius ad bellum*, «derecho para la guerra»), así como los límites de la misma (*ius in bello*, «derecho en la guerra»). La formalización jurídica del uso de la fuerza terminó plasmándose, en los siglos XIX y XX, en el derecho internacional y en el modelo de las Naciones Unidas.

Las guerras cambian con la aparición de los Estados porque de su concepto se desprende otro, el de soberanía. Este es un principio esencial del que surgen otros dos: la independencia de los Estados y la no intervención en sus asuntos internos. Estos principios solo se podían romper, según la teoría de la guerra justa, cuando se realizaba una intervención humanitaria, defendida como la obligación de proteger a la población de otros Estados ante violaciones por parte de su propio gobierno. Históricamente, estas intervenciones buscaban defender a los nacionales en el extranjero, ya que no había diferencias entre ambos conceptos. En el siglo XIX, una de las condiciones para reconocer la soberanía de un Estado por parte de la comunidad internacional era que este tenía que ser capaz de garantizar el orden interno y proteger la vida y las propiedades de los ciudadanos extranjeros. Entre 1813 y 1927, Estados Unidos empleó fuerzas militares para proteger a sus nacionales en el extranjero en al menos setenta ocasiones. Otros casos notables fueron la rebelión de los bóxers en China (1890) y la Acción del Congo (1964), dos momentos en los que una coalición de Estados intervino para proteger a los nacionales de distintos países.

La intervención humanitaria está estrechamente relacionada con el concepto de la soberanía como responsabilidad. Con este sentido nace el principio de la responsabilidad de proteger en el seno de Naciones Unidas, como legitimador de las intervenciones en otros Estados para salvar a su población cuando el Estado propio no puede, o no quiere, proteger a sus ciudadanos, o es él mismo quien perpetra actos de violencia sistemática y masiva contrarios a los derechos humanos.

Hasta aquí todo parece razonable. Sin embargo, si las Naciones Unidas tienen la obligación de mantener la paz y la seguridad internacional, y más concretamente es su Consejo de Seguridad el que decide qué amenaza a la paz y seguridad internacionales, ¿cómo puede emplearse de manera objetiva un principio como el de la responsabilidad de proteger? Esta es la mayor crítica a esta doctrina, a la que perjudica su falta de desarrollo y quizá también la carencia de voluntad política. Los cinco miembros permanentes del Consejo de Seguridad, con derecho de veto, son quienes deciden dónde y cómo se defienden los derechos humanos de las poblaciones de otros Estados, lo que inevitablemente dependerá directamente de sus propios intereses geopolíticos y económicos. Y aquí es donde entra en juego la estrategia de la *lawfare*.

Con la aplicación de esta estrategia, se desarrollan intervenciones militares con la finalidad de conseguir y mantener influencia y poder, generando un intenso debate. Además de la particularidad de la composición del Consejo de Seguridad de las Naciones Unidas, invocar el principio de la responsabilidad de proteger también genera un grave peligro, ya que intervenir en nombre de grandes principios en detrimento de otros es una de las prácticas más arbitrarias de la Historia.

Libia fue el primer país donde se aplicó la responsabilidad de proteger, mediante la aprobación de la Resolución 1973 del Consejo de Seguridad, con diez votos a favor y cinco abstenciones (de Rusia y China, entre los miembros permanentes). Pero esta resolución se malinterpretó de tal modo que puso en tela de juicio el principio. Tan evidente fue la tergiversación que el juez marroquí Mohamed Bennouna, uno de los quince magistrados del Tribunal Internacional de Justicia, manifestó durante una conferencia que tuvo lugar a principios de junio de 2017 en la Escuela Diplomática española, situada en Madrid, que «el concepto de responsabilidad de proteger murió en 2011 en Libia cuando, en nombre de la seguridad de la población, fuimos a matar a Gadafi».[25]

¿Y Siria? ¿Por qué no se invoca la responsabilidad de proteger en Siria? Es un conflicto distinto, pero las oleadas de refugiados, sobre todo a las puertas de Europa, ponen de manifiesto —si cabía alguna duda— que la población civil no está a salvo, con ataques sistemáticos a ciudades, hospitales y campos de refugiados. Sin embargo, en Siria hay potencias con intereses contrapuestos. En este escenario queda patente que la responsabilidad de proteger no es un instrumento objetivo para proteger a la población de las violaciones de los más elementales derechos humanos. En este caso, Rusia tiene intereses económicos en el país, así como una base naval en Tartús, su único puerto en el mar Mediterráneo, además de fuertes intereses geopolíticos, como una relación de influencia que se remonta a la Guerra Fría y que no quiere perder a manos de Estados Unidos y Europa. Por otro lado, Irán considera al dirigente sirio Al Asad un aliado

25.   En <http://www.eldiario.es/theguardian/Vida-muerte-intervencion es-humanitarias-Occidente_0_651285631.html>.

clave en la región por estar ambos gobiernos controlados por los chiíes (rama del islam opuesta a los suníes) y considerarlo el único aliado árabe que tiene en la región. Así mismo, Siria le permite a Teherán el contacto con Hezbolá en Líbano, desde donde Irán puede amenazar a Israel. Al otro lado está Estados Unidos, apoyado por sus aliados tradicionales y otros países árabes, con la finalidad de frenar el supuesto avance del Estado Islámico. Y podría seguirse con los intereses de otros actores, como Turquía e Israel, amén de europeos como Francia y Reino Unido, que fueron los «creadores» de esa parte del mundo tras la derrota del Imperio otomano en la Primera Guerra Mundial. Así las cosas, a pesar de que todas las partes justifican sus actuaciones en la lucha contra los grupos terroristas, lo cierto es que no se centran en proteger a la población civil.

Otro ejemplo es Yemen, inmerso en una larga guerra civil. Desde el recrudecimiento del conflicto en marzo de 2015, las víctimas civiles se cuentan por miles, además de pesar sobre la población una grave crisis humanitaria y una hambruna generalizada, acerca de la cual la Oficina para la Coordinación de Asuntos Humanitarios de las Naciones Unidas (OCHA, por sus siglas en inglés) lleva tiempo llamando la atención. En este conflicto también toman partido otros Estados de la zona con intereses propios, como Arabia Saudí (suní), que lidera una coalición de países contra los rebeldes hutíes (chiíes). Yemen es un caso especialmente interesante porque desde su territorio se puede controlar el estrecho de Bab el-Mandeb, por donde transitan a diario unos 3,8 millones de barriles de petróleo; además, teniendo en cuenta la delicada situación que se vive en Somalia, si Yemen llegara a desestabilizarse completamente y caer en manos de grupos terroristas, o de simples piratas, el tránsito hacia y desde el canal de Suez se vería seriamente perjudicado, con el trastorno económico que eso generaría.

Según el Centro Global para la Responsabilidad de Proteger,[26] están teniendo lugar crímenes masivos y se necesita acción urgente en los siguientes países: Siria, Sudán, Myanmar,

---

26. Para más información, véase <http://www.globalr2p.org>.

Corea del Norte, Irak, Yemen y Eritrea. En Sudán del Sur, la situación es crítica y se prevé que tendrán lugar matanzas masivas y crímenes atroces si no se previenen, mientras que la República Democrática del Congo, Israel y los territorios ocupados palestinos, Nigeria, la República Centroafricana, Burundi y Filipinas suscitan preocupación ante el alto riesgo de que se cometan crímenes contra la población civil. Pero estos escenarios probablemente no salgan en los medios de comunicación, ni urjan al Consejo de Seguridad de las Naciones Unidas a invocar la responsabilidad de proteger.

No es solo que falte claridad en la norma y que el fracaso de su uso en Libia perjudique el empleo del principio, sino que es tan dependiente de la voluntad de los Estados que unos y otros la utilizan exclusivamente para defender sus posiciones en los conflictos. De esta manera, principios que deberían ser un pilar inamovible acordado de modo unánime por todos los países al estar referidos a la sagrada seguridad humana, tienen un doble rasero según el Estado que los invoque, y se quedan apenas en una estrategia empleada para proteger intereses nacionales.

> En la guerra ninguna de las dos partes puede ser declarada enemigo injusto, sino que el resultado entre ambas partes decide de qué lado está el derecho.
>
> Immanuel Kant,
> *Sobre la paz perpetua*

Una vez iniciadas las hostilidades, los países solo tienen un objetivo en mente: ganar la guerra. Saben, como enseña la tradición, que será el ganador quien escriba la Historia, que siempre le será favorable. Por ello, no dudarán en recurrir a ningún método que consideren efectivo, aunque para ello tengan que vulnerar leyes internaciones que haya firmado y ratificado, desde las propias del derecho de los conflictos armados (como las de Ginebra y La Haya) a otras normativas del ámbito económico.

Viene aquí a cuento la respuesta del militar y político romano Cayo Mario (siglos II-I a. C.) cuando se le recriminó, por ser contrario al derecho romano, que hubiese concedido la ciudadanía a los mercenarios bárbaros que habían combatido a sus órdenes en las Galias: «Con el ruido de la guerra no oigo el de las leyes».

La hipocresía de las Naciones Unidas

> Cuando en una sociedad el saqueo se convierte en un modo de vida para ciertas personas, con el paso del tiempo estas crearán un sistema legal que lo autorice y un código moral que lo glorifique.
>
> Frédéric Bastiat

A pesar de que en la Carta de las Naciones Unidas, firmada el 26 de junio de 1945, figura entre sus propósitos el de fomentar entre las naciones relaciones de amistad basadas en el respeto al principio de la igualdad de derechos (artículo 1) y que esta organización internacional está basada en el principio de la igualdad soberana de todos sus miembros (artículo 2), lo único cierto es que la ONU no es precisamente un ejemplo de democracia. No hay igualdad de derechos ni de soberanía entre sus países integrantes desde el momento en que existen miembros permanentes en su Consejo de Seguridad, los cuales encima gozan del enorme privilegio de contar con el poderoso derecho de veto, que emplean a su discreción en cuanto ven afectados sus intereses nacionales, e incluso los de sus aliados, lo cual en el fondo no es más que seguir defendiendo sus propios intereses por las ventajas que les proporcionan esas alianzas.

Si hay que creer al historiador belga Jacques de Launay, la causa de que exista ese derecho de veto fue que, durante la Conferencia de Yalta (1945), Estados Unidos impulsó la cláusula y a Churchill le pareció bien porque servía para proteger los intereses del Imperio, mientras que la Unión Soviética encontró una baza de la que abusaría permanentemente.

HARTOS DE QUIENES ABUSAN DE LA LEGALIDAD INTERNACIONAL

> Las leyes son como las telas de araña, a través de las cuales pasan libremente las moscas grandes y quedan enredadas las pequeñas.
>
> HONORÉ DE BALZAC

A finales de octubre de 2016, Gambia anunciaba su abandono de la Corte Penal Internacional (CPI). Era el tercer Estado africano que en una semana notificaba su salida de este tribunal internacional, con sede en La Haya (Países Bajos). Le habían precedido en igual decisión Sudáfrica[27] y Burundi.

27. El 22 de febrero de 2017, un tribunal sudafricano declaró inconstitucional la decisión del gobierno por no haber consultado al Parlamento, lo que implicó que pocos días más tarde, el 8 de marzo, Sudáfrica retirase su solicitud de abandonar la CPI.

Los tres países fundamentaban su decisión en el mismo razonamiento: la CPI está centrada en perseguir africanos —al menos de modo prioritario—, llegándola a describir como un tribunal caucásico internacional y acusándola de servir a intereses neocolonialistas. Las palabras exactas del ministro de Información de Gambia, Sheriff Bojang, fueron: «Mientras la Corte se centra en perseguir a los dirigentes africanos, al menos treinta países occidentales han cometido crímenes de guerra desde la creación de la CPI».

Lo cierto es que la CPI no ha estado exenta de polémica desde que fue creada el 17 de julio de 1998 a iniciativa de las Naciones Unidas, con la firma del Estatuto de Roma. Esta jurisdicción independiente y fuera de la estructura de la ONU —aunque coordinada con ella mediante un acuerdo del 4 de octubre de 2004—, en principio significaba un gran avance en la protección universal de los derechos humanos, al responsabilizarse de juzgar los crímenes contra la humanidad y la guerra, así como el genocidio.

Pero razón no les falta a los que argumentan que ha parecido tener cierta inclinación por los asuntos africanos, despreocupándose de otras partes del mundo donde también se han cometido iguales o peores atrocidades. El 4 de marzo de 2009, la CPI ordenó el arresto del presidente de Sudán, Omar al Bashir, por cinco crímenes de lesa humanidad y dos de guerra, como consecuencia de los actos perpetrados por el gobierno sudanés contra la población civil en Darfur entre 2003 y 2008. El siguiente jefe de Estado cuya detención fue ordenada por el CPI fue el libio Gadafi, otro africano; su expediente lo cerró su muerte en 2011. Thomas Lubanga Dyilo, quien fuera líder de la Unión de Patriotas Congoleños, un grupo rebelde de la República Democrática del Congo, fue condenado por la CPI, el 10 de julio de 2012, a catorce años de prisión por crímenes de guerra y reclutamiento de niños-soldado en la región congoleña de Ituri, entre 2002 y 2003 (primera condena en firme dictada por la CPI). Junto a Lubanga Dyilo, otro africano fue encarcelado en las instalaciones de la CPI: Charles Taylor. El que fue presidente de Liberia entre 1997 y 2003 acabó siendo condenado, en mayo de 2012, a cincuenta años de prisión por el Tribunal Especial para dicho país.

La cuestión es que el Estatuto de Roma que dio origen a la CPI no ha sido firmado o ratificado por numerosos países, entre los que se encuentran algunos de los más poderosos e influyentes del mundo, como Estados Unidos, China, Rusia e Israel. Para no pocos países, esa falta de voluntad de los grandes de someterse a la jurisdicción internacional tan solo es otro ejemplo más de que las leyes únicamente son de obligado cumplimiento para los débiles, pues los fuertes nunca aceptarán subordinarse a ningún organismo internacional, ni siquiera aunque hayan sido los promotores de su creación o se hallen entre sus miembros más distinguidos.

La clave de todo está en el artículo 126 del Estatuto de Roma, que explicita que la CPI solo entra en vigor para los Estados que lo firmen y ratifiquen, por lo que este tribunal no tiene ninguna jurisdicción sobre ningún país o ciudadano de un país que no lo haya hecho. En el caso concreto de Rusia, el 16 de noviembre de 2016 el presidente Putin anunció su decisión de revocar la firma —efectuada en 2000, pero que nunca se había llegado a ratificar— del Estatuto de Roma, retirándose, por tanto, de la CPI. En este caso, el motivo era que un comunicado de la CPI había considerado Crimea como un territorio ocupado por Moscú.

Razones para la crítica a los poderosos no faltan. Con absoluto desprecio a la legalidad internacional, el 2 de agosto de 2002, durante la Administración Bush, el Congreso de Estados Unidos aprobó la Ley de Protección del Personal de Servicio Estadounidense *(American Service-Members' Protection Act)*, por la que se prohibía a cualquier entidad estadounidense colaborar con la CPI. De este modo, se cerraba la puerta a la extradición de norteamericanos ante este tribunal internacional, al tiempo que se impedía que su personal pudiera efectuar investigaciones en territorio de Estados Unidos y se prohibía taxativamente cualquier ayuda militar estadounidense a los Estados miembros de la CPI. Por si fuera poco, se autorizaba expresamente al presidente de la nación a emplear «todos los medios necesarios y adecuados para lograr la liberación de cualquier estadounidense o ciudadano de una nación aliada detenido o encarcelado, en nombre de la Corte Penal Internacional o a solicitud de ella».

Obviamente, esta ley fue entendida fuera de Estados Unidos como contraria a los principios fundacionales de la CPI, a la cual ponía en clara evidencia, desmontando así todos los pilares —si es que quedaba alguno— del derecho internacional. A este respecto, baste decir que, a mediados de noviembre de 2016, la fiscalía de la CPI había manifestado que había razones sólidas para pensar que las tropas estadounidenses desplegadas en Afganistán podrían haber estado involucradas en crímenes de guerra, concretamente en actos de tortura y otros maltratos a prisioneros encerrados en campos de internamiento secretos, lo que, como se está viendo, quedaba en un brindis al sol, pues sus repercusiones eran nulas.

Al final, quizá Manuel Fraga acertó cuando argumentaba que «la búsqueda de un orden social perfecto ha sido siempre la justificación de los mayores abusos».

La manipulación de la democracia

> El espíritu de la democracia no puede imponerse desde el exterior. Debe provenir del interior.
>
> Mahatma Gandhi

En la Grecia antigua, en el proceso democrático la oratoria era de la mayor importancia para arrastrar a las mayorías, con mensajes básicos que calaran entre la población que tenía que respaldar a sus gobernantes. En aquella época, los cómicos de los teatros desempañaban el papel que hoy correspondería a los medios de comunicación, a través de sus sátiras políticas.

Durante la Guerra Fría, la Unión Soviética fomentó los movimientos de liberación nacional contra el colonialismo, las dictaduras y los gobiernos de derechas. También patrocinó la implantación de las democracias populares con el objetivo geopolítico de expandir su ideología por el planeta. En realidad, todo el proceso se podría enmarcar bajo una forma diferente de imperialismo, en este caso apoyado y justificado por una ideología. Según Barbara W. Tuchman, el líder soviético Nikita Jruschov proclamaba que las «guerras de liberación» iban a ser el vehículo para el avance de la causa comunista, asegurando que esas «guerras justas», con independencia de dónde ocurrieran, contarían con todo el apoyo de la URSS.

No se puede olvidar que, durante la Guerra Fría, la Casa Blanca establecía una diferenciación entre las dictaduras de izquierdas, las «malas», y las de derechas, las «buenas» o cuando menos tolerables. Incluso tuvo gran influencia la Doctrina Kirkpatrick, llamada así por haber sido expuesta, y posteriormente defendida con pasión, por la embajadora de Estados Unidos ante Naciones Unidas durante el mandato de Reagan, Jeane Kirkpatrick. La entonces embajadora realizaba una muy curiosa diferenciación entre los regímenes existentes en los países prosoviéticos, a los que consideraba como «totalitarios», y las dictaduras prooccidentales —eufemismo empleado para llamar a las proestadounidenses—, a las que definía como «autoritarias». Además, Kirkpatrick sostenía que los primeros no solo tenían una mayor propensión a ejercer su influencia en los países vecinos, sino que internamente controlaban los pensamientos de la población mediante la reeducación, la propaganda, el espionaje entre los propios ciudadanos y la represión política. Por el contrario, las dictaduras autoritarias se limitaban a controlar, orientar y castigar la conducta de la gente, sin intentar ir contra las tradiciones populares, como la religión o la familia. Otros altos cargos estadounidenses, como Vernon Walters o Henry Kissinger, también se apuntaban a esta línea de pensamiento, estimando que la principal diferencia era que las dictaduras de derechas tenían el potencial para, con el paso del tiempo y de modo pacífico, convertirse en democracias, mientras que la única forma de librarse de las de izquierdas era a través de la violencia.

Basándose en esta singular clasificación, la Administración estadounidense, muy especialmente durante la época Reagan, apoyó las dictaduras y los movimientos del conocido como Tercer Mundo —básicamente en África e Iberoamérica— que eran anticomunistas y que, por tanto, hacían el juego geopolítico a Washington en su particular pugna contra los soviéticos. Los ejemplos abundan: Afganistán, Angola, Argentina, Filipinas, Guatemala y Nicaragua fueron algunos de ellos.

Poco ha cambiado esta situación. A pesar de las permanentes declaraciones de los dirigentes de los países occidentales en las que muestran su apoyo absoluto a los procesos democráticos y el rechazo frontal a cualquier forma de dictadura o autoritarismo, en los últimos años han sido varios los gobiernos depuestos, con mayor o menor apoyo desde el exterior, por ser vistos como poco adecuados a los intereses de los países democráticos. Incluso aunque hubiesen alcanzado el poder mediante votaciones limpias y legítimas. Algunos de estos cambios antidemocráticos terminaron convertidos en dictaduras militares, como las de Tailandia —donde una junta militar puso fin al mandato de Thaksin Shinawatra— y de Egipto, país en el que los Hermanos Musulmanes, vencedores en el juego democrático de las urnas, fueron reemplazados por la dictadura militar del general Al Sisi. Sin haber acabado en dictadura, también se puede poner el ejemplo de Ucrania, donde Yanukóvich fue expulsado del poder —al que lo había aupado la mayoría del pueblo ucraniano— como consecuencia principalmente de la particular rivalidad geopolítica mantenida entre Estados Unidos y Rusia en torno a este país centroeuropeo.

La conclusión es que el apoyo o la demonización de las dictaduras dependerá de los intereses que haya en juego en cada momento. Así, a un sistema autoritario y represivo se lo atacará o simplemente se mirará para otro lado según los beneficios que con ello se obtenga, como sucede con las monarquías del Golfo, tan alejadas de los más mínimos parámetros democráticos y al mismo tiempo tan deseadas como socios comerciales por los fabulosos fondos soberanos con los que cuentan.

Por ejemplo, según un informe de la oenegé británica War Child UK, publicado a mediados de septiembre de 2017, empresas de armamento británicas —incluyendo BAE Systems y Raytheon— habían vendido armas por valor de aproximadamente 7.000 millones de euros a Arabia Saudí desde que este país empezó a bombardear Yemen en marzo de 2015. En las mismas fechas se conoció que el gobierno del Reino Unido y la empresa británica de armamento BAE Systems firmaron un acuerdo para proporcionar a Qatar 24 aviones de combate Eurofighter Typhoon y las correspondientes capacidades logísticas por valor de varios miles de millones de euros. Y pocos días después, Londres y Riad alcanzaron un acuerdo para reforzar la cooperación militar.

El cinismo sobre el abuso del término *democracia* es tal que incluso la controvertida empresa militar privada Blackwater tenía como lema «Para apoyar la libertad y la democracia en todas partes». No hay movimiento o grupo revolucionario, con independencia de su ideario político y de la brutalidad y violencia con que actúe para conseguir sus fines, que no emplee —y abuse— en su ideario, eslóganes, himnos y banderas de las palabras *libertad, justicia, igualdad* y, por supuesto, *democracia*.

LA DISCULPA HUMANITARIA DE ESTADOS UNIDOS EN 1898

Según algunos documentos estadounidenses desclasificados, en el contexto del enfrentamiento que llevó a España y Estados Unidos a la guerra en las postrimerías del siglo XIX, Washington inicialmente no se planteaba la independencia de Cuba, llegando a afirmar que los cubanos no serían capaces de ejercer un gobierno eficaz. En esos momentos, la idea primigenia de la Casa Blanca era anexionarse la isla.

No fue hasta después de que Estados Unidos declarase la guerra a España el 25 de abril de 1898 cuando Washington empezó a hablar de la independencia cubana. Presionados por una campaña internacional que entendía que no había motivos justificados suficientes para entrar en guerra con Madrid, los dirigentes estadounidenses optaron por amparar su intervención en el conflicto en una causa pretendidamente altruista, que no era otra que evitar que los españoles siguieran masacrando a los civiles cubanos.

Como consecuencia de la guerra de los Seis Días (5-10 de junio de 1967), Israel arrebató los Altos del Golán a Siria. Desde entonces, Naciones Unidas no ha reconocido esa anexión por parte israelí, habiendo aprobado en 1981 una resolución el Consejo de Seguridad, la 497, que la declaraba nula, inválida y sin efectos legales internacionales.

No obstante, Tel Aviv ha ignorado sistemáticamente a la ONU, es decir, la legalidad internacional, por primar sus intereses nacionales. Para Israel, los Altos del Golán son irrenunciables por concentrarse en ellos una importancia estratégica enorme, comenzando porque son la fuente principal de vitales recursos hídricos fundamentales para su supervivencia. Desde esas alturas se tiene capacidad para controlar todo el norte de Israel, por lo que no puede dejar que regresen a manos sirias, un país con el que todavía está en guerra técnica desde la guerra del Yom Kipur en 1973. Además, estas tierras, de momento relativamente poco pobladas, son la principal reserva de Israel, pudiendo ser empleadas en el futuro para nuevos asentamientos judíos. Por otro lado, proporcionan a Israel la poca profundidad estratégica de que dispone ante un ataque proveniente de Siria. Y si se devolvieran al país vecino, Tel Aviv teme que en ellos se podrían asentar grupos terroristas palestinos, apoyados por Hezbolá, que podrían actuar con relativa facilidad sobre su territorio.

EL CASO DE BUSH Y SU GUERRA CONTRA EL TERROR

> Quien puede recurrir a la violencia no tiene necesidad de recurrir a la justicia.
>
> TUCÍDIDES

Pocas horas después de sucedidos los atentados terroristas del 11 de septiembre de 2001, el entonces presidente estadounidense George W. Bush dirigió un mensaje a la nación desde el

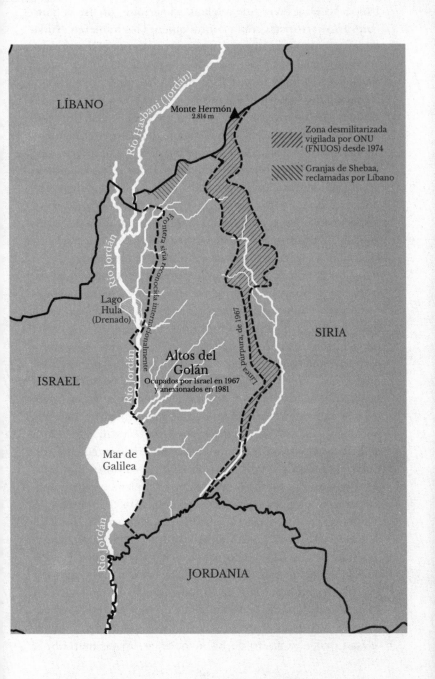

Despacho Oval en el que adelantaba acciones ofensivas tanto contra los terroristas como contra quienes los hubieran ayudado, en el marco de su particular guerra contra el terrorismo. Según Richard A. Clarke, cuando tras el discurso el secretario de Defensa Donald Rumsfeld le hizo notar que el derecho internacional solo permitía el uso de la fuerza para evitar futuros ataques y no como castigo, el presidente Bush le gritó indignado: «No, no me importa lo que diga el derecho internacional; alguien va a enterarse de lo que es bueno». Un desprecio a las leyes presumiblemente similar al que debió emplear cuando se le solicitó autorización para instalar cárceles secretas de la CIA por el mundo o para emplear la tortura en el interrogatorio a sospechosos. Como manifestó Fareed Zakaria, durante varios años la Administración Bush se vanaglorió de su desdén por los tratados y las organizaciones multinacionales.

Con el tema del terrorismo también se ha jugado en exceso. Las famosas listas de terroristas —tanto organizaciones como personas— y países patrocinadores del terrorismo están sometidas a permanente arbitrariedad. Para empezar, no existe un criterio unificado que sea empleado por todos los países u organizaciones internacionales, por lo que se puede estar en unas listas y no en otras, como de hecho sucede. Además, dependiendo de los intereses de los que manejan las listas, se entra o se sale de ellas sin necesidad de mayor justificación. Así, por dos veces, la UÇK albano-kosovar entró y salió de la lista de Estados Unidos. Y lo mismo ha sucedido recientemente con Cuba, después de largos años en ella. Lo cierto es que estas listas se emplean en muchas ocasiones simplemente para aplicar sanciones a personas y países con objetivos diferentes a los manifestados, como claro instrumento arbitrario de presión. Según Clarke, durante la guerra Irán-Irak (1980-1988), con la finalidad de que Bagdad pudiera solicitar ciertos tipos de préstamos para el fomento de las exportaciones con el respaldo del gobierno estadounidense, la Administración Reagan sacó en 1982 a Irak de la lista de naciones que promovían el terrorismo.

Por otro lado, los analistas franceses Labévière y Thual relatan que, al amparo de los ataques terroristas del 11-S, la

Administración Bush construyó una «amenaza global» basada en una continuidad improbable entre la nebulosa Al Qaeda, Hamás, Hezbolá y cualquier otra organización armada. Esta amenaza llevó al Pentágono a elaborar una doctrina de «respuesta global», que servía principalmente para la promoción de los intereses puramente estadounidenses más que para una eficaz cooperación internacional en materia de contraterrorismo. Transgrediendo el derecho internacional en nombre de los intereses nacionales, la Administración Bush habría banalizado la noción de «guerra preventiva», generando de repente una militarización de las relaciones internacionales sin precedentes desde el fin de la Guerra Fría. En el marco de esa misma *war on terror*, el periodista Seumas Milne comenta que, en 2003, el primer ministro británico Tony Blair aseguró que morirían muchos menos civiles por culpa de la invasión de Irak por fuerzas estadounidenses y británicas que en un solo año de gobierno de Sadam. La realidad era que Amnistía Internacional estimaba que el número de muertes relacionadas con la represión política en aquel momento en Irak estaba en unos pocos centenares al año. Lo que sucedió fue que en los primeros cinco años posteriores a la invasión murieron entre 150.000 y más de un millón de civiles, según las estimaciones.

EL ATAQUE DE ESTADOS UNIDOS A SIRIA

Cuando en abril de 2017, el presidente estadounidense Donald Trump tomó la decisión de atacar una base aérea siria con el argumento de que de ella había partido el día anterior el avión que arrojó gas sarín sobre la población civil,[28] se apoyó en el segundo artículo de la normativa que le concede los poderes como comandante supremo de las fuerzas armadas estadounidenses.

28.   A finales de junio de 2017, un equipo de investigación de la Organización para la Prohibición de las Armas Químicas emitió un informe en el que confirmaba el uso de sarín contra civiles el 4 de abril de 2017 en la zona de Khan Shaykhun, en la provincia de Idlib, en Siria. Pero el informe no especificaba la autoría.

Si bien la Constitución estadounidense especifica que la potestad para declarar la guerra corresponde al Congreso, el Ejecutivo está dotado de poderes suficientes para defender a la nación en situaciones de crisis, extremas y urgentes, como puede ser por razones de seguridad nacional, autodefensa de la nación o protección de nacionales en el extranjero. En este sentido, no era la primera vez que en Estados Unidos se interpretaba la normativa para justificar el uso de la fuerza militar en el exterior sin un mandato específico del Congreso, pues en 2011 se había hecho para intervenir en Libia.

La cuestión surge al plantear qué se puede considerar como un contexto en el que esté amenazada de modo grave e inminente la seguridad nacional, de modo que las circunstancias exijan la actuación de la fuerza. Por ello, en realidad los poderes del presidente son mucho más amplios de lo que a primera vista pudiera pensarse. Basta con saber movilizar a la opinión pública, agravando cualquier suceso, para que sea esta la que exija la actuación enérgica e inmediata de la Casa Blanca.

Además, uno de los argumentos que el presidente de turno suele emplear es que no se precisa la autorización del Congreso al ser una operación militar limitada en tiempo y espacio, aun cuando pueda resultar especialmente potente. La otra justificación habitual a la hora de implementar una operación de esta naturaleza directamente desde la presidencia es ampararse en razones humanitarias, como se hizo en este caso, manifestando que se trataba de evitar que el régimen sirio siguiera empleando armas químicas contra su propia población.

En definitiva, se pudo volver a comprobar que, cuando así se desea, sobran justificaciones, hábilmente creadas, para involucrar al país en una operación concreta, que normalmente va a perseguir fines que nada, o muy poco, tienen que ver con los publicitados. En el amplio cesto de la seguridad nacional, término tan sumamente ambiguo, cabe prácticamente todo, quedando a la voluntad de los intereses políticos del momento.

De atenerse a la de por sí controvertida legalidad internacional, más complejo es justificar una intervención militar en el exterior. En principio, y salvo en defensa propia, solo se puede realizar una operación militar cuando así lo explicite una resolución del Consejo de Seguridad de las Naciones Unidas, aunque no ha sido infrecuente actuar con independencia de la ONU: basta recordar el bombardeo de Belgrado por la OTAN en 1999.

En el caso concreto de Siria, no solo se carecía de tal resolución, sino que es difícil explicar con un mínimo de rigor cómo un ataque con gas producido a miles de kilómetros de distancia del territorio de Estados Unidos podía afectar directa y gravemente a la seguridad nacional de este país. Con lo cual, parece que solo quedaría el tan manido argumento humanitario. Pero no sería más que una muestra más de la absoluta hipocresía que significan las relaciones internacionales, pues cuando en Siria se llevaban acumulados al menos medio millón de fallecidos desde que comenzó el conflicto hacía ya seis años, por no mencionar los millones de desplazados y refugiados viviendo en condiciones infrahumanas, de repente parecía que la forma de morir fuera más importante que el número de muertos. En consecuencia, no se puede desprender otra conclusión más que simplemente se actuó por otras razones espurias, en las que bien podrían entremezclarse la política interna estadounidense y advertencias geopolíticas, dirigidas muy probablemente a los grandes competidores geoestratégicos de Estados Unidos —China y Rusia— y en menor medida a quien estaba dominando buena parte de Oriente Medio, en contra de grandes aliados de Washington: Irán.

Por otro lado, es importante señalar que la Resolución 2249 del Consejo de Seguridad de las Naciones Unidas, de 20 de noviembre de 2015, por la que se acuerda una respuesta coordinada contra el autodenominado Estado Islámico y Al Qaeda —y sus filiales— en Siria, por considerarlos grupos terroristas que presentan una amenaza mundial sin precedentes para la paz y la seguridad internacionales, en ningún caso autoriza a país u organización internacional alguna a atacar a fuerzas o capacidades de un Estado soberano como es Siria.[29] Esta resolución es bastante ambigua, pues no concreta las acciones que se pueden llevar a cabo contra los mencionados grupos terroristas,

29. En <http://www.un.org/en/sc/ctc/docs/2015/N1538417_ES.pdf>.

y menos aún determina qué países u organización internacional pueden ponerlas en práctica, como sí ha sucedido en ocasiones precedentes similares.

La visión de la legalidad internacional desde China

Según los militares chinos Guangqian y Youzhi, las leyes internacionales se pueden resumir en diez principios (que comento entre paréntesis):

- Respeto mutuo de la soberanía y la integridad territorial. (La situación actual de Siria pone en duda la aplicación real de este principio.)
- No agresión contra los demás. (Cada vez se respeta menos, según se ve en los recientes conflictos.)
- No interferencia en los asuntos internos ajenos. (Es uno de los valores que ofrece China a los países con los que negocia, por su capacidad de veto en el Consejo de Seguridad de las Naciones Unidas.)
- Igualdad y beneficio mutuo. (Los países más débiles tienen menos probabilidades de ser respetados, sobre todo cuando hay intereses enfrentados.)
- Coexistencia pacífica. (Los intereses económicos y geopolíticos garantizan poca paz y mucha competencia.)
- No emplear la fuerza ni la amenaza de su empleo. (La amenaza del empleo de la fuerza es permanente, pues forma parte del juego geopolítico y es uno de los pilares de la disuasión.)
- Autodeterminación nacional. (Habría que comenzar por definir «nación», pues solo se la reconoce como tal cuando interesa a los poderosos. Pensemos en los kurdos o los pastunes —unos 40 millones de personas en cada caso—, los suníes en Irak y Siria, los grupos que pretenden su independencia en varios países africanos o los rusófilos en Ucrania. También se podría hablar de otros grupos humanos, partes de un país o las colonias

que todavía existen en el mundo, para ver que realmente no se permite la aplicación plena de este principio ni que la población pueda votar sobre su autodeterminación para ser verdaderamente dueña de su destino.)

- Respeto de los derechos humanos y las libertades fundamentales. (China es el primer país acusado de no cumplirlos. Muchas veces son empleados como palanca geopolítica para intervenir allí donde se cree conveniente.)
- Cooperación internacional y honesto cumplimiento de las obligaciones internacionales. (Dependerá de los intereses del momento, pues abunda más la competencia que la cooperación.)
- Resolución pacífica de las disputas internacionales. (Así será siempre que la guerra no se vea como más rentable. Mientras tanto, la guerra se hace cada vez más a través de terceros.)

Además, exponen que solo hay tres condiciones por las que la guerra puede ser una opción legítima: un Estado que ejerce su derecho de autodefensa; la acción militar efectuada bajo un mandato del Consejo de Seguridad de las Naciones Unidas; y un movimiento de independencia o liberación nacional que lucha contra el colonialismo o la dominación extranjera en el marco del derecho a la autodeterminación nacional. Este último punto está muy adaptado a la mentalidad china y a las acciones que durante años Pekín ha apoyado en terceros países, muchos de ellos africanos, que luchaban contra los colonizadores. Pero probablemente China no lo consideraría igual de «legítimo» si entre los tibetanos o los uigures, por ejemplo, surgiera un movimiento que luchara por su independencia.

LA VULNERACIÓN DE LA NORMATIVA INTERNACIONAL: EL ESPACIO ULTRATERRESTRE

En el Tratado sobre el Espacio Ultraterrestre (1967), por el que se establecen los principios que deben regir las actividades de los Estados en la exploración del espacio ultraterrestre, incluida la Luna y otros cuerpos celestes, se estipula que el espacio es patrimonio de la humanidad. Por tanto, no puede ser objeto de apropiación por parte de ninguna nación —ni por reivindicación de soberanía, uso u ocupación, ni de ninguna otra manera—, sea cual sea su grado de desarrollo científico o económico. Al contrario, debe ser accesible a la exploración y uso, con fines pacíficos, por parte de toda la comunidad internacional. Este tratado —firmado, a fecha 1 de septiembre de 2017, por 129 países, aunque de ellos 24 aún tienen que ratificarlo— fue posteriormente ampliado con otros convenios, como el Acuerdo sobre la Luna (1979), que rige las actividades de los Estados en la Luna y en otros cuerpos celestes, estableciéndose la regulación de la futura exploración y explotación de los recursos naturales que allí se encuentren.

A pesar de ello, el presidente George W. Bush firmó una orden, en octubre de 2007, por la que Estados Unidos se arroga el derecho a negar el acceso al espacio a cualquier rival que pueda utilizarlo con fines hostiles. Por si fuera poco, Washington rechaza además el desarrollo de cualquier tratado o restricción que pueda limitar su uso del espacio. Así sucedió en la reunión de la Asamblea General de las Naciones Unidas del 8 de noviembre de 2016, en las postrimerías del mandato de Barack Obama. Cuando en el trascurso de esa sesión se debatió la prevención de la carrera de armamentos en el espacio ultraterrestre, hubo cuatro países que se abstuvieron, entre ellos Estados Unidos. Además, esta nación fue una de las cuatro que votaron en contra del compromiso de no ser el primero en emplazar armas en el espacio.

Pero quizá lo más relevante es cómo Washington, a pesar de los tratados internacionales que lo impiden, intenta adelantarse en la carrera para exprimir la riqueza de los asteroides. El 25 de noviembre de 2015, Obama firmó la propuesta legislativa que permite la minería en los objetos espaciales, posteriormente aprobada por el Congreso, convirtiendo así en ley que los estadounidenses puedan explotar los asteroides en su beneficio. La conocida como Ley del Espacio, cuyo nombre oficial es Ley de Competitividad Comercial de los Lanzamientos

Espaciales de Estados Unidos, permite a los ciudadanos estadounidenses extraer los recursos espaciales que les plazca para su beneficio, teniendo derecho las compañías de minería de asteroides a quedarse con las riquezas del espacio.

«Derecho y poder van inevitablemente de la mano»

> Hay dos formas de combatir: con las leyes y con la fuerza.
>
> Nicolás Maquiavelo,
> *El príncipe*

El concepto de derecho internacional promulgado por Hugo Grocio en la Holanda del siglo XVII, según el cual todos los Estados soberanos son tratados como iguales y la guerra se justifica solo en defensa de la soberanía, es esencialmente una utopía. Así opina Robert D. Kaplan, para quien los límites entre paz y guerra suelen ser confusos, y los acuerdos internacionales se representan solo si la fuerza y el interés propio están allí para mantenerlos. En esta idea coincidía Albert Einstein, quien, en la carta que dirigió a Sigmund Freud a finales de julio de 1932, se lamentaba de que «el derecho y el poder van inevitablemente de la mano».

Los militares chinos Liang y Xiangsui opinan que el reconocimiento o el rechazo de las reglas internacionales por parte de cada país suele depender de su propio interés. Los países pequeños esperan utilizar esas reglas para protegerse, mientras que los países grandes buscan emplearlas para controlar a los pequeños. Por expresarlo de otra manera, en el mundo conviven dos corrientes interpretativas de las relaciones internacionales: la de los Estados que entienden que deben estar basadas en el respeto a la legalidad internacional (los débiles), y aquellos que se apoyan en el peso geopolítico de cada país (los fuertes). En consecuencia, la legislación internacional ni la respetan los Estados fuertes ni la pueden imponer los débiles.

QUÍTATE TÚ PARA PONERME YO

Cargada de simbología política, la expresión «quítate tú pa' ponerme yo» se hizo famosa a partir de un espectáculo de revista cubano estrenado en 1933. En él se personificaba a los sucesivos presidentes del país José Miguel Gómez, Mario García Menocal, Alfredo Zayas y Gerardo Machado, poniendo a cada uno de ellos una música identificativa. También se criticaba la rápida sucesión de Alberto Herrera —que ocupó el cargo solo un día— y Carlos Manuel de Céspedes, producida tras violentas revueltas populares (en las que fue decisiva la intervención de la embajada estadounidense en La Habana), y la Revolución de los Sargentos, encabezada por Fulgencio Batista. Finalizaba con el presidente en el poder en el momento de la representación, Ramón Grau San Martín. La obra era una alegoría a la eterna, incesante e insaciable lucha por alcanzar el poder político e intentar mantenerse en él.

No hay una frase mejor, por su brevedad y concisión, para definir la imperecedera pugna por la supremacía, por el dominio de personas y haciendas, por regir los destinos del prójimo, por imponer la voluntad propia a los demás, por destacar. Lo mismo que siempre ha habido y habrá quien, de una forma u otra y con independencia de la ideología dominante, tenga en sus manos las riendas de la sociedad, existirán personas o grupos que persigan expulsar de la cima del poder al que en ese momento lo esté ejerciendo. Esta situación se puede observar desde el ámbito de las relaciones personales hasta las que se dan entre Estados.

También se manifiesta en la política interna de los países, donde es habitual la práctica de este juego diabólico, en el que el único perdedor es el pueblo, al que se manipula, engaña, explota y hasta se lo lanza a cometer los actos más violentos en nombre de unas ideas impuestas o con la esperanza de un presunto mejor futuro que se le vende de manera ladina. No se permite que sea conocido por la ciudadanía lo que realmente sucede en los entresijos de las altas esferas, en el marco de esa lucha desaforada por el poder. Si los ciudadanos llegaran a conocer la verdad, se escandalizarían de tal manera por cómo intrigan quienes, por ellos sostenidos, deberían tener como única preocupación el bienestar de la comunidad a la que teóricamente sirven que lo más probable es que buscaran otra forma alternativa de ser gobernados. Y es que, una vez creado el aparato burocrático, este se convierte en un tirano con un poder omnímodo sobre quienes le dieron vida, generándose así todo tipo de abusos por parte de los que se han aupado a hombros de los que, inocentemente, pensaron que les harían la vida más fácil y cómoda.

El puñetazo en la mesa

Dice Amin Maalouf, en *El desajuste del mundo*, que cuando un poder afloja la mano, la reacción espontánea de sus adversarios consiste en agobiarlo y en asaltarlo más que en agradecérselo. Por eso, los poderes hegemónicos de vez en cuando tienen que dar un golpe de efecto y mostrar su potencia para que los aspirantes a ocupar su puesto no se muestren excesivamente confiados en poder alcanzarlo con prontitud. Sería lo que vulgarmente se denomina «dar un puñetazo en la mesa», como forma de poner sobre aviso a los arribistas dispuestos a desalojar a quien tiene el poder.

La revolución

Si se entiende la revolución como el proceso de cambio social, político, económico, cultural, religioso y/o moral que se produce de forma brusca, radical, intensa y en ocasiones violenta, hoy más que nunca existe la posibilidad de que un nuevo movimiento revolucionario sea capaz de extenderse con rapidez inusitada por todo el planeta o al menos en buena parte de él, facilitado por la interconexión generalizada.

Las teorías de Marx sobre la lucha de clases siguen teniendo validez en la confrontación existente entre países ricos y pobres. Esta circunstancia se ve potenciada por la notable disparidad demográfica, pues mientras los países más desfavorecidos aumentan su población en grandes proporciones, los más pudientes sufren la falta de natalidad y el progresivo envejecimiento de su población. A esto se une la acusada desigualdad habitual en los menos desarrollados, incluso aunque el Estado tenga un elevado nivel de ingresos. Del mismo modo, los sistemas de comunicación actuales generan una percepción de injusticia entre los marginados al observar otras realidades, cuyos habitantes parecen nadar en la opulencia con un mínimo esfuerzo. Contribuyen a ello las redes sociales, como Facebook o Instagram, en las cuales las personas cuelgan las imágenes de los momentos más felices de su vida, generalmente rodeados de bienes materiales. Esto crea la ilusión, para quien vive físicamente muy alejado de estas realidades, de que ese bienestar es magnífico y fácil de conseguir. Lógicamente, esta percepción impulsa a desear lo mismo, a veces de modo irrefrenable.

Estas circunstancias provocan emociones dispares. Por un lado, existe una atracción hacia esas sociedades más avanzadas. Pero, al mismo tiempo, se produce un sentimiento de marginación y frustración, de estar siendo excluidos por los poderosos y dominantes. De momento se ha materializado en movimientos migratorios masivos, pero podría degenerar en confrontaciones violentas a gran escala, en una renovada lucha de clases de alcance planetario, en lo que podría ser una subversión internacional especialmente centrada en las grandes urbes, donde tiende a concentrarse la mayor parte de la población mundial. El concepto de «subversión urbana internacional» es interesante a la vez que muy preocupante. Todo apunta a que la siguiente gran convulsión planetaria va a tener como escenario de batalla las ciudades, y cuanto más grandes sean, más compleja será su solución y mayor será el sufrimiento de sus habitantes.

GEOPOLÍTICA ISLÁMICA

En el islam existe una intensa relación entre religión y política, tendente a organizar todos los aspectos de la vida de las personas y de las comunidades humanas. En este sentido, el periodista y escritor José Javier Esparza afirma que el islam es un credo religioso, pero también un proyecto político de unificación en torno a esa fe. Podría hablarse de un «comunismo creyente», por unir a los preceptos religiosos otros conceptos con fuertes y atractivos valores sociales: comunidad sin clases sociales ni razas, obligación de la limosna, prohibición de la usura, respeto a los mayores, protección de la familia, etcétera. Este ideario acoge y arropa a los más desfavorecidos, como está sucediendo en diversos escenarios de África y América.

Además, como señala el historiador Daniel Macías Fernández, el islamismo nació como una forma de oposición a los poderes coloniales establecidos en el mundo musulmán, por lo que hoy en día puede ser empleado como mecanismo frente al poder y capacidad de influencia de los países occidentales por los que, en muchos casos, se sienten amenazados los musulmanes. De ser así, se estaría ante un caso palmario de la estrategia del «quítate tú para ponerme yo», con la que el islam podría pretender sustituir no solo a otras religiones, sino también a diferentes corrientes políticas, mediante un movimiento revolucionario político-social.

En cierto modo, Sigmund Freud intuyó la actual situación, pues, en *El porvenir de una ilusión*, manifestaba:

> Si se pretende eliminar la religión de la cultura europea, solo se podrá conseguir mediante otro sistema de doctrinas, que, desde el comienzo mismo, cobraría todos los caracteres psicológicos de la religión, su misma sacralidad, rigidez e intolerancia, y que para preservarse dictaría la misma prohibición de pensar.

Solo que, en este supuesto, sería reemplazar en Europa una religión (cristiana) y una ideología política (democracia) por un sistema que aglutina religiosidad y política: el islam. Esa finalidad podría ser, según Macías, la que ha llevado a los saudíes a realizar la mayor operación de financiación del islamismo de la historia, pues han destinado una considerable porción de los ingresos procedentes del petróleo a financiar a grupos islamistas de todo el mundo y a enviar predicadores wahabíes a todos los rincones del planeta. Respaldando esta tesis, en diciembre de 2016 el periódico alemán *Süddeutsche Zeitung* publicó un informe elaborado por los servicios de inteligencia germanos en el que se alertaba de que la expansión del wahabismo en Europa y otras partes del planeta corresponde a una estrategia deliberada de Arabia Saudí, apoyada por otros países del golfo Pérsico, para ir imponiendo progresivamente un nuevo modelo social.

Bien sabido es el fabuloso poder que tiene una religión. Pues imaginemos ahora cuando a ella se vincula una ideología liberalizadora, esperanzadora y basada en principios de igualdad y justicia social. Aunque luego, en la práctica, no se palpe en tantos campos, como el papel de la mujer y la imposibilidad de ejercer ciertas libertades consideradas básicas en el mundo occidental, como la sexual, la de conciencia o la mera oposición política. Pero, aun así, el atractivo para cierto tipo de personas, que se ven a sí mismas como marginadas y postergadas en las sociedades en las que viven, es muy fuerte. Si Marx aseguraba que «la religión es el opio del pueblo», se puede ir más lejos y concluir que la mezcla religión-ideología es la más potente de las drogas, dejando a las personas que la consumen totalmente inermes y a plena disposición de los que, con fines espurios, las quieran manejar.

ASPIRANTES AL PODER

El poder, sea cual sea su manifestación, siempre es anhelado por el que no lo disfruta. Por eso, el que está en lo alto de la jerarquía nunca debe olvidar que los que le rodean no son sus amigos, sino sus competidores, pues nunca dejará de haber un aspirante que desee quitarle la corona que ostenta. En ocasiones, el poderoso no será plenamente consciente de la pérdida de su fuerza, ya que una forma de quitarlo de en medio es dejar que nominalmente siga llevando la vara de mando, aunque su capacidad real haya quedado mermada o anulada.

EL QUE PARTE Y REPARTE
SE QUEDA CON LA MEJOR PARTE

El fuerte nunca duda en quedarse con la mejor parte siempre que tiene la oportunidad de repartir algo. En ocasiones, lo hace de modo sibilino; otras, de manera más evidente. Las potencias del momento lo han practicado allí donde han podido, sobre todo abusando de los más desvalidos e ignorantes, como ha sucedido, y en gran medida sigue ocurriendo, en África.

Tampoco los descuidados se han visto ajenos a este atropello, pues los países dotados de una hábil diplomacia o de agudos servicios de inteligencia saben cómo aprovechar esta vulnerabilidad para hacer que la sardina siempre quede arrimada a su ascua, incluso cuando aparentemente las negociaciones se establezcan para beneficio mutuo.

Sustraerse a ello no es sencillo, aun cuando el que lo padece sea plenamente consciente del ardid, pues los dominantes saben cómo presionar e incluso sobornar a los dirigentes de la parte perjudicada.

LA LÍNEA DURAND

Un caso paradigmático de cómo el poderoso se suele quedar con la mejor parte cuando se negocia una repartición lo ofrece la historia de la imposición de la línea Durand por parte de Gran Bretaña. A finales del siglo XIX, los británicos —que habían establecido la India británica en 1858— buscaban que hubiera el mayor espacio posible entre ellos y una Rusia que también se estaba expansionando y avanzaba hacia la India. Para conseguirlo, pensaron que la mejor solución era crear un «Estado tapón» que les sirviera de amortiguador estratégico: Afganistán, una maniobra que, simultáneamente, les posibilitaría impedir al Imperio Romanov realizar su sueño eterno de acceder a mares calientes, en este caso el mar Arábigo y el océano Índico. De este modo, en 1893 el gobierno británico llegó a la conclusión de que necesitaba establecer una frontera oficial entre el Raj

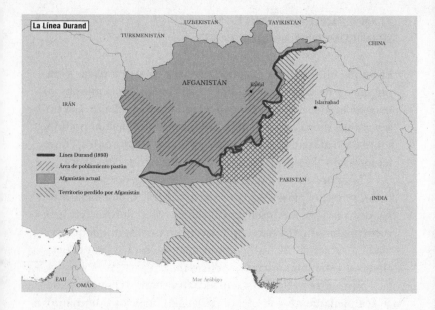

Línea Durand (1893)
Área de poblamiento pastún
Afganistán actual
Territorio perdido por Afganistán

británico y su vecino occidental, Afganistán. La tarea fue encomendada a sir Henry Mortimer Durand, secretario de Exterior
de la India británica, del que se esperaba que tuviera más fortuna que sus dos predecesores, ambos asesinados.

El 11 de noviembre de ese año se firmó un acuerdo entre
Mortimer Durand y el emir afgano Abdur Rahman Khan, al
que sus propios súbditos acusaban de ser una marioneta de
Londres. En el documento se garantizaba al emir que la India
británica protegería tanto su persona como su reino en caso de
agresión por cualquier enemigo externo. Un día más tarde, el
12 de noviembre, se firmó el acuerdo de la línea Durand, que
además garantizaba al emir una pensión anual.

Pero desde el mismo momento de la firma, la línea Durand fue —y lo sigue siendo— una fuente inagotable de conflictividad. Para empezar, Afganistán perdía más del 50 % de
su territorio (toda la parte oriental, lo que hoy es la mitad oeste de Pakistán), además de su salida al mar, quedando a partir
de entonces rodeado solo por tierra.

También se creaba un drama humano, pues la línea se
convirtió en una frontera artificial que dividía culturas y tribus,

especialmente a los pastunes, sobre todo en el centro y el este del país, y los baluches, localizados principalmente en el sur. Si bien en principio la divisoria era tan porosa e imposible de controlar que las personas que vivían a ambos lados no la tenían en consideración, con el paso del tiempo se fue convirtiendo, como se pone de manifiesto en la actualidad, en un problema de gran magnitud, en el cual entra en juego la percepción que tienen los pueblos afectados de la arbitrariedad a la que se han visto sometidos por parte de extranjeros.

El resultado fue positivo para los británicos, que consiguieron su objetivo geopolítico de mantener a los rusos alejados de la joya de la corona que para ellos representaba la India, merced a la profundidad estratégica que esta nueva frontera les proporcionaba. Pero los perdedores del «Gran Juego» —término que popularizó el escritor Rudyard Kipling— entre Londres y Moscú por el control de Asia Central fueron Afganistán y sus pobladores.

Desde el primer momento, los afganos desconfiaron del acuerdo por el que se creaba la línea Durand. El documento, que solo consistía en una página con siete breves artículos, estaba escrito en inglés, a pesar de que el firmante por la parte afgana, el emir Abdur Rahman Khan, ignoraba por completo la lengua de Shakespeare. Se cree que hubo dos copias del tratado redactadas en pastún y dari, los dos idiomas mayoritarios en Afganistán, pero nunca han aparecido, por lo que todavía hoy se desconoce si estas versiones llegaron a existir. Para añadir más leña al fuego, los que sí están convencidos de que esas copias escritas en los dos idiomas locales fueron una realidad, también argumentan que eran ligeramente distintas de la redactada en inglés, pues en ellas se especificaba que el acuerdo establecía un límite temporal de cien años, por lo que una vez cumplido ese plazo las tierras que se desgajaban de Afganistán debían retornar a su legítimo dueño. Algo impensable desde la actual perspectiva pakistaní, pues implicaría que Islamabad tendría que desprenderse de la mitad de su territorio, por lo que cualquier iniciativa seria por parte de Kabul sería considerada inmediatamente por los pakistaníes un *casus belli*, es decir, un motivo suficiente para iniciar una respuesta militar.

Aunque los siguientes gobiernos afganos confirmaron la legalidad de la línea Durand en tratados posteriores, este capítulo de la historia de esa parte del mundo sigue abierto, no siendo extraño que genere violencia y desastres humanitarios.

La entrada de Estados Unidos en la Segunda Guerra Mundial

Durante la Segunda Guerra Mundial, Washington llegó al convencimiento de que tenía que entrar en combate contra Alemania por intereses propios. Si Hitler llegaba a dominar los países europeos y conseguía conformar una Europa unida, en la cual incluso dispusiera de los recursos y el capital humano de Rusia (lo que implicaría disponer de una poderosa combinación de tecnología y materias primas prácticamente ilimitadas), sería solo cuestión de tiempo que volviera sus ojos hacia Estados Unidos. Y no solo como el indudable competidor económico en que se habría convertido, sino desde la perspectiva de adversario militar, pues se cree que Hitler tenía ya planes para, una vez dominada Europa y controlados los recursos energéticos asiáticos y africanos, dar el salto para conquistar el continente americano, comenzando por Sudamérica. La Casa Blanca no lo podía permitir. No obstante, Estados Unidos no intervino hasta el momento en que Europa estaba suficientemente debilitada por su enfrentamiento intestino. De este modo, el gobierno estadounidense se aseguraba de que los países europeos no representarían una amenaza a sus intereses. Al contrario, no tendrían más opción que doblegarse a su ayuda.

De nuevo, el poderoso de turno repartía las cartas, pero se quedaba con las mejores bazas.

Al pez pequeño solo le queda espabilarse

Como es bien sabido, al final el pez grande se come al chico, o cuando menos lo intenta permanentemente. Al pequeño solo le queda desarrollar otras habilidades evasoras y encomendarse a su suerte.

NO HAGAS LO QUE LOS DEMÁS PUEDEN HACER POR TI

> Prefiero el 1 % del esfuerzo de cien
> personas que el 100 % de mi propio
> esfuerzo.
>
> JEAN PAUL GETTY

Una de las grandes estrategias que se han empleado a lo largo de la historia, en el marco de la decepción que siempre se busca cuando se efectúa una operación de gran envergadura, sea en el ámbito táctico o en el geopolítico, ha sido intentar que sean otros los que realicen los esfuerzos. Básicamente consiste en no hacer aquello que los demás pueden hacer por uno, sobre todo cuando se trata de actos perversos o que pueden acarrear problemas a su autor en caso de llegar a ser descubiertos. Unas veces se ha conseguido comprando a los actuantes. Otras, las más eficaces, impulsándolos a ello mediante engaños y subterfugios que, efectuados con habilidad, no solo no despiertan la menor sospecha, sino que incluso consiguen que la actividad se realice de modo voluntario y entusiasta.

Las acciones «delicadas» también sirven para, mediante actores interpuestos, crear un enemigo a un tercero, aumentar la animosidad hacia uno que ya lo sea o potenciar la percepción de peligro ante una amenaza. Cuando la maniobra de engaño lleva asociado el hecho de culpar a otro de la acción, se estaría ante una operación de falsa bandera, como más adelante se verá.

Decía el cardenal Mazarino: «Procura que las tareas que exigen grandes esfuerzos sin aportar ni dinero ni gloria sean encomendadas a otros», a lo cual se podría añadir que incluso cuando otorgan tales ventajas, siempre es mejor encontrar a alguien que las realice por uno mientras con ello se obtengan mayores beneficios.

Una de las formas que tuvieron los países de aplicar esta estrategia fue actuando de modo indirecto en el mar, desde al menos el siglo XIII, mediante los corsarios (o *privateers*), término referido tanto a las personas como a los navíos que realizaban esta función. Las autoridades estatales concedían una autorización a ciertos marineros, denominada «patente de corso» o «carta de marca», para que, en beneficio de esa nación, actuaran contra los barcos mercantes de los países adversarios, mediante acoso, entorpecimiento de su navegación, asalto, secuestro, saqueo e incluso hundimiento.

No era más que el ejercicio de la clásica piratería —atacar un barco para secuestrar al pasaje, robar la carga o apoderarse del buque, en ocasiones para pedir un rescate—, pero amparado por una pretendida legalidad, de la que hacían uso algunos países en tiempos de guerra para debilitar la economía de los enemigos y distraer medios de sus escuadras al forzarlas a dar protección a sus rutas marítimas. De este modo, los países ampliaban temporalmente sus capacidades navales sin realizar ningún desembolso, pues los corsarios se beneficiaban con el producto de sus capturas.

En los siglos XVII y XVIII, los barcos corsarios representaron un elevado porcentaje del total de las flotas de las principales potencias del momento. Se convertía así esta actividad en un lucrativo negocio que, además, contaba con el beneplácito de sus autoridades. En cada país existían unas normas que establecían la manera de repartir el botín, siendo habitual que las ganancias que generaban la venta de los barcos y los botines capturados se repartieran entre los corsarios —capitán y tripulación—, el propietario del barco corsario —si era distinto del capitán— y el gobierno del país contratante.

Por la naturaleza de las acciones realizadas, era habitual que los corsarios tuvieran experiencia previa, proviniendo en muchos casos de la vulgar piratería, cuando no de ámbitos marginales y delictivos. Además, tampoco era infrecuente que estos peculiares personajes saltaran con frecuencia de la legalidad a la ilegalidad, según las necesidades de los países a los que ocasionalmente servían.

Si bien los corsarios debían someterse a una cierta disciplina, al menos en cuanto a seguir unas indicaciones generales que guiaran sus operaciones, solían tener amplia libertad para llevar a cabo los asaltos. En los documentos por los que se oficializaba su posición, acostumbraba a indicarse que los actos hostiles que realizaran contra navíos extranjeros debían ajustarse a los usos y costumbres de la guerra. Pero no era habitual que las autoridades supervisaran sus acciones, siempre y cuando estas las beneficiaran. Además, los corsarios gozaban de la no desdeñable ventaja de ser considerados como parte de la estructura de un ejército, aunque aquellos contra los que actuaban no siempre les reconocían ese privilegio, en ocasiones porque ni siquiera mediaba una declaración oficial de guerra con el país en cuyo nombre el corsario cometía sus fechorías.

Los países que emplearon esta fórmula mayoritariamente fueron Gran Bretaña (de modo especialmente destacado, pues más de la mitad de los corsarios más famosos actuaron bajo el paraguas de la corona inglesa), España, Francia y Holanda. Tampoco faltaron países iberoamericanos que hicieran uso de los corsarios, aunque en mucha menor proporción.

Uno de los casos más paradigmáticos es del corsario inglés Francis Drake. Su intensa existencia le llevó a ser desde explorador y esclavista a afamado navegante —el segundo en dar la vuelta al mundo en barco, después de Juan Sebastián Elcano—, político y almirante de la Armada inglesa. Para España, que sufrió en sus carnes múltiples acciones de este personaje, nunca dejó de ser más que un pirata, por más que estuviera a sueldo de Inglaterra. Mientras, el pueblo inglés lo consideraba un héroe y la reina Isabel I le concedió los máximos honores por los importantes servicios prestados como corsario, nombrándolo sir, en lo cual influyó que capturara dos barcos españoles cargados de oro y plata, uno de los más fabulosos botines de la Historia.

Si bien esta actividad tuvo su apogeo entre los siglos XVI y XVIII, se siguió empleando hasta el XIX con cierta profusión.

Durante la guerra de la Independencia americana, los norteamericanos completaban sus unidades navales regulares con barcos corsarios. A finales del siglo XVIII, los revolucionarios franceses emplearon a corsarios en el océano Atlántico y en el mar Caribe para entorpecer las rutas marítimas norteamericanas y británicas. En la guerra de Secesión, los corsarios actuaron en beneficio tanto del Norte como del Sur.

Con la debida adaptación a las circunstancias actuales, el modelo no es muy diferente del de las empresas militares privadas que han proliferado desde el final de la Guerra Fría en prácticamente todos los escenarios de conflicto, pues los gobiernos de los países contratantes trasladan la potestad del ejercicio de la fuerza a compañías particulares para que actúen en su beneficio, cubiertas por el manto de una legalidad que no deja de ser cuestionable.

El «mínimo esfuerzo» en la guerra

En todas las campañas bélicas se ha empleado a terceros para que realicen algunos de los trabajos más duros, penosos y desagradables, desde meras operaciones tácticas a actos execrables, como pueden ser las ejecuciones sumarias.

Después de la Primera Guerra Mundial, la Rusia comunista optó por las guerrillas como parte importante de la conducción de la guerra. En 1928, el Congreso del Partido que tuvo lugar en Moscú exigió que se adoptaran medidas para, en caso de guerra, poder disponer de esta clase de combate. Pocos años más tarde, en 1933, apareció el manual *Instrucciones para la lucha de guerrillas*, que se incorporó al cuerpo doctrinal del Ejército Rojo. Así, cuando estalló el conflicto germano-ruso en 1941, las primeras organizaciones guerrilleras se encontraban en fase de organización. En aplicación de esta doctrina, durante la Segunda Guerra Mundial las guerrillas comenzaron en Serbia por influencia rusa (además de la británica) con el propósito de desgastar el esfuerzo bélico alemán forzando al Reich a distraer gran cantidad de tropas para seguir manteniendo el control de los Balcanes. Y para conseguirlo, Tito fue enviado directamente desde Moscú con la misión de hacerse cargo de uno de los principales grupos guerrilleros.

Los Aliados también emplearon esta estrategia, pues, según Max Hastings, llevaron a cabo campañas terroristas y de guerrilla mediante operaciones encubiertas en las zonas ocupadas por el Eje.

Por otro lado, se ha empleado con cierta frecuencia a terceras personas para cometer actos verdaderamente repudiables incluso en los tormentosos tiempos de guerra. Según el historiador y arabista inglés Eugene Rogan, durante el genocidio armenio los otomanos sacaron de la cárcel a un buen número de asesinos convictos, movilizándolos después en bandas constituidas para que operaran como «carniceros».

Durante las décadas de 1980 y 1990, se cree que la CIA empleó mercenarios para que pusieran bombas en la Cuba castrista, a los que pagaban entre 2.000 y 5.000 dólares por bomba más los gastos del viaje. Alguno de estos soldados de fortuna habría salido tan aplicado que llegaría a poner cinco bombas diarias, según fuentes cubanas.

LAS OPERACIONES DE FALSA BANDERA

Está demostrado que en todos los conflictos, guerras y enfrentamientos entre colectivos humanos es habitual el empleo de una amplia variedad de estratagemas, artificios, artimañas y engaños. En tiempos de guerra, como decía Winston Churchill, la verdad es tan preciosa que debe ser protegida por una barrera de mentiras.

En este contexto de pugnas y rivalidades, uno de los recursos empleados con cierta profusión por parte de Estados y entes poderosos ha sido la realización de operaciones encubiertas dirigidas a culpabilizar de ellas a terceros. Son las operaciones de falsa bandera, cuya denominación procede del contexto militar, de cuando se izaban banderas de un país diferente para confundir al enemigo.

La finalidad de esta estrategia es conseguir una significativa ventaja respecto a un tercero al que se intenta responsabilizar de la acción. Este puede ser un enemigo manifiesto; alguien que se desea ver transformado en adversario; o cualquiera —sea un país o una organización— al que se pretende que otra parte distinta considere rival, normalmente para atraer a este último como aliado o para que se enfrenten entre ambos desgastándose mutuamente. Pero también es posible que el presunto culpable sea tan solo un cabeza de turco, elegido incluso al azar.

Dentro de este amplio marco de operaciones de falsa bandera, las acciones ejecutadas son muy variadas, pudiendo consistir en atentados terroristas, ataques efectuados con fuerzas militares o actos de sabotaje (incendios, destrucción de material, etc.) y subversión. Pueden ser realizadas tanto en el plano físico como, actualmente cada vez más, en los sistemas de comunicaciones nacionales e internacionales y en el ciberespacio, y con niveles de decisión que van desde el político al del campo de batalla.

Quién las ejecuta

Al ser operaciones encubiertas por su propia definición y esencia, son llevadas a cabo por personal cualificado. Habitualmente las planifican y dirigen, o cuando menos coordinan, los servicios de inteligencia, los cuales recurrirán a sus propios integrantes (agentes y/o personal operativo, con apoyo de técnicos especialistas), a miembros de las fuerzas especiales de los ejércitos o bien a personal específicamente contratado al efecto.

Debe tenerse en cuenta que la especialización de los servicios de inteligencia en operaciones opacas y sigilosas, y a veces turbias, los hace especialmente útiles para estas acciones irregulares. Por esta razón, lo normal es que, de un modo u otro, estén muy directamente involucrados, no siendo extraño que sean una parte fundamental del motor que mueve los hilos de estos procedimientos. En ciertos casos, sobre todo en países alejados de los parámetros democráticos, hay evidencias claras de que los servicios secretos han sido los verdaderos promotores de los actos por haberse convertido en un auténtico Estado paralelo. Por otro lado, en el siempre proceloso mundo del espionaje, las técnicas de bandera falsa son ampliamente usadas para reclutar agentes o para que terceros lleven a cabo acciones cuya finalidad ignoren los propios ejecutantes.

Cómo se llegan a conocer

Si son realizadas en el mayor de los secretos, ¿cómo llegan a ser desveladas estas operaciones de falsa bandera? Lo cierto es que muchas de ellas, tanto históricas como actuales, son muy difíciles de probar de modo irrefutable, cuando no resulta imposible, quedando así en la nebulosa de las conspiraciones. Además, en no pocos supuestos resulta complejo vislumbrar las intenciones exactas de estas acciones, lo cual dificulta aún más su esclarecimiento.

No obstante, algunas de estas particulares operaciones ya están plenamente documentadas, bien sea por haber sido analizadas profusamente por periodistas o investigadores independientes, o porque se han desclasificado documentos relacionados (en ocasiones, estos no ven la luz completos, pues se han borrado los datos más comprometedores). En ciertos casos han trascendido por arrepentimiento de sus actores en el lecho de muerte, o por intereses de otros servicios de inteligencia que se beneficiaban de que se hiciera público lo realizado por sus antagonistas.

Hay un matiz que es conveniente aclarar, pues no todo lo que pueda aparentar ser una operación de falsa bandera tiene por qué serlo necesariamente. Que un hecho concreto beneficie o perjudique a alguien no implica directamente una autoría determinada; puede tratarse, por ejemplo, de un hecho fortuito o un accidente que simplemente se aprovecha para obtener alguna ventaja. Además, que un hecho pueda esperarse o intuirse tampoco implica que se haya provocado directamente ni acelerado su advenimiento, pues en ocasiones toda la actividad desarrollada ha consistido en dejar que ocurriera por sí mismo, pensando en los beneficios que acarrea o bien por desidia.

> Toda guerra está basada en el engaño.
>
> SUN TZU

Los ámbitos en los que se planifican y ejecutan este tipo de operaciones son diversos, pudiendo ir desde el marco político —al más alto nivel del Estado— a la limitada esfera táctica del campo de batalla. Dentro del marco político, es habitual que estén relacionadas con la entrada en guerra del país, con actos de terrorismo o con el desarrollo de una subversión. Al hablar de operaciones de falsa bandera relacionadas con el terrorismo, es imprescindible traer a colación una cita atribuida a Stalin: «La forma más fácil de obtener el control de una población es llevar a cabo actos de terrorismo. La población reclamará la imposición de leyes restrictivas si su seguridad personal se ve amenazada».

En el caso concreto de la subversión, diseñada para debilitar a un país a través del minado de la moral, la lealtad y la confianza de su población, algunos de los métodos empleados consisten en recurrir a organizaciones tapadera que oculten las auténticas intenciones, en reclutar a colaboradores para que lleven a cabo acciones —consciente o inconscientemente— en beneficio del reclutador, difundir falsos rumores y fomentar líneas de pensamiento. Igualmente se puede aplicar a las labores de contrasubversión, en las que se podrían incluir, por ejemplo, actuaciones tendentes a fomentar falsos golpes de Estado con el objetivo de sacar a la luz a los más fervientes opositores, de modo que se puede acabar con ellos con rapidez y de un modo justificado ante la opinión pública nacional e internacional.

Este tipo tan particular de operaciones también suele utilizarse para impulsar a las poblaciones al combate, lo mismo que para lograr el apoyo, la anuencia o cuando menos la pasividad de la población ante acciones que se estén desarrollando o se pretendan realizar en un futuro. Ya el estratega prusiano

Carl von Clausewitz advertía de que, para el éxito de una operación militar, era imprescindible una sólida e inquebrantable comunidad de ideas e intereses entre gobernantes, ejército y pueblo. El modo más frecuente de conseguir la movilización de los ciudadanos es mediante la demonización del enemigo, al que se desfigura por completo, llegando incluso a no considerarlo siquiera un ser humano con el objetivo de que sea combatido con la mayor fiereza. Se suele conseguir con la difusión de mentiras que indignen a la opinión pública. Para alcanzar estos fines, es habitual recurrir a las operaciones de información, la guerra psicológica y la manipulación de las masas a través de los medios de comunicación, pues una de las claves para que una operación de falsa bandera tenga éxito es que sea ampliamente divulgada —tergiversando la realidad tanto como sea necesario— entre los ciudadanos de los países afectados y el mundo en general. No hay que olvidar que la mente humana es manipulable por varias razones: tiende a creerse lo que desea o aquello que concuerda con sus ideas preconcebidas (ya sean inculcadas intencionadamente o bien fruto de la idiosincrasia de la comunidad en la que se vive); en ella calan los mensajes simples pero insistentes; y necesita ver despejadas las dudas que la intranquilizan. En el plano operacional, las acciones de falsa bandera se realizan en el marco de las operaciones de decepción, ejecutadas con la finalidad de inducir a error al adversario por medio de la deformación de la realidad a fin de que reaccione de manera favorable a los intereses en juego.

En el ámbito táctico pueden darse pseudooperaciones asimilables a las de falsa bandera, realizadas por fuerzas militares vestidas con el uniforme del enemigo. Esta estratagema se suele emplear para obtener información sobre el terreno y de primera mano sobre las actividades del adversario o para eliminar a líderes opositores. Y es que, como avisaba Napoleón, «un espía en el lugar adecuado vale más que veinte mil hombres en el campo de batalla».

Casos de falsa bandera documentados

> Hay toda una historia de ataques de
> bandera falsa usados para manipu-
> lar las mentes de la gente.
>
> FRIEDRICH NIETZSCHE

Los casos históricos de operaciones de falsa bandera abundan, aunque solo llega a ser de dominio público una pequeña
minoría. Entre los más sonados de la Antigüedad destaca el
incendio de Roma por Nerón en el año 64, que fue atribuido a los cristianos. En el siglo XX hay una multitud de casos
documentados en mayor o menor medida, protagonizados
por militares o servicios de inteligencia soviéticos, japoneses,
alemanes, británicos, turcos, estadounidenses, argelinos, bos-
nios, indonesios y serbios, entre otras muchas nacionalidades.
Pocos países, sin importar la ideología gobernante, sean dictaduras o democracias, se libran de haber cometido este tipo de
actos esencialmente perversos. Se podría incluso aventurar que
quizá sean los regímenes autocráticos los que menos necesidad
tienen de llevarlas a cabo, al poder realizar las acciones que
consideren precisas sin necesidad de escuchar a la población
ni a una inexistente oposición.

Actualmente se estima que son habituales los ataques cibernéticos de falsa bandera sobre objetivos concretos. Las diversas acciones pueden ir desde controlar remotamente orde-
nadores y móviles a piratear cuentas de correo electrónico y
de redes sociales, para luego culpar a sus propietarios de actividades ilícitas. Del mismo modo, hay rumores muy insistentes
sobre la realización de múltiples operaciones de falsa bandera
en los conflictos habidos en los últimos años en los escenarios
de Libia, Irak y Siria.

Las compañías militares y de seguridad privada (CMSP), cuyos integrantes son conocidos como «contratistas», se utilizan para realizar acciones que un Estado no puede o no quiere hacer directamente con sus propios recursos. La primera compañía militar privada fue Watch Guard International —fundada en 1965 por David Stirling (creador del SAS británico) y John Woodhouse (también miembro del SAS)—,[30] que realizó su primera operación en la guerra civil de Yemen del Norte.

Su empleo ha proliferado en las últimas dos décadas como consecuencia de la reducción de contingentes militares tras el final de la Guerra Fría, por la multiplicación de conflictos de baja intensidad y asimétricos, y también por la negativa de los países occidentales a implicarse con sus fuerzas armadas, en gran medida preocupados por la repercusión que tienen las bajas propias en las poblaciones.

Actualmente son habituales en los escenarios de conflicto y su empleo se ha ampliado a otros campos, como la lucha contra el narcotráfico y la piratería, para proteger la entrega de ayuda humanitaria por parte de las oenegés y la ONU, o haciendo frente al terrorismo en Afganistán, Pakistán e Irak (donde, por ejemplo, en 2007 llegó a haber más contratistas que soldados regulares).

Estas empresas suelen pertenecer o estar ligadas a grupos de poder político y económico. Acostumbran a tener su domicilio social en paraísos fiscales, cambiándolo frecuentemente para evadir la fiscalización. Las CMSP generan decenas de miles de millones de dólares anuales y son compradoras de

---

30. El Special Air Service (SAS), junto con el Special Boat Service (SBS), el Special Reconnaissance Regiment (SRR) y el Special Forces Support Group (SFSG), forma las fuerzas de operaciones especiales británicas, famosas por sus actuaciones en los campos de batalla y también por haber sido empleadas en innumerables operaciones opacas, incluidas acciones contraterroristas.

armamento y tecnología militar de vanguardia, una bendición para las multinacionales armamentísticas. Los contratistas normalmente proceden de ejércitos, servicios de inteligencia y fuerzas policiales, aunque también hay pandilleros. Su edad media oscila entre los 35 y los 40 años.

Las ventajas que estas CMSP ofrecen a los Estados respecto a las fuerzas regulares son numerosas: mayor rentabilidad económica, dado que su carácter de no permanentes permite rescindir el contrato tan pronto como dejan de ser necesarias; no exigen ningún tipo de apoyo social (sanidad, familiares, ayudas, pensiones, etc.) ni se precisa gasto en formación; y proporcionan un alto grado de confianza porque la mayoría de sus integrantes son profesionales contrastados. Así mismo, ofrecen una superior eficacia (por experiencia, preparación y medios), confidencialidad ante la realización de acciones opacas, despreocupación por las bajas de cara a la opinión pública, alta disponibilidad, flexibilidad de actuación y gran especialización. Además, y no menos importante, permiten eludir limitaciones tácticas (*caveats*) y responsabilidades.

Sin embargo, no están exentas de inconvenientes, como la falta de respeto a la legalidad internacional, es decir, a las leyes y usos de los conflictos armados. A pesar de los numerosos escándalos en que se ha visto envuelto personal de las CMSP, no existe un mecanismo unificado internacional para someterlas a las leyes nacionales o internacionales. En muchos casos se incumplen las legislaciones laborales, contratando a personal de países en desarrollo con salarios reducidos y sin prestaciones sociales. Además, ponen en cuestión el monopolio de la fuerza que debería ejercer el Estado. Y sobre todo escapan al debido control democrático de la fuerza, especialmente en sus operaciones clandestinas.

Hasta ahora, los esfuerzos para regular las CMSP han sido vanos por las discrepancias entre países, la globalización de la industria (y la consecuente ingeniería financiera para dificultar su seguimiento y fiscalización) y los múltiples intereses enfrentados. La Convención Internacional sobre el uso de mercenarios de 1977, ratificada en la Convención de Ginebra, no incluye las CMSP, principalmente porque no se adaptan a la definición de «mercenario». Lo mismo sucede con la Convención de las Naciones Unidas contra el reclutamiento, uso, financiación y entrenamiento de mercenarios, aprobada en 1989. El esfuerzo más reciente es el Documento de Montreux (2008), que regula la industria de la seguridad privada. Aunque ratificado por diecisiete países, no obliga a las partes a seguir los principios. Tan solo es una lista de setenta recomendaciones para operar en zonas de conflicto y sobre cómo perseguir las violaciones de la legalidad internacional y verificar sus actuaciones.

En conclusión, las CMSP son un intermediario que obedece a los intereses económicos y políticos de los Estados sin conocimiento de la opinión pública y sin que el gobierno deba asumir las responsabilidades. Además, pueden ser utilizadas de forma opaca, incluso para acciones poco confesables.

LA ESTRATEGIA INDIRECTA DE ESTADOS UNIDOS

En los últimos tiempos, quizá escarmentado de anteriores aventuras fallidas, Washington ha cambiado su estrategia de intervención más directa a otra acusadamente más indirecta, por lo general empleando a terceros para conseguir sus fines.

Según Richard A. Clarke, Estados Unidos —en contra de lo que había hecho en Corea y Vietnam— logró derrotar al poderoso Ejército Rojo en Afganistán mediante la intermediación de los servicios de información del Ejército pakistaní, los cuales, con dinero estadounidense, del gobierno saudí y de organizaciones caritativas, habían convertido a unos guerreros afganos decimonónicos y a varios miles de voluntarios árabes en una fuerza capaz. En total, Estados Unidos llegó a gastar en el escenario afgano hasta 600 millones de dólares anuales.

Este cambio de tendencia se vio potenciado en 2001, cuando Estados Unidos invadió Afganistán en respuesta (y también como venganza) a los atentados terroristas del 11-S. Para expulsar a los talibanes del poder, empleó a los milicianos de la Alianza del

Norte, dirigidos por un relativamente reducido grupo de sus soldados de operaciones especiales. Diez años más tarde, para deponer al libio Gadafi involucró a países aliados y amigos. Y en los convulsos escenarios de Siria e Irak ha recurrido principalmente a los kurdos para combatir al autodenominado Estado Islámico.

George Friedman recomienda mantener esta postura, pues opina que Estados Unidos debe crear alianzas en las que otros países soporten la mayor parte del peso del enfrentamiento o del conflicto, apoyándolos con beneficios económicos, tecnología militar y la promesa de que, en caso de necesidad, enviará su ejército.

Esta política se resume en lo que el presidente Barack Obama definía como «*leading from behind*». Es decir, seguir llevando la batuta, pero de un modo más imperceptible, en la que se sienta menos abiertamente la influencia estadounidense. Donald Trump parece estar interesado en revertir esta tendencia, a tenor de sus discursos durante la campaña electoral, aunque una vez sentado en el Despacho Oval está anteponiendo la política de gestos a la de actuaciones sobre el terreno.

LOS TERRORISTAS MANIPULAN A MUJERES Y NIÑOS

Cuando lo han estimado adecuado para conseguir sus fines, los grupos terroristas de toda índole han empleado a mujeres y niños para colaborar en sus múltiples tareas. En la mayoría de los casos, su participación ha sido buscada o permitida por entender la organización que con ellas se conseguían mejor los objetivos propuestos. Uno de los casos más palpables de esta manipulación es el de las mujeres y niños empujados al suicidio durante la ejecución de actos terroristas, como sucede hoy en día con excesiva frecuencia en Nigeria, donde son impulsados a convertirse en bombas humanas.

Para las organizaciones terroristas, emplear mujeres y niños suicidas tiene importantes beneficios tácticos. De entrada, consiguen unos efectos mediáticos, de ámbito internacional, muy superiores a los que obtendrían si los atentados hubieran sido ejecutados por hombres. Con esto logran uno de sus principales objetivos estratégicos: que los ojos del mundo se vuelvan hacia su causa. Además, las mujeres y los niños consiguen acceder a lugares normalmente limitados o vedados a los hombres, tanto por sufrir controles de seguridad menos exhaustivos como por su mayor facilidad para camuflarse en el medio, bien sea en un mercado, un hospital o simplemente la calle.

Otra de las motivaciones que lleva a un grupo terrorista a emplear a mujeres y niños para cometer atentados —los islamistas no son una excepción— es la escasez de personal masculino, bien sea por la estrecha vigilancia policial, por estar sus hombres empleados en otros frentes, por la falta de voluntarios o por su muerte en enfrentamientos.

Una de las duras conclusiones que se pueden extraer es que la utilización de mujeres y niños para cometer atentados suicidas es una de las formas más extremas de manipulación y explotación de seres humanos, convertidos en meros objetos prescindibles en manos de los hombres que lideran las organizaciones terroristas.

¿El crimen perfecto? El que se atribuye a otro

A las 7.45 horas del 8 de mayo de 2002, en el centro portuario, financiero y comercial de Karachi, la ciudad más poblada de Pakistán, comenzó una rocambolesca historia en la que se entremezclan terrorismo, yihadistas, servicios de inteligencia, política nacional, venta de armamento, intermediarios comisionistas y geopolítica.

En ese fatídico instante, un conductor suicida hizo explosionar un vehículo cargado de explosivos al lado de un autobús de la Armada pakistaní que se encontraba aparcado frente al hotel Sheraton para recoger a cinco personas.[31] El balance fue de catorce personas asesinadas, de las cuales once eran em-

---

31. Hasta años más tarde no se supo que los 48 kilogramos de explosivos utilizados en el atentado habían salido de los arsenales militares pakistaníes.

pleados franceses de la Dirección de Construcciones Navales (DCN), además de una docena de heridos de diversa gravedad. Los franceses afectados efectuaban labores de asistencia técnica para la construcción del último de los tres submarinos Agosta 90B que Francia había vendido a Pakistán, mediante un contrato firmado en 1994, siendo primer ministro Édouard Balladur, por un importe de 820 millones de euros.

Como eran todavía muy recientes los atentados terroristas del 11-S en territorio estadounidense, la primera reacción fue adjudicar el atentado a Al Qaeda. Esta teoría se vio reforzada cuando, seis meses después, Osama Bin Laden emitió un mensaje congratulándose por el atentado. Inmediatamente tras el suceso, las autoridades pakistaníes arrestaron a un centenar de sospechosos por sus vinculaciones islamistas, que a los pocos días fueron puestos en libertad. Curiosamente, el suicida nunca fue identificado. Entre julio y diciembre de 2002, la policía pakistaní arrestó a otros tres sospechosos, uno de los cuales consiguió escapar. De los otros dos, que fueron presentados a los medios como integrantes de un grupo terrorista actuante en Cachemira, uno era el supuesto fabricante del explosivo y el otro habría ido también en el vehículo hasta el momento del atentado. Ambos fueron condenados a muerte el 30 de junio de 2003 por el tribunal antiterrorista de Karachi.

Hasta 2009 este atentado siguió siendo oficialmente atribuido a Al Qaeda o alguna de sus filiales, tanto por el gobierno francés como por el pakistaní. Pero, gracias a investigaciones periodísticas, fomentadas por familiares de los fallecidos que en ningún momento se rindieron en su lucha por conocer la verdad, se empezó a dudar de esa primera versión oficial. Se planteó entonces la hipótesis de que hubiera sido un acto de represalia por haberse interrumpido el pago de las comisiones previstas en los contratos de venta de los submarinos, las cuales podrían ascender a unos 327 millones de euros (un pago legal, pues hasta el año 2000 la legislación francesa permitía las comisiones en las grandes ventas internacionales de armamento). Incluso se sospechó que podía estar relacionado con retrocomisiones, es decir, con que una parte importante del dinero que llegaba a manos de los comisionistas que habían actuado en el proceso de venta regresara a Francia para nutrir a partidos políticos (algo similar podría haber sucedido también con otros contratos de armamento firmados por Francia con Arabia Saudí, concretamente en la venta de las fragatas Sawari II). En 1995, Jacques Chirac, pocos meses después de ser investido presidente de Francia, había ordenado cancelar las comisiones acordadas a partir de 1996, probablemente por tener también la sospecha de que estas habrían servido para financiar la campaña de su rival, Édouard Balladur. Esta decisión habría supuesto una pérdida de unos 120 millones de euros a la red de comisionistas, los cuales no solo se habrían comprometido a devolver una parte de ese dinero a políticos franceses, sino también a entregar una jugosa cantidad a los pakistaníes, incluido su servicio de inteligencia, el todopoderoso ISI, que la esperaban con impaciencia.

En opinión de la mayoría de los investigadores, la Dirección para la Vigilancia del Territorio (DST), el servicio de contrainteligencia francés y antecesor de la actual Dirección General de la Seguridad Interior (DGSI), habría estado al corriente de los hechos desde el principio. Incluso desde mucho antes de que se cometiera el atentado de Karachi, pues se cree que desde la década de 1990 la DST tenía bajo vigilancia a los personajes fundamentales de este entramado, integrantes de una red internacional de comisionistas de la venta de grandes proyectos armamentísticos. La DST se habría negado desde el primer momento a proporcionar la documentación que hubiera desvelado las verdaderas motivaciones del atentado, amparándose en que estaba clasificada como de alto secreto. El propósito habría sido evitar un tenso enfrentamiento entre París e Islamabad, si no bélico cuando menos diplomático, justo en un momento en que Francia precisaba mantener buenas relaciones con Pakistán por ser la puerta de acceso a un Afganistán que acababa de ser invadido como consecuencia del 11-S.

La presión de algunos medios de comunicación y de los familiares de los afectados impulsó las pesquisas judiciales. Dos jueces franceses abandonaron la pista islamista para centrarse en una operación en la que podían estar involucrados militares y agentes de los servicios secretos pakistaníes. Ante las diferentes versiones sobre las motivaciones y la autoría del atentado que empezaron a circular, el 5 de mayo de 2009 las autoridades judiciales pakistaníes optaron por poner en libertad a los dos únicos condenados por los hechos.

Otras investigaciones más recientes apuntan a que los pakistaníes podrían haber enviado una primera señal de lo que podía sucederles a los empleados franceses con el asesinato del periodista norteamericano Daniel Pearl, casado con una francesa. Secuestrado en enero de 2002, este reportero del *Wall Street Journal* había sido asesinado por sus captores unas semanas después. Al igual que sucedió con el atentado de Karachi, las primeras hipótesis apuntaron en la dirección de los islamistas, pero después se descubrió que los secuestradores habían enviado una misiva a las autoridades estadounidenses reclamando el cumplimiento de un contrato firmado entre Washington e Islamabad en 1990 por el que se formalizaba la entrega de aviones de combate F-16.

También existen otras teorías, bien como causas únicas o solapadas con otras. Una de ellas se enmarcaría en el contexto de la tensión existente en aquellos momentos entre India y Pakistán, acérrimos rivales. En 2002, la DCN estaba negociando un importante contrato con India para la entrega de seis submarinos Scorpène, más modernos que los Agosta vendidos a Pakistán. El ISI, el servicio de inteligencia pakistaní, podría haber utilizado el atentado para impedir este contrato claramente desventajoso para su país. Lo cierto es que la firma de este acuerdo se retrasó dos años, hasta 2004. Pero hay más especulaciones, como la que señala a un ajuste de cuentas entre militares pakistaníes proislamistas y proestadounidenses apoyados por el presidente Pervez Musharraf.

Tras muchos años de proceso judicial, aún no se conoce toda la verdad... y muy probablemente nunca se conozca. Con suerte, a los heridos y a los familiares de los fallecidos en el atentado se les ofrecerá la sombra de la verdad, siendo, junto con los asesinados, los grandes perdedores de esta historia. Pero por extraña que esta situación pueda parecer, quizá solo sea una de las pocas que se ha conseguido desvelar, aunque solo sea a medias, de entre otras muchas similares de las que se culpa rutinariamente a ese mal llamado «terrorismo global».

LA MALDAD NO TIENE BANDERA

No hay teorías de la conspiración, sino realidades de la conspiración. Hace 2.500 años, el dramaturgo griego Esquilo de Eleusis avisaba que «en la guerra la primera víctima es la verdad». Esta prevención se puede hacer extensiva a cualquier situación de conflicto, crisis o tensión, desde el ámbito político-estratégico al táctico. El afán de unos grupos humanos por imponer su voluntad a otros nunca ha conocido límites. Por el contrario, los ha impulsado a cometer cualquier tropelía con tal de conseguir sus objetivos, por cuestionables que estos fueran, recurriendo a la mentira, la astucia, la añagaza, la trampa y la traición.

Las pasiones humanas han sido y siguen siendo una constante, debilidades eternas que llevan a realizar tretas y ardides en cuanto se tiene ocasión. Los avances tecnológicos tan solo sirven para emplear nuevos medios y procedimientos, pero no para refrenar o encauzar sentimientos, pues la atormentada alma humana, asolada por los pecados capitales, siempre está predispuesta a caer en la falsedad y la crueldad. Esto se magnifica cuando a una persona se la dota de altas cuotas de poder, creyéndose entonces con la capacidad, cuando no con el deber, de decidir sobre la vida y la muerte de sus semejantes.

Las operaciones de falsa bandera han sido una constante a lo largo de la historia, una práctica tan antigua como la propia política y el empleo de los ejércitos. Culpar a otros países, organizaciones o grupos de actos que no han cometido se ha empleado y se emplea para justificar reacciones que de otro modo no habrían sido admitidas por la ciudadanía o por los aliados.

La maldad intrínseca al ser humano, que aflora tan pronto como su supervivencia o sus intereses se sienten amenazados, impulsa a ganar el enfrentamiento sin reparar en los procedimientos empleados, aunque sean de lo más ruin, como sucede con las operaciones de falsa bandera. Para que el éxito de estas sea completo, se suele motivar a la población a través de las emociones. Con esta finalidad se hace un montaje teatral que derribe las defensas mentales, conformando, mediante una historia ambigua que mezcla realidad y ficción, un espectáculo que fuerce a unirse al grupo. De este modo es fácil llevar a la gente al odio más exacerbado hacia el enemigo, al que combatirán con saña.

Cabe esperar que la realización de operaciones de falsa bandera vaya en aumento. Al no poder emplear los países los medios militares de modo directo dado su gran poder destructor y el riesgo de una escalada, se opta por perjudicar al adversario y/o lograr significativas ventajas propias mediante este tipo de acciones, convenientemente respaldadas por la guerra psicológica y la manipulación mediática.

LA CREACIÓN DEL ENEMIGO

Si no existe un enemigo, hay que inventarlo. Desde que el mundo es mundo, todos los grupos humanos parecen haber sentido la necesidad de tener un adversario, el cual les ha permitido fortalecer la unidad interna de su sociedad y tener un objetivo claro contra el que dirigir sus esfuerzos y ambiciones.

Cuando a una sociedad se la convence de que pende sobre ella una amenaza contra su existencia o el orden establecido, se genera un mecanismo tendente a crear y/o reforzar la solidaridad entre sus miembros y la subordinación a la clase dirigente, así como a la aceptación de excepcionales medidas colectivas —incluido el recorte de derechos y libertades— que jamás hubieran consentido de otro modo. Bien gestionada por los líderes, esta estrategia puede conseguir que hasta el pueblo más pacífico acuda gustoso a la llamada de la guerra en nombre de la defensa de la patria y del modo de vida, aunque la finalidad real perseguida por sus organizadores sea bien distinta.

Otra finalidad habitual de la creación del enemigo es distraer a la sociedad de los problemas internos del país. Es más propio, aunque no exclusivo, de regímenes autoritarios que persiguen mantener al pueblo unido frente a un enemigo del que se hace ver que atacará en cualquier momento. Las muestras históricas son numerosísimas. Entre los más recientes se puede citar el interés de la junta militar argentina por entrar en la guerra de las Malvinas contra los británicos (1982). Pero otros ejemplos podrían ser la Cuba castrista o Corea del Norte, donde a sus habitantes se los mentaliza desde la infancia con que su país puede ser atacado en cualquier momento, en ambos casos por Estados Unidos. Esta estrategia también sirve a los gobiernos para controlar poblaciones y aliados, expandirse por el mundo, potenciar ejércitos y servicios de inteligencia o fomentar la industria militar.

Por otro lado, este principio estratégico también se emplea para conservar el enemigo ya existente. En el contexto de las Guerras Púnicas, cuando Catón el Viejo animaba a los romanos a ir a la tercera guerra con Cartago antes de que esta ciudad se convirtiera en demasiado poderosa y en una amenaza para Roma, se encontró con una férrea oposición en el Senado, especialmente en el grupo de los denominados Escipiones. Estos pensaban que no era positivo para Roma acabar con el único adversario que en ese momento tenía, pues de desaparecer este, el pueblo podría caer en un relajamiento de las costumbres, en ignorar la disciplina y la austeridad que había hecho grande a Roma y en enfrentamientos intestinos, todo lo cual podría desembocar en una decadencia que acabara con la ciudad-imperio.

LA OTAN SE REINVENTA

Desde que el Pacto de Varsovia, su razón de ser, desapareció en 1991, la Alianza Atlántica ha buscado reinventarse para seguir justificando su existencia. Poco a poco ha ampliado su campo de operaciones, saliéndose incluso del marco físico establecido en el tratado de creación —artículo 6 del Tratado de Washington de 1949— y llegando a considerar que tenía la potestad

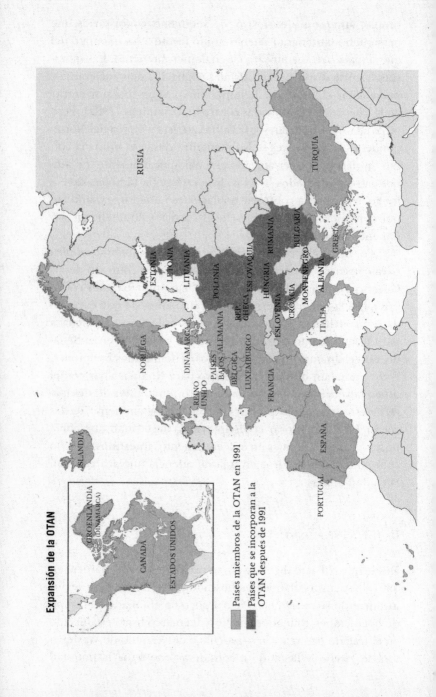

Expansión de la OTAN

Países miembros de la OTAN en 1991

Países que se incorporan a la OTAN después de 1991

GROENLANDIA (DINAMARCA)

CANADÁ

ESTADOS UNIDOS

ISLANDIA

NORUEGA

DINAMARCA

REINO UNIDO

PAÍSES BAJOS

BÉLGICA

LUXEMBURGO

ALEMANIA

FRANCIA

PORTUGAL

ESPAÑA

ITALIA

ESLOVENIA

CROACIA

MONTENEGRO

ALBANIA

GRECIA

ESLOVAQUIA

HUNGRIA

REP. CHECA

POLONIA

ESTONIA

LETONIA

LITUANIA

RUMANIA

BULGARIA

TURQUÍA

RUSIA

para actuar en cualquier parte del mundo. Así, tras los Balcanes —Bosnia, Kosovo y Serbia—, llegaron Afganistán y Libia. Pero, sobre todo, volvió a encontrar a un gran enemigo con el que argumentar despliegues y gastos humanos y materiales: Rusia, a la que ha cercado paulatinamente mediante el ingreso en su seno de los países exsoviéticos.

La actual enemistad de los países occidentales —representados militarmente por la OTAN— con Moscú ha estado propiciada por Washington, en el doble afán de, por un lado, contener a los rusos en cuanto que potencia emergente rival y, por otro, de crear un enemigo a aliados y amigos —los países europeos— con la finalidad de que estos se le subordinen, le pidan protección y de paso le compren armas. Al margen de que el Kremlin tenga sus propias aspiraciones geopolíticas, como cualquier otra nación con sus mismas características, la gran geoestrategia de Estados Unidos al crear el enemigo ruso para el resto de los países europeos consiste en impedir, cueste lo que cueste, la amalgama de Rusia y Europa, porque, como dice George Friedman, tal coalición daría lugar a una potencia a la que a duras penas podría contener.

Como se ha visto anteriormente, la unión ruso-europea supondría el surgimiento de una superpotencia con todo tipo de capacidades (tecnología, recursos naturales, energía, población, mercado, cultura, medios militares y nucleares, etc.), que sería una auténtica amenaza existencial para el gobierno estadounidense. Siguiendo el razonamiento, esta podría ser la verdadera razón para que la Casa Blanca utilizara el asunto de Ucrania para provocar el enfrentamiento entre los europeos y los que deberían ser sus hermanos rusos, por nexos históricos y culturales, amén de cercanía física e intereses comunes. Washington consiguió convencer de la maldad de los rusos a los líderes políticos europeos —que a su vez han hecho campaña para inclinar a la opinión pública a favor de sus decisiones antirrusas—, los cuales, sea por ingenuidad o por haberse rendido a la causa norteamericana, han caído en la trampa hábilmente tendida, con consecuencias aún imprevisibles. La creciente tensión, con muestras mutuas de músculo militar en contextos físicos muy próximos, puede terminar por degenerar en un incidente que encienda la chispa de la guerra abierta, cuyo escenario de combate sería el suelo europeo, con resultados catastróficos para una Europa que ya no volvería en años al puesto de influencia internacional que le corresponde.

La industria militar, madre de enemigos

Los intereses de la poderosa industria militar han sido habitualmente criticados por incitar a la permanente creación de un enemigo, como obvio medio para garantizar su existencia. De este modo lo entiende el estadounidense Chris Hedges, veterano corresponsal de guerra y premio Pulitzer, cuando afirma que la permanente economía de guerra se sustenta en infundir temor: de los comunistas durante la Guerra Fría y de los yihadistas hoy en día.[32]

Esto podría ser lo que sucede con Irán y Corea del Norte. Ser constantemente considerados como países rabiosos a punto de atacar a sus rivales regionales hace que los Estados del entorno se entreguen a compras desmedidas de armamentos, en su mayor parte innecesarios pues la única utilidad es contribuir a una carrera armamentística en la región. Por ejemplo, a Arabia Saudí el temor a Irán la llevó a ser el segundo mayor comprador de armas del mundo entre 2012 y 2016 (solo superado por India, un país que tiene cuarenta veces más población), llegando a ser el primero en 2014 y en 2016. Lo mismo sucede con los Emiratos Árabes Unidos, cuyo reducido tamaño y pequeña población de apenas nueve millones de habitantes no han sido óbice para haber ocupado entre 2012 y 2016 el tercer puesto en esa clasificación. En el otro extremo de Asia, Corea del Sur suele rondar el décimo puesto de los mayores adquisidores de armamento del planeta, impulsada

32. Hedges, Chris, «The real enemy is within». *Truthdig*, septiembre de 2015. En <http://www.truthdig.com/report/item/the_real_enemy_is_within_20150906>.

por la hipotética amenaza de una invasión por parte de su vecino norteño (como si en territorio surcoreano no hubiera permanentemente asentados más de 25.000 soldados estadounidenses que también sufrirían los efectos de un ataque por parte de Corea del Norte, lo que forzaría la entrada directa de Estados Unidos en guerra contra este país).

Estados Unidos saca pingües beneficios de esta situación al ser el principal suministrador de armamento a esos países. Concretamente, entre sus cuatro mayores compradores se encuentran Arabia Saudí (el primero), Emiratos Árabes Unidos (el segundo) y Corea del Sur (el cuarto). Y eso contando con que las ventas de armamento no son precisamente un ejemplo de transparencia, ni siquiera en los países que más presumen de democracia, pues es relativamente sencillo enmascararlas con otros productos, como equipo logístico y de apoyo al combate o tecnologías de doble uso, además de que tampoco existe una normativa universal que las regule.

Y hablando de Corea del Norte, Estados Unidos justifica su base en Thule (Groenlandia) por la amenaza que suponen (o eso afirma) los programas nucleares y de misiles balísticos de este país asiático, según Labévière y Thual. Pero, en realidad, la permanente presencia estadounidense en Groenlandia no es más que otra manera de continuar la Guerra Fría, reproduciendo una geoestrategia hegemónica mediante el escudo antimisiles y otros medios terrestres y marítimos (de superficie y submarinos). Así es como lo percibe Rusia, que piensa que estos despliegues están solo, o al menos principalmente, dirigidos contra ella.

El nuevo enemigo: el yihadismo

El otro gran enemigo actual es el radicalismo islamista, que algunos quieren ver como el destructor de Occidente. Así, desde la desmembración de la Unión Soviética y el fin de la amenaza que suponía el comunismo tanto para los occidentales (por cuestiones ideológicas) como para el mundo musulmán (por aspectos religiosos, pues se enfrentaban fe y ateísmo), estos dos últimos parecen haber encontrado un nuevo adversario al que enfrentarse: ellos mismos. La pugna se prolongará largo tiempo. Por lo menos hasta que surja un nuevo enemigo que una a ambos contra este tercero o haga que estén tan entretenidos con el recién llegado al combate que olviden las actuales rencillas o bien estas queden latentes.

Creación y demonización del enemigo: Gadafi, 2011

Una muestra de cómo se demoniza a un adversario durante la fase de preparación del ataque contra su país o sus intereses, con el claro propósito de conseguir el apoyo de la opinión pública ante la inminente operación bélica, se encuentra en los días previos a la ofensiva internacional contra Libia, comenzada el 19 de marzo de 2011. Dos semanas antes, concretamente el día 2 de ese mismo mes, el periodista inglés Justin Marozzi publicó en el *Daily Mail*, el segundo periódico británico más leído, un artículo en el que se afirmaba que Gadafi tenía armas químicas y estaba dispuesto a utilizarlas.[33] La tesis de Marozzi era que la oposición libia, que según el periodista se enfrentaba a Gadafi para implantar la democracia en Libia, sería masacrada con armas químicas y biológicas, pues no dudaba que el líder norteafricano las emplearía contra su propio pueblo sin pestañear.

Para dar más dramatismo a su argumento, Marozzi no escatimaba los detalles de los terribles efectos que estas armas producen sobre los seres humanos. Y para respaldar sus razonamientos, mencionaba que la información procedía de «un creciente número de militares y expertos en inteligencia occidentales», un recurso muy habitual en este tipo de artículos. Incluso no

---

33. Marozzi, Justin, «Gaddafi has chemical weapons and he's ready to use them», *Daily Mail*, 2 de marzo de 2011. En <http://www.dailymail.co.uk/news/article-1362022/Libya-Muammar-Gaddafi-chemical-weapons-hes-ready-use-them.html>.

se privaba de dar datos concretos, como que, a pesar de que Gadafi había prometido deshacerse de este tipo de armas en 2003 para poder ser incluido en la esfera internacional, el perverso dirigente conservaba diez toneladas de productos químicos con los que fabricar gas mostaza, además de otras 650 toneladas de materiales para producir una amplia variedad de armas químicas.

En cuanto a las armas biológicas, el periodista inglés, citando como fuente a un antiguo ministro de Justicia libio, aseguraba que Gadafi todavía contaba con ántrax, agentes nerviosos —como el sarín— y hasta, posiblemente, con el virus de la viruela modificado genéticamente. Por si fuera poco, Marozzi se aventuraba a afirmar que Gadafi disponía de mil toneladas de polvo de uranio que le permitirían fabricar una bomba atómica.

Para colmo, Gadafi, a decir del articulista inglés, había tenido relaciones amistosas con países como Corea del Norte, Irán e Irak, todos ellos incluidos en la lista del «eje del mal» del presidente estadounidense George W. Bush, así que debía dudarse de las promesas de desarme que había realizado en 2003. Además, el periodista insistía a lo largo del artículo en lo pobremente armada y equipada que estaba la oposición, como si estuviera solicitando que se facilitaran los medios materiales adecuados para hacer frente al dictador. En definitiva, animaba a ciudadanos y dirigentes occidentales a atacar al régimen de Gadafi. Hay que decir que finalmente en Libia no se empleó ninguna de las armas descritas, ni contra la población ni contra los rebeldes o las fuerzas internacionales.

Dentro del mismo escenario libio, otro ejemplo lo ofrece Hoff en su artículo basado en los correos electrónicos de Hillary Clinton que se filtraron durante la campaña por la presidencia de Estados Unidos.[34] En él relata que, dentro de la misma estrategia mediática para demonizar a Gadafi y así conseguir el apoyo de la opinión pública occidental para atacar Libia, se hicieron correr rumores de que las fuerzas del dirigente

34. Hoff, *ibidem*.

libio estaban empleando las violaciones masivas como instrumento de guerra (para lo que se habrían llegado a repartir pastillas de viagra a las tropas), amparados en unos supuestos informes de ciertos periodistas. A pesar de que varias organizaciones internacionales, incluida Amnistía Internacional, desmintieron estas acusaciones, los rumores se extendieron por todos los medios de comunicación occidentales, convenciendo así a la ciudadanía del salvajismo de Gadafi y, por tanto, de la necesidad de expulsarlo del poder.

Algo similar habría ocurrido con la acusación de que Gadafi colocaba cuerpos de personas muertas en los lugares donde había bombardeado la OTAN para luego culpar a los países occidentales de la matanza, lo que también quedó demostrado que era falso. En esta misma línea de intentar convertir a Gadafi en el monstruo perfecto, corrió la noticia por las redacciones de los medios de comunicación occidentales de que violaba sistemáticamente a las mujeres que integraban su guardia personal. Teniendo en cuenta que estas precisamente habían sido elegidas por su fortaleza física y por ser expertas en artes marciales, es más que dudoso que un Gadafi de avanzada edad (69 años en el momento de su muerte) pudiera forzarlas contra su voluntad.

TODOS CONTRA EL ENEMIGO COMÚN

La creación del enemigo, lo mismo que hacer creer a la gente en la existencia, actual o previsible a corto plazo, de un conflicto con otra sociedad, ideología o Estado, no deja de ser una forma de control social, pues con ello los dirigentes consiguen disponer de una potentísima fuerza cohesionadora, quizá la más intensa de todas.

EL CONTRAPESO

> El equilibrio de poder nunca es estático; sus componentes están en flujo constante.
>
> HENRY KISSINGER,
> *Orden mundial*

Una constante a lo largo de los tiempos ha sido la voluntad del poder hegemónico de turno de buscar, imponer y mantener el equilibrio de fuerzas en sus zonas de interés, de modo que ningún adversario destaque sobre otro y así poder dominarlos a todos.

El de Gran Bretaña es un ejemplo claro. Durante las dos guerras mundiales, Londres tuvo como objetivo prioritario mantener el equilibrio de poder en Europa, de modo que ningún país acumulara suficiente fuerza como para dominar el continente. En consecuencia, siempre ha estado dispuesta a apoyar a los considerados más débiles contra el país con pretensiones hegemónicas.

En el Oriente Medio actual, la Administración Obama facilitó que Irán se convirtiera en el poder hegemónico regional, con influencia directa en Irak, Siria, Líbano y Yemen, y potencial en Bahréin. Esto ha generado la comprensible preocupación en los países de mayoría suní —desde los del golfo Pérsico a Turquía— e Israel. Lo más probable es que la nueva Administración Trump intente buscar un renovado reequilibrio de fuerzas, que difícilmente se puede conseguir de modo pacífico.

Quizá, y viendo cómo funcionan las grandes potencias, no sería de extrañar que en realidad Trump no estuviera haciendo más que seguir con el juego iniciado por Obama. Es decir, que después de fortalecer a Irán y a los chiíes en Oriente Medio, ahora Washington intente actuar contra ellos, consiguiendo así que haya enfrentamientos permanentes en la región. De este modo, los mundos árabe y musulmán, al estar desunidos, no podrán controlar el conjunto del petróleo de la zona y los puntos de paso obligado, lo que ha sido una de las premisas geoestratégicas aplicadas por las potencias occidentales que llevan más de un siglo manipulando esta parte del mundo (Francia, Reino Unido y Estados Unidos). Nada tendría de extraño pues, como alerta George Friedman, Washington debe hacer, en la medida de lo posible, que el equilibrio de poder en el mundo y en todas las regiones consuma las energías de los posibles enemigos y desvíe las amenazas contra Estados Unidos.

Una estrategia curiosa es la que sigue llevando a cabo Alemania respecto a su entorno geopolítico. Según Thual, Berlín trata de controlar el este de Europa para impedir un posible retorno de Rusia. Para ello, mira al Báltico, a Europa Central y a los Balcanes, ejerciendo una clara política anti-Serbia, a la que ha procurado mantener alejada de las costas adriáticas. Paralelamente, los alemanes han intentado mantener buenas relaciones con Turquía por facilitarles el acceso al cruce geopolítico que significa el mar Negro.

En Asia, el establecimiento y mantenimiento del equilibrio es igualmente prioritario y aporta cierta garantía para la estabilidad y la paz. Se da entre India y Pakistán, países cuya acusada desigualdad territorial y poblacional queda en gran medida compensada por su capacidad nuclear. Precisamente por disponer ambos Estados de la bomba atómica, a ninguno interesa empezar un conflicto de alta intensidad que podría degenerar en un verdadero holocausto.

En cuanto a cómo intentar conseguir ese equilibrio, Fareed Zakaria ofrece dos fórmulas básicas que, aunque referidas al ámbito europeo, tienen aplicación universal. Una es la de Gran Bretaña, que ha tratado de actuar de contrapeso frente a las grandes potencias en ascenso y amenazadoras. La otra es la que aplicaba Bismarck, el cual elegía involucrarse con todas las grandes potencias para mantener así mejores relaciones con todas que cualquiera de ellas entre sí, tratando de convertirse en el eje central del sistema internacional europeo.

Por otro lado, Kissinger entiende que el desafío al equilibrio de poder puede tener dos procedencias: cuando un país importante aumenta su fuerza al extremo de amenazar con convertirse en hegemónico (podría ser el caso de Rusia); y cuando un Estado hasta entonces secundario quiere obtener el mismo rango que las grandes potencias y las insta a realizar una serie de ajustes compensatorios hasta que se establece un nuevo equilibrio o estalla una gran conflagración (China e India serían las más próximas a plantear tal opción). De acuerdo con esta línea de pensamiento, actualmente en el mundo se está produciendo un reequilibrio de poderes en los ámbitos regional y mundial, con un poder hegemónico decadente (Estados Unidos), una Europa debilitada y con signos de fragmentación, y unos países dispuestos a comerse el mundo y alcanzar la cima del poder, como China, India y Rusia. En principio, los intereses comunes e interdependientes deberían alejar el fantasma de la conflagración generalizada, pero la Historia se empeña en querer hacernos entender que es probable, y seguramente solo cuestión de tiempo, que termine por despertarse al temible jinete de la Apocalipsis que es la guerra.

REAJUSTES CATASTRÓFICOS

En geopolítica, el equilibrio se busca con ahínco, pero siempre es inestable. Por eso se hacen permanentes reajustes, que en la mayoría de las ocasiones generan guerras y desastres.

MIENTE, QUE ALGO QUEDA

> Una mentira repetida muchas veces se convierte en una gran verdad.
>
> LENIN

Si siempre ha sido primordial, cada vez es más importante ganar la opinión pública, conquistar «mentes y corazones», vencer en la guerra de las ideas. Una manera de convencer a la sociedad de algo en concreto es repetir la idea hasta la saciedad. Así lo entendía Joseph Goebbels, ministro para la Ilustración Pública y Propaganda de la Alemania nazi entre 1933 y 1945, a quien se atribuye la frase que da nombre a esta estrategia: «Miente, miente que algo quedará; cuanto más grande sea la mentira, más gente se la creerá», a la que se suma: «Afirma una mentira cien veces, y al cabo todo el mundo la creerá como un hecho fidedigno». Y los medios de comunicación son el canal a través del cual se repiten las mentiras que llegan a la sociedad. Al fin y al cabo, la tan manida libertad de prensa no es más que la libertad del dueño de la imprenta, como avisaba Lenin. Un señuelo para manipular en su nombre, y con el mayor de los descaros, a las poblaciones.

La propaganda[35] como desinformación ha sido utilizada por muchos gobiernos, tanto los calificados de democráticos como los que no. Recurrente a lo largo de la historia, supone la manipulación de la opinión pública para establecer una opinión favorable al gobierno. Según Gallois, la Unión Soviética hizo de la propaganda —y, en consecuencia, de la «desinformación»— uno de los principales componentes del arte de gobernar. Tan extendido está su empleo que se atribuye al que fue director de la CIA entre 1981 y 1987, William J. Casey, esta cínica frase: «Sabremos que nuestro programa de desinformación se ha completado cuando todo lo que se crea el público americano sea falso». El uso de esta herramienta manipuladora se potencia en situaciones de guerra, pues, en opinión de Marenches, una de las armas secretas de las guerras modernas es la desinformación, mientras que, para Fuller, la guerra por medio de la propaganda es eminentemente un instrumento democrático, encaminado a dominar la mente de la masa y basado en estimular a la propia opinión pública (transformando al enemigo en demonio para despertar los instintos tribales latentes en todo ser humano), ganar a los neutrales y subvertir a la opinión pública del adversario.

35. El origen de la palabra, con el sentido peyorativo de diseminación o fomento interesado de ideas, procede de la Sacra Congregatio de Propaganda Fide, una oficina de control creada por el Vaticano en 1622 con la finalidad de difundir el catolicismo durante la Contrarreforma, la respuesta de la Iglesia católica a la reforma protestante de Martín Lutero.

Con las nuevas tecnologías y la subordinación de la información a la máxima del «aquí y ahora», las sociedades se enfrentan a un «lavado de cerebro» debido a la avalancha de información sin analizar y sin contextualizar que reciben, lo que da como resultado una opinión pública desinformada, o deficientemente informada, que se guía por lo que aparece en los medios. Lo mismo sucede con la multitud de encuestas, estadísticas y sondeos de opinión, cuyos resultados son fácilmente manipulables.

Y cuando casualmente se descubre la verdad y no se puede desmentir una información que daña la imagen propia, se reacciona atacando a la fuente (sea persona o medio). Es lo que se ha hecho con WikiLeaks por revelar los correos electrónicos de Hillary Clinton, pues ha tenido más relevancia llegar a saber quién había sido el causante de que se pusieran en conocimiento de la ciudadanía que la preocupación por conocer su contenido.

MANIPULACIÓN DE LAS MASAS Y PROPAGANDA

> El ámbito del espíritu, último refugio de la especie humana, no puede escapar a los ataques de la guerra psicológica.
>
> QIAO LIANG Y WANG XIANGSUI

Para entender en gran medida cómo se manipula actualmente a las masas, es imprescindible leer a Edward Louis Bernays. Este judío austríaco y sobrino de Sigmund Freud es considerado el padre de la propaganda y las relaciones públicas, al menos en su versión moderna. Sus teorías, aún plenamente vigentes, las plasmó en el libro *Propaganda*, publicado en 1928 y que no tiene desperdicio. Ya en el primer capítulo afirma que la manipulación consciente e inteligente de las costumbres y las opiniones organizadas de las masas es un elemento importante en la sociedad democrática. Aquellos que manipulan este mecanismo oculto de la sociedad constituyen el gobierno invisible, el verdadero poder dirigente de un país. En el mismo capítulo profundiza en el postulado cuando apunta que todos somos gobernados, nuestras mentes moldeadas, nuestros gustos formados, nuestras ideas sugeridas, principalmente por personas de las que nunca hemos oído hablar. Es el resultado lógico del modo en que está organizada nuestra sociedad democrática. Bernays señala que nuestros invisibles dirigentes nos gobiernan por sus cualidades naturales de liderazgo, su capacidad para proporcionar ideas necesarias y por su posición clave en la estructura social. Son ellos, concluye, quienes manejan los hilos que controlan la mente de la gente, que enganchan antiguas fuerzas sociales e idean nuevas formas para atar y guiar el mundo.

Por su parte, Harold Dwight Lasswell, uno de los precursores de las teorías de la comunicación, profundizó en las técnicas de manipulación de masas llevadas a cabo durante la Primera Guerra Mundial. Una de las ideas recogidas en su libro *Propaganda en la Guerra Mundial* es que la esencia de la propaganda consiste en inocular en la población una idea determinada con ayuda de los medios de comunicación para orientar su opinión en una dirección concreta, consiguiendo así la adhesión de los individuos a un determinado ideario político sin tener que recurrir a la violencia.

Ante las reflexiones de tan eminentes pensadores solo cabe concluir que si no nos damos cuenta de que nos están lavando el cerebro, probablemente es que ya lo han hecho.

LOS MIL COLORES DEL CALEIDOSCOPIO

> Cada vez que te encuentres del lado de la mayoría, es tiempo de hacer una pausa y reflexionar.
>
> MARK TWAIN

En su poema *Las dos linternas*, Ramón de Campoamor decía que «el mundo es del color del cristal con que se mira». Parafraseando a este poeta asturiano, hoy en día bien puede decirse que la vida es del color del cristal con que nos la dejan ver, del tono con que nos obligan a observarla. La tonalidad dependerá del periódico que se lea, la televisión que se vea o la radio que se escuche. Los medios de comunicación crean un escenario «artificial» e interesado que pocas veces coincide con la realidad objetiva. En ocasiones ni siquiera se percibe ningún color, dejándose traslucir apenas las penumbras de la verdad.

El mundo se puede observar a simple vista, con prismáticos, telescopio o microscopio, y todas estas maneras son igual de válidas y complementarias. Al inundarnos de información, podría dar la impresión de que nos han puesto delante de los ojos un microscopio para diseccionar mejor la realidad, o unos prismáticos para ver más lejos. Pero lo que nos han colocado es un caleidoscopio, lleno de espejos y cristales de colores muy atractivos y divertidos, tan llamativo e hipnotizante que cuesta sustraerse a él. Un mero entretenimiento que impide vislumbrar lo que de verdad ocurre entre bambalinas, lo que se cuece a espaldas de los ciudadanos, lo realizado por los directores de una orquesta de la que no somos más que los mariachis, los que aplauden o silban según lo que se nos vaya indicando.

Como dice Noam Chomsky, el cuadro del mundo que se nos presenta no tiene la más mínima relación con la realidad, ya que la verdad sobre cada asunto queda enterrada bajo montañas de mentiras.[36] Y es que la verdad es ocultada por negación de la información o por su exceso. Cuando se debería recibir música movilizadora, tan solo llega a los ciudadanos un ruido paralizante que consigue anular la capacidad de crítica individual.

36. Chomsky, Noam, «El control de los medios masivos de comunicación», *Red Voltaire*, 7 de marzo de 2007. En <http://www.voltairenet.org/article145977.html>.

> El medio típico para [controlar el pensamiento del pueblo] es mediante la propaganda (manufactura del consenso, creación de ilusiones necesarias), marginalizando al público o reduciéndolo a alguna forma de apatía.
>
> NOAM CHOMSKY

En 1807, el estadounidense John Norvell envió una carta al tercer presidente de Estados Unidos, Thomas Jefferson, quien ya llevaba seis años en el cargo. En ella solicitaba consejo sobre cómo debería llevarse un periódico, pues tenía la intención de editar uno: «También me haría un gran favor si me diera su opinión sobre la manera en la cual un periódico, para ser lo más beneficioso posible, debería dirigirse, dado que espero llegar a ser editor de uno en pocos años».

Jefferson le contestó mediante una carta fechada el 14 de junio de ese mismo año, en la que aprovechó para realizar una ácida crítica de la prensa del momento:

A su petición de mi opinión sobre la manera en la cual se debería dirigir un periódico para ser de la mayor utilidad, debería responder: «Limitándose solo a hechos verdaderos y principios sanos». Pero me temo que tal periódico encontraría pocos suscriptores. Ahora no puede creerse nada de lo que se ve en un periódico. La propia verdad se convierte en sospechosa al ponerse en un medio tan contaminado. El alcance real de este estado de desinformación es conocido solo por aquellos cuyos conocimientos les permiten estar en posición de confrontar los hechos con las mentiras del día. Realmente miro con lástima a la mayoría de mis conciudadanos, quienes, leyendo periódicos, viven y mueren en la creencia de que han sabido algo de lo que ha estado pasando en el mundo. Añadiría que la persona que nunca mira un periódico está mejor informada que la que los lee; ya que quien no sabe nada está más cerca de la verdad que aquel cuya mente se ha llenado con falsedades y errores.[37]

Las palabras de Thomas Jefferson, escritas hace ya más de dos siglos, no solo no han perdido vigencia, sino que hoy en día son probablemente más ciertas que nunca. Sobre todo teniendo en cuenta que actualmente los periódicos ya no son el único medio de comunicación de masas, pues a ellos se han unido la radio y la televisión (se podría incluir también el cine), y más recientemente internet y las redes sociales. Con lo que si en aquellos años algunas personas recibían información solo a través de la prensa, hoy en día prácticamente todo el mundo —al menos en los países más desarrollados— es inundado con más información en un día que la inmensa mayoría de sus antepasados en toda su vida. Y no debemos cometer el error de equiparar recibir información con ser más sabios, pues la verdadera sabiduría solo nace de la duda y del análisis propio. En realidad, a mayor volumen de información, más desinformación.

PRINCIPIOS DE LA PROPAGANDA

> Si no puedes negar las malas noticias, inventa otras que las distraigan.
>
> PAUL JOSEPH GOEBBELS

A Paul Joseph Goebbels, uno de los principales colaboradores de Hitler durante el Tercer Reich, se le atribuyen los siguientes principios de la actividad propagandística:

- Simplificación y del enemigo único: Adoptar una única idea, un único símbolo. Individualizar al adversario en un único enemigo.

37. En <http://press-pubs.uchicago.edu/founders/documents/amen dI_speechs29.html>.

- Método de contagio: Reunir diversos adversarios en una sola categoría o individuo. Los adversarios han de constituirse en suma individualizada.
- Transposición: Cargar sobre el adversario los propios errores o defectos, respondiendo al ataque con el ataque.
- Exageración y desfiguración: Convertir cualquier anécdota, por pequeña que sea, en amenaza grave.
- Vulgarización: Toda propaganda debe ser popular, adaptando su nivel al menos inteligente de los individuos a los que va dirigida. Cuanto más grande sea la masa por convencer, más pequeño ha de ser el esfuerzo mental que realizar. La capacidad receptiva de las masas es limitada y su comprensión, escasa; además, tienen gran facilidad para olvidar.
- Orquestación: La propaganda debe limitarse a un número pequeño de ideas y hay que repetirlas incansablemente, presentadas una y otra vez desde diferentes perspectivas, pero siempre convergiendo sobre el mismo concepto. Sin fisuras ni dudas.
- Renovación: Hay que emitir constantemente informaciones y argumentos nuevos a un ritmo tal que, cuando el adversario responda, el público esté ya interesado en otra cosa. Las respuestas del adversario nunca han de poder contrarrestar el nivel creciente de acusaciones.
- Verosimilitud: Construir argumentos a partir de fuentes diversas, a través de los llamados globos sondas o de informaciones fragmentadas.
- Silenciación: Acallar las cuestiones sobre las que no se tienen argumentos y disimular las noticias que favorecen al adversario, también contraprogramando con la ayuda de medios de comunicación afines.
- Transfusión: Por regla general, la propaganda opera siempre a partir de un sustrato preexistente, ya sea una mitología nacional o un complejo de odios y prejuicios tradicionales. Se trata de difundir argumentos que puedan arraigar en sentimientos primitivos.

- Unanimidad: Llegar a convencer a muchos de que piensan «como todo el mundo», creando impresión de unanimidad.

No es difícil darse cuenta de que muchos de estos principios se siguen aplicando en la actualidad, algunos de forma insistente.

Las diez estrategias de la manipulación mediática

> El modelo de propaganda deja entrever que el «propósito social» de los medios de comunicación es el de inculcar y defender el orden del día económico, social y político de los grupos privilegiados que dominan el Estado y la sociedad del país.
>
> Noam Chomsky

Aunque frecuentemente atribuidas a Noam Chomsky, las diez estrategias de la manipulación mediática fueron creadas por el francés Sylvain Timsit, quien las publicó por primera vez en 2002.[38] Precisamente el error de su atribución a Chomsky es un perfecto ejemplo de manipulación, pues al parecer todo empezó por un fallo, intencionado o no, cometido por la agencia de noticias Pressenza, de cuya fuente fueron bebiendo sucesivamente las muchas personas y medios de comunicación que se hicieron eco de esas estrategias, sin molestarse nadie en comprobar la autenticidad de la autoría. Esto mismo sucede cada vez más con cualquier noticia, pues a la falta de personal experto y de analistas que padecen los medios se une la carrera alocada por ser el primero en dar las novedades, que pierden vigencia con acelerada inmediatez. La consecuencia es que una gran parte de la información llega incompleta al sufrido consumidor, cuando no tergiversada o directamente falsa.

38. Timsit, Sylvain, «Stratégies de manipulation». En <http://www.syti.net/Manipulations.html>.

Pero veamos ahora, de modo resumido y adaptado, las estrategias de la manipulación mediática de Timsit:

- Distraer de lo importante: La distracción se convierte en el elemento primordial del control social. Consiste en desviar la atención del público de los problemas importantes y de las decisiones de las élites políticas y económicas, empleando para ello el bombardeo constante de distracciones y de informaciones irrelevantes, al tiempo que se evita que la gente se interese por los conocimientos esenciales. En Occidente, por ejemplo, el deporte se ha convertido en la principal distracción para desviar el interés público de lo verdaderamente importante.
- Crear problemas y después ofrecer soluciones: Esta estrategia, conocida también como «problema-reacción-solución», consiste en crear un problema para causar cierta reacción en el público, a fin de que sea este quien exija las medidas que los dirigentes deseaban imponer. Puede ir desde desencadenar violencia urbana, perpetrar atentados sangrientos o crear crisis económicas con el fin de que la gente demande mayores medidas de seguridad, incluso a costa de su libertad, o un retroceso en las prestaciones sociales. También se la podría denominar «estrategia del caos constructivo», consistente en generar caos, violencia y destrucción, o al menos aparentarlo de modo que la gente se lo crea, con la finalidad de generar luego otro modelo de sociedad al antojo y voluntad plena, sin ninguna oposición popular, pues será la propia gente la que reclame la vuelta a la normalidad.
- Gradualidad: Para conseguir la aceptación de una medida extrema, basta con aplicarla gradualmente, a cuentagotas, por años consecutivos. Así, lo que hubiera podido conducir a una revolución se va tolerando mansamente.
- Diferir en el tiempo: Presentar una decisión impopular como «dolorosa y necesaria», consiguiendo así la aceptación pública instantánea de algo que será apli-

cado en el futuro. Al dar más tiempo al público para que se acostumbre, terminará por aceptar el cambio con resignación.

- Dirigirse al público como criaturas de poca edad: Cuanto más se intenta engañar al espectador, más se tiende a adoptar un tono pueril, empleando lenguaje y mensajes básicos comprensibles hasta por los más torpes.

- Utilizar más la emoción que la reflexión: Emplear la emoción provoca un cortocircuito en el análisis racional, afectando al sentido crítico de los individuos. Al quedar así inermes, se les pueden implantar ideas, deseos, miedos, temores y compulsiones, o inducir comportamientos.

- Mantener al público en la ignorancia y la mediocridad: Hacer que el público sea incapaz de comprender las técnicas y métodos utilizados para su control y su esclavitud, comenzando por una educación deficiente de las clases más bajas para que queden sometidas a las élites.

- Estimular al público a ser complaciente con la mediocridad: Promover entre la gente que está de moda ser estúpido, vulgar e inculto, algo fácilmente reconocible en los *reality shows*.

- Reforzar la autoculpabilidad: Hacer creer al individuo que él es el único culpable de su propia desgracia por ser poco inteligente, tener pocas capacidades o no esforzarse lo suficiente. De este modo entra en un estado depresivo que inhibe su acción, y sin ella no puede haber revolución.

- Conocer a los individuos mejor de lo que ellos mismos se conocen: Actualmente, la tecnología posibilita un conocimiento de las personas que puede llegar a ser superior al que tienen de sí mismas, por lo que pueden ser controladas con mayor facilidad por quien lleva las riendas.

> Los más de los hombres ven y oyen
> con ojos y oídos prestados, viven de
> información de ajeno gusto y juicio.
>
> Baltasar Gracián,
> *El Criticón*

Según diversos documentos desclasificados, durante la Administración Reagan se puso en marcha un programa de operaciones psicológicas para contrarrestar la propaganda soviética, muy activa entonces en los países occidentales. Potenciada y cada vez más sofisticada a lo largo de los años, esta campaña psicológica tenía como finalidad influir en las opiniones públicas de los países objetivo, así como en los propios ciudadanos estadounidenses (especialmente para superar el «síndrome de Vietnam»), de modo que se lograra un apoyo popular que beneficiara a los intereses de Estados Unidos.[39]

La tarea de desarrollar y poner en práctica este ambicioso programa fue encomendada a la CIA, concretamente a un equipo especializado en operaciones encubiertas liderado por Walter Raymond Jr., quien fue integrado en el Consejo de Seguridad Nacional para darle mayor relevancia. Washington, preocupado por la penetración soviética en América del Sur y Central, llevó a cabo diversas campañas de propaganda y manipulación informativa en países como Costa Rica, Cuba, El Salvador, Guatemala, Honduras, Nicaragua, Panamá y Perú. Y también se pusieron en práctica en otros países de alto interés para Estados Unidos, como Afganistán y Filipinas.

En algunos de los documentos desclasificados se mencionan los esfuerzos realizados para intentar influir en la Internacional Socialista, al igual que en los líderes de los partidos políticos europeos ideológicamente próximos al socialismo y la

---

39. Este apartado se basa en Parry, Robert, «How US flooded the World with PsyOps», *Consortium News*, 25 de marzo de 2017. En <https://consortiumnews.com/2017/03/25/how-us-flooded-the-world-with-psyops>.

socialdemocracia, con el propósito de conseguir que se mantuvieran en la línea de los intereses estadounidenses.

Una de las claves era descubrir las vulnerabilidades de las sociedades contra las que se aplicaban las operaciones psicológicas para así conocer cómo se las podría manejar de forma más efectiva. Para conseguir los fines perseguidos se manipulaban las noticias, se creaban otras y se prohibían las que se consideraban perjudiciales, empleando, siempre que era posible, la connivencia de periodistas y editores.

El proceso quedó oficializado en enero de 1983 cuando el presidente Ronald Reagan firmó la Directiva de Decisión 77 sobre Seguridad Nacional, denominada Gestión de la Diplomacia Pública relativa a la Seguridad Nacional, en la que se reflejaba la necesidad de fortalecer lo relativo a la diplomacia pública. Posteriormente, estas actividades se incluyeron en un término más amplio: comunicación estratégica. Pero la finalidad sigue siendo la misma: convencer a la opinión pública, nacional e internacional, de las bondades, aciertos y ventajas de la política exterior de Estados Unidos.

Los rusos también juegan al desconcierto

> Es más fácil engañar a la gente que convencerla de que ha sido engañada.
>
> Mark Twain

En un artículo publicado en 2015, el periodista Adrian Chen daba a conocer una empresa rusa ubicada en San Petersburgo, llamada Internet Research Agency, que aparentemente trabaja a las órdenes del Kremlin para influir en internet y las redes sociales mediante la difusión de información falsa o distorsionada.[40] Según Chen, esta empresa, nutrida de cientos de jóvenes vein-

40. Chen, Adrian, «The Agency», *New York Times Magazine*, 2 de junio de 2015. En <https://www.nytimes.com/2015/06/07/magazine/the-agency.html?_r=0>.

teañeros bien pagados que actuarían como troles,[41] habría sido la responsable de algunos de los casos más sonados de noticias falsas difundidas en Estados Unidos.

El primer caso que Chen relata ocurrió el 11 de septiembre de 2014 en la pequeña población sureña de St. Mary Parish, en el estado de Luisiana. Coincidiendo con el decimotercer aniversario de los ataques terroristas del 11-S, se empezaron a difundir sofisticados mensajes alarmistas que anunciaban un grave accidente en una empresa de procesado de productos químicos de la población, urgiendo a los ciudadanos a adoptar medidas de protección. En pocos minutos había cientos de mensajes en Twitter, procedentes de multitud de cuentas diferentes, aportando datos que parecían irrefutables, con aportaciones de testigos oculares e imágenes en las que se veían las llamas que devoraban las instalaciones. Llegó a circular un vídeo de las cámaras de seguridad de una gasolinera cercana en el que se veía el momento de la explosión, y otro en el que desde la distancia se podía observar la densa columna de humo negro. En un vídeo de YouTube realizado con tanto esmero y detalle que nadie podría plantearse su falsedad, un hombre veía la noticia por televisión. A todo ello se añadió la creación de una página de Wikipedia, en la que se mostraban los videomontajes. Para ofrecer aún mayor credibilidad, se citaba como testigos a auténticos residentes de la ciudad.

Algunos de los principales medios de comunicación, periodistas y políticos, tanto regionales como nacionales, comenzaron a recibir una avalancha de mensajes sobre el desastre. Para dar mayor verosimilitud y mostrar que la noticia ya había trascendido a los medios nacionales, se hizo un montaje con la página principal de la cadena televisiva CNN en la que se daba cuenta del suceso. Igualmente, se clonaron las páginas web de las televisiones y los periódicos de Luisiana. Poco más

41. En el mundo digital, aquella persona u organización que publica mensajes provocadores, irrelevantes, fuera de contexto o falsos con la finalidad de generar molestias y respuestas alteradas de los otros usuarios.

tarde, en un elaborado vídeo de YouTube, el Estado Islámico reivindicaba el atentado.

Pero esta no era la primera vez que ocurría algo similar pues ya se había ensayado varias veces, a menor escala, durante la segunda mitad del año anterior. De estas experiencias, la que tuvo mayor repercusión fue la sucedida el 13 de diciembre de 2013, cuando igualmente a través de Twitter se difundió la noticia de un brote de ébola en Atlanta. Como en el caso de St. Mary Parish, se hizo amplio uso de noticias y vídeos falsos, con *hashtags* que fueron tendencia en la zona durante varias horas. Los realizadores de la operación de desinformación hicieron grandes esfuerzos, como demostraron con un vídeo de YouTube en el que mostraban a personal sanitario vestido con trajes de protección NBQ trasladando a una víctima que se encontraba en el aeropuerto internacional de Atlanta, y donde se podía ver hasta el detalle de un camión estacionado en un aparcamiento que llevaba el logotipo del aeropuerto.

EL ARMA DEL POPULISMO

> El lenguaje político está diseñado para que las mentiras suenen verdaderas y el asesinato, respetable.
>
> GEORGE ORWELL

Por más criticada que sea la palabra *populismo*, en democracia es empleada por todos los partidos, al menos por los que verdaderamente aspiran a llegar al gobierno, pues ninguno de ellos alcanzaría las altas cotas del poder yendo contra la voluntad, los deseos o las aspiraciones del pueblo. Ni tampoco ofreciendo a los ciudadanos una realidad de esfuerzo y sacrificio, pues lo que todo el mundo quiere oír son las ventajas que el sistema puede proporcionarles a él y los suyos, a ser posible con la menor aportación por su parte. Por eso, los políticos acostumbran a hacer tronar más las trompetas de los derechos que las de los deberes, aunque algunos de los primeros no sean más que privilegios adquiridos en épocas de vacas gordas.

No debe olvidarse que quien quiera vencer en democracia precisa un número superior de votos al de sus contrincantes, lo cual solo se puede conseguir con el apoyo de las mayoritarias clases populares, que no tienen por qué ser necesariamente las más ilustradas ni las que se planteen como prioridad el beneficio del conjunto de la colectividad. Para conseguirlo, los políticos suelen recurrir a estrategias populistas que pregonan una mayor justicia social, aunque ocurre con indeseada frecuencia que se olviden de sus promesas electorales tan pronto como se les ciñe la corona de laurel.

La conclusión es que siempre se trata de ofrecer algo atractivo para captar a la gente, por aquello de que se atrapan más moscas con miel que con vinagre.

El efecto CNN

> La globalización de los medios de comunicación ha llevado a que la televisión te lava el cerebro e internet te elimina toda la resistencia del pasado.
>
> Paul Carvel

La noción de que son los medios de comunicación los que dirigen la política exterior surgió en la década de 1990. El llamado «efecto CNN» toma su nombre del producto de esta empresa estadounidense, que consiste en emitir, las veinticuatro horas del día, imágenes de lo que ocurre en todo el mundo. Esta instantaneidad de las noticias crea realidades, ya que la cadena de televisión decide qué es noticia y qué no. De este modo se convierte en generador de opinión mundial, con fuerte influjo en la acción política interior y exterior de los Estados.

Muchos son los estudios que se han realizado sobre la cobertura de determinados acontecimientos y la implicación que tiene para los gobiernos que la CNN esté constantemente repitiendo las imágenes. Por ejemplo, en los casos de las protestas en la plaza china de Tiananmen en 1989, la caída del comunismo, la primera Guerra del Golfo o la Batalla de Mogadiscio. De hecho, la cobertura de la hambruna en Somalia durante la guerra civil a principios de los años noventa pareció persuadir al presidente George H. W. Bush de enviar 28.000 efectivos para que apoyaran a los voluntarios humanitarios. Otros estudios, como los de Steven Livingston y Todd Eachus, demuestran que los medios simplemente reflejan las agendas políticas del gobierno en lugar de ser ellos los que las marcan.[42] En el caso de la Operación Restaurar la Esperanza en territorio somalí, la cobertura de los medios sobre las noticias de Somalia seguía los planes del gobierno, que había estado intentado atraer la atención pública sobre la guerra en ese país.

EL HOMBRE DEL SACO

> Ya no se puede controlar a la gente por la fuerza y, por tanto, para que no perciba que está viviendo en condiciones de alienación, opresión, subordinación, etcétera, es necesario modificar su conciencia.
>
> NOAM CHOMSKY

Una de las técnicas empleadas para controlar y someter a las poblaciones consiste en infundir temor, un miedo irracional y paralizante que solo se pueda superar al amparo del poder. Sería la aplicación en geopolítica de la iconografía infantil del hombre del saco, un personaje que vaga en la oscuridad de la noche a la caza de niños extraviados para llevárselos secues-

42. Livingston, Steven, y Eachus, Todd, «Humanitarian crises and U.S. foreign policy: Somalia and the CNN effect reconsidered», *Political Communication*, 12 (4), 1995. En <http://www.tandfonline.com/doi/abs/10.1080/10584609.1995.9963087>.

trados en un gran saco. Esta historia, empleada por los padres para recordar a los niños que no deben llegar tarde a casa o ir solos por las calles, la emplean igualmente los Estados poderosos para recordar a los países más débiles las desventajas de ir por su cuenta en un mundo peligroso, o para canalizar las actitudes de las poblaciones.

Uno de los argumentos más manidos para aplicar esta estrategia es el «terrorismo global», que en realidad no afecta más que a una parte de los países del mundo, y basta citar a Venezuela, México u Honduras para darse cuenta de que sus preocupaciones de seguridad son muy diferentes. Se puede decir incluso que ni siquiera es una amenaza preocupante para la mitad de los países europeos, pues los del Este o los bálticos ni siquiera se lo plantean como tal.

Lo mismo sucede con la «proliferación de armas de destrucción masiva», de la que podría erróneamente inferirse que la mayor parte de los países han entrado en una acelerada carrera por la posesión de armas nucleares, lo cual es rotundamente falso porque, además de los ya poseedores, solo Corea del Norte o Irán podrían entrar en ese contexto, con lo que la palabra *proliferación* es claramente exagerada.

El «crimen organizado» es otro ejemplo, pues si bien es un problema serio para gobiernos débiles y corruptos o Estados fallidos, no es más que otro peligro social para los países avanzados. Estos, apenas lo percibieran como una amenaza existencial, modificarían inmediatamente las laxas leyes actuales de las que se aprovechan los delincuentes, pudiendo acabar con la criminalidad organizada en un breve plazo de tiempo si de verdad así se decidiera y deseara.

En cierto modo, el propósito de la práctica política consistiría, como lo entendía el periodista y editor estadounidense Henry Louis Mencken, en mantener al populacho alarmado (y, por tanto, solicitante de seguridad) amenazándolo con «una serie interminable de duendes, todos ellos imaginarios».

> No tengamos la ingenuidad de creer
> todo lo que nos dicen; tenemos que
> ser críticos. No tenemos la democra-
> cia, tenemos la plutocracia, el poder
> de los ricos; el poder real lo tiene el
> dinero, las multinacionales.
>
> JOSÉ SARAMAGO

La evidencia lleva a plantearse que hay fuerzas muy poderosas que arrastran a los medios de comunicación hacia una
única y exclusiva dirección de pensamiento, de forma tan
sumamente eficaz que consiguen transformar en perversa a
cualquier persona que se atreve a denunciar esta maniobra
de control social. En los últimos años, los medios de comunicación más influyentes del mundo se han concentrado en
unas pocas manos, lo que les confiere un inmenso poder con
capacidad para hacer tambalear —cuando no derribar— gobiernos, empresas y personas.

Según algunos estudios, hoy en día tan solo seis compañías poseerían, directa o indirectamente, el 95 % de los principales medios de comunicación del mundo (televisión, radio,
medios escritos, productoras de películas, etc.), concentrando
1.500 periódicos, 1.100 revistas, 2.400 editoriales, 1.500 cadenas de televisión y 9.000 emisoras de radio. Para otras fuentes
que aportan más detalles, los principales conglomerados de
medios de comunicación, incluido el cine, son los siguientes
(en un orden relativo, pues conocer su auténtico potencial
económico es casi imposible dado el entramado de empresas
y sociedades):

- Comcast: estadounidense; primero del mundo.
- The Walt Disney Company: estadounidense; segundo
  del mundo. Su presidente —desde 2000— y director
  ejecutivo —desde 2005— es Robert A. Iger, de origen
  judío.

- Time Warner: estadounidense; tercero mundial. Dirigido por Gerald M. «Jerry» Levin, judío.
- Twenty-First Century Fox: estadounidense; cuarto del mundo. El principal accionista es Keith Rupert Murdoch.
- CBS Corporation: estadounidense. Summer Redstone (Rothstein), judío, es el dueño mayoritario y presidente de la junta directiva de National Amusements, lo que le permite controlar, junto con su familia, de modo mayoritario la CBS Corporation.
- Viacom: estadounidense; una de las mayores corporaciones de Estados Unidos. Como en el caso anterior, Redstone es el dueño mayoritario y presidente de la junta directiva de National Amusements, por lo que controla Viacom.
- Bertelsmann: alemán.
- Grupo Globo: brasileño; primero de Iberoamérica.
- Hearst Corporation: estadounidense.
- Lagardère Group: francés.
- News Corp: estadounidense. El principal accionista es Murdoch.
- Grupo Televisa: mexicano.
- Sony Corporation: japonés, aunque su negocio de comunicación está basado en Estados Unidos a través de su filial Sony Corporation of America, que incluye Sony Pictures Entertainment.
- Vivendi: francés.

De ellas, se puede observar que diez son americanas (ocho estadounidenses —las principales—, una brasileña y una mexicana); tres, europeas (dos francesas y una alemana); y solo una, asiática, aunque su negocio de comunicación se localiza en Estados Unidos.

Los Estados, al igual que las empresas —por medio del marketing y la publicidad—, motivan a la sociedad a comprar, desechar y reemplazar sus bienes de consumo a un ritmo cada vez más acelerado. El objetivo es infundir en los consumidores el deseo de poseer los últimos productos, apenas un poco mejores que los anteriores, para que los adquieran mucho antes de que tengan auténtica necesidad de ellos. Es lo que en psicología se conoce como «obsolescencia percibida».

Curiosamente, la propaganda de la sociedad de consumo actual ha llegado a convencer a las poblaciones de que, llegado el caso, se desechen objetos que todavía son perfectamente útiles. Es decir, que la gente adopte decisiones alineadas con sus caprichos y deseos —cuyo canon suele estar determinado por la moda imperante—, dejando en un segundo plano el sentido común, que es el que permite utilizar el dinero para satisfacer las verdaderas necesidades. La paradoja es que el deseo conecta a los ciudadanos a una ficción construida sobre lo que no tenemos, impidiéndonos valorar y disfrutar lo que sí está a nuestro alcance.

Mentiras y posverdades

En una sociedad compleja, donde prima la urgencia y la instantaneidad, es cada vez más difícil realizar un análisis concienzudo, fiable, contrastado e imparcial. Cada vez son menos frecuentes las investigaciones y los análisis independientes. La mayor parte de los medios de comunicación dependen de fuentes de información de dudosa solvencia y habitualmente condicionadas por determinados intereses. Salvo honrosas excepciones, en lugar de realizar verdadero periodismo, emplean informaciones sin contrastar, emiten imágenes sensacionalistas sin análisis ni contenido y dan preferencia a los titulares más llamativos en detrimento del rigor.

LAS ARMAS DE COMUNICACIÓN MASIVA

> El propósito de los medios masivos no es tanto informar sobre lo que sucede, sino más bien dar forma a la opinión pública de acuerdo a la agenda del poder corporativo dominante.
>
> NOAM CHOMSKY

La actual avalancha constante de información crea el espejismo de pensar que somos plenamente libres y, por tanto, dueños de opiniones propias e independientes. Pero muchas veces este bombardeo constante de noticias solo lleva a que se nos bloqueen las mentes de tal manera que es imposible pensar con claridad. E incluso, en ocasiones, corremos el riesgo de creer que verdaderamente estamos pensando y alcanzando conclusiones por nosotros mismos.

LA GUERRA DE LA DESINFORMACIÓN

Hasta los analistas más expertos realizan valoraciones erróneas, y no por desconocer los procedimientos, sino por ignorar de dónde procede la información con la que han elaborado sus análisis. La información que nos llega siempre —de una forma u otra, y a veces hasta involuntaria— es parcial, está tergiversada, carece de objetividad o está intencionadamente contaminada. La información se ha convertido, más que nunca, en el medio perfecto para controlar a las masas e imponerles gustos, tendencias, pensamientos, modos de vida y hasta acciones u omisiones.

Salir de esta dinámica es una complicada tarea incluso para aquellos plenamente conscientes de la situación. Obtener información alternativa y recurrir a fuentes diversas no solo es complicado, sino que también supone un gasto y, sobre todo, requiere tiempo, algo que en este mundo precipitado que nos ha tocado vivir es un lujo que pocos se pueden permitir.

Como ejemplo de esta imposición de ideas dominantes a través de los medios de comunicación, cabe señalar que la conflictividad en Siria e Irak ha sido controlada mediáticamente por las televisiones Al Jazeera (catarí), BBC (británica), CNN (estadounidense), France24 (francesa) y Sky News (británica), que a su vez proporcionan sus reportajes a otras televisiones del mundo. A ellas se añade la agencia de noticias Reuters (basada en Londres e integrada en la poderosa Thomson Reuters, que tiene su sede en Nueva York). Es decir, fundamentalmente fuentes procedentes del mundo anglosajón y de otros países —como Francia o Qatar— con claros intereses en el escenario sirio-iraquí.

Como muestra de esos intereses, valga decir que, el 30 de octubre de 2016, Reuters se vio envuelta en el escándalo de la publicación de una noticia falsa al informar sobre un atentado con un coche bomba que se habría cometido en un mercado de Bagdad (Irak), con un balance de ocho muertos y más de una treintena de heridos. Luego se demostró que no era cierta al difundirse un vídeo en el que se podía ver cómo el presunto atentado había sido orquestado por dos personas y cómo varios individuos más se aproximaban después de la explosión para simular ser víctimas.

Lo mismo podría decirse de las noticias sobre Corea del Norte, mayoritariamente proporcionadas por la BBC y Reuters, que encima se suelen nutrir de información procedente de los servicios de inteligencia surcoreanos, lo cual implica que la imparcialidad brilla por su ausencia.

En definitiva, las principales agencias de noticias del mundo tienen una gran influencia en el mensaje final que llega a la ciudadanía, pues de ellas se alimentan la mayor parte de los medios de comunicación del planeta al ser cada vez menos los que tienen capacidad para disponer de sus propios corresponsales y reporteros. Esto significa que, en muchos casos, los medios que adquieren las noticias a esas grandes agencias de distribución se limitan a hacer refritos con la información recibida para adaptarla a su audiencia, habitualmente sin contrastarla con otras fuentes, entre otras cosas porque la inmediatez en que se desenvuelve actualmente el periodismo impide hacer un análisis profundo de lo que se transmite a la ciudadanía. De ahí el creciente poder mediático de esas agencias de noticias.

La manipulación mediática en las guerras

> Cuando los ricos se hacen la guerra,
> son los pobres los que mueren.
>
> Jean-Paul Sartre

Para impulsar a las poblaciones a acudir a la llamada de Marte, el dios de la guerra, o cuando menos para que estas no impidan a sus dirigentes batallar, es común la manipulación del contexto de los conflictos bélicos por parte de todos los contendientes, quienes, por supuesto, están convencidos de que les asiste la razón y la suerte de la victoria.

Esta tergiversación de la realidad bélica suele constar de todas o algunas de las siguientes fases, no necesariamente ordenadas en el tiempo: ocultar al pueblo las verdaderas razones y los intereses por los que se entra en guerra; presentar la guerra como inevitable, justa, necesaria, salvadora, benefactora y hasta humanitaria; ofrecer la promesa de una victoria rápida y gloriosa, con mínimo o ningún coste propio; dar una imagen perversa, ridícula y torpe del adversario.

Con tal propósito, entre otras cosas se recurre a deformar la historia, la geografía y la realidad tanto como sea preciso con el fin de generar una amnesia colectiva, pues cualquier recurso se considerará válido con tal de que el pueblo apoye la campaña militar, o al menos no se oponga abiertamente.

Los medios empleados para estos fines serán la propaganda mediática y las operaciones de información, acciones que ahora más que nunca deben acompañar a una operación militar para que tenga visos de éxito. Si bien en principio estas operaciones son complementarias de las puramente militares, pueden llegar a revestir al menos su misma importancia, ya que hoy en día las guerras se comienzan a ganar en casa, consiguiendo el apoyo y la anuencia, o al menos la pasividad, de la población del propio país.

Con una serie de ideas básicas pero insistentes, se convence a la gente de la necesidad del enfrentamiento y se la prepara para eventuales bajas propias, los desastres que se puedan provocar en los escenarios de combate y el gasto extraordinario que forzosamente se va a generar.

Una de las primeras acciones que se llevan a cabo es el fundamental proceso de demonización del adversario. Si tenía un prestigio dudoso, se lo convierte en satánico. En caso de que su fama ya fuera pésima, se sacan a la luz —inventando o magnificando lo que sea preciso— los relatos más escabrosos que indignen a la gente. Lo que se pretende conseguir es que los ciudadanos lleguen a pensar que son ellos mismos quienes están forzando al gobierno a actuar contra semejante monstruo para poner fin a los abyectos crímenes que comete contra civiles.

Otro objetivo clave perseguido con la operación de información es impedir que se conozcan las auténticas motivaciones que han llevado a los dirigentes a ir a la guerra. Es habitual que esos intereses —en los que se suelen mezclar la economía, la geopolítica y hasta beneficios personales— se disimulen bajo el paraguas de la defensa de personas cuyos derechos no están siendo respetados. Se tergiversa así la aplicación del antiguo derecho de injerencia de Naciones Unidas, transformado en la actual responsabilidad de proteger.

Si alguien tiene la osadía de oponerse a las aventuras belicistas, inmediatamente hay que acusarlo de traición y lanzar las huestes contra él. Por ejemplo, durante la guerra de Vietnam, el lema de la campaña oficial estadounidense fue que se entendería que todos aquellos que se opusieran a apoyar decididamente a las tropas eran colaboradores del enemigo comunista.

Es inevitable recordar aquí lo que opinaba Hermann Göring al respecto. Con ocasión del juicio de Núremberg, el lugarteniente de Hitler sostuvo la siguiente conversación con el psicólogo militar estadounidense Gustave M. Gilbert:

GÖRING: ¿Por qué, por supuesto, la gente no quiere la guerra? ¿Por qué querría un pobre desaliñado granjero arriesgar su vida en una guerra donde lo mejor que puede conseguir es regresar a su granja de una pieza? Naturalmente, la gente corriente no quiere la guerra; ni en Rusia, ni en Inglaterra, ni en América, ni tampoco en Alemania. Es comprensible. Pero, después de todo, son los líderes del país quienes determinan la política y es siempre sencillo arrastrar a la gente, tanto si es una democracia, una dictadura fascista, un parlamento o una dictadura comunista.

GILBERT: Hay una diferencia. En una democracia la gente tiene algo que decir al respecto a través de representantes electos, y en los Estados Unidos solo el Congreso puede declarar la guerra.

GÖRING: Oh, eso está muy bien, pero, con voz o sin voz, la gente siempre puede ser llevada por donde quieran los dirigentes. Es sencillo. Todo lo que hay que hacer es decirles que están siendo atacados, y denunciar a los pacifistas por carecer de patriotismo y exponer el país al peligro. Funciona de la misma manera en cualquier país.[43]

GUERRA DE CUBA: NACE LA PRENSA AMARILLA

> Las guerras nunca son presentadas como tal guerra, sino como un acto de autodefensa contra un maníaco homicida.
>
> GEORGE ORWELL

Durante la guerra hispano-estadounidense de 1898, la prensa jugó un papel clave a la hora de movilizar a la población nortea-

---

43. Gilbert, capitán del Ejército estadounidense y oficial de inteligencia, hablaba alemán y era el psicólogo de la prisión en la que estaba recluido el que había sido fundador de la Gestapo y comandante en jefe de la Luftwaffe. La conversación tuvo lugar el 18 de abril de 1946, en la celda de Göring y sin testigos, no en el marco del proceso judicial. Gilbert anotó la charla en su diario, donde recogía observaciones de los juicios y conversaciones con los prisioneros que posteriormente plasmó en *Nuremberg Diary* (1947), publicado en Nueva York.

mericana. En esos años nacía en Estados Unidos la que se dio en llamar «prensa amarilla». Este nuevo tipo de periodismo, preocupado exclusivamente por las ventas, fue el responsable de magnificar cualquier acontecimiento o incidente que sucediera en Cuba por insignificante que fuese, llegando incluso a inventar noticias cuando no había otras que pudieran enganchar al público.

En esos tiempos era famosa la rivalidad entre los principales periódicos por ser el primero en difundir la noticia más llamativa o escandalosa, y así convertirse en líder de ventas. Este enfrentamiento profesional llegó a ser personal en el caso de los editores Joseph Pulitzer y William Randolph Hearst, poniéndose de manifiesto en las ediciones de sus respectivos diarios, el *New York World* y el *New York Journal*. Fue precisamente esta pugna lo que dio origen a la prensa amarillista. La respuesta de Hearst a su entonces corresponsal en La Habana ha trascendido de tal forma que se estudia hoy en las facultades de periodismo. A pesar de haber recibido instrucciones de proporcionar noticias sangrientas, el corresponsal se encontró con una situación tranquila que nada le ofrecía. Fue entonces cuando Hearst le ordenó con rotundidad: «Tú pon la fotografía, que yo pondré la guerra».

La conclusión fue que esa prensa amarilla no cejó en su empeño de impulsar a los ciudadanos estadounidenses para que reclamaran la entrada de su gobierno en guerra con España. Exageraba o falseaba noticias sobre los excesos que se estaban cometiendo en la isla por parte de las autoridades españolas, para de este modo movilizar las conciencias en pos de la defensa de los vulnerados derechos humanos de los cubanos.[44] Pero la obra maestra de esta prensa sensacionalista fue la agresiva y desproporcionada campaña mediática que siguió al hundimiento del acorazado *USS Maine*, acontecido el 15 de febrero de 1898. El origen de la explosión que destruyó este

44.   Este exitoso argumento se convirtió a partir de entonces en una estratagema recurrente de la política exterior estadounidense, aplicada en multitud de escenarios en los que estaban en juego los propios intereses nacionales de Estados Unidos, lo que enlaza con la geoestrategia de la *lawfare*.

Viñeta de propaganda política de 1914 procedente del *Chicago Tribune*.

buque de la Armada estadounidense, enviado a Cuba con la misión de proteger los intereses norteamericanos en la isla, nunca fue aclarado, a pesar de la concienzuda investigación efectuada. Esto no fue un impedimento para que los periódicos de Hearst y Pulitzer avivaran el odio de sus compatriotas hacia los españoles, a los que dedicaban los peores descalificativos, mostrándolos como salvajes, asesinos y despiadados criminales. A base de repetirlo hasta la saciedad, consiguieron que el pueblo interiorizara la impactante frase «Recordad el *Maine*, al infierno con España», convertida en la consigna de los que ansiaban ir a la guerra. Así, mediante la manipulación de los ciudadanos estadounidenses, la prensa puso en bandeja a los líderes políticos de Estados Unidos el recurso para entrar en una conflagración que llevaban muchos años fraguando por intereses económicos, comerciales y geopolíticos.

Por otro lado, la prensa también fue ampliamente empleada por los insurrectos cubanos, los cuales publicaban dos periódicos que distribuían gratuitamente a la población con la finalidad de informarles de los avances de su lucha y así seguir contando con su favor. Tanta importancia tenía esta forma de comunicarse con el pueblo que el general cubano Antonio Maceo, uno de los principales líderes independentistas, afirmaba que esa prensa era la artillería de la insurrección.

LOS MEDIOS TRABAJAN PARA LOS SERVICIOS DE INTELIGENCIA

> Los medios de comunicación son la entidad más poderosa de la Tierra. Tienen el poder de hacer culpable al inocente y al inocente, culpable; y eso es el poder. Porque ellos controlan las mentes de las masas.
>
> MALCOLM X

En los ambientes periodísticos son habituales los rumores sobre medios de comunicación y periodistas que presuntamente trabajan o actúan en beneficio de servicios de inteligencia, tanto nacionales como extranjeros, y en ocasiones para más de uno. Incluso se apunta que las más brillantes investigaciones periodísticas han sido fruto de filtraciones intencionadas de fuentes de inteligencia, sin olvidar las policiales. Demostrarlo es labor casi imposible por la complicación para encontrar pruebas fehacientes, habiendo puesto su vida en abierto peligro quienes han intentado sacarlo a la luz pública.

Esto no es solo fruto de la tensión propia de la Guerra Fría, pues incluso hoy en día se rumorea que en los países europeos hay multitud de periodistas que, de modo más o menos directo, son influidos por ciertos países —más de los que podríamos imaginar— para que actúen en su beneficio.

En el caso concreto de Estados Unidos, muchos investigadores y exagentes de la CIA (Carl Bernstein, Darrell Garwood,

David Pope, Deborah Davis, Fred J. Cook, James DiEugenio, John D. Marks, Lisa Pease, Richard Helms, Servando González, Russ Baker, Victor Marchetti y un largo etcétera) han llegado a la conclusión de que la CIA, desde su misma creación y hasta nuestros días, ha ejercido una gran influencia tanto en medios de comunicación estadounidenses como extranjeros, con la finalidad de modificar la información que es transmitida al público de forma que sea favorable a los intereses norteamericanos.

La Operación Sinsonte

Un ejemplo clásico de esas acciones fue la llamada Operación Sinsonte *(Mockingbird)*, puesta en marcha en 1948 por una CIA heredera de la Oficina de Servicios Estratégicos (OSS, por sus siglas en inglés), la cual ya durante la Segunda Guerra Mundial había creado una red de periodistas en Europa.[45] Tras la contienda, el Departamento de Estado creó la Oficina de Coordinación Política. Fusionada en 1948 con la de Operaciones Especiales, inmediatamente se convirtió en la unidad de más rápido crecimiento de la incipiente CIA, pasando de 302 integrantes en 1949 a 2.812 tres años después, con un presupuesto que aumentó de 4,7 millones de dólares a 82 millones en el mismo plazo. Este ejercicio de influencia habría afectado, según los investigadores, a más de ochocientos medios de noticias e información, estando implicados periodistas, columnistas, escritores, editores y hasta organizaciones enteras. Entre ellos habría medios tan prestigiosos como *The New York Times*, *Newsweek*, CBS o *The Times*.

En el marco de esta operación, la CIA establecía el primer contacto con un periodista o editor afamado y con poder, que luego sería el responsable de captar a otros reporteros que no tendrían necesariamente que estar al corriente de para quién

---

45. Para más información véase, por ejemplo, <https://archive.org/stream/FamilyJewelsFullDOCUMENTSOFOPERATION MOCK INGBIRDz 703_201610/The %20CIA %20and %20journalism %20- %20SourceWatch_djvu.txt>.

o con qué finalidad trabajaban. Algunos de estos periodistas tenían tal predicamento que sus artículos de opinión eran repetidos en cientos de medios.[46]

Para que escribieran sus artículos, la CIA les facilitaba información clasificada que luego los periodistas firmaban con su nombre. En ocasiones, esa misma información servía como moneda de pago para que los cronistas escribieran noticias que les dieran prestigio profesional. Otra forma de compensar a los medios afines era mediante contratos de publicidad, tanto estatal como privada. Así, los periódicos o las cadenas de televisión cuyos contenidos estuvieran alineados con los intereses de los servicios de inteligencia veían incrementar notablemente sus ingresos, suponiéndoles un incentivo tal que ya no podrían ni siquiera plantearse renunciar a él.

Estas actividades orientadas a influir en los medios de comunicación, de modo que transmitan a las poblaciones noticias, informaciones y análisis favorables a los gobiernos, han sido y siguen siendo una práctica habitual de los servicios de inteligencia. De hecho, se han empleado no solo en los medios escritos tradicionales (periódicos y revistas), sino también en la televisión, la radio, el cine y la literatura, habiéndose unido recientemente internet y las redes sociales.

Y no es algo efectuado exclusivamente por las grandes potencias, pues esta estrategia está más difundida de lo que podría imaginarse. Los países medianos e incluso los pequeños también tratan de ejercer su influencia sobre comunicadores de prestigio, aunque se limiten a ámbitos regionales y no necesariamente mundiales. Un caso habitual es el de dos países vecinos que mantienen una enconada rivalidad y que emplean a sus servicios de inteligencia para intentar que las

46. Uno de los artículos más relevantes fue «The CIA and the Media», publicado por Carl Bernstein en la revista Rolling Stone el 20 de octubre de 1977. Para más información, véanse <http://www.rol lingstone.com/music/pictures/rolling-stones-biggest-scoops-expo ses-and-controversies-2-aa-624/journalists-exposed-as-secret-cia-ope ratives-81185346> y < http://www.info rmationclearinghouse.info/article28610.htm>.

noticias que se publican en el país adversario, al igual que en el entorno inmediato, sean favorables a su causa (Marruecos-Argelia, India-Pakistán, etc.).

El caso de Udo Ulfkotte

> Periodismo es imprimir lo que otros no quieren que se imprima. Todo lo demás son relaciones públicas.
>
> GEORGE ORWELL

Udo Ulfkotte fue uno de los más destacados periodistas y analistas políticos alemanes de los últimos tiempos. Durante varios años y hasta 2003, trabajó como ayudante del editor de uno de los principales periódicos alemanes, el *Frankfurter Allgemeine Zeitung* (FAZ). Sus opiniones políticas eran muy controvertidas por posicionarse a favor de la extrema derecha y contra los musulmanes, además de ser muy crítico con la política occidental.

Pero sobre todo llamó la atención cuando en 2014 publicó el libro *Gekaufte Journalisten* («Periodistas comprados»), en el que sostenía que los servicios de inteligencia alemanes y estadounidenses sobornaban a los periodistas en Alemania para que escribieran artículos a favor de la OTAN y de Estados Unidos, a los que presionaban con la amenaza de perder sus puestos de trabajo si se negaban a ser cómplices de la campaña de propaganda prooccidental. También acusaba a la CIA de comprar a periodistas alemanes, australianos, británicos, franceses, israelíes, jordanos, neozelandeses y taiwaneses, entre otras muchas nacionalidades, para que crearan noticias falsas que beneficiaran a Washington. Fue precisamente su publicación lo que le costó el puesto en el FAZ, pues cuando Ulfkotte comunicó a los directivos del periódico que en breve el libro sería puesto a la venta, fue amenazado con consecuencias legales y finalmente despedido. Según declaró Ulfkotte, a pesar de que la obra se convirtió en un éxito de ventas, en los grandes medios de comunicación alemanes se prohibió hablar de ella con la amenaza de que cualquier periodista que lo hiciera perdería en el acto su puesto de trabajo.

En una de las muchas historias que reveló, Ulfkotte contó cómo el servicio de inteligencia exterior del gobierno alemán (*Bundesnachrichtendienst*, BND) le había pedido en 2011, por encargo de la CIA, que insertara en su periódico una noticia falsa para involucrar al presidente libio Gadafi en la producción de gas venenoso. Con tal fin, la BND le proporcionó información clasificada para que la publicara con su nombre, lo que finalmente hizo. La noticia tuvo repercusión internacional, dado el prestigio del FAZ.

El 13 de enero de 2017, apenas una semana antes de cumplir los 57 años, Ulfkotte falleció de un fallo cardíaco. Poco antes de morir, había declarado al medio ruso *Russia Today*: «He sido periodista durante unos veinticinco años y se me enseñó a mentir, a traicionar y a no decir la verdad al público». En la misma entrevista afirmaba:

> En los últimos meses, los medios de comunicación alemanes y americanos intentan traer la guerra a Europa, buscan ir a la guerra con Rusia. Este es un punto de no retorno y voy a levantarme y decir que no está bien lo que he hecho en el pasado, manipular a la gente, crear propaganda contra Rusia, y no está bien lo que mis colegas hacen y han hecho en el pasado porque se han dejado sobornar para traicionar al pueblo, no solo en Alemania, sino en toda Europa.

También había asegurado que la mayor parte de los periodistas en Estados Unidos y Europa trabajan para servicios de inteligencia; especialmente los británicos, que colaboran con la CIA por tener una relación mucho más próxima con los estadounidenses.

Ulfkotte se mostraba muy preocupado por la creciente probabilidad de una guerra contra Rusia que podría significar la destrucción de Europa:

Me da mucho miedo una nueva guerra en Europa, y no me gustaría pasar por esta situación de nuevo, porque la guerra nunca viene sola, siempre hay gente que la impulsa, y no son solo los políticos; también lo hacen los periodistas. Hemos traicionado a nuestros lectores por llevarlos a la guerra. No quiero seguir así; estoy harto de esta propaganda. Vivimos en una república bananera, y no en un país democrático en el que exista libertad de prensa.

Para Ulfkotte, Estados Unidos manipula, directa o indirectamente, a los periodistas alemanes de una manera relativamente sencilla. Las organizaciones transatlánticas se acercan a jóvenes periodistas, con su título recién conseguido bajo el brazo, y los tientan para que se adhieran a ellas y así seguir los pasos de los más afamados periodistas de los principales medios alemanes, sean escritos o audiovisuales. Estas organizaciones los invitan a visitar Estados Unidos con todos los gastos pagados. Una vez allí, los periodistas comienzan a hacer contactos y, en cierto modo, a ser captados. A los que se muestran más receptivos con los objetivos estadounidenses, les empiezan a pedir colaboraciones; al principio cosas mínimas, sin mayor importancia, para irlos probando. Una vez confirmada su adscripción a la causa norteamericana, las peticiones son más explícitas, pudiendo ser complementadas con sobornos.

La muerte de Ulfkotte fue vista por muchos de sus más fieles seguidores, adeptos como él a las teorías de la conspiración, como un asesinato organizado por la CIA, una forma «discreta» de eliminar a una persona molesta y con posiciones contrarias a la OTAN y a Estados Unidos en un momento de gran tensión entre los países occidentales y Rusia. En repetidas ocasiones, Ulfkotte había comentado que su vida corría peligro por haber desvelado la penetración de los servicios de inteligencia en el mundo periodístico.

Arabia Saudí influye en los medios a golpe de petrodólares

> La opinión dominante es la opinión de la clase dominante.
>
> Karl Marx

En los llamados «Cables saudíes»,[47] WikiLeaks muestra con nitidez la estrategia llevada a cabo por Arabia Saudí para influir en los medios de comunicación árabes y de medio mundo. Con la finalidad de conseguir y mantener una imagen positiva del país en la esfera internacional, Riad emplea importantes recursos para supervisar los medios, comprar lealtades y corregir desviaciones que afecten a los intereses saudíes.

El procedimiento aplicado reviste dos formas diferentes pero complementarias: neutralización y contención. La primera reacción ante cualquier información perjudicial es intentar neutralizarla. Para ello se procede a comprar a periodistas y medios, de modo que dejen de publicar noticias que afecten negativamente a Arabia Saudí o sus políticas. Cuando la neutralización no es suficiente, se pasa a la fase de contención, en la que se hace un esfuerzo propagandístico mayor. Ya no basta con que se alaben las virtudes saudíes, pues se llega a atacar a cualquiera que ose criticar a este país del Golfo.

Uno de los métodos principales para conseguir estos fines es comprar miles de suscripciones de las publicaciones objetivo. De este modo, los medios afectados se convierten en marionetas en manos saudíes, pues en no pocos casos se juegan su supervivencia. Con esta presión, los saudíes consiguen que se ningunee o directamente se expulse a cualquier periodista o comentarista crítico con Riad.

También se aplican otras fórmulas de presión, como a través de la publicidad o incluso el pago directo, que puede ir desde pocos miles de euros para medios de países en vías de desarrollo, a millones de dólares destinados a los periódicos y cadenas de televisión de mayor difusión.

47. Disponibles en: <https://wikileaks.org/saudi-cables/buying-silence>.

Llegado el caso, no se duda en recurrir a métodos de confrontación, especialmente dirigidos contra los adversarios principales, como puede ser Irán, a los que, por ejemplo, se intenta negar o limitar el uso de satélites para la difusión de sus programas de televisión.

Empleo de los medios de comunicación por grupos extremistas

De un modo genérico, todos los grupos extremistas, incluidos los terroristas, persiguen mediante la información y la desinformación contrarrestar las campañas de desprestigio llevadas a cabo por gobiernos y organizaciones adversarias.

Atendiendo a su propósito, los mensajes transmitidos en los comunicados, sean estos en forma impresa (textos e imágenes), audios o vídeos, tienen diversas finalidades: hacer apología de su lucha, dotándola de justificación y superioridad moral, para captar adeptos; mostrar el poderío del grupo para atemorizar a sus adversarios; ridiculizar, deshumanizar e infravalorar al enemigo; provocar miedo a las poblaciones de los gobiernos contra los que combaten, sobre las que verterán graves amenazas; formar combatientes, proporcionando explicaciones y detalles de cómo manejar armamento, realizar ataques o fabricar ingenios explosivos.

Noticias de lo que se avecina

Una de las lecciones que se pueden extraer de esta estrategia es que, cuando comienza un claro proceso de desprestigio contra una persona, un grupo o un país, lo más probable es que responda a un plan para preparar a la población de cara a un ataque inminente, que puede ser físico —guerra directa o gestionada por terceras partes—, cibernético, económico o de cualquier otro tipo.

EL PENSAMIENTO ÚNICO

> Nadie está más perdidamente escla-
> vizado que aquellos que falsamente
> creen ser libres.
>
> JOHANN WOLFGANG VON GOETHE

En el mundo actual, cuando la tecnología (teléfonos móviles inteligentes, internet, redes sociales, comunicación vía satélite, etc.) debería permitir una mayor variedad de opiniones, incluso las alternativas al poder establecido y a las corrientes de pensamiento mayoritarias, se tiene la impresión de que el camino es el contrario al de la verdadera libertad de expresión, pilar fundamental de un sistema democrático.

EL COMPLICADO EJERCICIO DE LA LIBERTAD DE EXPRESIÓN

> La clase dominante hoy tiene bajo
> su influencia las escuelas y la prensa,
> y por lo general también la Iglesia.
> Esto les permite organizar y gober-
> nar las emociones de las masas, y
> convertirlas en su instrumento.
>
> ALBERT EINSTEIN

Si analizamos con detalle lo que está sucediendo, veremos que estamos sometidos a enormes presiones mediáticas, a corrientes de pensamiento que generan verdaderos códigos de silencio casi imposibles de romper. Ya lo anunciaba Freud al afirmar que la cultura es algo que fue impuesto a una mayoría contraria a ella por una minoría que supo apoderarse de los medios de poder y de coerción. Vivimos en un mundo donde, a pesar de la libertad que creemos gozar, se ningunea a aquel cuya opinión no se quiere que se escuche. Donde se puede «matar» socialmente a una persona, excluirla de todos los ámbitos, simplemente por plantearse pensamientos alternativos a los impuestos a la población. Donde los que triunfan son los que repiten sin cesar los mantras, los tópicos, sin reflexionar sobre ellos. Por el contrario, los que se arriesgan a poner en tela de juicio lo impuesto, a replantear conceptos considerados universales, están abocados al fracaso más estrepitoso.

La marginación también se vive en el ámbito académico y en el de las conferencias, pues tener opiniones alternativas, o simplemente atreverse a dudar y a hacer dudar de las generalizadas, indefectiblemente lleva a ser excluido por la «mafia de los conferenciantes», ese cerrado grupo de amigos que se retroalimentan exponiéndose los unos a los otros las mismas ideas de modo continuo. Nadie que no piense como ellos entra en ese restringido club, en muchas ocasiones sostenido económicamente —de modo lo más indirecto posible para intentar pasar inadvertido— por servicios de inteligencia estatales a los que interesa que se transmitan mensajes favorables a su país.

De aquí que surjan grandes interrogantes. ¿Realmente pensamos por nosotros mismos, somos autónomos, o bien nos dicen lo que tenemos que pensar? ¿Nos condiciona el ambiente, la sociedad? ¿Podemos pensar diferente? ¿Es posible expresar ese pensamiento diferente en sociedades avanzadas? ¿Tanta información solo sirve para transformarnos en «tontos ilustrados»?

La espiral de silencio

> Llegará un momento en que la gente no se rebele. No levantarán los ojos de las pantallas el tiempo suficiente como para darse cuenta de lo que está sucediendo.
>
> George Orwell

Hoy en día sigue siendo válida la teoría de la espiral de silencio que en 1977, hace ya cuatro décadas, expuso Elisabeth Noelle-Neumann. Para esta politóloga alemana, el concepto de opinión pública (que algunos prefieren llamar «opinión publicada») no es más que la imposición a la sociedad de una determinada, y habitualmente interesada, visión de la realidad. A los individuos no les queda otra salida que adaptar sus actitudes, incluso si su pensamiento va en otra dirección, a las tendencias predominantes en cada momento y circunstancia.

Noelle-Neumann entiende que la presión social llega a atenazar por completo y de tal manera a las personas que no se atreven a opinar en contra de las líneas de pensamiento dominantes por temor a ser sometidas a aislamiento, marginación o incluso a su completa aniquilación social. La idea central es que, en una sociedad donde las opiniones políticamente menos correctas son sistemáticamente silenciadas por los medios de comunicación, son los propios individuos —al no ver reflejados sus pensamientos y sentimientos en ellos— quienes asumen que sus ideas no son acordes al pensamiento mayoritario y optan por no compartirlas en público, para evitar así el rechazo social por parte del resto de la población, convencidos de que la mayoría piensa diferente a ellos.

Este fenómeno ya lo apuntaba el intelectual francés Alexis de Tocqueville, uno de los padres de la sociología clásica, al explicar el caso de la Iglesia en Francia a mediados del siglo XVIII, cuando «los que seguían creyendo en las doctrinas de la Iglesia tenían miedo de quedarse solos con su fidelidad y, temiendo más la soledad que el error, declaraban compartir las opiniones de la mayoría».

Para el periodista chileno Rubén Dittus, la teoría de la espiral de silencio se explica a partir de cuatro supuestos básicos: las personas tienen un miedo innato al aislamiento; la sociedad amenaza con la marginación al individuo que se desvía; como consecuencia de ese miedo, el individuo intenta captar corrientes de opinión; los resultados de ese cálculo afectan a la expresión o el ocultamiento de las opiniones.[48]

Tanto es así que actualmente los individuos intentan expresar lo que de verdad piensan mediante procedimientos in-

48. Dittus, Rubén, «La opinión pública y los imaginarios sociales: hacia una redefinición de la espiral del silencio», *Athenea Digital*, 7, 2005, 61-76. En <http://www.raco.cat/index.php/Athenea/article/viewFile/34168/34007>.

directos. Uno de ellos consiste en comentar las noticias de los periódicos digitales. Por eso, un buen experimento sociológico es analizar esos comentarios para determinar lo que verdaderamente piensan los ciudadanos, más allá de lo que se atreven a mencionar en público o donde crean que los pueden oír o grabar —algo cada vez más extendido—. También es muy interesante ver las valoraciones que a su vez hacen otras personas sobre las opiniones vertidas. De todo ello se puede extraer la conclusión de que las personas tienen, en gran medida, percepciones que en poco coinciden con lo que se podría creer que es el pensamiento mayoritario, repetido machaconamente por los principales medios de comunicación. La otra conclusión es que estos comentarios y sus valoraciones son sinceros puesto que, al realizarse de forma anónima, no existe el riesgo de ser estigmatizado por verterlos. Se trata, por tanto, de un claro indicador del temor que existe, incluso en sociedades que presumen de valores democráticos y de ejercicio de la libertad, a decir abiertamente lo que se piensa, por miedo a que estos pensamientos puedan ir en contra de lo que se ha establecido como políticamente correcto.

La repercusión práctica de esta situación se vive en el resultado de las últimas votaciones en diversos países del mundo, desde elecciones presidenciales a consultas populares sobre temas concretos. Mientras los medios de comunicación preconizaban ciertos resultados, avalados por encuestas siempre cuestionables —las personas que responden a ellas tampoco lo hacen con total libertad por temor a que se las pueda identificar—, el desenlace ha sido sorprendente en gran parte de los casos, pues un segmento importante de los individuos finalmente no ha votado lo que se le quería imponer, sino lo que ciertamente pensaba, sabiendo que su voto estaba garantizado por la confidencialidad.

> En tiempos de engaño universal, decir la verdad se convierte en un acto revolucionario.
>
> GEORGE ORWELL

Las teorías de Sigmund Freud plasmadas en *Tótem y tabú* siguen estando plenamente vigentes incluso en las sociedades más desarrolladas, en las que, al menos en teoría, el pleno ejercicio de la libertad está garantizado. Freud concluye en su tratado que todos los grupos humanos a lo largo de la historia han tenido su tótem, que representaba los aspectos sagrados con los que se identificaba simbólicamente la comunidad, siendo el origen de las posteriores religiones. Del mismo modo, tenían sus tabúes, es decir, aquello que estaba prohibido por considerárselo pernicioso para la colectividad o por ser contrario a sus tradiciones y su cultura, lo que sería el origen de las leyes y las normas tanto de comportamiento como morales.

Aunque pudieran parecer términos que solo se ajustaran a tiempos pretéritos, siguen imperando en el mundo actual, y con más fuerza de la que en principio se podría sospechar. Así, todas las sociedades siguen teniendo sus elementos «sagrados» y «prohibidos», aunque se hayan transformado con el paso del tiempo y poco tengan que ver con los antiguos. En algunos casos, la transformación ha sido inusitadamente rápida, desde luego mucho más veloz que en siglos anteriores, donde los cambios se producían a lo largo de muchas generaciones. De este modo, hay temas sobre los que es prácticamente imposible ofrecer una visión alternativa, incluso si está avalada por procesos científicos indiscutibles, sin correr el riesgo de la más absoluta marginación social y de un castigo implacable en las redes sociales, pues en las sociedades tecnológicamente avanzadas se ha pasado de la violencia física de antaño a la violencia digital o electrónica, que puede tener efectos todavía más dañinos e imborrables para el que la padece.

> Cuanto más se aleja una sociedad
> de la verdad, más odia a los que ha-
> blan de ella.
>
> George Orwell

El triunfo del pensamiento único demuestra que resulta más fácil llenar una mente de ideas creadas por otros con fines espurios que permitir que se ilumine, piense por sí misma y desarrolle ideas que vayan en contra de los intereses de la clase dominante.

También es importante señalar que se suele dar la circunstancia, no especialmente novedosa por otro lado, de que precisamente los que más claman por la libertad y dicen luchar por ella son los que pretenden restringir la de los demás. Y, como dijo Noam Chomsky, «si crees en la libertad de expresión, eso significa que estás a favor de la libertad de expresión precisamente para los puntos de vista que no compartes, de otra forma, no estarías a favor de la libertad de expresión».

EL ABUSO DE LOS POBRES

> Tanto el islam como el cristianismo
> supieron hablarles a los pobres y
> atraerlos a su seno.
>
> Amin Maalouf,
> *El desajuste del mundo*

En infinidad de ocasiones, los gobernantes han justificado sus motivos para hacer una cosa o la contraria en que actuaban en beneficio de los pobres, los desamparados, los marginados y excluidos de la sociedad. Aunque en principio el desarrollo social, económico y político de las personas y los países menos afortunados es un bien deseado y perseguido desde las más altas instituciones internacionales y por las potencias opulentas, esta acción benefactora también se ha empleado para conseguir fines geopolíticos menos confesables. Muchas revoluciones se alzaron en nombre de los pobres para luego dejar que la élite revolucionaria se hiciese con el poder y dar paso a otro régimen más represivo. Los momentos de incertidumbre, las crisis económicas y el caos social han sido aprovechados por extremistas, tanto los que hablan, presumen y animan a la «revolución del pueblo», como los xenófobos y nacionalistas que promueven la diferenciación entre «ellos y nosotros» con el único fin de llegar al poder.

Ideologías y religiones han usado y abusado de los pobres, los excluidos, los hambrientos, los humillados, en muchos casos con la excusa de buscar su «salvación», material y espiritual. Su movilización es muy sencilla. Basta con ofrecerles una idea atractiva que les prometa un futuro mejor, la opción de alcanzar y disfrutar de lo que otros poseen, ponerles al alcance de la mano un cambio en el que ellos serían los privilegiados o al menos ya no habría desigualdad. ¿Quién no se animaría a seguir ciegamente estos discursos tan halagüeños? Sobre todo hoy en día, cuando la percepción de injusticia está más extendida que nunca por la posibilidad que ofrecen los medios de comunicación de conocer lo que acontece en las cuatro esquinas del mundo. Incluso aunque en el fondo se dude de las promesas de mejora, para el que vive en la indigencia o en situación precaria hasta un clavo ardiendo puede convertirse en tabla de salvación, pensando que, teniendo poco o nada que perder, al menos queda la esperanza de algo que ganar, sea en esta vida o en el más allá. Y ese es el primitivo y comprensible sentimiento con que se juega.

LA MANIPULACIÓN DE LA ESCLAVITUD

Una de las teorías sobre las verdaderas motivaciones de la guerra de Secesión estadounidense (1861-1865) sostiene que la cuestión de la esclavitud fue principalmente un argumento estratégico para conseguir el apoyo de una parte de la población —y consecuentemente incrementar el número de efectivos en combate— antes que fruto del idealismo de Abraham Lincoln, de quien se ha dicho, según se podría desprender de algunas de sus declaraciones, que dudaba de que el fin de la esclavitud pudiera ser viable a corto plazo e incluso de la igualdad racial de los negros. Por el contrario, el principal enfrentamiento entre el Norte y el Sur podría haber sido consecuencia de la disparidad de criterio sobre la cuestión de los aranceles, pues Lincoln abogaba por un proteccionismo ante una política de libre comercio —defendida por el Sur— que a su entender solo beneficiaba a intereses británicos.

Hay que tener en cuenta que durante su prolongada existencia, la esclavitud se ha enmarcado en un proceso económico que precisaba de ella. Las primeras citas sobre una estratificación social en la que se incluía a los esclavos se encuentran en escritos sumerios de alrededor del año 3500 a. C., extendiéndose la práctica de la esclavitud hasta finales del siglo XIX, aunque todavía en la actualidad se mantiene en algunos lugares.

Cuando las sociedades primitivas comenzaron a acumular riquezas y a tener excedentes de bienes, se plantearon una diferenciación social y la necesidad de utilizar a personas para los cometidos menos atractivos. Estas sociedades de la opulencia se dieron cuenta de que era más rentable esclavizar a los adversarios capturados que acabar sistemáticamente con su vida, como hasta ese momento se hacía. Este contexto cambió con la Revolución Industrial, pues la mecanización de la producción y de las labores del campo significó que la mano de obra humana dejaba de tener la misma relevancia, e incluso era más oneroso mantener esclavos que máquinas.

Por ello, la principal causa estratégica de la Guerra de la Secesión norteamericana habría sido una pugna por el poder económico entre un Sur basado en una agricultura que precisaba de esclavos para ser rentable y un Norte industrializado para el que la esclavitud no solo era innecesaria, sino una carga inasumible para la nueva sociedad que se estaba creando.

> A la larga, una sociedad jerárquica
> solo sería posible basándose en la po-
> breza y la ignorancia.
>
> George Orwell

Existen ideologías a las que interesa que la desigualdad impere y que haya pobres, pues son su sostén, el aire viciado que les permite vivir. Si ese ambiente de marginación y pobreza que es su razón de ser desapareciera, ellas lo harían al mismo tiempo. Por eso, y aunque teóricamente digan luchar por la igualdad, por el avance social y por la prosperidad, debemos dudar de que ese sea su verdadero objetivo.

Cuando hay abundancia y todo va bien, cuando el bienestar alcanza a la mayoría de la población, estas ideologías extremas aplican la estrategia de las ratas. Como ellas, se mantienen bajo tierra, en las alcantarillas, aletargadas, expectantes, a la espera de la llegada de las vacas flacas, de esas cíclicas e inevitables crisis. Llegadas estas y aprovechando el malestar social, económico y político, salen a la superficie para constituirse en la voz del cambio, en el portavoz y salvador del pueblo. Pero su único propósito es hacerse con el poder. Aunque sea habitual camuflarlo en una maraña de discursos populistas, en realidad solo están obedeciendo a sus propios intereses.

En caso de hacerse finalmente con las riendas de la sociedad, optan por mantener a la mayor cantidad de gente posible viviendo, directa o indirectamente, de los fondos y las ayudas estatales, con un macro-Estado que lo gestiona todo. Además, imponen una educación ideologizada y alienante que les permite ejercer permanente influencia sobre la ciudadanía y así garantizar su continuidad, eliminando cualquier voz disconforme. Para las poblaciones que tienen la desgracia de caer en estas redes resulta muy complicada su evolución.

¡Bajarse hasta los infelices y alzarlos
en los brazos!

JOSÉ MARTÍ

El terreno de la guerra y la revolución está abonado para que prolifere y florezca la manipulación del desfavorecido. Decía Lenin que es el pobre, el obrero o el desempleado quien sostiene la lucha de guerrillas. Y fue precisamente este líder revolucionario quien empleó la estrategia del uso de los pobres para forzar un cambio de régimen, del zarista al comunista. Las desigualdades de clases, la pobreza, el malestar social y político, unido al mal gobierno del zar y a represiones tan duras como la del Domingo Sangriento —ocurrida el 22 de enero de 1905 en San Petersburgo, cuando la Guardia Imperial rusa reprimió una manifestación de trabajadores y acabó con la vida de 200 personas, entre ellas mujeres y niños— fueron el caldo de cultivo para la Revolución rusa. Pero no se puede olvidar que esta revolución fue orquestada por Alemania para desestabilizar a una Rusia con la que estaba en guerra, ni que Berlín organizó el regreso de Lenin —condenado al exilio— a territorio ruso. Y lo último que le preocupaba al gobierno alemán era la situación de los obreros y los campesinos rusos.

Y si las revoluciones comunistas siempre se apoyan en la teórica soberanía popular para llegar al poder, lo mismo ocurre con los extremismos de derechas. Estos también utilizan al pueblo y las crisis, aunque de un modo diferente. Mientras para los comunistas el enemigo a batir son los ricos y los privilegiados, los movimientos de extrema derecha acusan de todos los males a los de fuera, a los extraños, a los diferentes. Así actuaron los nazis, culpando a los judíos de la pobreza de Alemania después de la Primera Guerra Mundial y terminando por estigmatizar a todo aquel que no perteneciera a la raza aria. En la Europa actual, en un contexto de crisis económica y social, hay quien no duda en culpar de ella a inmigrantes y a refugiados, habiéndose establecido un vínculo entre migración y seguridad que es utilizado por diversos partidos políticos para obtener réditos electorales.

La intraestatal no es la única vertiente del uso de los pobres como estrategia. Los Estados también pueden utilizarla para defender sus intereses en otros países, y de hecho así sucede. Hay Estados que pretenden erigirse en los paladines de la justicia universal, como aquellos que trazan la imaginaria línea entre el bien y el mal —por supuesto, siempre definidos según su propia vara de medir— y justifican operaciones militares en pos de la paz, la democracia, la defensa de los derechos humanos y el exterminio de la pobreza. Y aunque en algunos casos sí sean esos los fines buscados —al menos parcialmente y en rarísimas ocasiones como primera prioridad—, no hay que dejar de lado los intereses geopolíticos que un Estado tiene en un determinado escenario.

En mayo de 1798, el gobierno francés envió a Napoleón Bonaparte con un gran ejército para conquistar Egipto. Este interés por el país del Nilo no era nuevo en la política francesa, pues su dominio ya había sido sugerido a Luis XIV por el filósofo alemán Gottfried Wilhelm Leibniz en el siglo precedente para minar la autoridad geoestratégica de los holandeses. Sin embargo, en ese momento el enemigo era Inglaterra y el plan era atacarla a través de Egipto e India. Aunque el objetivo geopolítico de la misión era minar la influencia y el poder británico, se aplicó la estrategia de los pobres para justificar la intervención. Un año antes, en 1797, el cónsul francés en Egipto afirmaba que era el momento de una intervención porque el pueblo egipcio estaba siendo víctima de un gobierno opresivo y corrupto. Además, como afirma Anthony F. Lang, se lanzó el discurso de los ideales de la Revolución francesa, que obligaban a liberar a aquellos injustamente oprimidos por gobiernos atrasados e incivilizados.

Otra traducción de esta estrategia sería el caso de la ayuda humanitaria. Un ejemplo paradigmático es el de Francia con algunos países de África, principalmente antiguas colonias, con los que ha seguido manteniendo unos estrechos lazos económicos y políticos a través de la ayuda humanitaria, de la presencia de empresas francesas y de la colaboración militar. Así pues, según detalla el geógrafo político Jacques Lévy, la presencia de Francia en la época poscolonial ha beneficiado a sus empresas con la obtención de productos agrícolas y minerales, en un circuito financiero cerrado y francés donde han estado implicados el presupuesto de los franceses, las empresas privadas francesas y los gobiernos africanos.[49] Esto último se puede relacionar con las misiones que Francia tiene desplegadas en África, algunas en paralelo con misiones de la UE o la ONU, y que permiten observar sus intereses en la zona. Desde las realizadas en la República Centroafricana, donde París estuvo presente con la Operación Sangaris[50] y desde enero de 2014 en la misión EUFOR RCA de la Unión Europea, a las llevadas a cabo en Mali —operaciones Serval y Barkhane— y los países limítrofes. Francia tiene como objetivo prioritario, más allá de la lucha contra el yihadismo y el desarrollo y fomento de la economía y la democracia en estos países, la defensa de sus intereses geopolíticos para no perder su relevante influencia en la región, así como de los comerciales, comenzando por la extracción del uranio nigerino.

Un efecto secundario, pero fundamental a medio plazo, que se consigue con la ayuda humanitaria es modificar los hábitos alimentarios y de consumo de las poblaciones para convertirlos en potenciales consumidores en el futuro. A esto puede añadirse que las grandes fortunas de la historia se han hecho aprovechando las situaciones de caos y desastre, las guerras, la miseria y donde la necesidad es más perentoria. Nunca falta quien se beneficia de los pobres, circunstancia que se da hasta en los campos de refugiados africanos, de Oriente Medio e incluso en Europa, donde la pobre gente que allí busca protec-

49. Lévy, Jacques, «Geopolitics after geopolitics: a French experience», *Geopolitics*, 5 (3), 99-113. En <http://www.tandfonline.com/doi/abs/10.1080/14650040008407693>.

50. Desplegada el 5 de diciembre de 2013 y finalizada el 31 de octubre de 2016, que tenía como objetivo impedir las matanzas entre las milicias musulmanas y cristianas del país.

ción es a veces extorsionada y explotada por grupos mafiosos, que se llegan a apropiar de la ayuda recibida para luego revenderla a los que se supone que tenía que llegarles gratis, o que establecen lucrativos negocios como la prostitución o el tráfico de drogas. Como decía el filósofo y activista humanitario francés Jean-Paul Sartre: «El desorden es el mejor servidor del orden establecido... Toda destrucción confusa debilita a los débiles, enriquece a los ricos, aumenta el poder de los poderosos».

La organización The Sentry —fundada por dos estadounidenses, el actor George Clooney y el activista y escritor John Prendergast, para supervisar el flujo de dinero en los conflictos armados— publicó, en junio de 2017, un informe en el que acusaba a algunos generales y altos cargos sursudaneses de estar enriqueciéndose ostensiblemente mientras su país, sumido en la violencia, sufría una dramática situación humanitaria. Concretamente, Malek Reuben Riak, teniente general del Ejército de Liberación Popular (la fuerza gubernamental) y con un sueldo anual de poco más de 40.000 dólares, realizó movimientos que superaban los tres millones de dólares en su cuenta corriente del Kenia Commercial Bank, habiendo recibido algunas transferencias por valor de más de 700.000 dólares. Este dinero procedería de turbios negocios con diversas empresas extranjeras establecidas en Sudán del Sur.[51] Un verdadero escándalo para un joven país en el que la guerra ha expulsado de sus hogares a dos millones y medio de personas, de las cuales más de cien mil se mueren literalmente de hambre.

Y si se unen dos conceptos, la «intervención» y la «ayuda humanitaria», se obtiene la «intervención humanitaria» que, en palabras del sociólogo británico Martin Shaw, Occidente ha venido utilizando como excusa para realizar operaciones militares. Estas pueden estar más o menos justificadas en socorrer y salvar a los pobres y desvalidos, y puede que hasta realmente persigan promover el desarrollo y garantizar la se-

51.   Véase <https://thesentry.org> y, en cuanto al informe, <https://cdn. thesentry.org/wp-content/uploads/2017/05/MakingAFortune_May2017_Sen try_Final.pdf>.

guridad humana. Pero entonces la gran pregunta es: ¿por qué en unos países sí y en otros no? Una cuestión íntimamente relacionada con la doctrina de la responsabilidad de proteger, aplicada en Libia, pero no en Siria o en Sudán del Sur, como se ha visto anteriormente.

La ayuda humanitaria, la ayuda a los necesitados, se ha utilizado también en las intervenciones militares en Bosnia, Kosovo, Afganistán e Irak para conseguir fines militares y geopolíticos. Esto se deduce de las palabras dichas en 2001 por el entonces secretario de Estado estadounidense, Colin Powell, cuando intentaba convencer a las oenegés de que fueran a Afganistán y sirvieran de «fuerza multiplicadora» para la Casa Blanca.[52]

La relación entre la fuerza militar y la ayuda humanitaria es complicada, y no es fácil encontrar una justificación para ella desde el punto de vista de la acción humanitaria. Esto se debe a que los principios de esta última se basan en la neutralidad, la imparcialidad y la independencia, por lo que, si se supedita a unos objetivos militares, se están violando estos principios y queda por tanto completamente desvirtuada. Tampoco se puede ignorar que, en ocasiones, para desarrollar bien su cometido, la acción humanitaria precisa del apoyo de una fuerza militar que garantice su seguridad. Pero no es menos cierto que de este modo puede perder buena parte de su esencia. Y eso cuando no es empleada para obtener información de primera mano sobre el terreno, incluso directamente por los servicios de inteligencia (como los casos documentados en que se ha utilizado para entrar en lugares restringidos con la disculpa, por ejemplo, de proceder a vacunaciones). Sin embargo, ¿no persiguen ambas acciones, humanitaria y militar, el mismo objetivo de defender o salvar a los desampa-

52. *Remarks to the National Foreign Policy Conference for Leaders of Nongovernmental Organizations,* Loy Henderson Conference Room, Departamento de Estado de Estados Unidos, Washington, DC, 26 de octubre de 2001. En <https://2001-2009.state.gov/secretary/former/powell/remarks/2001/5762.htm>.

rados? No necesariamente. La ayuda humanitaria en esencia sí, pues ese es su objetivo. Pero los Estados pueden utilizarla para justificar sus intervenciones y así conseguir más fácilmente sus propósitos.

El tigre posmoderno

Robert D. Kaplan habla de un nuevo tigre posmoderno al que identifica con la multitud que ruge ante las injusticias reales. Este tigre brama ante las guerras de transferencia —como las denomina Martin Shaw—, los conflictos intraestatales en los que la población civil se ha vuelto objetivo. Lo mismo ante crisis sociales y políticas, en las que abunda la corrupción de algunos gobiernos mientras las desigualdades aumentan dentro del Estado. Y también frente a las crisis económicas que generan falta de oportunidades y de puestos de trabajo. Es un tigre formado por los ciudadanos deseosos del cambio de los países menos desarrollados y por los jóvenes frustrados de los países avanzados. Precisamente en los Estados más desarrollados, donde la mayor parte de la juventud tiene acceso a la formación más avanzada, se produce una elevada frustración —un importante factor desestabilizador— cuando esos jóvenes ven con creciente preocupación que nunca ejercerán un puesto de trabajo acorde a la preparación que tanto tiempo y esfuerzo les ha costado, y se sienten cada vez más imposibilitados para alcanzar la clase media o incluso abocados a la pobreza a pesar de su elevada formación. Un tigre constituido igualmente por las personas mayores que se preocupan por su futuro y por el de sus descendientes.

Un tigre que puede ser aprovechado de nuevo, como se ha venido haciendo a lo largo de la historia, por movimientos populistas, religiones o grupos radicales de cualquier signo, para lanzarlo a la revolución.

SIEMBRA CIZAÑA

> El enemigo con problemas internos
> está maduro para ser conquistado.
>
> Nicolás Maquiavelo

Si no puedes derrotar a tu enemigo con la fuerza militar, siempre puedes intentarlo sembrando la discordia en su interior, hasta conseguir que se desmoronen las que parecían sus poderosas e impenetrables murallas como si estuvieran formadas de arena. Esta estrategia, enlazada con el fomento de la división y la búsqueda del *breaking point* del adversario, se ha mostrado altamente eficaz en infinidad de ocasiones a lo largo de la Historia ya que la manipulación de las minorías es una vieja receta de dominación de una sociedad, así como también se puede fomentar la disconformidad entre los disidentes por razones políticas o los movimientos separatistas. En cualquier sociedad, por perfecta que a primera vista parezca, siempre habrá personas y grupos que se sientan molestos, agraviados, marginados o simplemente «gente tóxica» que, por problemas mentales o insatisfacciones personales, pretenda causar daño al resto de la colectividad. Esto deja abierto el camino para que se pueda atizar una desavenencia que corroa las bases sociales. Por este motivo, cuando se quiere conquistar un país, lo que interesa —más allá de su cartografía— es conocer y explotar sus tensiones internas, sus vacíos ideológicos o de ilusión. Por otro lado, este es un procedimiento antiquísimo, pues ya advertía Maquiavelo de que una buena estrategia de invasión comienza por apoyar a las minorías locales para que se vuelvan contra la mayoría y debilitar así a los poderosos en su propio país.

UNA ESTRATEGIA IMPERECEDERA

Este procedimiento, tan sibilino como efectivo, ha sido empleado por todo tipo de regímenes políticos, desde dictaduras a democracias. Por ejemplo, en el siglo XIX y principios del XX, Gran Bretaña y otros gobiernos europeos fomentaron las revueltas árabes en Oriente Medio para desgastar al Imperio otomano, proporcionando para ello armas y medios a las minorías étnicas enfrentadas a los dirigentes turcos.

En el mismo escenario físico y temporal, Francia, dentro de sus tácticas para controlar esa parte del mundo, jugó con la rivalidad ancestral entre las dos grandes ciudades sirias, Alepo y Damasco, mientras que simultáneamente alentaba la hostilidad de todas las minorías musulmanas, fueran los alauitas o los drusos, contra los suníes. De este modo, París llevaba a cabo una política de control territorial de su nuevo dominio instrumentalizando a las minorías religiosas y étnicas presentes en la zona.

Walter Görlitz argumenta que diversos banqueros de Nueva York, de origen alemán judío, financiaron la Revolución rusa porque aborrecían el zarismo ya que, desde la muerte de Alejandro II en 1881, la persecución de los judíos había estado a la orden del día en Rusia. Alemania, consciente de que nunca saldría victoriosa de la Primera Guerra Mundial sin una revolución en Rusia, también la promovió. El káiser confiaba en el anuncio de Lenin de que, si se hacía con el poder, establecería una paz inmediata con el Imperio alemán y atacaría al imperialismo británico, llegando a prometer la entrada del ejército ruso en la India. Con tal fin, durante la Primera Guerra Mundial, Alemania prestó entre 40 y 80 millones de marcos a los agentes que trabajaban contra el zar. Además, Berlín facilitó el vagón en el que Lenin viajó desde Suiza a Rusia para iniciar la lucha revolucionaria, como se ha citado en páginas anteriores.

Durante la Gran Guerra, Alemania urdió una intriga con el propósito de generar un conflicto entre Estados Unidos y México. Según un telegrama secreto enviado por el ministro alemán de Asuntos Exteriores a su embajador en México, fechado el 16 de enero de 1917, se sugería establecer una alianza germano-mexicana en caso de que estallase la guerra. Como recompensa por la intervención armada contra Estados Unidos, México recibiría Texas, Nuevo México y Arizona. Pero el telegrama fue interceptado y descifrado por el servicio naval inglés.

En la década de 1920, el Partido Comunista alemán realizaba incansable su labor de zapa en la República de Weimar, empleando gran esfuerzo para desmantelar las fuerzas del Reich en beneficio de la Unión Soviética. Años después, Stalin tendría un interés particular en que se prolongara la guerra civil española, pues consideraba que las fronteras soviéticas no conocerían peligro alguno mientras permaneciera abierto el conflicto español. Concretamente, su visión era que si las tropas de Franco se alzaban con la victoria, Francia —entonces aliada de Moscú— tendría que preocuparse de su flanco sur, dejando de mirar hacia Alemania. Berlín podría entonces lanzarse con mayor tranquilidad contra la URSS —que ya estaba al tanto de los planes de invasión de Hitler—, por lo que le interesaba que se apoyara a las fuerzas republicanas españolas, y animaba a las democracias a seguir su ejemplo de no abandonarlas y continuar proporcionándoles material bélico.

Durante la Segunda Guerra Mundial, la Sección II del servicio de información militar alemán, la Abwehr, era responsable de los servicios especiales, entre ellos el apoyo a los movimientos rebeldes, insurrectos y de saboteadores de los países extranjeros. Otro ejemplo, entre los muchos existentes del uso de la estrategia de la cizaña por los servicios de inteligencia, es el de los agentes japoneses que establecieron contacto a lo largo de 1941 con grupos nacionalistas indios, malasios y birmanos, a quienes ofrecieron apoyo encubierto para sus ambiciones independentistas. Para estos fines, Tokio envió un telegrama en enero de ese año al cónsul general japonés en Singapur en el que dictaba órdenes de avivar la agitación, las confabulaciones políticas, la propaganda y la inteligencia. Con el mismo objetivo, desde 1939 los japoneses habían estado haciendo grandes esfuerzos dirigidos a fomentar la desafección entre los soldados del Raj británico.

Algo más de una década después, ya en los años cincuenta, Vietnam del Norte recurrió —al no producirse la reunificación— a fomentar la insurgencia, seguida de la llamada «guerra de liberación». En esos mismos años, la OTAN tenía planes para, en caso de una derrota de sus fuerzas regulares por el Pacto de

Varsovia, negar al enemigo los frutos de su victoria mediante el apoyo a movimientos de resistencia por toda Europa.

Siguiendo con ejemplos de espías y servicios de inteligencia que sembraron la discordia, durante la Guerra Fría la Alemania del Este tenía 16.000 agentes en la República Federal, con cuarenta y cinco radios y varios programas de televisión dirigidos a Alemania Occidental, donde además se imprimían numerosos periódicos, panfletos y revistas comunistas. Por su parte, la Unión Soviética sostenía a sesenta y tres partidos comunistas en países occidentales y neutrales, como quinta columna activa, a los que se añadían cientos de grupos de acción dirigidos por quince organizaciones mundiales procomunistas. Durante esos años de duro enfrentamiento entre dos formas de entender el mundo, los soviéticos se mostraron como grandes maestros en el arte de diseminar el enfrentamiento intestino. Uno de sus procedimientos básicos era actuar psicológicamente contra Occidente mediante la promoción de la subversión con temas como el pacifismo, el desarme, el colonialismo, la segregación racial, lo antinuclear, la autodeterminación o la justicia social. Por su parte, Occidente replicaba contra los comunistas empleando los temas de los derechos humanos, la libertad de expresión o la libertad de prensa.

Las democracias no se han reprimido a la hora de emplear con profusión esta estrategia. En el derrocamiento del presidente socialista chileno Salvador Allende, ocurrido en 1973, intervino el dinero estadounidense. Y tampoco se libran los demócratas norteamericanos cuando gobiernan, aun cuando tengan mayor habilidad para enmascarar sus auténticos intereses. Bajo la Administración Clinton, a finales de 1995 el Congreso de Estados Unidos aprobó una partida secreta para financiar acciones encubiertas de la CIA dirigidas a provocar la subversión contra el régimen iraní, según Richard A. Clarke. En respuesta, el Parlamento iraní aprobó de manera pública fondos para acciones encubiertas contra Estados Unidos.

Uno de los motivos alegados en su día por Sadam Hussein para atacar a Irán en 1980 fue que el ayatolá Jomeini había llamado a la mayoría chií de Irak a la rebelión. Esto podría replicarse actualmente, pues Teherán podría hacer uso de la minoría chií que habita en Arabia Saudí y que además está localizada en la misma parte del país donde se ubican los principales pozos de petróleo, en las orillas del golfo Pérsico, lo que sin duda es una gran preocupación para Riad, especialmente en un momento en que las relaciones con Irán son muy tensas. Los iraníes pueden tener la misma baza en Bahréin, pues movilizar a la mayoritaria población chií contra sus dirigentes suníes es relativamente sencillo. En definitiva, son ases en la manga que se guarda Teherán para desestabilizar a estos dos países mediante el fomento de la disensión interna, y a la que posiblemente recurrirá si se siente muy amenazado. Siguiendo con el patrocinio de la cizaña en Irán, George Friedman entiende que, dado que este país está físicamente protegido por accidentes del terreno que hacen imposible una invasión convencional —su frontera terrestre está prácticamente toda ella rodeada de elevadas e intrincadas montañas, de modo menos acusado en el este, en las zonas inmediatas a Afganistán y Pakistán—, los norteamericanos han tratado de excitar en varias ocasiones una revolución similar a las que lograron derrocar a los gobiernos de la Unión Soviética, sin que nunca lo hayan conseguido.

Como en páginas anteriores se ha mencionado, Clausewitz aseguraba que era imposible conquistar a la siempre poderosa Rusia por la fuerza de las armas, pues este país europeo-asiático solo podía ser sometido por medio de la disensión interna. Esto sigue siendo tan sumamente válido que ha llevado al Kremlin a plantearse que sus grandes adversarios, liderados por Estados Unidos, han intentado sembrar la cizaña en repetidas ocasiones. Empleando oenegés, fundaciones, colectivos como el punk feminista Pussy Riot y, por supuesto, los medios de comunicación y las redes sociales, se habrían utilizado los argumentos de la falta de libertades políticas o el no respeto de los derechos de las personas homosexuales para acabar con el sistema edificado por Putin.

Rusia sospecha, apunta Thual, que ciertos países occidentales ayudan indirectamente a los rebeldes islamistas en el norte del Cáucaso, en Daguestán o en Chechenia, así como que Georgia apoya la rebelión chechena. Los enemigos de Rusia, sea la Rusia imperial, la soviética o la postsoviética, han empleado siempre al nacionalismo georgiano para debilitar la presencia rusa en el Cáucaso. Cada vez que Georgia se ha visto independiente, ha tenido la tentación de subyugar a sus minorías, a lo que ha respondido Moscú empleando a estas para debilitar a la Georgia rebelde. El caso más evidente es el que antes se relató sobre lo sucedido en el verano de 2008.

El mismo temor lo tiene China respecto al Tíbet, pues supone que tanto India —donde viven unos 200.000 tibetanos, incluido el Dalái Lama— como Estados Unidos, su gran rival geopolítico y geoeconómico, están promocionado los movimientos separatistas en esa parte clave del gigante asiático.

Desde luego, los americanos no se han privado de intentar llevar a cabo este tipo de acciones contra todo el que ha pretendido hacer frente a su fabuloso poder, como ha sido el caso de Cuba. Valga como muestra una de las numerosísimas argucias contra el régimen castrista planificadas por la CIA pero que no llegaron a realizarse, la Operación Buenos Tiempos. Consistía en desilusionar a la población cubana mediante la distribución de material pornográfico en el que Fidel Castro aparecía con mujeres extranjeras en una sala con todo tipo de comida importada. Este material se distribuiría en La Habana mediante folletos que mostrarían la fotografía con la frase «Mi comida es diferente». Este tipo de operaciones muy seguramente fue empleado con éxito por los servicios secretos estadounidenses en otros muchos casos en los que se buscaba deshacerse de una persona arruinando su prestigio, lo que hoy en día, con las redes sociales y un adecuado —y perverso— uso de la televisión, se puede conseguir en menos de veinticuatro horas, por más que la persona objeto del ataque esté en las más altas cimas del poder o del reconocimiento social.

En cuanto al mundo islámico, George Friedman reflexiona que el objetivo estratégico de Washington es mantenerlo sumido en el caos e incapaz de unirse, pues mientras los musulmanes estén luchando entre sí, Estados Unidos habrá ganado su guerra. Algo similar a esto ha sido siempre la estrategia británica de poner impedimentos a la creación de una Europa unificada, peligrosa para su seguridad porque, entre otras cosas, considera intolerable la idea de un Viejo Continente dominado militarmente por Francia y Alemania.

La vulnerabilidad de las poblaciones jóvenes

Las poblaciones jóvenes, señala Kaplan, son las más proclives a forzar la revolución y el cambio, por lo que ese ímpetu puede ser aprovechado para animar la subversión interna en los países, como de hecho sucede. Se apreció con nitidez en el caso de las revueltas árabes sucedidas a partir de 2011, donde, si bien es cierto que no faltaban motivos internos para su surgimiento, fueron azuzadas desde el exterior para conseguir otras finalidades que nada tenían que ver con el bienestar de las poblaciones sublevadas, y así se demostró en Siria. De hecho, las mismas revueltas no salieron adelante allí donde había en juego otros intereses geopolíticos, como sucedió en Bahréin, pues a pesar de que una amplísima mayoría —chií— de sus 1,3 millones de habitantes está sometida a una minoría —suní—, no interesaba a Arabia Saudí ni sobre todo a Estados Unidos que la revolución prendiera en este escenario. Entre otras cosas porque la importante base naval estadounidense de Juffair podría haber caído en manos iraníes de haber triunfado la revuelta popular chií, lo que habría proporcionado a Teherán una inmensa baza para dominar el golfo Pérsico.[53]

53. La presencia militar norteamericana en Bahréin comenzó en 1950 cuando su Armada alquiló a los británicos un espacio en la base naval HMS Juffair, creada en 1935. Este país del Golfo alcanzó su plena independencia en 1971 y los británicos lo abandonaron oficialmente. Washington llegó a un acuerdo con Bahréin para hacerse con el control de la base. Actualmente, en ella hay destinados unos 4.400 militares y empleados civiles que proporcionan servicio a las fuerzas navales del Mando Central (CENTCOM) y a la V Flota. Por su parte, en noviembre de 2016 el Reino Unido abrió una nueva base naval en Manama, capital de Bahréin, que es empleada por sus fuerzas especiales y para atracar destructores y buques cazaminas.

Desde prácticamente un siglo antes de que Estados Unidos declarara la guerra a España en 1898, distintas Administraciones estadounidenses apoyaron a los disidentes e insurrectos en Cuba. El presidente Thomas Jefferson promovió en 1809 un alzamiento aprovechando la invasión francesa en España. Su sucesor, James Madison, suscitó en 1814 un complot contra las autoridades españolas, que solo fue secundado por los estadounidenses que tenían propiedades en la isla. James Knox Polk (1845-1849), ferviente antiespañol, volvió a impulsar una revuelta de propietarios estadounidenses, que fracasó por no ser respaldada por los cubanos. Ulysses S. Grant apoyó abiertamente la insurrección cubana durante la guerra de los Diez Años (1868-1878), considerada la primera contienda por la independencia de la isla. Stephen Grover Cleveland (1885-1889 y 1893-1897), si bien mantuvo una aparente posición de neutralidad, no hizo nada por impedir que los insurgentes fueran aprovisionados desde territorio estadounidense. Y, finalmente, el presidente William MacKinley (1897-1901) apoyó decididamente la independencia cubana.

Por otro lado, para debilitar la posición de España en una Cuba de la que hacía décadas ansiaba expulsar a los españoles para satisfacer sus propios intereses geopolíticos y comerciales, en noviembre de 1895 Estados Unidos reconoció como legítimo al gobierno de los insurrectos, al que inmediatamente un sindicato estadounidense concedió un préstamo de tres millones de dólares a través de la oficina que los cubanos tenían en Nueva York. Además, Washington proporcionó asesores militares a los insurrectos para que instruyeran a estos en el empleo de las piezas de artillería. Esto se complementó, hasta el inicio oficial de las hostilidades entre España y Estados Unidos en 1898, con la llegada a las costas cubanas de decenas de barcos cargados de suministros procedentes de los puertos estadounidenses, habiendo sido estériles los esfuerzos para impedirlo que realizó la diplomacia española, ante la pasividad de las autoridades norteamericanas. Se estima que de unas ochenta expediciones que salieron de las costas estadounidenses con destino a los insurrectos cubanos, menos de la mitad fueron intervenidas en los puertos de Estados Unidos, y apenas cuatro detectadas por la Armada española antes de tocar tierra.

Sembrar cizaña entre los cizañeros

La Checa, el servicio soviético de inteligencia política y militar, llevó a cabo una de las más brillantes misiones de infiltración en una organización disidente de entre las que se tiene constancia: la Operación Confianza.

Creada a finales de 1917 por Félix Dzerzhinski, un revolucionario comunista polaco, la Checa estaba dotada de un poder prácticamente ilimitado y su misión era combatir los movimientos contrarios a la Revolución o que se desviaran de la doctrina oficial. El nombre por el que era conocida procedía de las iniciales rusas de las dos primeras palabras de su denominación completa, Comisión Extraordinaria Panrusa para la Lucha contra la Contrarrevolución y el Sabotaje.

A principios de la década de 1920, un grupo numeroso de disidentes rusos había creado la Asociación Monárquica de Rusia Central (MOTsR, por sus siglas en ruso) con el propósito de penetrar en los estamentos del nuevo gobierno bolchevique, actuar desde su interior para acabar con él y restaurar la dinastía Romanov. Para 1925, esta asociación se había convertido en el imán que atraía a la mayor parte de los disidentes rusos, y a la que mostraban su apoyo los exiliados zaristas y los gobiernos europeos contrarios al régimen recién instalado en Moscú.

Pero, en realidad, la MOTsR había sido una invención de la Checa para aglutinar y controlar al mayor número posible de opositores al gobierno bolchevique. La motivación para su creación fue que la cúpula de los sóviets, encabezada por Lenin, se había percatado en 1921 de que su poder no se podría consolidar mientras siguiera existiendo la amenaza que representaba el casi medio millón de partidarios del anterior régimen que deseaban revertir el proceso revolucionario, en algunos casos con la connivencia de los servicios de inteligencia extranjeros.

Mediante la paulatina infiltración de agentes soviéticos en la MOTsR, junto con acciones de coacción y persuasión encaminadas a convencer a los principales dirigentes para que se pasaran a las filas bolcheviques, en poco tiempo este grupo disidente estuvo controlado por la Checa, un control que permitió a Moscú irse deshaciendo de los líderes opositores más beligerantes, así como de algunos agentes de los servicios de inteligencia extranjeros que colaboraban con esta asociación monárquica.

Para cuando algunos empezaron a sospechar que la MOTsR podría estar infiltrada, como supusieron los polacos al comprobar que parte de la información proporcionada por sus miembros era falsa, la inteligencia bolchevique había logrado recabar datos clave sobre la organización, los integrantes de la disidencia y distintos agentes de los servicios secretos adversarios.

La Operación Confianza resultó plenamente exitosa, pues consiguió acabar con los enemigos de la recién nacida Unión Soviética y contribuyó en gran medida a garantizar su continuidad como régimen.

SEMBRAR CIZAÑA MEDIANTE EL CORREO POSTAL

Entre 1944 y 1945, en plena Segunda Guerra Mundial, la Oficina de Servicios Estratégicos (OSS) de Estados Unidos, la antecesora de la CIA, efectuó la llamada Operación Copos de Maíz *(Cornflakes)* con la misión de desmoralizar a la población alemana. La estratagema consistía en enviar falsas cartas a los alemanes en las que se incluía propaganda contra el régimen de Hitler, de ahí el nombre de la operación, pues en Alemania el correo se repartía a la hora del desayuno. Aprovechando operaciones de ataque aéreo a trenes que contaran con vagones dedicados al servicio postal, otros aviones dejaban caer en las inmediaciones de los restos sacas de correos llenas de cartas falsas, con el propósito de que luego fueran recogidas y distribuidas como auténticas.

Con este fin, la OSS procedió a recabar información de los prisioneros nazis con experiencia en el funcionamiento del servicio postal germano. Con los datos proporcionados por estos, unidos a los facilitados por exiliados y por la guía telefónica alemana, los agentes estadounidenses fueron capaces de identificar dos millones de direcciones de residentes en Alemania. Para conseguir los efectos propagandísticos y psicológicos, se incluía material subversivo dentro de los sobres, mientras que, en el exterior, los sellos eran una réplica de los oficiales en los que se había desfigurado la cara de Hitler —que aparecía en forma de calavera— y se había cambiado la leyenda de «Imperio alemán» por «Imperio arruinado».

El resultado fue bastante deficiente. A esas alturas de la guerra, en algunas partes del país el servicio de correos funcionaba irregularmente. Además, muchos alemanes habían tenido que abandonar sus lugares habituales de residencia sin dejar una dirección donde poder localizarlos, y la mayoría de los que recibían las cartas las destruían sin abrirlas al no llevar remitente, fuera por lealtad al gobierno de Berlín o por temor a las consecuencias. Además, ciertos errores ortográficos en los sobres alertaron a los empleados alemanes de correos, lo que permitió al servicio de inteligencia germano abortar definitivamente la operación.

LA ACTUACIÓN DE LA CIA EN SIRIA

Según un documento secreto de la CIA fechado el 14 de septiembre de 1983,[54] la agencia de inteligencia estadounidense estuvo maniobrando en el marco de la guerra Irán-Irak para actuar contra el régimen sirio de Al Asad. El motivo era que Siria representaba una amenaza para los intereses de Estados Unidos tanto en Líbano como en el Golfo, especialmente por

54. Desclasificado el 27 de mayo de 2008, con el código CIA-RDP88B0 0443R001404090133-0. En <https://es.scribd.com/document/344768700/CIA -Syria-Pipelines#from_embed>.

ser un tapón al oleoducto iraquí,[55] necesario para reducir la presión económica sobre Bagdad y así forzar a Irán para que pusiera fin a la guerra. Con el fin de aumentar las coacciones contra Al Asad, se orquestaron simultáneas amenazas militares encubiertas desde tres Estados fronterizos: Irak, Israel y Turquía.

El mismo documento muestra que se aprovecharía el malestar de Turquía con Siria por el apoyo que Damasco daba al terrorismo armenio, a los kurdos iraquíes en las zonas fronterizas con el Kurdistán turco y a los terroristas turcos que operaban en el norte de Siria, lo que con frecuencia había hecho que Ankara se planteara lanzar acciones militares unilaterales contra los campos terroristas del norte sirio.

Más adelante se detalla que Siria interfería directamente en los intereses de Estados Unidos en Oriente Medio, debido a que el rechazo sirio a retirar sus fuerzas de Líbano hacía que Israel ocupara el sur de este país y a que el cierre del oleoducto iraquí-sirio era el factor principal que había llevado a Irak al desastre financiero, impulsando una peligrosa internacionalización de la guerra en el Golfo.

El informe añadía que si deseaba tener un papel en Siria, y dado que las iniciativas diplomáticas habían fracasado con Al Asad, Estados Unidos debía necesariamente conseguirlo mediante una amenaza creíble y vital para la posición y el poder del dirigente sirio, y esta debía ser principalmente militar.

En otro documento secreto también de la CIA con fecha 30 de julio de 1986, elaborado por el Centro de Subversión e Inestabilidad Extranjera y titulado *Siria: escenarios para un dramático cambio político*, se presentaban diferentes escenarios para expulsar del poder al presidente Al Asad y conseguir otros

55.   Este oleoducto de 800 km de longitud, construido por los soviéticos e inaugurado en abril de 1952, comienza en los campos petrolíferos iraquíes de Kirkuk y desemboca en la costa siria, concretamente en Baniyas. Fue de los primeros objetivos bombardeados por Estados Unidos durante la invasión de Irak en 2003, para privar así a Sadam de una importante fuente de ingresos.

cambios radicales en el país.[56] En él ya se preveía que una excesiva reacción del gobierno ante actos menores de la disidencia suní podría desencadenar disturbios importantes y hasta degenerar en una guerra civil. También intuía que la continuación del dominio alauí de Siria, país considerado como la pieza central de la influencia de Moscú en Oriente Medio, era beneficiosa para los intereses soviéticos. Sin embargo, si la mayoría suní llegara a hacerse con el control político, la posición de la URSS se vería muy perjudicada por el apoyo que prestaba al gobierno alauí. Hay que destacar muy especialmente que el documento señala que la presencia de un gobierno débil en Damasco podría significar que Siria se convirtiera en base para el terrorismo. En cuanto a los intereses de Estados Unidos en Siria, se indicaba que Washington preferiría un gobierno dirigido por suníes y que estuviera interesado en asegurar la ayuda y la inversión occidental, además de que probablemente estaría menos inclinado a incrementar la tensión con Israel.

El informe de 1986 finalizaba alertando del posible riesgo de que los fundamentalistas suníes se hicieran con el poder, pudiendo llegar a establecer una república islámica que incrementaría la hostilidad hacia Israel y proporcionaría apoyo y santuario a grupos terroristas, lo que sigue teniendo validez en el momento actual.

ESTADOS UNIDOS SIGUIÓ INTENTANDO UN CAMBIO DE RÉGIMEN EN SIRIA DURANTE AÑOS

En el mensaje —desvelado por WikiLeaks—[57] procedente de la Sección 1 de la embajada estadounidense en Damasco y dirigido, entre otros, a la Secretaría de Estado y al Consejo de Seguri-

56. Desclasificado parcialmente y editado, fue dado a conocer el 8 de diciembre de 2011, con el código CIA-RDP86T01017R00010077000 1-5. En <https://www.cia.gov/library/readingroom/docs/CIA-RDP86T01017R000 100770001-5.pdf>.

57. <https://www.wikileaks.org/plus/cables/06DAMASCVS5399 _a.html>.

dad Nacional de Estados Unidos, fechado el 13 de diciembre de 2006, con código de identificación 06DAMASCUS5399_a y clasificado «secreto», se consideraba a Siria como un país económicamente estable y con una débil oposición interna al gobierno. No obstante, se hacía mención de una serie de vulnerabilidades que podían ser convenientemente explotadas, como el temor de los suníes a la influencia de Irán en el país, pues se estimaba que los iraníes eran muy activos tanto en la captación de chiíes como en la conversión de los suníes más pobres, además de extender su influencia mediante numerosas actividades que iban desde la construcción de mezquitas a negocios. También se valoraba como vulnerabilidad explotable la situación de los kurdos, concentrados en el noreste de Siria, así como en Damasco y Alepo.

Se mencionaba también otra vulnerabilidad: el aumento de extremistas que usaban Siria como base, a pesar de las acciones adoptadas por el gobierno sirio contra grupos relacionados con Al Qaeda. Pero curiosamente se aconsejaba dejar al margen a los islamistas contrarios al régimen por la dificultad de saber a ciencia cierta el peligro concreto que tales grupos representaban para Siria, si bien no se dudaba de que a largo plazo se convertirían en una importante amenaza.

El mensaje finalizaba aconsejando sacar provecho de las mencionadas vulnerabilidades y convertirlas en oportunidades para interrumpir la adopción de decisiones del gobierno, mantenerlo desequilibrado y hacerle pagar por sus errores.

Pero este no será ni mucho menos el último intento estadounidense para acabar con Al Asad. Dentro de los «Archivos Clinton» desvelados por WikiLeaks en 2016 hay un correo electrónico del Departamento de Estado norteamericano, cuando Hillary Clinton era Secretaria de Estado, fechado el 31 de diciembre de 2012 y de autoría desconocida, en el que se detallan algunos de los aspectos de la estrategia estadounidense para expulsar del poder a Al Asad, con la finalidad inmediata de beneficiar la seguridad de Israel, dada la estrecha relación entre el régimen sirio y un Irán considerado como la principal amenaza para Tel Aviv. Así lo atestigua el documento, que comienza diciendo que «el mejor modo de ayudar a Israel a gestionar la creciente capacidad nuclear de Irán es ayudar al pueblo de Siria a acabar con el régimen de Bashar al Asad».

Preocupaba al Departamento de Estado la perspectiva de que Irán se dotase de armas nucleares, pues no solo pondría fin al monopolio nuclear israelí en Oriente Medio «sino que también podría impulsar a otros adversarios, como Arabia Saudí y Egipto, a igualmente ser nucleares», al tiempo que Teherán podría tener la tentación de hacer «un llamamiento a sus aliados en Siria y Hezbolá para atacar Israel», dado que Irán sabría que su armamento nuclear disuadiría a Israel de responder contra él. Por esto, estimaba que «derribar a Al Asad no solo incrementaría notablemente la seguridad de Israel, sino que también reduciría el comprensible temor de Israel a perder su monopolio nuclear».

En el mismo correo se hace un resumen: «La Casa Blanca puede reducir la tensión que se ha creado entre Israel e Irán si hace lo correcto en Siria». Finaliza el documento exponiendo que, dado que el régimen sirio no iba a aceptar una solución diplomática impuesta desde el exterior, «con su vida y su familia en peligro, solo la amenaza o el uso de la fuerza cambiará la postura del dictador sirio Bashar al Asad».

El plan consistiría no en efectuar un «ataque directo», sino en acciones llevadas a cabo por terceros, los llamados «*proxies*». Para ello, la idea era «trabajar conjuntamente con aliados regionales como Turquía, Arabia Saudí y Qatar para organizar, entrenar y armar a las fuerzas rebeldes sirias». En este marco, ciertos informes apuntan a que la CIA y el MI6 habrían llevado armas y municiones desde Libia a Siria, con financiación turca, saudí y catarí, entre otras acciones. Así mismo, en el mensaje se proponía formar una coalición internacional para efectuar operaciones aéreas, que se crearía al margen de las Naciones Unidas para evitar el veto de Rusia.

Estados Unidos crea una red social subversiva en Cuba

Una de las últimas estratagemas empleadas por la Casa Blanca para intentar desestabilizar la Cuba castrista consistió en poner en marcha una especie de red social con la finalidad de promover entre la juventud cubana protestas contra el régimen de La Habana. Para ello, en 2009 se encargó a la Agencia de los Estados Unidos para el Desarrollo Internacional (USAID, por sus siglas en inglés) la creación de una red social llamada ZunZuneo.

El primer paso fue conseguir los datos de medio millón de ciudadanos cubanos seleccionados como objetivos apropiados, de lo que se encargó una empresa vinculada al gobierno norteamericano. Para mantener la mascarada, sus responsables enviaban a quienes se registraban mensajes sobre fútbol o información meteorológica, temas banales y atractivos para los jóvenes. Con la finalidad de confundir a las autoridades de la isla caribeña, Washington financió la operación a través de cuentas en entidades extranjeras y de dos sociedades instrumentales, una afincada en España y otra en las islas Caimán. Además empleó fondos de una partida destinada a un proyecto solidario en Pakistán para así sortear la ley sobre operaciones encubiertas que obliga a que sean notificadas al Congreso.

Los gestores de la red social lanzaron una campaña de promoción y llegaron a diseñar anuncios falsos para que ZunZuneo pareciera un proyecto comercial. Enseguida ganó fama entre los jóvenes cubanos, deseosos de entrar en este seductor mundo digital, logrando en poco tiempo decenas de miles de usuarios. Pero quienes la usaban no eran conscientes de que el gobierno estadounidense almacenaba sus datos personales sin su consentimiento y con total impunidad. De este modo, expertos en inteligencia analizaban el género y la edad de sus usuarios y los dividían en cinco categorías según su relación con el régimen.

La red social llegó a tener cuarenta mil usuarios y comenzó a despertar las sospechas del régimen castrista, que intentó acceder a los mensajes en repetidas ocasiones. Finalmente, ante la desconfianza del gobierno cubano, sus responsables la cerraron en septiembre de 2012.

El historiador brasileño Luiz Alberto Moniz Bandeira, especialista en política exterior y relaciones internacionales, ofrece un singular análisis de cómo Washington intenta imponer su voluntad a los países opuestos a sus intereses.[58] Las irrefrenables ansias de dominio mundial de Estados Unidos, que implican impedir por todos los medios el surgimiento de fuerzas opositoras, hacen que cualquier país —con independencia de la filiación política de su gobierno— contrario a los intereses nacionales norteamericanos, deba ser neutralizado a toda costa, sea en Europa, América o cualquier otra parte del planeta, con el propósito de someterlo nuevamente a los postulados estadounidenses.

Esta política correctora impuesta a los gobernantes que osen salir de la línea marcada por la Casa Blanca es probablemente más enérgica que nunca, pues, como indica Moniz, las potencias hegemónicas son más peligrosas cuando su poder declina que cuando están en fase expansiva.

Para llevar a cabo la maniobra de redirigir a un país «descarriado», Washington emplea sus servicios de inteligencia y sus campañas de guerra psicológica, además de oenegés y fundaciones, para desestabilizar y derribar a gobiernos que se han atrevido a hacerle frente. Entre los muchos mecanismos utilizados, se aprovechan y magnifican los descontentos internos que existen en todos los países para generar desestabilización y caos. De ser posible, dando la impresión de que son movimientos espontáneos y bienintencionados, de modo que no se genere el rechazo propio de pensar que podrían estar manipulados desde el exterior. Si finalmente se consigue el cambio de gobierno y más si, de no mediar un golpe de Estado clásico,

58. En su libro *A desordem mundial*, publicado en 2016, y en entrevistas concedidas a diferentes medios, como las disponibles en <http://www.amersur.org/politica-internacional/moniz-bandeira-estados-unidos> y <http://operamundi.uol.com.br/dialogosdosul/moniz-bandeira-o-estado-brasileiro-parece-desint egrar-se/12112016>.

se ofrece la imagen de que ha sido una solicitud popular al amparo de los principios democráticos, el éxito se habrá conseguido. Con la finalidad de subvertir el orden establecido, se hace abundante uso de los medios de comunicación, internet y las redes sociales, manipulando a la opinión pública, diseñando y canalizando los sentimientos de revancha o simplemente los deseos de mejora, y dirigiendo manifestaciones populares contrarias al gobierno al que se desea expulsar.

Moniz afirma que Estados Unidos emplea oficialmente el término «desafío político» para derribar a un gobierno adverso y tomar el control de sus instituciones. Esta estrategia, basada en las doctrinas del politólogo Gene Sharp y de un coronel de la Escuela Militar Conjunta de Agregados Militares, consiste en la planificación de operaciones y en la movilización popular para atacar a las fuentes de poder de los países hostiles y contrarios a los intereses de Washington. Visto así, más de un país podría estar padeciendo ahora mismo este «desafío político».

LA LENGUA COMO INSTRUMENTO DE DISCORDIA

El idioma es un instrumento que se ha empleado a menudo para sembrar la desavenencia, bien sea en el marco de un proceso nacionalista-separatista o como arma de guerra. En los territorios surgidos de la antigua Yugoslavia, por ejemplo, se manipuló el serbocroata —el idioma oficial hasta ese momento— para convertirlo en variantes modificadas, de forma que cada una de ellas fuese hablada en las tres diferentes partes en que Bosnia quedó dividida. De este modo, la variedad lingüística, un elemento que debería enriquecer las sociedades, se transforma en un útil de manipulación por políticos sin escrúpulos y ansiosos de poder.

La riqueza de la diversidad lingüística puede mutar en un enfrentamiento con tendencias excluyentes, que en no pocas ocasiones ha degenerado en episodios de violencia, convirtiéndose fácilmente en una espiral de la que no es sencillo salir sin la derrota completa de la parte más débil, como la Historia tantas veces ha demostrado. Y es que la lengua tiene un componente aglutinador o separador que puede llegar a ser más fuerte incluso que la raza o la religión.

Cizaña ciberespacial

Entre las funciones perversas para las que se emplea el ciberespacio está la de conseguir influir psicológicamente en el adversario —e incluso en los teóricamente aliados—, provocando sensaciones, difundiendo narrativas y afectando a sus mentes. El propósito último es doblegar a las poblaciones y conseguir su fidelidad, de modo que sean ellas las que fuercen a sus gobiernos en la dirección apetecida, llegando incluso a quebrar sus principios y valores.

Es lo que el coronel Ángel Gómez de Ágreda, un referente europeo en análisis geopolítico, denomina «operaciones basadas en afectos». Las operaciones ya no persiguen solo efectos militares o cinéticos, como hasta ahora, sino que principalmente están dirigidas a atacar las mentes. La realidad actual lleva a la certeza de que la mente de las poblaciones se ha convertido en el centro de la gravedad, allí donde está la capacidad de decisión, la voluntad de vencer, la moral, que se puede reforzar o quebrar mediante operaciones de información y guerra psicológica. En definitiva, hoy en día se buscan más los efectos psíquicos que los físicos, pues el poder de una imagen es más fuerte que la más potente de las divisiones acorazadas. Y para tales fines, el ciberespacio se ha convertido en el moderno campo de batalla, en el privilegiado teatro de operaciones.

El espionaje ruso es el maestro de la desinformación

El 30 de marzo de 2017, Thomas Rid presentó un informe al comité de inteligencia del Senado estadounidense sobre las operaciones de información (medidas activas de desinformación y campañas de influencia) que Rusia estaría llevando a cabo en el país.[59] Para este profesor de estudios de seguridad del King's College de Londres, estas medidas activas son operaciones de inteligencia semiencubiertas o encubiertas dirigidas a moldear las decisiones políticas del adversario. Según su criterio, la fuente se encubre o disimula prácticamente siempre, para lo cual los agentes de inteligencia tratan de ocultarse tras el anonimato o detrás de falsas banderas. Así mismo, también se difunde contenido total o parcialmente falso.

Por otro lado, y en consonancia con lo comentado en apartados anteriores, una descripción de lo que se persigue con la desinformación, en cuanto a disciplina de la inteligencia, la ofrece el coronel Rolf Wagenbreth, quien durante una veintena de años fue jefe del Departamento X de Medidas Activas de la Stasi, en la desaparecida Alemania Oriental, y por tanto considerado como uno de los grandes maestros de estos procedimientos: «Un adversario poderoso solo puede ser derrotado mediante un esfuerzo sofisticado, metódico, cuidadoso y astuto que permita explotar hasta sus menores debilidades y las de sus élites». En esta misma línea, Rid viene a decir que está comprobado que la forma más eficaz de aplicar medidas activas es utilizar las fragilidades del adversario en su contra, agrandando flaquezas ya existentes, con la idea de que cuanto más polarizada está una sociedad, más vulnerable es.

Los servicios de inteligencia de Rusia fueron los pioneros de la desinformación —*dezinformatsiya*, en ruso— desde principios del siglo XX, siendo especialmente activos en este campo a partir de mediada la década de 1960, cuando las medidas activas se convirtieron en procedimiento habitual y se las dotó de abundan-

59. Titulado *Desinformación. Guía sobre las medidas activas y campañas de influencia rusas*, puede consultarse en <https://www.intelligence.senate.gov/sites/default/files/documents/os-trid-033017.pdf>. En la misma fecha, ante ese comité se presentó otro informe, *Medidas activas y campañas de influencia rusas*, escrito por Eugene B. Rumer, director del programa Rusia y Eurasia del Carnegie Endowment for International Peace, con similares conclusiones a las aportadas por Rid. El informe de Rumer está disponible en <http://carnegieendowment.org/2017/03/30/russian-active-measures-and-influence-campaigns-pub-68438>.

tes recursos. Tanto es así que durante la Guerra Fría los soviéticos realizaron más de diez mil operaciones de desinformación.

Según Rid, la primera campaña de ciberespionaje a gran escala entre Estados comenzó con el ataque *Moonlight Maze* —así lo llamó el gobierno estadounidense— a finales de 1998. Esta situación se ha vuelto aún más tensa en los últimos años, pues las campañas rusas de espionaje digital son la norma. Desde 2015, y de forma creciente, los procedimientos se han adaptado al nuevo escenario tecnológico, de modo que los agentes de inteligencia rusos comenzaron a combinar tanto el espionaje digital con las medidas activas, es decir, hackeando y filtrando información. En mayo y junio de 2015 tuvo lugar la primera operación de desinformación conocida públicamente, llamada «Cables saudíes», que sirvió para experimentar una táctica innovadora: hackear un objetivo, extraer material comprometedor, crear una página web específica de filtración bajo una falsa bandera y, finalmente, proporcionar los documentos a WikiLeaks para disimular y proceder a su amplia distribución.

EL ÁRBOL QUE NO DEJA VER EL BOSQUE

La conclusión a la que se puede llegar es que todas las grandes potencias, e incluso algunas medianas, nos intentan manipular constantemente, de forma más o menos encubierta. No podemos confiar en ninguna información, aunque la intentemos contrastar con otras fuentes, pues la contaminación informativa es cada vez más amplia, mejor disimulada y más generalizada.

Además, se nos ciega con el debate de quién ha podido hackear y filtrar la información, para que no nos fijemos en el contenido de los documentos desvelados. Ese contenido debería ser lo más importante y preocupante, ya que, en general, esos documentos proporcionan datos realmente escabrosos sobre los intereses reales y las manipulaciones generalizadas llevadas a cabo por los líderes políticos, incluso por aquellos que más presumen de aperturistas, transparentes, progresistas, liberales y preocupados por el bienestar de la humanidad.

EL FERVOR RELIGIOSO

> ¿Cómo se puede tener orden en un
> Estado sin religión? La religión es un
> formidable medio para tener quieta
> a la gente.
>
> NAPOLEÓN BONAPARTE

La especie humana posee de manera innata un componente con un elevado nivel de carga metafísica que ha sido objeto de manipulaciones perversas en innumerables ocasiones a lo largo de los siglos. Goebbels, un personaje macabro pero eficaz conocedor de los arcanos de la manipulación, era consciente de la trascendencia del aspecto metafísico como factor de influencia geopolítica: «La vegetativa tendencia a lo místico hay que reconocer que existe. No servirnos de ello sería una necedad».

A finales del siglo XIX, el sociólogo francés Gustave Le Bon realizó importantes estudios sobre el comportamiento de las masas humanas y estableció que, al actuar en grupo, el individuo perdía el nivel intelectual pero, por el contrario, su faceta emocional o pasional experimentaba un notable incremento, tendiendo la psique colectiva a la generalización o a pensar en términos puramente simbólicos. Por ello, no es de extrañar que la persona o personas que, por interés, verdadera convicción o la suma de ambos factores, pueden excitar, exacerbar o inflamar los sentimientos primarios del ser humano —pasión, amor, odio, adhesión, devoción, temor, curiosidad, etc.— tienen y han tenido desde la noche de los tiempos una enorme influencia sobre un gran porcentaje de la población. Y entre estos sentimientos se encuentra, como no podría ser de otra manera, el fervor religioso.

Detrás de las guerras de religión siempre ha habido, desde los tiempos más lejanos de la Historia, luchas por el poder político o económico, y los dirigentes han utilizado esta estrategia del fervor religioso para motivar a los que tienen que conseguir o facilitar sus fines. Es decir, la religión nunca ha sido exclusivamente la razón principal, sino más bien la excusa. Como dice Kissinger, la religión se «arma» al servicio de fines geopolíticos.

La manipulación de las religiones por intereses geopolíticos no es algo nuevo. Desde la época de los romanos, pasando por las Cruzadas y hasta llegar al actual contexto yihadista, la religión ha servido para emprender acciones contra otros Estados o grupos que interferían en intereses políticos y/o económicos. Eso incluye la guerra camuflada de tarea mística, a la que las religiones mayoritarias han acudido sin excepción. Recordemos que la leyenda del Grial, aparecida por primera vez en 1180 en el inacabado *El cuento del Grial* de Chrétien de Troyes, fue empleada como instrumento propagandístico para incitar a los cristianos europeos a reconquistar el territorio ocupado por los infieles musulmanes. Además, la religión también ha servido de refugio para todo tipo de cinismos, abusos e hipocresías (según dice el refrán castizo, «de dinero y santidad, la mitad de la mitad»). Como muestra, en el siglo XVI, con ocasión de la Reforma protestante, fueron muchos los señores feudales que se convirtieron al protestantismo con la única finalidad de hacerse con las propiedades de la Iglesia católica.

Durante la Primera Guerra Mundial, el principal líder religioso otomano declaró la yihad (guerra santa),[60] acusando a Rusia, Francia y Gran Bretaña de ataques emprendidos contra el califato con el propósito de aniquilar el islam. Proclamó el deber religioso de los mahometanos de todos los países —incluidos los que se encontraban bajo administración británica, francesa o rusa— de acudir presurosos con sus cuerpos y sus posesiones a la yihad. Y precisamente lo hacía un Imperio otomano que, presentándose como el líder de un mundo musulmán unificado, se había expandido en todas direcciones mediante conflictos bélicos disfrazados de guerras santas.

60. En árabe, la palabra *yihad* es de género masculino. El error de considerarla de género femenino, tan ampliamente difundido que incluso la Real Academia Española ya lo considera correcto, proviene de asociar yihad con «guerra santa». A los efectos de este libro, cuando se hable de la yihad, en femenino, se estará haciendo referencia precisamente a esa idea de guerra santa.

En ocasiones, la religión y la geopolítica se fusionan en una dimensión sagrada, como sucede cuando un pueblo se considera el elegido. Hoy ocurre con Estados Unidos y su visión mesiánica. En los albores de este milenio se difundió la noticia de que el cuadragésimo tercer presidente de los Estados Unidos, George W. Bush, había tomado la decisión de intervenir militarmente a gran escala en Afganistán y más tarde en Irak por una orden proveniente nada más y nada menos que de Dios, según declaró el antiguo ministro de Exteriores palestino Nabil Shaath. Aunque la posición de Bush no debería extrañar, pues, como asegura Pierre M. Gallois, el general Dwight D. Eisenhower declaró en 1953 que el Destino había dado a Estados Unidos la responsabilidad de dirigir el mundo.

Los líderes utilizan códigos religioso-políticos para incitar a la movilización de la población, unas estratagemas bastante efectivas. Maquiavelo destacaba la importancia de conservar en las tropas el temor y el respeto a la religión, pues de este modo se mostraban más obedientes al quedar amenazadas no solo con los castigos que pudieran imponerles los hombres, sino también con los de los dioses. Marenches opina que un combatiente individual motivado constituye el mejor sistema de armas, y nada genera más motivación que el fanatismo religioso. En el fondo subyace la idea de que el poder eterno está del lado de quien no tiene miedo a morir. Así lo entienden los actuales grupos salafistas-yihadistas, que animan e impulsan a sus seguidores a la guerra contra el infiel e impío, por más que su ambición geopolítica esté limitada a unos objetivos vagos y de muy difícil realización. No hay que perder de vista que el discurso de los yihadistas es el mismo que defendían los templarios cristianos en la época de las Cruzadas: matar al infiel «porque Dios lo quiere», alcanzar el paraíso y el perdón de los pecados al morir combatiendo contra el infiel, reconquistar los lugares sagrados, etcétera.

Por otro lado, aunque ha aumentado en los últimos años, el sectarismo no es la causa principal de las divisiones en Medio Oriente, y nunca lo ha sido. Por ejemplo, el de Yemen no es un conflicto religioso *per se*, si bien la diferencia religiosa suní-chií se utiliza para justificar los apoyos y la intervención externa al estar chocando los intereses geopolíticos y las aspiraciones al liderazgo de dos potencias regionales: Arabia Saudí e Irán.

La yihad como impulsora del combate

> La religión no es más que un reflejo fantástico, en las cabezas de los hombres, de los poderes externos que dominan su existencia cotidiana. Un reflejo en el cual las fuerzas terrenas cobran forma de supraterrenas.
>
> Friedrich Engels

Un hadiz atribuido al profeta Mahoma y pronunciado tras su regreso a Medina después de la batalla de Badr (624) decía: «Hemos vuelto del pequeño yihad al gran yihad», *en referencia al combate interno para la purificación del ego.* La palabra árabe *yihad* significa literalmente «esfuerzo», y en la tradición islámica ha tenido una doble acepción, religiosa y militar, en el sentido de lucha contra las bajas pasiones, como la ira o la soberbia, y de defensa contra las agresiones externas. Este doble significado se vio superado en la Edad Media, cuando se establecieron distintos tipos de yihad en función de diferentes interpretaciones de los dichos de Mahoma: el del corazón, vaciándolo de cualquier sentimiento que se oponga a reflejar las enseñanzas de Alá; el de la lengua, legislando y opinando justamente, huyendo de la murmuración para evitar conflictos innecesarios; el de la mano, poniendo en práctica medidas coercitivas para evitar la comisión de actos sancionables; el del dinero, contribuyendo económicamente al beneficio de la comunidad y al socorro a los más necesitados; el de la predicación, transmitiendo de forma pacífica las enseñanzas del islam; y el de la espada, enmarcando en este concepto toda clase de acciones armadas destinadas a garantizar la propia existencia del islam y a proteger sus tierras cuando fuesen atacadas.

Es precisamente este último concepto el más controvertido de todos, ya que, debido a interpretaciones interesadas, ha servido como acicate para la ejecución de una serie de políticas de conquistas y para que el yihad despertase connotaciones similares al término «guerra santa», empleado en Occidente con el fin de amparar las Cruzadas en su propósito de recuperar Tierra Santa y, en España, la recuperación para la cristiandad de las tierras arrebatadas por los sarracenos.

Una vez fallecido Mahoma en el año 632, los califas que lo sucedieron enarbolaron la yihad como factor de cohesión de los distintos grupos tribales. Encontraron en esta práctica, arropada en sentimientos religiosos, una forma de canalizar la agresividad de las tribus, cuyas tropas —al sentirse implicadas en una guerra santa— se convertían en muyahidines, combatientes de la yihad. Además, este fervor religioso tenía también una faceta práctica, ya que la expansión de la fe les permitía al mismo tiempo sanear su economía mediante el reparto del botín alcanzado en la conquista. Todo ello, unido al respeto de los bienes inmuebles de los conquistados y a la tolerancia para con las otras religiones monoteístas mediante el pago de un impuesto, hicieron que la nueva doctrina se expansionase rápidamente por diversos lugares.

La yihad ha sido invocada en multitud de ocasiones a lo largo de la historia. A finales del siglo XIX, mientras Rusia aprovechaba la existencia de una identidad cristiana común con el pueblo armenio para tratar de enfrentarla a los turcos, los otomanos utilizaron los sentimientos de solidaridad de los musulmanes para lanzar una yihad contra Rusia. En los inicios de la Primera Guerra Mundial, el sultán otomano declaró la yihad a los Aliados, con la finalidad de provocar el levantamiento en las poblaciones musulmanas de las colonias francesas del norte de África, las británicas de India y Egipto, y las rusas del Cáucaso y Asia Central.

En el escenario africano también ha sido habitual que los dirigentes de turno declararan la yihad con la materialista finalidad de dominar los pasos obligados en el desierto y el tráfico de mercancías, pero consiguiendo una motivación extraordinaria de sus combatientes, que creían hacerlo en beneficio de su fe. Así lo hizo el califato de Sokoto o Imperio fulani, fundado en 1809 durante la yihad fulani. Igualmente, durante la primera rebelión tuareg (1916-1917), se declaró una yihad contra los franceses cuyo verdadero motivo era conseguir expulsar al invasor extranjero.

También se intentó hacer un llamamiento a la yihad durante la guerra de Bosnia, con pobre resultado, pues el grado de convocatoria fue muy inferior a las expectativas, y en ningún caso fue ni mucho menos mundial. El último en declarar la yihad global ha sido el autodenominado Estado Islámico, en sus escenarios de Siria e Irak, pero, a pesar de haber logrado atraer a miles de combatientes a sus filas, tampoco ha tenido el éxito que este grupo esperaba.

CÓMO SE CREA UNA YIHAD

> Morir por una religión es más simple
> que vivirla con plenitud.
>
> JORGE LUIS BORGES

Desde que Mahoma comenzó su Hégira, su marcha desde La Meca a Medina en el año 622, la yihad combativa en defensa del islam ha sido conformada como una estructura basada en seis grupos de personas diferenciados pero que actúan al unísono: los dirigentes, los religiosos, la intelectualidad, la burguesía pía, los desfavorecidos y los fanáticos.

Si se hace un símil con la construcción de un edificio, los dirigentes son aquellos que tienen la idea, los promotores de la obra. Dentro del grupo de los religiosos, los imanes se encargan de difundir las ideas, convirtiéndose en la argamasa, el nexo de unión entre los poderosos y los obreros, en los agentes de publicidad de la edificación. Los ulemas son aquellos que deciden qué se ajusta a la religión, comparables a los responsables del control de calidad. Los intelectuales dan forma y consistencia a las ideas, ampliándolas y haciéndolas comprensibles para la gente sencilla, son los arquitectos de la construcción. Para que el edificio tenga solidez, los burgueses aportan el dinero, representando la figura del constructor. Por su parte, los desfavorecidos construyen la yihad, a modo de peones y albañiles. Finalmente, los fanáticos, convertidos en los soldados guardianes de la edificación, serán los que se encarguen de las acciones más agresivas.

La yihad persigue una revolución social y política, un cambio en el modelo de sociedad, en la que política y religión se fundan en un todo. Este proceso de islamizar y radicalizar la sociedad ha sido un mecanismo habitual en el mundo musulmán para alcanzar el poder o mantenerse en él, no dudando en recurrir a acciones militares, internas y/o de conquista, cuando se han considerado precisas. La idea no es ni mucho menos nueva, pues la primera reglamentación de la yihad como guerra contra los infieles, definidos estos como todos aquellos que se oponen al proyecto fundamentalista-integrista, la llevó a cabo Al Shaybani en el siglo VIII y fue desarrollada por Averroes, en su tratado *Yihad*, en 1168.

De un modo más detallado, el proceso comienza cuando las clases dirigentes, motivadas por fundamentos religiosos e históricos, unidos a aspiraciones político-nacionalistas, geopolíticas y económicas, adoptan la decisión de utilizar al resto de las capas sociales para conseguir sus fines, declarando para ello la yihad. En ocasiones, estos líderes políticos también pueden estar influidos y manipulados desde el exterior por otras potencias u organizaciones.

En este proceso, los imanes y los ulemas desempeñan un papel fundamental. Con la prédica de un islam rigorista, sea por convencimiento o por complacer a la clase dirigente, difunden las ideas radicales entre el pueblo. Concretamente, los imanes, como conductores de la oración, serán los principales encargados de esa difusión. Mientras, los ulemas, con su potestad para decidir qué es conforme con el islam y qué no, son los supervisores de la pureza espiritual.

Por su parte, la intelectualidad está integrada por aquellas personas con una sólida preparación, muchas de ellas universitarias, que —a pesar de su formación y sus amplias competencias— no han alcanzado en sus sociedades el reconocimiento sociolaboral acorde a su cualificación y prestigio, por lo que se sienten frustradas. Ante la imposibilidad de movilidad social, la yihad se convierte para ellos en una cuestión de lucha de clases. Nada nuevo, pues Mahoma empleó a los intelectuales para que aprendieran de memoria los mensajes que Alá le transmitía a través del arcángel Gabriel —comenzó a recibirlos en 610, cuando tenía cuarenta años de edad, y no le dejaron de llegar hasta su muerte en 632—y luego los escribieran, ya que él era analfabeto.

Jóvenes dispuestos a llevar a cabo esta tarea no faltan en Oriente Medio y el Magreb. En Túnez, un país con diez millones de habitantes del que han salido unas siete mil personas para unirse a las filas del Estado Islámico en Siria e Irak, se estima que el 40 % de los considerados como yihadistas tienen algún tipo de estudio universitario. La frustración de los jóvenes tunecinos es muy elevada al percibir que no se les ofrece un futuro que compense el esfuerzo realizado para conseguir su formación, por estar los puestos de trabajo copados por las élites o simplemente por no existir estos (las tasas de paro en estos países son de las más elevadas del mundo, llegando al 60 % entre los jóvenes), o bien por cobrar salarios inadecuados. Fue el caso de Mohamed Bouazizi, el joven que se quemó a lo bonzo en diciembre de 2010 en Túnez y que provocó el inicio de las revueltas árabes, al que su capacitación en informática no le permitía dejar de ser un simple vendedor de fruta callejero.

Los que proporcionan los fondos para la obra y el refugio a los obreros son los integrantes de la burguesía pía. Estos individuos cualificados de clase media conservadora, muy motivados ideológicamente —algunos son verdaderos fanáticos—, se encuadran en movimientos islamistas por sentimientos religiosos, impulsados por la inquietud que les generan los efectos de los valores occidentales en su sociedad. Cabe recordar que el Profeta, en sus orígenes, se apoyó en los ricos para protegerse y difundir su mensaje.

La base de la militancia la constituyen los desfavorecidos. Son el cuerpo obrero, los albañiles y los técnicos que dan la forma definitiva al edificio. Individuos desposeídos, sin futuro y que al no tener la protección del Estado son arropados por organizaciones caritativas islámicas (es lo que hacen, por ejemplo, Hamás o Hezbolá, que proporcionan ayuda social, mejor que el Estado, a cambio de proselitismo). Son los peones manipulables, siempre dispuestos a la revolución. La labor de captación está orientada a motivarles para que lleven a cabo la lucha contra la injusticia y la opresión, por el cambio social, un nuevo orden que les sea más propicio, una salida a su vida miserable. Su marginación, o percepción de marginación, los lleva a explorar otras vías con las que dar sentido a su vida, muchas veces descarriada. Así, esta mezcla de lucha de clase, revolución político-social y fervor religioso hace que estén prestos para ser llamados a la acción. Volviendo con Mahoma, en sus inicios difundía su mensaje en La Meca entre los pobres y los esclavos, a los que prometía un nuevo orden social más halagüeño.

Esta situación no se encuentra solo en los países donde la población es mayoritariamente musulmana, pues también existe en los barrios periféricos de algunas grandes ciudades europeas, donde, por más que las ayudas sociales hayan fluido con generosidad, miles de jóvenes se ven a sí mismos como marginados, frustrados, desenganchados de una sociedad que los ha acogido a ellos, a sus padres o a sus abuelos, pero con la cual no se identifican. Son, por tanto, víctimas fáciles de quienes los emplean para fines teóricamente religiosos pero que suelen esconder otras realidades mucho más perversas. En ocasiones son llevados a la vía del salafismo y la radicalización por captadores camuflados en organizaciones financiadas por los países del Golfo, como la Liga Mundial Islámica, la Fundación Caritativa Shaykh Eid y la Sociedad para la Revitalización del Legado Islámico.

Finalmente, quedan los fanáticos. Vehementes y exaltados de toda condición social, como los hay en todas las creencias, totalmente convencidos de la rectitud de su causa por puro fervor religioso. Persuadidos de que deben defender su religión a cualquier precio, con su vida si es preciso, no dudan en lanzarse a todo tipo de aventura, aunque sea un acto suicida, pues para ellos su fe se ha convertido en el aspecto más importante de su existencia. Por más que se mejoren las condiciones socioeconómicas de un país de mayoría musulmana (que no implica necesariamente la implantación de una democracia de corte occidental), siempre habrá fanáticos que persigan meros objetivos religiosos, como volver a un pasado de esplendor o la aplicación en todos los órdenes de la vida humana de una visión extrema y rigorista del islam.

LAS CRUZADAS, LA YIHAD CRISTIANA

> Cuando hay Dios es cuando está todo permitido.
>
> RAFAEL SÁNCHEZ FERLOSIO,
> *Sobre la guerra*

Las cuatro Cruzadas que tuvieron lugar entre los finales de los siglos XI y XIII fueron motivadas por un conjunto de circunstancias religiosas —sin duda principales—, políticas y sociales, así como económicas. Los señores feudales aprovecharon el fervor religioso que impulsaba a miles de personas a unirse para combatir a los infieles y a otros grupos opuestos a los intereses del Papado para intentar abrir nuevas rutas comerciales que posibilitaran el intercambio de mercancías con Oriente (entre ellas, una terrestre con India, que pudiera llegar incluso hasta China), lo que era imposible mientras dichas rutas estuvieran bajo control musulmán. Además de por la fe y las ansias de fama y gloria, los cruzados de a pie también acudían a la llamada de las armas movidos por intereses económicos. Entre ellos destacaba la perspectiva de mejora de su posición social —la mayoría eran de muy baja extracción, aunque en el imaginario esté presente la idea del gran caballero con su armadura— gracias a la fortuna que esperaban conseguir al hacerse con las riquezas y las tierras que les prometían sus reclutadores.

La historia de esta aventura mística-militar comienza como consecuencia de la expansión incesante del islam en sus primeros años de existencia, que había proporcionado a los musulmanes, entre otras cosas, el control de Jerusalén en el año 638. El papa Gregorio VI elucubró una campaña para acudir en auxilio de los cristianos que iban en peregrinación a Tierra

Santa. Una idea que acabó de desarrollar su sucesor Urbano II, aunque a la religiosidad le añadió ciertas dosis de geopolítica, ya que no estaba entre sus planes que la campaña fuese planteada como un apoyo al emperador bizantino, sino que el Papa se reservaba en exclusiva la dirección espiritual de la empresa.

Urbano II, que no llegó a conocer la caída en manos cruzadas de Jerusalén por fallecer dos semanas antes, demostró que una hábil combinación de fervor religioso y tácticas militares daba excelentes resultados. Circunstancia que no pasó desapercibida para un viejo clérigo musulmán de Damasco que, tras ver como Antioquía era tomada por los cruzados, vaticinó que ninguna ciudad de Siria contaba con suficiente fortaleza para resistir el embate de los cristianos. Por ello, entendió que la única fórmula para contrarrestar su poder era crear una fuerza contraria basada en un impulso similar, la lucha a la que todo musulmán tenía la obligación de acudir, la lucha en defensa de los territorios y de los devotos del islam, la yihad.

A lo largo de los años y siglos subsiguientes, en nombre de la fe, cristiana o musulmana, Tierra Santa fue escenario de múltiples conflictos en los que, bajo la bandera de la fe y pese a que los sentimientos religiosos de los implicados fuesen sinceros, se conjugaron intereses tanto espirituales como materiales bajo la forma de la yihad islámica o de la guerra santa cristiana. Se sucedieron una serie de acontecimientos que, aun a riesgo de pecar de reduccionismo, podrían ejemplificarse por ambos bandos en el grito que animó la primera carga de los cruzados en Anatolia: «Mantengámonos todos unidos, confiemos en Cristo y en la victoria de la santa Cruz, y por favor, Señor, danos hoy un buen botín».

Por otro lado, de la combinación de fervor religioso y combate armado surgirían las órdenes religiosas, los muyahidines cristianos. El ejemplo paradigmático de esta militancia activa y espiritual, en toda la extensión del término, lo encarnaron los *Pauperes commilitones Christi Templique Solomonici*, los Pobres Compañeros de Cristo y del Templo de Salomón, los Templarios. Esta nueva orden, a la vez militar y religiosa, necesitaba un corpus ideológico que acabase con las reticencias que pudiese haber entre hombres que decidiesen abrazar la cruz y empuñar la espada en nombre de una religión que, en su fase primigenia, preconizaba una doctrina pacifista. Para salvar ese obstáculo se fue desarrollando el concepto de guerra justa.

En el año 1128, Balduino II, consciente de las ventajas que supondría el empleo en el combate de los ascéticos monjes guerreros, envió a Hugo de Payens a Europa para que reclutase hombres con los que engrosar las filas del Temple y reuniese suministros para Tierra Santa. De Payens, primer maestre de los templarios, defendía que el pecado y la culpa residían, no en el acto propiamente dicho, sino en la intención, y por ello pecaba aquel que quitaba la vida a un enemigo si la acción estaba sustentada por el odio, pero no así el que lo hacía con pureza de ánimo. Por mediación suya, san Bernardo de Claraval, abad de la orden del Císter, escribió entre los años 1126 y 1129 una obra que sería la columna vertebral del ideal de los templarios, el *Elogio de la Nueva Milicia*. En ella, san Bernardo daba las razones para una guerra santa y justificaba la violencia contra los infieles: «El caballero de Cristo mata en conciencia y muere tranquilo. Al morir se salva. Matando actúa por Cristo. Padecer o dar la muerte por Cristo no tiene, por una parte, nada criminal; y, por otra, merece la inmensidad de la gloria. La matanza es preferible a dejar la vara de los pecadores suspendida sobre las cabezas de los justos. Que arrojen fuera de la ciudad del Señor a todos esos productores de iniquidades, a quienes sueñan con arrebatar al pueblo cristiano sus estimables riquezas encerradas en Jerusalén, con mancillar los Santos Lugares y con apoderarse del santuario de Dios».

Con el paso de los siglos, los monjes guerreros fueron cediendo al empuje de los musulmanes, que vieron surgir entre sus filas a líderes imbuidos de un enorme fervor religioso que impulsaba a sus tropas a arrebatar a los «infieles» cristianos tierras que consideraban, en una reinterpretación del ideal cruzado, como pertenecientes al islam. Entre estos destacó en gran medida un kurdo llamado Salah al-Din Yusuf, cuya fama se desparramó tanto por Oriente como por Occidente, donde fue conocido por el nombre de Saladino. Las influencias espirituales más importantes de este líder musulmán provenían de

Nur al-Din, que gobernó Siria durante más de tres décadas y cuyas enseñanzas fueron las responsables de su profundo fervor religioso. Nur al-Din llevaba su religiosidad al extremo, y consideraba que la imitación del Profeta debería aplicarse hasta en los detalles más insignificantes. Su estricta observancia de la fe le sirvió como un eficaz elemento político, ya que con su exagerada devoción se ganaba el aprecio del pueblo llano. Paradójicamente, la fórmula empleada por Nur al-Din no se diferenciaba en demasía de la que empleó Urbano II en 1095 para llamar a recuperar Tierra Santa, y a la vista de los hechos, ambos obtuvieron éxito con esta estratagema.

La fe en la guerra de Crimea

La guerra de Crimea (1853-1856) comenzó por una cuestión geopolítica —el control de la ruta de salida del mar Negro al Mediterráneo— camuflada con un pretexto religioso —la defensa de las comunidades cristianas de Jerusalén, bajo control otomano—. Para conseguir estos fines, el zar Nicolás I se postuló como el defensor de los cristianos ortodoxos que residían en los territorios, algunos estratégicos, controlados por los otomanos. Estos consideraron que su soberanía quedaba directamente afectada, y se opusieron con firmeza, lo que a su vez provocó que Rusia penetrara en los Balcanes y comenzaran los enfrentamientos en el mar Negro.

Los judíos en la Primera Guerra Mundial

> La religión es verdadera para los pobres, falsa para los sabios y útil para los líderes.
>
> Lucio Anneo Séneca

El 2 de noviembre de 1917, el ministro de Asuntos Exteriores británico, Arthur James Balfour, firmó una carta dirigida al barón Lionel Walter Rothschild, en representación de la comunidad judía asentada en Gran Bretaña, con la finalidad de que se la transmitiera a la Federación Sionista de Gran Bretaña e Irlanda. Por medio de este documento, conocido como la Declaración Balfour, el gobierno británico se comprometía —en plena Primera Guerra Mundial— con el movimiento sionista a fomentar la creación de un «hogar nacional» para el pueblo judío en Palestina.

Pero esta aparente muestra de generosidad británica hacia el sionismo tenía también un propósito oculto, pues los ingleses confiaban en que, gracias a ese documento, los numerosos judíos residentes en Estados Unidos y Rusia presionarían a sus respectivos gobiernos para que potenciaran su implicación en una Europa sumida en la guerra.

EL NORTE DEL CÁUCASO

A lo largo de la historia reciente, en varias ocasiones se ha manipulado a los musulmanes norcaucásicos por intereses geopolíticos. El Cáucaso, localizado en el sudeste del continente europeo, entre el mar Negro y el Caspio, es una puerta entre Europa y Asia, lo que pone de manifiesto su importancia geoestratégica. La lucha de Rusia por esta zona se remonta a tiempos del zar Pedro el Grande, que en el siglo XVIII llegó a la zona para mantener alejado al Imperio otomano. A partir de este momento, la zona ha sido fuente de eternos conflictos avivados por potencias que utilizaban las diferencias religiosas para perseguir sus intereses en la región.

Así, en el siglo XIX, tanto el Imperio otomano como el británico alimentaron el conflicto entre la cristiandad ortodoxa y el islam. Para Londres, el principal interés era impedir, o al menos dificultar, la expansión de Moscú hacia el Mediterráneo y el Índico, así como hacia la estratégica Persia, ya que, de conseguir los rusos su objetivo, se pondría en serio peligro la entonces vital arteria entre las Indias y Europa. Para Estambul, en cambio, la islamización completa del Cáucaso era una pieza clave de su sueño —perseguido hasta los últimos días del imperio— de extenderse hacia Asia Central, hasta llegar a Xinjiang, en la mismísima China.

Durante la Segunda Guerra Mundial, Alemania también tuvo sus propios intereses en la zona. Además, controlarla le suponía el inmediato acceso a los recursos petrolíferos de Bakú y la posibilidad de continuar su expansión hacia Irán, siempre deseado por su estratégica posición geográfica y sus reservas energéticas. Berlín llegó a hacer guiños a Turquía para que participara en la captura del Cáucaso. Hitler diseñó un plan para conseguir la independencia de las naciones caucásicas y con él pretendía que los aguerridos combatientes que siempre habían proporcionado esas tierras lucharan a su lado contra los Aliados y la Unión Soviética, lo cual le habría permitido hacerse con los pozos de petróleo del Cáucaso y completar el cerco estratégico a la India británica (la otra parte de la pinza la conformaría Japón). Con esta finalidad, los servicios de espionaje alemanes lograron ciertos éxitos apoyando a los grupos musulmanes norcaucásicos enfrentados a Moscú, e incluso consiguieron que algunos se alistaran en el ejército germano.

Stalin, temiendo una revuelta generalizada apoyada por Berlín, decidió deportar a pueblos enteros —en total, a más de un millón y medio de norcaucásicos musulmanes— hacia Asia Central entre noviembre de 1943 y marzo de 1944. Sin hacer ninguna distinción, deportó incluso a la gran mayoría que combatía en el Ejército Rojo. Al menos la mitad de los miles de hombres, mujeres y niños murió de tifus por el camino. A pesar de que Jruschov les permitió retornar a sus hogares en 1956, este hecho provocó que las raíces del odio a todo lo ruso calaran muy profundo y para siempre en el alma de los musulmanes del norte del Cáucaso.

Esta parte del mundo sigue siendo hoy en día un polvorín, con factores económicos y geoestratégicos que hacen que tanto Rusia como Estados Unidos lo consideren un enclave esencial para sus intereses. No solo por su situación geográfica entre Europa y Asia, sino también por ser una zona rica en hidrocarburos y yacimientos de uranio.

Con la experiencia de la Segunda Guerra Mundial todavía demasiado fresca, el Kremlin siempre ha temido que Washington pudiera aprovechar la inestabilidad en esta conflictiva región para alcanzar su objetivo estratégico de impedirle su anhelada expansión hacia el sur, hacia unas tierras que considera como propias. Además, perder el control de esta zona haría vulnerable a Rusia ante cualquier intento de cortar algunas de sus principales líneas de abastecimiento energético. Seguramente por esta razón, de modo velado los rusos han dejado caer que la occidentalizada Georgia es sospechosa de apoyar a ciertos grupos de musulmanes norcaucásicos enfrentados con Moscú.

Incluso el apoyo incondicional que Rusia ha ofrecido a Irán en su desarrollo nuclear puede estar motivado por el temor a que Teherán reaccione al abandono de su aliado mediante el apoyo a los muyahidines del norte del Cáucaso, algo de lo que hasta ahora siempre se ha abstenido.

El uso del islam por la Alemania nazi

> Tenemos la suficiente religión para odiarnos unos a otros, pero no la bastante para amarnos.
>
> JONATHAN SWIFT

Durante la Segunda Guerra Mundial, el Tercer Reich alemán supo atraer las simpatías del mundo musulmán, y más concretamente de los árabes, prometiéndoles que, si combatían a su lado contra los Aliados, se les ayudaría a independizarse de las potencias colonizadoras, representadas por Francia y el Reino Unido. Más tarde, una vez que la Unión Soviética entró en guerra con Alemania, a esas promesas de independencia a regiones como el Cáucaso se unió la motivación de luchar contra el ateísmo que propugnaba el comunismo.

La idea de formar unidades con voluntarios musulmanes partió de Heinrich Himmler, jefe de las SS, quien pensaba que podía movilizar el sentimiento religioso de los seguidores del islam frente a unos comunistas que rechazaban la religión y aspiraban a su desaparición (el mismo principio en el que se basaron los estadounidenses para apoyar, en la década de 1980, la resistencia de los muyahidines en Afganistán con la finalidad de expulsar del país a los soviéticos). Hay que matizar que, para algunos historiadores, Himmler no se basaba solo en razones meramente estratégicas, sino que sentía una inclinación personal por el islam al considerarlo una religión con ciertos rasgos similares a los que preconizaba el nazismo, como el sacrificio, la obediencia ciega, la devoción a una causa, la disciplina y el sometimiento a la autoridad y las normas estrictas.

Hubo casos especialmente llamativos de tropas musulmanas enroladas en el ejército alemán. Uno de ellos fue el 845 Batallón de Infantería Germano-Árabe. Esta unidad tuvo su origen en el Mando de Fuerzas Germano-Árabe (KODAT, por sus siglas en alemán), creado en enero de 1943 y compuesto por dos batallones de tunecinos, un batallón de argelinos y otro de marroquíes, bajo el mando de oficiales y suboficiales alemanes. Este contingente de musulmanes, que llegó a disponer de más de tres mil efectivos, contaba con el beneplácito del Gran Muftí de Jerusalén. Viendo la imposibilidad de alcanzar la independencia de sus países respectivos al haber fracasado la campaña norafricana del ejército alemán, se vio obligado a refugiarse en Italia en mayo de ese mismo año. Una vez en territorio italiano, se transformó en el citado Batallón 845. A sus seiscientos integrantes iniciales se fueron añadiendo musulmanes de orígenes variopintos, desde inmigrantes árabes residentes en Francia a voluntarios sirios, iraquíes, egipcios, jordanos y palestinos, con los que se conformó un segundo batallón integrado en un 845 reforzado, que llegó a superar los mil trescientos hombres.

Quizá la más conocida de las divisiones alemanas compuestas por musulmanes fue la 13.ª División de Montaña SS Handschar. Perteneciente a las Waffen-SS, fue creada en febrero de 1943 con voluntarios musulmanes de Bosnia-Herzegovina y Croacia. El principal cometido que se le encargó fue combatir a las partidas guerrilleras de Tito, quien luego sería el jefe del Estado yugoslavo. En muy pocos meses se consolidó una unidad con más de veinte mil efectivos, caracterizada por portar los soldados un fez de color verde y en la que cada batallón disponía de un imán y cada regimiento, de un mulá.

Un año más tarde, ya en 1944, los alemanes crearon en la región balcánica otra división formada por musulmanes, en este caso albaneses, denominada Skanderbeg.

Los musulmanes del Cáucaso también fueron empleados como fuerza de choque por los nazis, una vez que las tropas alemanas entraron en suelo ruso en 1941. En diciembre de ese año se empezaron a formar unidades con prisioneros de guerra musulmanes liberados de las garras de los soviéticos. Igualmente se crearon unidades con los tártaros de Crimea y del Volga, y otros musulmanes procedentes de Asia Central.

Una de las finalidades de la formación de unidades integradas por musulmanes procedentes de regiones controladas por los soviéticos era intentar que Turquía se uniera al esfuerzo bélico de los alemanes, lo que hubiera supuesto una enorme ventaja para lograr con éxito el objetivo de hacerse con los necesarios pozos de petróleo de Oriente Medio y el Cáucaso. De hecho, en 1942, el ejército alemán lanzó la Operación Azul (*Fall Blau*) con la finalidad de hacerse con los campos petrolíferos caucásicos, pero el éxito inicial no pudo ser consolidado por contar con un número escaso de tropas para tan amplia zona de operaciones. Por su parte, Turquía mantuvo una posición neutral y un tanto ambigua. En octubre de 1939 firmó un pacto de asistencia mutua con Reino Unido y Francia. Pero cuando Hitler empezó la que parecía una imparable carrera de éxitos militares, los turcos se aproximaron a los alemanes y esta relación inquietó profundamente a los Aliados. En marzo de 1945, cuando la derrota de Alemania empezaba a parecer evidente e inminente, Turquía le declaró la guerra al igual que hizo con Japón.

HITLER TUVO EN SU EJÉRCITO A JUDÍOS

Aunque parezca un contrasentido, varios historiadores aseguran que durante la Segunda Guerra Mundial unos ciento cincuenta mil judíos prestaron sus servicios en las fuerzas armadas alemanas. En realidad, la mayoría de estos soldados no eran «puros», sino descendientes de judíos por solo una de las ramas familiares, motivo por el cual eran llamados «mestizos». Mientras que al ejército nazi le venía bien contar con este personal en sus filas, para muchos de estos medio judíos era una forma de conseguir, para ellos y sus familias, el certificado de pureza de sangre, no siendo descartable que algunos se enrolaran también por afinidades ideológicas con el nazismo.

Como una directiva de 8 de abril de 1940 eximía a los medio judíos de servir en la Wehrmacht, los que se alistaron lo hicieron de modo voluntario, incluso sometiéndose en ocasiones a una larga investigación. Se estima que unos treinta mil de estos judíos habrían sido condecorados por acciones de guerra, y aproximadamente veinte mil habrían conseguido ascender en el escalafón, llegando incluso al generalato. Uno de los casos más sobresalientes fue el de Helmut Schmidt —futuro canciller de la República Federal de Alemania (Alemania Occidental) entre 1974 y 1982—, quien, a pesar de tener un cuarto de sangre judía, consiguió el empleo de teniente de primera clase.

El Pacto de Bagdad

> La injerencia de los dioses no absuelve al hombre de la insensatez, sino que es el recurso humano para derivar a otro la responsabilidad del desatino.
>
> Barbara W. Tuchman

El 24 de febrero de 1955 se formalizó la creación de la Organización del Tratado Central (CENTO, por sus siglas en inglés), más conocida como el Pacto de Bagdad.[61] Los países fundadores fueron Irak y Turquía, a los que se unieron poco des-

---

61. Inicialmente se denominó Organización del Tratado de Oriente Medio (METO, también por sus siglas en inglés).

pués Irán y Reino Unido, mientras que Pakistán lo hizo al año siguiente. Desde el primer momento, la CENTO dispuso del apoyo militar y económico de la Casa Blanca, e indirectamente de la Alianza Atlántica a través de una Turquía que actuaba de enlace entre ambas organizaciones.

Fueron Washington y Londres quienes impulsaron el surgimiento de esta organización defensiva, si bien Estados Unidos se mantuvo en la sombra y no participó activamente, con el objetivo de no soliviantar los ánimos de unos países árabes con los que aún mantenía una relación de desconfianza, de modo que se limitó a integrarse en el comité militar en 1958.

Aunque para Gran Bretaña la CENTO era una forma de ejercer una influencia en Oriente Medio que en cierto modo compensara la pérdida de la India, el verdadero objetivo perseguido por Estados Unidos y la OTAN no era otro que el de contar con una alianza militar en la región que sirviera para frenar la expansión de la Unión Soviética en esa parte del mundo. Estadounidenses, británicos y atlantistas hicieron uso del fervor religioso de los países musulmanes integrados en el Pacto de Bagdad para contener a los ateos soviéticos, los cuales llevaban a cabo políticas de penetración muy agresivas basadas en la justicia social en países donde precisamente esta brillaba por su ausencia.[62]

Tan eficaz fue la gestión geopolítica que hicieron los soviéticos de sus bazas que el Pacto de Bagdad se vio incapaz de impedir que la URSS extendiera su influjo poco a poco, mediante acuerdos políticos y alianzas militares, a los países de la zona, a pesar de que se pretendió desatar una especie de lucha religiosa entre los creyentes musulmanes y los irreligiosos e impíos comunistas.

Así, los soviéticos ejercieron su paulatina influencia en Egipto, Irak, Libia, Siria, Somalia y Yemen, estableciendo bases

---

62. Según algunos historiadores, en los años sesenta y setenta del pasado siglo, Estados Unidos, Reino Unido y Francia también apoyaron y financiaron a los Hermanos Musulmanes para que se enfrentaran a los partidos árabes de izquierdas respaldados por la Unión Soviética, y llegaron a instarles para que atentaran contra el presidente egipcio Gamal Abdel Nasser.

navales y desplegando miles de soldados. Curiosamente, estos mismos países son los que viven ahora una situación de máxima inestabilidad. Quizá tan solo se estén reviviendo aquellos años de la Guerra Fría, y los que en su momento perdieron el juego no están más que vengándose de la derrota sufrida e intentando hacerse con los países que los soviéticos les ganaron por la mano. De ser así, de nuevo se estaría jugando con el fervor religioso, concretamente el de los musulmanes suníes, encabezados por Arabia Saudí y Turquía, para terminar de expulsar de la región, y especialmente de Siria, los últimos vestigios de aquellos históricos momentos de tensión, que no son más que la Rusia actual. Con ello, al mismo tiempo se estaría impidiendo que esta revitalizada potencia pueda asentarse en lugares como Libia o Egipto. Después de todo, el juego de cada potencia sigue siendo el mismo: intentar ejercer su influencia en esa importante parte del mundo.

El problema es que hacer uso de la estrategia del fervor religioso puede terminar por desatar un monstruo que, como ha sucedido en ocasiones anteriores, se vuelva contra su creador.

AFGANISTÁN: LA LLAMADA A LA YIHAD GLOBAL

> Los anglosajones mezclan habitualmente el fervor religioso con los asuntos políticos.
>
> JACQUES DE LAUNAY

La Doctrina Brezhnev, que contemplaba la intervención militar para prestar ayuda a regímenes socialistas aliados que se encontrasen en dificultades, sirvió de motivación oficial para que la Unión Soviética acudiera en 1979 en defensa del pueblo afgano con el fin de detener la agresión imperialista, en aplicación del Tratado de Amistad, Buena Vecindad y Colaboración suscrito con Afganistán el año anterior.

En la decisión de los soviéticos influyó el estallido de la revolución islámica de Irán, liderada por el ayatolá Ruhollah Musavi Jomeini, pues consideraban una amenaza la posibilidad de que el fervor islámico desplegado por el líder iraní afectase a las repúblicas del sur de la URSS, en las que la población profesaba mayoritariamente la fe musulmana. Por eso, la intervención en Afganistán también tenía como objetivo establecer en el Hindú Kush una barrera que lograse detener el avance del islamismo hacia el interior de las fronteras soviéticas.

En la sociedad afgana existían diferencias abismales entre las grandes urbes y las zonas rurales. A las primeras se las consideraba una sociedad avanzada, mientras que a las segundas se las contemplaba como ancladas en el pasado. Esta diferencia se vio aumentada por las políticas educativas soviéticas y la mayor participación de las mujeres en las diferentes facetas de la sociedad. En 1988, alrededor del 50 % de los estudiantes y el 18 % de los empleados estatales eran mujeres. Estas medidas fueron percibidas como manifestaciones pecaminosas por parte de los muyahidines y las emplearon para difundir y reforzar su ideario radical.

De este modo, se desencadenó una amplia campaña de guerra de guerrillas que se vio favorecida por la difícil orografía del país. Los muyahidines tenían ciertas peculiaridades respecto a otros movimientos reactivos a una ocupación militar extranjera que se dieron en diferentes lugares del mundo. Carecían de un liderazgo definido y no planteaban la instauración de un nuevo modelo de sociedad que sirviese de sustento a su lucha. Su principal motor era el deseo de mantener antiguas tradiciones y su concepción del honor. Entre los diversos grupos no se habían establecidos fuertes lazos ideológicos y su lealtad se dirigía más a los líderes locales. El factor que servía de aglutinante a estos heterogéneos grupos era su ferviente defensa de la fe islámica.

La Administración norteamericana continuó con la aplicación de la política de contención (*containment*) puesta en marcha al inicio de la Guerra Fría. Destinada a frenar el avance de la Unión Soviética e impedir la expansión de su área de influencia, con la ayuda de Arabia Saudí y Pakistán puso en marcha una verdadera yihad global, a la que se unieron decenas de miles de combatientes fanáticos llegados de medio mundo. El resultado es la bien conocida derrota soviética. Pero todavía se están sufriendo las consecuencias de aquella exacerbación del radicalismo islamista, y muy probablemente perdurarán en el tiempo.

En nombre de la fe

> La lucha por el poder no está diseñada para alcanzar una serie de valores morales; por el contrario, los valores morales se utilizan para facilitar la obtención del poder.
>
> Nicholas J. Spykman

Ha sido habitual utilizar las religiones como arma de guerra o justificación de medidas que no tienen otro trasfondo que los intereses generales de Estados o los particulares de grupos extremistas. Por eso, debemos desconfiar de lo que se oculta detrás de las acciones llevadas a cabo en nombre de una religión. Que los fervorosos acólitos actúen convencidos de su trascendental cometido no significa que los verdaderos intereses de los que manejan a los creyentes sean igual de obvios, pues lo habitual es que estén muy alejados de la religiosidad. Y es que esta estrategia del fervor religioso tiene en realidad poco de religiosa. Los grandes objetivos ocultos principalmente son políticos, económicos y geopolíticos, eso sí, bañados con la deslumbrante púrpura de la fe.

La Historia ha demostrado que el intencionado uso del fervor religioso ha sido de utilidad a las élites y que estas lo han puesto en marcha manipulando, en beneficio de sus políticas, a sectores importantes de su población que cedían en mayor medida a las razones del corazón que a las de la razón, en decisiones que con frecuencia no fueron muy acertadas.

A modo de conclusión puede decirse que el sentimiento religioso, absolutamente respetable y legítimo, ha sido y será empleado como impulsor para la consecución de fines geopolíticos, al ser un eficaz activador de las pulsiones humanas. Ante este siniestro uso de las religiones, quizá el único consuelo que quede sea recordar las palabras de Benjamin Franklin: «Si los hombres son tan perversos teniendo religión, ¿cómo serían sin ella?».

LA VÍA DE ESCAPE

> Con los enemigos, siempre puerta
> abierta a la reconciliación.
>
> BALTASAR GRACIÁN,
> *Oráculo manual
> y arte de prudencia*

En *Del arte de la guerra*, Maquiavelo advertía que no se debe llevar nunca al enemigo hasta la desesperación, pues esta lo vuelve imprevisible y peligroso. Y es que no hay peor enemigo que
un oso acorralado al fondo de una cueva, pues la desesperanza
le dará aún más fuerzas para defenderse. Como recomendaba
Sun Tzu: «Si los enemigos, desesperados, vienen para vencer o
morir, evita encontrarte con ellos. A un enemigo cercado debes dejarle una vía de escape. Si carecen de todo, debes prever
su desesperación. No te encarnices con un enemigo acorralado». Es lo que sucede con los países y los pueblos que, viéndose
sin más salida que el exterminio, redoblan su determinación y
sus fuerzas. Esto mismo puede aplicarse a las relaciones internacionales y la geopolítica.

Todo esto nos lleva a la máxima de la estrategia de la vía
de escape: siempre hay que dejar una puerta abierta al adversario, para no llevarle hasta el extremo de la total desesperación.

EL ERROR COMETIDO EN NORBA

Una muestra de lo que significa no tener vía de escape fue lo
que sucedió con la ciudad de Norba. Esta población, fundada
en el siglo V a. C., estaba situada en un risco desde donde
dominaba las Lagunas Pontinas.[63] Su posición estratégica en
la frontera con el pueblo de los volscos hizo que Roma la co-

---

63. Llamadas en italiano *Agri Pontini*, están situadas en la región del
Lacio, en el centro de Italia, al sureste de Roma. La romana Vía Apia cruza
esta zona de antiguas marismas.

lonizara en el 492 a. C. Tras la derrota de los volscos y después de años de enfrentamientos con la metrópoli, Norba sufrió una serie de luchas, conocidas como «guerras latinas», que duraron ciento cincuenta años. Sin embargo, lo que propició el fin de Norba, y que sirve como ejemplo para esta estrategia, sucedió durante la guerra civil que sacudió la república romana. El general romano Sila, que quería convertirse en dictador, entró en la península itálica con un ejército de más de 40.000 hombres. Ya había llegado a oídos de la población el destino de las otras ciudades conquistadas: los habitantes eran desarmados y descuartizados y la ciudad, entregada al pillaje. Ante esta lúgubre fama, las ciudades que aún no habían caído resistieron obstinadamente.

Lo que destaca de Norba fue su final. Ante la falta de alternativas, cuando las tropas de Sila irrumpieron en ella, los ciudadanos se suicidaron y se mataron unos a otros para evitar caer en manos del enemigo. Además, se prendieron fuego a sí mismos y a la ciudad, que de esta manera quedó convertida en cenizas, con la única intención de que sus adversarios no obtuvieran ni botín ni venganza. Estos hechos impidieron que los vencedores pudieran hacerse con la gran cantidad de tesoros que había acumulados en Norba. Al final, y a pesar de los esfuerzos de Sila por reconstruirla, perdió su utilidad geoestratégica y fue calificada por Plinio el Viejo como ciudad extinta. De haber ofrecido una escapatoria, quizá la ciudad se hubiera entregado y podría haber conservado su valor estratégico. Desde luego hubiera sido mucho más útil ofrecer a sus moradores una derrota digna. Como las que ofrecía la Roma conquistadora en otras ciudades, donde, si aceptaban esa rendición, les otorgaban derechos y les dejaban sus tierras a cambios de tributos, soldados y protección.

NUMANCIA, EL EJEMPLO HISTÓRICO POR EXCELENCIA

Si los mismos dirigentes romanos hubieran leído en *El arte de la guerra II* de Sun Bin, el estratega chino del siglo IV a. C., el pasaje que aconseja que «no se debe atacar a los que están desesperados, debiendo esperar para hacerlo a que encuentren un medio para sobrevivir», a buen seguro no hubieran forzado la resistencia de la ibérica ciudad de Numancia. Resistencia que fue tal que la expresión «resistencia numantina» se ha universalizado para definir a aquel que resiste con tenacidad sin límite, a menudo en condiciones precarias.

Lo sucedido en esta población celtíbera, situada a pocos kilómetros de la actual ciudad de Soria, sigue siendo hoy en día todo un ejemplo. Asediada por las tropas romanas lideradas por Publio Cornelio Escipión Emiliano, *El Africano Menor*, allá por el verano del año 133 a. C., prefirieron sus habitantes suicidarse antes que rendir la plaza. Los enfrentamientos entre estos valerosos celtíberos y los romanos venían de antiguo, pues los ataques de estos llevaban una veintena de años siendo repelidos por los locales. Deseoso de poner fin a esta humillación para el gran imperio que en ese momento era Roma, el Senado romano decidió acabar con ese impertinente pueblo. Para ello, comenzó por cercarlo con obstáculos de todo tipo, como fosos, torres, empalizadas y terraplenes. Completó el cerco con un alto y grueso muro de casi diez kilómetros, dotado de torres dispuestas cada aproximadamente treinta metros y bien pertrechadas de ballestas y catapultas, vigilado todo ello por arqueros y honderos. Desde los siete campamentos establecidos para sitiar la ciudad e impedir la llegada de ayuda procedente de tribus cercanas, los romanos esperaban confiados, como había sucedido en innumerables ocasiones anteriores, que los moradores, una vez carcomidos por el hambre y las enfermedades, caerían pronto en sus garras pidiendo clemencia. La lógica de la táctica militar les asistía, pues los sitiadores contaban con más de 60.000 efectivos, además de doce elefantes, mientras que los sitiados apenas eran 2.500. Pero su sorpresa fue mayúscula cuando observaron sin dar crédito a sus ojos como la inmensa mayoría de los numantinos se lanzaban a un ritual de suicidio colectivo, con tal de no rendirse al enemigo. Su acto desesperado fue completado con el incendio de la villa, que quedó reducida a cenizas.

Todo lo más que pudo disfrutar Escipión de su estéril victoria fue pasearse triunfante por las calles de Roma con la cincuentena de numantinos que habían sido capturados. Pero, desde ese preciso instante, el nombre de Numancia ya estaba grabado con oro en el libro de las grandes leyendas de la Historia.

LAS «VÁLVULAS DE ESCAPE» GEOPOLÍTICAS

En el siempre complejo escenario internacional hay que contar con «válvulas de escape» que regulen la tensión siempre presente entre los diversos actores, de modo que impidan el incremento de una tirantez que pueda desencadenarse en guerra abierta. Un clásico ejemplo de válvula de escape para aliviar tensiones internacionales son las guerras *proxy* habidas durante la Guerra Fría. Las guerras *proxy*, o subsidiarias, ocurren cuando dos o más potencias se enfrentan indirectamente utilizando a terceros, evitando así la confrontación inmediata entre ellas. Aunque principalmente esta subsidiariedad se realiza a través de grupos privados, mercenarios o espías, en la Guerra Fría se utilizaron países enteros. Ocurrió así con las guerras de Corea y Vietnam, donde Estados Unidos y la Unión Soviética tomaron partido por bandos distintos, a los que prestaban recursos para que pudieran ganar la guerra en el contexto nacional, aunque tras ello se escondía la agenda geopolítica de las dos potencias en su carrera por la supremacía mundial.

Sin embargo, Corea y Vietnam fueron dos vías o válvulas de escape que evitaron un enfrentamiento directo entre ambas potencias atómicas que hubiera llevado a la destrucción mutua asegurada. La posibilidad de enfrentarse indirectamente en pequeñas «jugadas», sin llegar nunca a la batalla final, evitó al mundo conocer qué habría pasado si una de las superpotencias, fuera Estados Unidos o la Unión Soviética, se hubiera visto acorralada por la otra en un momento dado, especialmente durante la época más tensa de la Guerra Fría. Unidas a la diplomacia y a la propia evolución de los acontecimientos en el interior de la Unión Soviética y en la esfera internacional, estas vías de escape permitieron que tanto Washington como Moscú no se vieran en la situación terminal de tener que pulsar el botón nuclear.

En el contexto actual, pudiera ocurrir que Corea del Norte, viéndose asfixiada por las sanciones internacionales y presionada por todos los frentes, llegara finalmente a cometer una locura imprevisible. Por esta razón, una de las claves en geopolítica es siempre ofrecer una salida digna al adversario, una vía de escape para que no se vea forzado al sacrificio suicida.

EL *BUENISMO*

> Se gana más lamiendo que mordiendo.
>
> PROVERBIO ESPAÑOL

La estrategia del *buenismo* consiste en ejercer la voluntad propia sin generar recelos, amparándose siempre en un bien común o en ideales aceptados por la sociedad. Adecuadamente empleada, se convierte en la más sutil y tiránica forma de poder: somete sin crear reacciones y subyuga sin tensiones. Consiste en nunca provocar, que el que grite y proteste siempre sea el otro, el dominado. Sin aparentar nunca enfado ni agresividad, el que hábilmente aplica esta estrategia sigue adelante con sus propósitos sin que en realidad le importe la opinión ajena.

Su poder proviene de una aparente pasividad y tolerancia, y del desmedido interés por que no afloren conflictos, para que todo fluya de modo pacífico. La estrategia, bien conducida, es tremendamente eficaz, pues desmonta las defensas de socios y contrarios, a los que se convence de esa cínica buena voluntad por alcanzar situaciones que a todos beneficien, haciéndoles ver a los demás que los objetivos comunes solo se consiguen siendo todos buenos, mientras, con la mayor de las astucias, se logran los intereses propios.

El *buenismo* tiene mucho de camaleónico, pues sabe camuflar las acciones con las actitudes. Tanto es así que se podría considerar como una auténtica estrategia asimétrica intelectual o de actitud. Es la pasividad ante la fuerza. Al poderío, la violencia, la prepotencia o la imposición se opone la no reacción. Pero una no reacción activa, pues el que la aplica sigue cumpliendo los planes a su antojo. De esta manera, se desarma moral e intelectualmente a adversarios mucho más poderosos, al no reaccionar a sus ofensas, insultos, agresiones, amenazas o presiones. Se trata de no sentirse afectado por ellas y, sin aumentar la tensión, esperar a que el adversario se canse y se dé por vencido, agotado ante la falta de reacción y respuesta.

Se podría hacer un paralelismo entre el buenismo y la estrategia china de los mil cortes (un método de ejecución empleado en China durante unos diez siglos, hasta su prohibición en 1905), la cual te destruye sin darte cuenta, con pequeñas heridas que apenas causan molestia hasta que acaban por desangrarte y con tu vida.

EL *SOFT POWER*

En geopolítica, la estrategia del *buenismo* se traduce en el *soft power* (poder blando), contrapuesto al *hard power* (poder duro). Este concepto, que acuñó Joseph Nye a finales de la década de 1980, consiste en la habilidad de un país para persuadir a otros de que hagan lo que desea sin tener que recurrir a la fuerza o la coerción. El geopolitólogo estadounidense retomó esta idea en 2004, aplicándola a la política exterior de Estados Unidos tras el 11-S. Nye sostiene que los Estados que quieran tener éxito deben combinar estrategias de *soft power* y *hard power* si pretenden forzar a otros para que modifiquen sus preferencias y actitudes a largo plazo. Y si hay un experto en ejercer el *soft power*, ese es la Casa Blanca.

Con la ayuda de empresas, fundaciones, universidades y otras instituciones de la sociedad civil, Estados Unidos ha exportado sus valores y creencias al resto del mundo atrayendo a muchas otras sociedades. Ya se ha visto cómo los productos de su industria cinematográfica son consumidos en todos los continentes, haciendo que sus historias y sus formas de ver la vida sean también las de los demás. Como decía Nye, la política de seguridad de Estados Unidos se centra tanto en ganar guerras como en conquistar mentes y corazones, algo que también compartía Kissinger al afirmar que ninguna política exterior, no importa lo ingeniosa que sea, tiene posibilidad de éxito si nace en las mentes de unos pocos y nadie la lleva en su corazón.

Así pues, este *soft power*, la capacidad de convencer sin utilizar la fuerza, se disfraza de *buenismo* cuando se utilizan valores o ideales como estandartes para convencer a otros Estados o personas. Pero no debemos olvidar que se persiguen los propios intereses, pues al final el *soft power* no es más que otra manera de ejercer el poder, eso sí, sin que se note. En definitiva, se trata de la clásica finalidad de hacer que los demás quieran y hagan lo que tú quieres, pero de un modo astuto.

Actualmente, el cada vez más complejo panorama internacional hace que el *soft power* vaya ganando importancia. El acceso generalizado a la información ha obligado a los Estados a practicar más la diplomacia pública y la propaganda cultural, en detrimento de los medios militares, para conseguir los objetivos de sus políticas exteriores, las cuales buscan justificar y legitimar con argumentos convincentes que, a menudo, se plasman en supuestos «bienes comunes».

Las ambiciones *buenistas* de Estados Unidos

Según el historiador brasileño Moniz Bandeira, desde la caída del Muro de Berlín y la desintegración de la Unión Soviética todos los presidentes estadounidenses, con independencia del partido político al que pertenecieran, han tenido un solo proyecto geopolítico en mente: la dominación total del mundo.[64] Se han basado en el convencimiento de que los norteamericanos son el pueblo elegido o la nación superior que tiene la obliga-

---

64. Para más información, véanse <http://www.amersur.org/politica-internacional/moniz-bandeira-estados-unidos> y <http://operamundi.uol.com.br/dialogosdosul/moniz-bandeira-o-estado-brasileiro-parece-desintegrarse/12112016>.

ción moral de expandir la democracia, las libertades fundamentales y los derechos humanos por todo el planeta, incluso contra la voluntad de los receptores, y a sangre y fuego si es preciso.

Esta visión mesiánica del «destino manifiesto» del pueblo americano ha llevado a los ocupantes de la Casa Blanca a no dudar de que Estados Unidos es la nación indispensable para salvar al mundo de sus males y garantizar la paz y la seguridad de sus habitantes. Esto ha forzado a Washington a convertirse en el indiscutido e indiscutible poder sobre la faz de la Tierra, como deber ineludible para cumplir con la sagrada misión que el Destino le ha conferido. Lo que coincide, como recoge Moniz, con una conocida frase de Henry Kissinger: «La misión de América es llevar la democracia, si es necesario mediante el uso de la fuerza». Y razón no le faltaba, pues desde que Estados Unidos naciera en 1776, tan solo ha habido veintiún años en los que no haya estado envuelto en alguna guerra.

Pero tras esa fachada presuntamente altruista, de la que abiertamente presumen con avaricia y descaro, se atrincheran siempre intereses económicos y ambiciones geopolíticas. Detrás de la sonrisa amable de unos presidentes o de los rostros más adustos e incluso antipáticos de otros, hay una sombra constante que, entre bambalinas, orienta la política exterior: la élite económica dominante. Ante ella, hasta los que se sientan en el Despacho Oval se postran. Esta élite, señala Moniz, impulsa las grandes decisiones mundiales que finalmente adopta la Administración de turno, haciendo uso del poder que le concede pertenecer al selecto club de las altas finanzas, el complejo militar-industrial, el espectro de la inteligencia, las grandes fortunas familiares, las poderosas religiones o las potentes multinacionales, incluidas las energéticas.

Moniz no duda en manifestar que allí donde Washington interviene, arropándose en la bandera de la democracia y la libertad pero con el claro objetivo de seguir manteniendo su posición dominante en el planeta, el resultado siempre es el mismo: caos, violencia, destrucción y desastre humanitario.

Estas políticas de total dominio del espectro terrestre, marítimo, aéreo, espacial y ciberespacial comenzaron con la implantación, por parte de la Administración Clinton, del Proyecto para un Nuevo Siglo Americano, uno de cuyos principales objetivos era la expansión de la OTAN. Este programa fue potenciado por George W. Bush al amparo de la guerra global contra el terrorismo, y luego continuado por Barack Obama con su participación en las mal llamadas «primaveras árabes» —sería más correcto denominarlas «revueltas»— y el ataque a Libia.

Los ocho años de presidencia de Obama conforman una perfecta muestra de cómo, tras una impecable campaña mediática efectuada a escala planetaria para lavar el prestigio de Estados Unidos —deteriorado por su antecesor en el cargo, Bush— y la imagen aparentemente amable, condescendiente y tolerante del primer afroamericano que llegaba a la Casa Blanca, se ocultaban las mismas ansias hegemónicas de los anteriores presidentes estadounidenses. La diferencia estribaba en que ahora esas ambiciones eran en gran medida pasadas por alto, cuando no claramente disculpadas. Así, los escándalos como el espionaje masivo de la Agencia Nacional de Seguridad (NSA, por sus siglas en inglés) a los principales dirigentes europeos apenas quedó en una anécdota en la prensa, cuando había motivos sobrados para que las calles de las principales ciudades de Europa se hubieran llenado de manifestaciones antiamericanas.

En este sentido, Moniz recuerda que Obama cambió el concepto de «guerra perpetua» por el de *operaciones de contingencia en el exterior*, para en realidad seguir actuando de la misma forma en otros países, e incluso con mayor virulencia. En muchos casos, mediante actuaciones opacas o encubiertas en las que se empleaban fuerzas de operaciones especiales —activas en los cinco continentes— y multitud de ataques con drones, por no mencionar las decenas de miles de bombas arrojadas en Afganistán, Irak o Siria, o las fabulosas ventas de armamento a Arabia Saudí. En 2015, por ejemplo, un informe elaborado por el Bureau of Investigative Journalism estimaba que, desde el año anterior, solo en territorio de Pakistán se habían efectuado alrededor de 414 ataques con drones, cifrando el número de «objetivos abatidos» entre 2.445 y 3.945. De estos, de 421 a 960 «objetivos» serían civiles, entre los que habría que incluir entre 172 y 207 menores de edad. Además, desde algunas fuentes se informaba que el gobierno estadounidense contaba como «combatientes» a todos los individuos varones en edad militar abatidos en una zona atacada con drones.[65]

POR LAS BUENAS... SI NO HAY MÁS REMEDIO

En principio, la estrategia *buenista* parecería propia de quien no tiene medios o capacidades para imponerse de otro modo. Pero también sirve para quien cree que es la manera más eficaz y rentable de imponer su voluntad a los demás sin despertar oposiciones e incluso con la anuencia o la voluntaria disposición de la otra parte.

Sin embargo, en ocasiones esta estrategia no triunfa, como ocurre cuando la amenaza es demasiado fuerte e inminente, ya que requiere largos plazos de aplicación. Pero, por encima de todo, nunca olvidemos que no hay peor diablo que aquel que no huele a azufre.

LA CREACIÓN DE LA NECESIDAD

> No hay la menor duda de que el régimen iraquí sigue teniendo las armas más mortales jamás concebidas.
>
> GEORGE W. BUSH (2002)

Cuando un Estado tiene mucho de algo o puede llegar a poseerlo, la creación de la necesidad puede ser la mejor forma de sacarle beneficio o utilizarlo para mantenerse en el poder. Esta

---

65. Para más información, véanse <http://www.thebureauinvestigates. com/2015/04/01/drone-report-march-2015-us-drone-strikes-halve-chaos-enve lops-yemen>, <http://www.theatlantic.com/international/archive/2014/12/ the-us-stopped-torturing-terror-suspectsand-started-droning-them/383590> y <http://baabalshams.com/?p= 4829>.

estrategia consiste en hacer creer a los demás que precisamente ese algo es lo que necesitan.

En el marketing se analizan los comportamientos de los mercados y de los consumidores, se identifican sus necesidades y se elaboran estrategias que las cubran, captando y fidelizando a los clientes. Y cuando esas necesidades no existen, se crean. De hecho, los gurús más apreciados son los que desarrollan productos antes de que la posible clientela ni siquiera se plantee su necesidad. Y lo mismo sucede en geopolítica.

La pirámide de Maslow establece cinco niveles de necesidades: fisiológicas, de seguridad, de afiliación, de reconocimiento y de autorrealización. Según esta teoría, conforme el ser humano satisface sus necesidades más básicas, desarrolla otras más elevadas. Esto puede extrapolarse al contexto internacional. Al tener los Estados unas necesidades, más o menos perentorias, si otro país consigue identificarlas puede explotarlas en beneficio propio, e incluso fomentarlas o hacerlas surgir, como estrategia para conseguir sus intereses.

Por ejemplo, como ningún Estado, por benévolo y pacífico que quiera ser, escapa de la necesidad de protegerse ante posibles enemigos, estatales o no, nunca faltará otro país avispado que cuente con una gran industria armamentística y, a modo de buen samaritano, se ofrezca a dotarle de una potente capacidad de autodefensa bélica, de una verdadera panoplia de ingenios que probablemente jamás llegue a emplear en escenario alguno. Y si el Estado receptor de tan generosa ayuda no se mostrara especialmente convencido de tal necesidad, no es aventurado pensar que ya se encargará el suministrador de señalarle un enemigo dantesco y amenazador que, en su «honrada» opinión, estará a punto de lanzarse sobre él en cualquier momento, haciendo así que la protección se convierta en una prioridad existencial.

La necesidad de comprar armas para defenderse del vecino o de enemigos regionales suele ampararse hoy en día en conceptos como «guerra al terrorismo», «defensa adelantada», «estrategia preventiva» o «enemigos comunes», que dan como resultado un fabuloso negocio de compra y venta de armamentos. Pero estos conceptos son tan sumamente ambiguos que pueden utilizarse al albedrío del Estado que maneje los hilos de la creación de la necesidad. Se pueden recordar aquí los ejemplos citados al tratar la estrategia basada en la creación del enemigo, tan estrechamente relacionada con esta otra: Corea del Sur, por el temor a Corea del Norte; Arabia Saudí y otros países del Golfo, por Irán; Colombia, por Venezuela; Polonia, los países bálticos y Ucrania, por Rusia; o India, por China.

Eliot Weinberger recoge cómo, para convencer a la opinión pública de la necesidad y la urgencia de invadir Irak, Estados Unidos sacó a la luz una serie de datos que este escritor y periodista estadounidense pone en cuestión. Weinberger considera que el tema del óxido de uranio concentrado procedente de Níger fue un engaño. Los tubos de aluminio encontrados no podían ser utilizados, como se decía, para construir armas nucleares. Los laboratorios biológicos móviles en realidad producían helio para globos meteorológicos. La flota de aviones no tripulados tan solo consistía en un único modelo enorme de una aeronave inoperante. Sadam no tenía el laberinto de búnkeres subterráneos que se le atribuyeron. Y de los cuatrocientos mil cuerpos enterrados en fosas comunes, solo se encontraron cinco mil. Lo más tragicómico de todo, según Weinberger, es que la principal fuente de la «sólida información» de Colin Powell, secretario de Estado de los Estados Unidos entre 2001 y 2005, era un ensayo escrito por un estudiante de posgrado diez años antes.

Llegados a este punto, cabe volver a recordar la importancia de la industria armamentística en Estados Unidos. Según un estudio del Congressional Research Service, Washington vendió 46.000 millones de dólares en armas solo en 2015, y el Pentágono confirmó que en 2016 las ventas se mantuvieron en la misma línea (la cifra dada era de casi 34.000 millones, pero no se contabilizó otra venta de 7.000 millones a Kuwait, Qatar y Bahréin que, por motivos presupuestarios, se incluirían en la partida de 2017). Solo durante los ocho años de la administración Obama se aprobó la venta de más de 278.000 millones de dólares de armas, más del doble que bajo el mandato de Bush.

La mayor parte de ese armamento ha ido destinada a países de Oriente Medio en el marco de su campaña para (teóricamente) combatir el terrorismo o protegerse de un eventual ataque procedente de Irán. De hecho, según el Instituto Internacional de Estocolmo de Investigación para la Paz (SIPRI), los principales compradores durante el período 2012-2016 fueron Arabia Saudí —según algunas estimaciones, en los ochos años de mandato de Obama, Washington pudo venderle unos 120.000 millones de dólares en armamento—, los Emiratos Árabes Unidos y Turquía. Siguiendo la estela de sus antecesores en el cargo, en mayo de 2017, el presidente Trump cerró una venta de armamento a los saudíes por valor de 110.000 millones de dólares. Y un mes después, en plena crisis del Golfo, vendió a Qatar 36 aviones de combate F-15 por un importe de 12.000 millones de dólares. No es casualidad que, mientras vende armas a sus aliados en Oriente Medio, la Casa Blanca potencie el bloqueo y el aislamiento internacional de quien pueda atacarlos, explotando así la pugna por ser una potencia regional entre Irán y Arabia Saudí, o lidere campañas contra grupos terroristas para profundizar en el miedo.

Queda claro que, aunque la seguridad es una necesidad evidente, esta puede explotarse de manera que alguien salga beneficiado. La otra cara son los discursos políticos abogando por la paz y el desarme progresivo, que quedan en evidencia cuando se conocen las decenas de miles de millones de dólares que supone al año una industria como la armamentística solo en Estados Unidos. Mientras los dirigentes hablan de paz en foros como la ONU, se aumentan los presupuestos de defensa. Y qué mejor que publicitar las ventajas y bondades de los equipos militares que utilizándolos en los conflictos en marcha, como sucede en Siria, convertida en campo de experimentación de nuevos materiales. Precisamente quien más abunda en este mensaje hipócrita, y lo repetimos una vez más, son los miembros permanentes del Consejo de Seguridad de las Naciones Unidas, los mismos que teóricamente, y de cara a la galería, son los garantes de la paz y la seguridad en el mundo.

Así pues, esta estrategia de la creación de la necesidad, aunque puede aplicarse también a otras esferas, se ha focalizado en el campo militar y geopolítico para mostrar de manera clara cómo los intereses económicos pueden llevar a los Estados a potenciar determinadas situaciones con tal de sacarles beneficio, mantenerse en el poder y marcar la distancia con los aspirantes. Después de todo, estas grandes potencias, con una capacidad de producción casi ilimitada, no hacen más que entender que la producción en masa depende de un consumo masivo, y que nunca se consume más que cuando hay una destrucción organizada. Y, por triste que sea, la guerra siempre ha sido un próspero negocio.

EL LOCO

> No obrar siempre igual. Así se confunde a los demás, especialmente si son competidores.
>
> Baltasar Gracián,
> *Oráculo manual*
> *y arte de prudencia*

Muchos personajes clásicos, desde el rey David y Ulises hasta el matemático y astrónomo árabe Alhacén, recurrieron a la sabia argucia de simular la locura para salir de un apuro o conseguir sus propósitos.

Actualmente, son muchos los que emplean este ardid de modo rutinario en sus vidas, en ocasiones de forma no del todo consciente, quizá por haberse habituado a las ventajas de su uso. El procedimiento consiste en atemorizar a las personas que los rodean con la perspectiva de una brutal y desmedida reacción si son desairados. De este modo, haciéndose pasar por desequilibrados mentales, consiguen sus propósitos, algunos tan básicos como imponerse en el ámbito familiar o laboral. De igual forma, esta triquiñuela es practicada por dirigentes, mandatarios y altos responsables del mundo empresarial para someter a subordinados y empleados, al tiempo que para confundir a adversarios y competidores, como fórmula de ventaja competitiva.

La estrategia del loco también es empleada para, simulando tener alteradas las facultades mentales, conseguir salir airoso de circunstancias adversas. Sería aplicar el principio taoísta que entiende que todo ser u objeto que carece de valor y utilidad no es apetecido por nadie. Se han realizado muchos experimentos sociológicos al respecto. Por ejemplo, dejando abandonado en la calle el mismo objeto, pero en unos casos indicando el precio de compra y en otros sin él. En la mayoría de los casos, solo cuando la gente pensaba que podría tener algún valor económico más allá del intrínseco, se hacía con él. De nuevo, esta estrategia puede trasladarse al ámbito geopolítico.

Nixon, el «loco»

La estrategia del loco (*madman*), como la llamaron Nixon y Kissinger, fue una característica de la política exterior de este presidente estadounidense en el contexto de la Guerra Fría y tenía como finalidad terminar con la guerra de Vietnam. Pero ¿en qué consiste exactamente? No es más que disuadir al contrario de atacar por temor a que la respuesta del aparente demente sea imprevisible, irracional y carente de moderación. Para que tenga éxito, hay que dar la impresión de que no se tiene nada que perder, que se está dispuesto a llegar a cualquier extremo, sin considerar los resultados ni los perjuicios. Se genera así un ámbito de incertidumbre máxima, en el que es imposible prever la reacción ni, por tanto, las consecuencias.

En el caso de Nixon, dependía de poseer un arsenal nuclear masivo y de actuar de modo lo suficientemente errático y perturbado como para convencer a la gente de que estaba tan loco que podía llegar a emplearlo. O, dicho de otra manera, asustar tanto a los otros líderes mundiales que no tuvieran más remedio que conceder al presidente de Estados Unidos lo que él quería. Durante la campaña presidencial de 1968, Nixon prometió que acabaría con la guerra de Vietnam. Tras un año de mandato, la guerra seguía en marcha y no había signos de que se fuera a llegar a un acuerdo de paz entre el Norte, apoyado por la Unión Soviética, y el Sur, respaldado por Estados Unidos. Así que Nixon decidió utilizar su arma secreta, es decir, esta estrategia, basándose en los rumores que decían que era un anticomunista radical, violento y sin temor alguno a apretar el disparador nuclear. Esta reputación, en realidad, había sido perfilada cuidadosamente por Nixon y su asesor de seguridad nacional Henry Kissinger, y los rumores que se habían extendido sobre su deficiente estado mental eran obra de ambos.

En los círculos académicos de Kissinger, esta teoría ya circulaba desde mediados de los años cincuenta con motivo de la carrera armamentística atómica. Era una estratagema producto de un juego teórico, de una disciplina matemática que podía utilizarse en situaciones competitivas para predecir las elecciones futuras de los jugadores, basada en las acciones previas de sus competidores.

Así pues, el 19 de abril de 1972, Nixon le dijo a Kissinger el mensaje que quería transmitir a su homólogo en Moscú. Según documentos del Pentágono y cintas de grabación de la Casa Blanca, esa tarde el secretario de Estado voló a Moscú acompañado —no casualmente— del embajador ruso en Estados Unidos. Durante el vuelo, Kissinger y Nixon tuvieron una conversación telefónica —que fue oída por los rusos gracias al embajador y a las escuchas— en la que el presidente estadounidense amenazaba con bombardear Vietnam del Norte si era necesario. Quería hacer creer a los soviéticos que era capaz de todo, y así lo transmitió Kissinger, quien apelaba al sentido común de hombres como él mismo y su interlocutor comunista para frenar al «demente» de Nixon. Quien fuera jefe de su gabinete, Harry Robbins Haldeman, describió a un Nixon orgulloso de esta estrategia, que él también calificaba como la del loco. Y explicó cómo Nixon quería hacer creer a los norvietnamitas que había llegado a un punto en el que sería capaz de hacer cualquier cosa con tal de terminar la guerra, pensando que Ho Chi Minh se plegaría a los deseos norteamericanos y terminaría por solicitar la paz. No fue tan fácil, pues los norvietnamitas fueron más astutos y, dispuestos como estaban a sacrificarse hasta la extenuación, no cayeron en la trampa. En medio hubo operaciones militares costosas y destructivas para ambas partes, tales como el bombardeo de la Navidad de 1972. En esa acción, Estados Unidos descargó al menos 20.000 toneladas de explosivos en el norte de Vietnam, principalmente sobre Hanói, durante la Operación Linebacker II (18-29 de diciembre, salvo el 25). Las cifras oficiales hablan de 1.600 norvietnamitas fallecidos, aunque se estima que fueron más. Finalmente, el 8 de enero del año siguiente ambas partes estaban sentadas en la mesa de negociación para la paz en París.

¿Aplica Trump esta estrategia?

> Hay que ingeniárselas, por encima de todo, para que cada una de nuestras acciones nos proporcionen fama de hombres grandes y de ingenio excelente.
>
> Nicolás Maquiavelo

Cuando el 7 de abril de 2017 tuvo lugar el ataque estadounidense contra la base aérea siria de Shayrat con 59 misiles de crucero Tomahawk lanzados desde dos destructores, como respuesta al supuesto uso de armas químicas contra ciudadanos sirios por parte del régimen de Bashar al Asad el día anterior, se produjo un giro de 180 grados en la postura política sobre Siria que Donald Trump mantuvo durante años. El actual presidente de Estados Unidos ha sostenido en infinidad de ocasiones una postura contraria a la intervención militar en ese país de Oriente Medio, así como a involucrar a los norteamericanos en aventuras belicistas de dudoso resultado y que no afectaran directamente a la seguridad nacional.

Pero, de repente, Trump sorprendió al mundo, comenzando por sus propios aliados y la ONU, a los que no había consultado previamente, al lanzar un precipitado ataque contra un país soberano, sin esperar siquiera a una investigación independiente y objetiva de los hechos. Al margen de consideraciones geopolíticas (rivalidad con Rusia, freno a la expansión de Irán en la región, la amenaza de fortalecidos grupos chiíes para Israel) y de intereses de política interna (debate sobre las relaciones con Putin durante el proceso electoral, presiones provenientes de su propio partido republicano y de otros *lobbies*), el presidente Trump podría haber empleado deliberadamente la estrategia del loco. Así, habría hecho gala de una imprevisibilidad estratégica con el fin de mantener a sus posibles adversarios, desde Corea del Norte hasta China, además de a Moscú, con la permanente zozobra de su posible reacción contra ellos, como respuesta a acciones previas o bien por su propia iniciativa.

De momento no es posible saber con certeza si Trump mantendrá su promesa de llevar a su país a un cierto aislacionismo, o si por el contrario va a comenzar una etapa de un intervencionismo decidido. Pero es indudable que esta estrategia del loco le faculta para conseguir la sorpresa, una de las cualidades que debe reunir cualquier acción geopolítica y militar exitosa. Lo que a su vez hará que sus reales o potenciales enemigos sopesen cuidadosamente cualquier opción antes de ejecutarla, temerosos de una respuesta que pueda ser desproporcionada y aplicada por una vía inesperada.

A QUÉ JUEGA COREA DEL NORTE

En el contexto actual, Corea del Norte sirve de ejemplo para esta estrategia del loco. El país asiático hace presumida publicidad de ensayos nucleares y lanzamiento de misiles para avisar a sus adversarios de lo que sería capaz, con la finalidad de conseguir que nadie se atreva con él.[66] Pero ¿qué pasaría si se siguiera la corriente del juego del *madman* y se aguantara la presión? ¿Retrocedería el «loco»? ¿Y si resulta que realmente es un demente y lleva hasta el final las máximas consecuencias? También puede degenerar en la colisión de dos estrategias del loco, la de Kim Jong-un y, por otro lado, la de Trump. Por lo que, al ir elevando la apuesta mutua de que será el otro el que cederá por considerar a su contendiente más trastornado todavía que él, pueden terminar por enfrentarse abiertamente.

Más vale asustar

> Si el soberano no es misterioso, los ministros encontrarán la oportunidad de tomar y tomar.
>
> Huanchu Daoren,
> *Retorno a los orígenes*

Dar miedo a los adversarios para que respeten tus intereses o hagan lo que persigues es una estrategia tan antigua como uti-

---

66.   Llama la atención que ni Estados Unidos, con sus medios asentados en la península coreana y los que tiene embarcados en la zona, ni Corea del Sur y tampoco Japón hayan empleado sus capacidades antimisiles —Terminal de Defensa de Área a Gran Altitud (THAAD, por sus siglas en inglés), sistema Aegis y misiles Patriot— contra los misiles de prueba lanzados por Corea del Norte. Muy probablemente, ello responde a la estrategia de ocultar no sólo a los norcoreanos, sino también a chinos y rusos, la auténtica capacidad para destruir misiles balísticos en vuelo, mientras no supongan una amenaza real de impacto directo en su territorio. Sin duda, China y Rusia anhelan conocer cómo reaccionaría Washington ante un ataque con armas nucleares, cómo utilizaría dichas armas de modo preventivo e incluso cómo efectuaría acciones convencionales y cibernéticas contra un adversario que dispone de armamento nuclear con la finalidad de neutralizarlo e impedirle que llegue a usarlo; así como la actitud del pueblo estadounidense y del resto del mundo ante un nuevo uso del arma nuclear. Por otro lado, no se debe olvidar que el lanzamiento de misiles y las pruebas nucleares permiten al régimen de Pyongyang disponer de un as con el que negociar para conseguir ayuda económica, como ha hecho en anteriores ocasiones.

lizada. En el ámbito geopolítico, ha tenido más desarrollo en la era nuclear por el peligro inminente que suponía la bomba de destrucción masiva para todas las partes involucradas, y para las que sufrirían los daños colaterales.

Esta estrategia puede resultar beneficiosa para quien la practica a corto plazo, pero lo habitual es que, poco a poco, sus adversarios consigan calibrar —en ocasiones, mediante fintas provocadoras— las respuestas previsibles. Además, los oposito-res pueden desarrollar la misma estratagema, incluso con efec-tos más acusados, especialmente si son grupos, o países, que no deben responder ante un Parlamento, una opinión pública o una oposición.

Al final, este tipo de estrategias, que se pueden considerar «desesperadas» y en las cuales la diplomacia y la negociación quedan relegadas a la mínima expresión, pueden conducir a la propia destrucción del que la pone en práctica. Así, una fór-mula que podría considerarse como un método de disuasión, un mensaje que se lanza al adversario sobre la posibilidad real de una reacción inusitada y hasta suicida, puede llegar a ser contraproducente. Sobre todo la estrategia dejará de tener va-lidez si la respuesta lanzada se muestra menos dañina de lo previsible, o los efectos producidos son muy inferiores a aque-llos con los que se había amenazado.

Además, a la larga, la estrategia del loco genera más ani-madversión que cercanía, incluso de aquellos a quienes les in-teresa estar a la sombra de su poder, pues ni siquiera sus más próximos socios y aliados podrán estar nunca seguros de que esa misma locura no se vuelva algún día contra ellos.

LA SINERGIA

Es bien sabido que se produce un efecto extra cuando se actúa de modo combinado, de modo que la suma de los esfuerzos conjuntos es superior a los resultados que se obtendrían de proceder de forma individual. Este procedimiento se conoce como «sinergia».

En forma de estrategia, la sinergia también se emplea en geopolítica para conseguir un resultado mayor al que conseguirían las partes actuando aisladamente. Y se traduce en asociaciones, alianzas y coaliciones entre Estados, sean permanentes o creadas para momentos puntuales y circunstancias específicas. Pueden ir desde las que se entienden como internacionales —léase la ONU y la OTAN, entre otras— hasta las supranacionales caracterizadas por cierta pérdida de soberanía en beneficio del común, como la Unión Europea. Las finalidades son diversas: paz y seguridad, defensa mutua, ventajas económicas, cooperación política, operaciones militares, etcétera.

Hasta las grandes superpotencias se ven abocadas a ciertas asociaciones; aun así, siempre con la condición de liderarlas, como es el caso de Estados Unidos. De hecho, afirma Brzezinski, la supremacía global estadounidense está apuntalada por un elaborado sistema de alianzas y de coaliciones que atraviesan —literalmente— el globo.

En ocasiones, esta unión de varias fuerzas es relativamente contra natura, es decir, ocurre entre países u organizaciones con teóricas diferencias, pero que tienen un enemigo común o bien comparten algún interés puntual. Kissinger pone como ejemplo, en *Orden mundial*, la hipotética cooperación limitada —o al menos mediante acuerdos tácitos— entre Irán y el régimen talibán, e incluso Al Qaeda, para hacer frente a un adversario común: Estados Unidos.

El imperativo de la Revolución islámica de Teherán ha sido interpretado de manera tal que permite la cooperación más allá de la división suní-chií para promover intereses antioccidentales más amplios, incluida la provisión de armas al grupo yihadista de afiliación suní Hamás contra Israel y, según algunos analistas, la de los talibanes de Afganistán. Kissinger añade que ciertos informes sugieren que los operativos de Al Qaeda han tenido margen para operar también desde Irán.

En ocasiones, las alianzas y las uniones están forzadas por alguna potente presión externa que puede ser estatal o no (terrorismo). En el período previo a la Primera Guerra Mundial, Bismarck entendía que un Estado potencialmente dominante en el centro de Europa corría el constante riesgo de inducir a la coalición de todos los otros, como había ocurrido con las coaliciones contra Luis XIV en el siglo XVIII y contra Napoleón a comienzos del siguiente. Y en esa misma Europa, Inglaterra ha podido oponerse a la potencia que ha intentado dominar el continente apoyándose en alianzas militares contra un enemigo común.

JUNTOS... POR EL MOMENTO

En el mundo actual, tan sumamente complejo e imprevisible, colmado de amenazas comunes y universales que van desde el cambio climático a las pandemias o la criminalidad organizada, la exigencia de alianzas es creciente aunque se acepta de antemano que siempre serán temporales.

LAS COPAS DE CHAMPÁN

> Si organizas una fiesta, procura que tus servidores obtengan algún beneficio.
>
> CARDENAL MAZARINO

Estas copas de champán hay que imaginárselas dispuestas en una gran pirámide digna de una fiesta del gran Gatsby, plena de glamur y estilo, donde el champán empieza a servirse en la copa más alta y llega hasta la última. Si todos los invitados tienen su copa llena, ninguno se quejará. En política ocurre lo mismo, al igual que en las relaciones internacionales. Esta estrategia consiste en compartir, o hacer creer que se comparte, el poder, las ideas, la cultura y los recursos. En que lleguen a los niveles inferiores para así evitar manifestaciones de protesta y revoluciones.

En las sociedades, la imaginaria pirámide de copas solo será estable si los de abajo también reciben su ración de dorado líquido, aunque sea en menor cantidad y a una temperatura menos ideal que aquellos que se sirven en primer lugar. Basta con procurar que los beneficios lleguen a todos los integrantes de la sociedad, de modo que el grado de satisfacción general sea lo más elevado posible, alcanzándose así una cierta paz social. Siempre para mayor tranquilidad de la mano que vierte los bienes que se deslizan por la pirámide.

Por supuesto, en geopolítica esta estrategia es un clásico. Las superpotencias, siempre temerosas de que uno o varios de sus Estados «vasallos» las apuñalen por la espalda en cuanto perciban la menor debilidad, intentan que las migajas de su poder se transmitan a los demás gobiernos, quienes, al sentirse satisfechos, se encargarán de moderar los movimientos antiimperialistas que se pueden gestar en su seno, consiguiéndose así una cierta estabilidad.

PAN Y CIRCO

La estrategia del pan y circo, esencia de la teoría de la sociedad de masas, se remonta a la Antigua Grecia, donde la desigualdad entre clases únicamente era tolerada gracias a los festivales y banquetes que organizaban los más ricos de la ciudad para todos los ciudadanos. Más tarde, solo se concedían los derechos políticos a aquellos ciudadanos que pudieran asegurar la supervivencia de la comunidad a través de actos de evergesia, término de origen griego que describe el afán de hacer el bien para la ciudad.

En Roma, la aplicación del «pan y circo» era diferente, pues la sociedad no dependía de la riqueza de los ciudadanos notables para sobrevivir, sino de la generosidad de las conquistas. Kaplan concluyó que fue el trato liberal del Imperio romano con sus pueblos súbditos lo que en el fondo impidió que estos se rebelaran. La figura del emperador centralizó el deseo de ganar mentes y corazones para conseguir prestigio entre la plebe, y constituyó un vínculo y un punto de encuentro entre el soberano y sus súbditos, materializado en el circo. Una manera de controlar al pueblo era hacerlo sentir partícipe de algo más grande, de compartir con él gustos, espectáculos, riqueza, triunfos, etc. De ahí que no se cuestionara la desigualdad de clases, las guerras u otros temas de la política doméstica y exterior del Imperio. De hecho, el concepto *panem et circenses* fue acuñado por el poeta romano Juvenal para describir la estrategia política de los emperadores basada en entretener a las masas como medio de aliviar el descontento. Así pues, la entrega de pan diario y juegos frecuentes —en su mayoría, con gladiadores— mantenían al pueblo feliz y distraído de los fracasos políticos, tanto domésticos como externos, que hubieran llevado a la demanda de un cambio en el *statu quo*. De hecho, la gran infraestructura para abastecer de grano a Roma, lo mismo que las carreras de carros, los espectáculos musicales y de teatro, las representaciones de batallas navales y las ejecuciones públicas, solo eran una forma de distraer al pueblo.

Hoy en día se encuentran muchos ejemplos de pan y circo, o de opio del pueblo. Algunos autores comparan al Imperio romano con la sociedad de Estados Unidos: comida rápida, violencia diaria y casi idolatría a los guerreros. Lo que hace que la mayoría de los estadounidenses no se pregunte acerca de la racionalidad de las intervenciones militares y de los drones que se utilizan para matar, como si cuestionarse sobre ello pudiera debilitar la sociedad.

A FALTA DE CHAMPÁN, PETRÓLEO

El símil del espumoso que desciende por la pirámide de copas, extendiendo así el beneficio a todos, trae a la mente el oro líquido de nuestros días: el petróleo. Países con grandes reservas de petróleo que mantienen a sus monarquías y dirigentes públicos muy holgadamente, procuran compartir los beneficios con el pueblo, aunque este no disfrute de las mismas libertades y derechos fundamentales existentes en otras sociedades.

Por ejemplo, Arabia Saudí creó en 2005 un programa por el que todos los años 200.000 saudíes podían estudiar en el extranjero con todos los costes pagados gracias al petróleo. Este programa ha estado vigente durante una docena de años, enfrentándose ahora a un problema de déficit debido a la bajada del precio del crudo. En 2011 Kuwait dio 3.500 dólares a sus ciudadanos, acrecentando la diferencia entre los países ricos del Golfo y el resto de Oriente Medio. No obstante, muchos se preguntan si esto es una forma de compartir la riqueza generada por este recurso o bien una manera de obtener apoyo para el gobierno. O quizá ambas cosas a la vez. Sin embargo, en Arabia Saudí como en Kuwait, la mencionada caída en los precios del petróleo, unida a los gastos incontrolados del gobierno, hace que no se pueda comprar a la población igual que en años anteriores.

Cada ciudadano kuwaití tiene derecho a una casa concedida por el gobierno o a un préstamo para comprarse una después de casado; actualmente la lista de espera es de cientos de miles. Al no poderse mantener el ritmo, todo hace pensar que el oro líquido se está quedando en la cúspide, por lo que, si no vuelve a fluir hacia las copas más bajas, estas quedarán vacías y los sedientos bebedores acabarán destruyendo la pirámide de cristal.

COMPARTIR LA CORRUPCIÓN

Esta estrategia también es empleada por los gobiernos corruptos, las cleptocracias. En ellas, además del nepotismo y la malversación de los fondos públicos, está institucionalizado el clientelismo político. Mediante las copas de champán se intenta hacer partícipe de la corrupción al pueblo, que, al sumirse en pequeñas corruptelas cotidianas, queda desarmado moralmente para pedir cuentas a quienes, en la cúspide del poder político, judicial y económico, se enriquecen de forma desproporcionada a costa de las arcas públicas. Por el mismo razonamiento, el partido gobernante que aplica esta estrategia consigue mantenerse en el cargo gracias precisamente a aquellos que, aun a sabiendas de sus fechorías, le siguen votando para que el champán también llegue hasta ellos.

En el futuro, esta estrategia se utilizará a través de medios mucho más sofisticados que el pago directo a unos ciudadanos para mantenerlos contentos. Aunque las promesas políticas seguirán siendo la cortina de humo tras la que se esconda la imagen de un Estado o grupo de Estados que, a modo de anfitriones, destapen una botella tras otra para que la pirámide no colapse.

EL BURRO Y LAS ALFORJAS

En la vida, hay asnos que cocean, muerden y brincan para que nadie les ponga unas alforjas en el lomo. Se los intentará someter a base de palos o con zanahorias, pero, pasado un tiempo, serán dejados por imposibles dada su pertinaz obstinación. Su rebelde terquedad los habrá salvado de convertirse en una bestia de carga para el resto de sus días. Habiendo convencido de su inutilidad para el trabajo, serán dejados tranquilos, probablemente abandonados en un campo donde pacerán a sus anchas. Aunque quizá también haya la tentación de acabar con ellos, al no servir para los fines de su amo. Pero es un riesgo que el rebelde pollino tiene que asumir.

Otros hay que, por el contrario, enseguida son doblegados para colgarles las alforjas. A unos se los engañará con promesas de mejor lecho y forraje de superior calidad, con llevarlos a ver mundo. A los demás se los convencerá con caricias y halagos: que es el más válido, que es especial, el más fuerte, el más valiente, el afortunado. Este pobre desgraciado ya nunca se quitará la carga de encima. Y si un día, ya cansado, dolorido o envejecido, trata de sacudirse de encima las pesadas bolsas, entonces, sorprendido el acemilero por esta inesperada reacción, lo acusará de traidor, de desagradecido, y a buen seguro lo molerá a golpes para que regrese a su actitud habitual. De no hacerlo, su reciente e incomprendida inutilidad lo llevará camino del matadero.

Porque debe saberse que el rucio que se deja poner las alforjas ya no se las puede quitar nunca. Convertidas en parte de su cuerpo, nadie entenderá el momento en que por ellas proteste. Y cuando lo haga, dejará de ser querido para convertirse en tan odiado que solo querrán deshacerse de él, sin la menor muestra de gratitud por los muchos y buenos servicios prestados.

Las alforjas militares

> Un soldado sin formación política o ideológica es un criminal en potencia.
>
> Thomas Sankara

El burro perfecto es el que no solo no protesta nunca, sino que además está encantado con la vida que lleva. Sucede así con los militares profesionales de todos los ejércitos, a los que se ha convencido de la trascendental labor que desempeñan, de que realizan una misión sagrada en la que deben empeñar su propia vida si fuera preciso. Dicho esto con todo respeto y consideración hacia las mujeres y los hombres que han elegido la carrera de las armas para proteger a sus conciudadanos, la noble profesión que Pedro Calderón de la Barca denominaba como «una religión de hombres honrados». Hacia ellos ninguna crítica. De haberla, iría dirigida hacia los que dan las órdenes, a menudo impregnadas de arbitrariedades, errores e intereses espurios.

Lo que suelen ignorar muchos militares son las realidades que las guerras suelen esconder, comenzando por los intereses geopolíticos y económicos que poco o nada tienen que ver con el mensaje que se les traslada para que acudan prestos al combate y se sacrifiquen hasta las últimas consecuencias. No son conscientes de que jamás podrán desprenderse ya de las pesadas alforjas que les han colocado.

Todos los ejércitos, de forma no muy diferente a las órdenes religioso-guerreras o a los actuales grupos terroristas salafistas-yihadistas, siempre han encontrado fórmulas para convencer a sus combatientes del cometido supremo que realizan y, por ello, del esfuerzo máximo que deben realizar. De modo que, quitando los altos mandos —algunos—, en los ejércitos se han buscado históricamente soldados con la inteligencia justa para desarrollar adecuadamente sus funciones. Pues, de otro modo, podría pasar lo que decía Federico I de Prusia: «Si mis soldados pensasen, no quedaría ni uno solo en filas».

LAS ALFORJAS GEOPOLÍTICAS

En el plano geopolítico, lo mismo sucede con algunos Estados que se lanzan a emprender aventuras bélicas muy alejadas de las necesidades e intereses reales de su país y su pueblo, simplemente por agradar al gran poderoso que les ha solicitado su colaboración, que en algunos casos tiene más de simbólica que de efectiva. Sin embargo, el colgarse estas innecesarias alforjas puede suponerles una terrible carga, pues lo más seguro es que terminen por granjearse enemigos de los que no tenían ninguna necesidad. En el campo concreto del terrorismo, esta falta de visión y ese dejarse arrastrar por causas ajenas puede terminar por reflejarse en su territorio en forma de atentados.

Hoy en día, se pueden encontrar numerosos ejemplos en las operaciones relacionadas con la paz o en los diversos conflictos de baja intensidad diseminados por medio mundo. En ellos, da la impresión de que algunos países no han reflexionado seriamente sobre el contenido de su misión en esos escenarios, más allá, como decía, de no disgustar al iniciador de la operación, que sí persigue objetivos claros pero que solo a él benefician.

> Toda la propaganda de guerra, todos los gritos, las mentiras y el odio, proceden invariablemente de la gente que no combate.
>
> GEORGE ORWELL

En su novela *El miedo* (1930), básicamente una autobiografía, el escritor francés Gabriel Chevallier relata con extremo realismo y crudeza las penurias por las que pasaron él y sus compañeros, soldados en la Primera Guerra Mundial, apenas sobreviviendo en las penosas trincheras, con un miedo que los carcomía, mientras esperaban una orden de ataque que los llevaba a una muerte segura. Simultáneamente, los que se habían valido de sus contactos para evitar estar en el frente y los que se beneficiaban de algún modo de la contienda exaltaban los valores guerreros y los animaban a seguir combatiendo con fiereza y valor. Chevallier comenta en la introducción:

> Me enseñaron en mi juventud —cuando estábamos en el frente— que la guerra era moralizante, purificante y redentora. Hemos visto lo que en realidad era: especuladores, contrabandistas, mercado negro, denuncias, traiciones, tiroteos, tortura, tuberculosis, tifus, el terror, el sadismo y la hambruna. Heroísmo, de acuerdo. Pero, la pequeña, excepcional, proporción de heroísmo no redime la inmensidad del mal. Por otra parte, pocos son los verdaderos héroes.

La estrategia de las alforjas se trasluce cuando, por boca de su personaje Jean Dartemont, Chevallier dice con amargura:

> Los hombres son imbéciles e ignorantes. De ahí les viene su miseria. En lugar de reflexionar, se creen lo que les cuentan, lo que les enseñan. Eligen jefes y amos sin juzgarlos, con un gusto funesto por la esclavitud. Los hombres son unos mansos corderos. Es lo que hace posible los ejércitos y las guerras. Mueren víctimas de su estúpida docilidad.

> La guerra contra otro país solo tiene lugar cuando la clase pudiente piensa que va a sacar algún beneficio de ella.
>
> GEORGE ORWELL

El periodista estadounidense Chris Hedges, veterano corresponsal de guerra y premio Pulitzer, comenta en un artículo titulado «El verdadero enemigo está dentro»:

> Nuestro mayor enemigo son los militaristas y los que se benefician de la guerra. Emplean el miedo, apoyado en el racismo, como instrumento para abolir las libertades civiles, aplastar a los disidentes y llegar a acabar con la democracia. Utilizan la fuerza militar para llevar a cabo durante décadas guerras inútiles que solo sirven para enriquecer a corporaciones como Lockheed Martin, General Dynamics, Raytheon y Northrop Grumman. Y cuando los generales se retiran, ¿adivinan a dónde se van a trabajar? Los beneficios son enormes. La guerra nunca cesa. Amplias partes del mundo viven bajo el terror. El músculo militar existe para permitir que las corporaciones globales amplíen mercados y saqueen el petróleo, los minerales y otros recursos naturales, mientras mantienen subyugadas a poblaciones empobrecidas por regímenes marioneta, corruptos y brutales.[67]

Que así se exprese una persona considerada como manifiestamente escorada a la izquierda, progresista y pacifista, no debería sorprender. Pero sí llama la atención, y mucho, que prácticamente sus mismas palabras fueran dichas, años antes, por un general de división norteamericano. Y es que seguramente no hay nadie mejor que Smedley Darlington But-

---

67. Hedges, Chris, «The Real Enemy is Within», *Truthdig*, 6 de septiembre de 2015. En <http://www.truthdig.com/report/item/the_real_enemy_is_within_20150906>.

ler para contar lo que de verdad se esconde tras las guerras a las que son llevados los soldados por políticos sin escrúpulos, haciendo bueno el dicho de «gente de honor, sacrificada por gente sin honor».

El general Butler no era un soldado más. Perteneciente al Cuerpo de Marines, todavía hoy en día sigue siendo el capitán más joven y el militar más condecorado de la historia de Estados Unidos. Baste decir que es uno de los dos marines que han recibido dos medallas de Honor del Congreso —la más alta condecoración del país— por sobresaliente heroísmo en combate.

En 1935, una vez retirado del servicio activo, dio un discurso que luego volcó en un breve libro, *War is a racket*, cuyo título puede traducirse como «la guerra es un fraude» o «la guerra es un chanchullo».[68] El contenido del discurso-libro estaba dirigido a denunciar el empleo de las fuerzas armadas estadounidenses en beneficio de Wall Street, aportando detalles de cómo Washington había intervenido en Iberoamérica para satisfacer los intereses de las principales empresas norteamericanas, las cuales se habrían aprovechado de un ejército pagado por los contribuyentes para utilizarlo en batallas regadas con la sangre de sus soldados. El discurso del general Butler comienza así:

> La guerra es un fraude. Siempre lo ha sido. Posiblemente el más antiguo, fácilmente el más rentable, seguramente el más vicioso. Es el único internacional en alcance. Es el único en el cual los beneficios se miden en dólares y las pérdidas en vidas humanas. Es efectuada para el beneficio de unos pocos, a expensas de la mayoría. Unas pocas personas hacen inmensas fortunas con la guerra. Durante la Primera Guerra Mundial, al menos 21.000 personas se hicieron millonarias o milmillonarias en Estados Unidos. ¿Cuántos de estos millonarios de la guerra llevaron un fusil a la espalda? ¿Cuántos de ellos cavaron una trinchera? ¿Cuántos supieron lo que significa estar ham-

68. La versión completa del discurso está disponible en <https://archive.org/stream/WarIsARacket/WarIsARacket_djvu.txt> y <https://www.ratical.org/ratville/CAH/warisaracket.html>.

briento en un refugio infestado de ratas? ¿Cuántos pasaron noches de pánico sin dormir, agachados evitando granadas, esquirlas y balas de ametralladora? ¿Cuántos de ellos pararon el golpe de bayoneta de un enemigo? ¿Cuántos de ellos fueron heridos o murieron en combate? [...] La guerra permite a las naciones hacerse con más territorio, si resultan victoriosas. El nuevo territorio inmediatamente es explotado por unos pocos, los mismos que consiguen dólares con la sangre de la guerra. El pueblo es quien paga la factura.

Por otro lado, en el breve libro en el que amplía su discurso, el general Butler resume su vida militar y las alforjas que soportó:

> He servido durante treinta años y cuatro meses en las unidades más combativas de las Fuerzas Armadas estadounidenses: en la Infantería de Marina. Tengo el sentimiento de haber actuado durante todo ese tiempo de bandido altamente cualificado al servicio de las grandes empresas de Wall Street y sus banqueros. En una palabra, he sido un pandillero al servicio del capitalismo. De tal manera, en 1914 afirmé la seguridad de los intereses petroleros en México, Tampico en particular. Contribuí a transformar a Cuba en un país donde la gente del National City Bank podía birlar tranquilamente los beneficios. Participé en la «limpieza» de Nicaragua, de 1902 a 1912, por cuenta de la firma bancaria internacional Brown Brothers Harriman. En 1916, por cuenta de los grandes azucareros norteamericanos, aporté a la República Dominicana la «civilización». En 1923 «enderecé» los asuntos en Honduras en interés de las compañías fruteras norteamericanas. En 1927, en China, afiancé los intereses de la Standard Oil. Fui premiado con honores, medallas y ascensos. Pero cuando miro hacia atrás considero que podría haber dado algunos consejos a Al Capone. Él, como gánster, operó en tres distritos de una ciudad. Yo, como marine, operé en tres continentes. El problema es que cuando el dólar americano gana apenas el seis por ciento, aquí se ponen impacientes y van al extranjero para ganarse el ciento por ciento. La bandera sigue al dólar y los soldados siguen a la bandera.

Sin duda, son palabras amargas e irónicas de un héroe que se siente frustrado por haber sido burdamente manipulado para que combatiera con fines que en absoluto tenían que ver con el concepto de honor y patria que le habían enseñado y que él mismo había transmitido a sus tropas. Son el testimonio de un hombre que seguía siendo igual de valiente en la paz que lo había sido en la guerra. El general Butler es un ejemplar único, pues son escasísimos los militares, aun una vez alcanzado el retiro, que tienen el coraje de expresarse de este modo, incluso aunque en su fuero interno conozcan pormenorizadamente la verdad sobre las causas reales por las que se hacen las guerras, lo mismo que podría decirse de muchas de las operaciones relacionadas con la paz.

TODOS TRAEMOS ALFORJAS

Hace falta mucha personalidad, criterio propio, amplios conocimientos y cierta capacidad material para no dejarse poner las alforjas por nadie. Además, las circunstancias y la presión social no siempre permiten rechazarlas. Sin contar que también hay quien voluntariamente opta por ellas y vive feliz con su carga.

5

Errores frecuentes en geopolítica

Aunque llevamos repitiendo durante siglos que hay que aprender del pasado para no repetir los mismos errores y así crear un futuro mejor, los Estados y sus decisiones geopolíticas han tropezado siempre en las mismas piedras. Unos errores tan antiguos como la humanidad misma, empeñada en estrellarse una y otra vez hasta romperse la crisma.

IGNORAR LA IDIOSINCRASIA DE LOS PUEBLOS

> La base del análisis de inteligencia es que jamás hay que juzgar a los demás según nuestra sensibilidad judeo-cristiana.
>
> ALEXANDRE DE MARENCHES

Conocer la idiosincrasia de los pueblos es fundamental a la hora de realizar la planificación de cualquier operación que implique el contacto con otras culturas, tradiciones, religiones y formas de pensar e interpretar la vida.

Si es importante cuando se trata de una relación comercial, este conocimiento se convierte en totalmente prioritario cuando lo que está en juego es la posibilidad de ir a la guerra contra esa otra civilización.

Es absolutamente insensato e imprudente —aunque se haya hecho con harta frecuencia— ir contra un pueblo del que se desconoce el valor que concede a la vida humana, su belicismo histórico, sus ansias de revancha, su odio visceral al invasor, su austeridad, determinación y orgullo, o su tendencia a recurrir a la violencia como fórmula prioritaria para solucionar conflictos, por mencionar solo algunos de los datos que deben ser objeto de profundo y detallado análisis.

LA IMPORTANCIA DE COMPRENDER EL SIGNIFICADO DE LA IDIOSINCRASIA

> Si conoces a los demás y te conoces a ti mismo, ni en cien batallas correrás peligro. Si no conoces a los demás, pero te conoces a ti mismo, perderás una batalla y ganarás otra. Si no conoces a los demás ni te conoces a ti mismo, correrás peligro en cada batalla.
>
> SUN TZU

Un factor común a todas las guerras de la historia ha sido, según Michael Howard, la predisposición cultural al combate por una de las partes enfrentadas o por ambas, lo mismo si esta se ha limitado a las élites gobernantes o se ha extendido a toda la sociedad. En algunas culturas —a las que Howard considera belicistas, más que militaristas— se considera natural, inevitable y justo resolver mediante el conflicto armado las cuestiones en litigio. Queda demostrado así que los valores no son universales, ya que, en el pasado reciente, existían sociedades para las que la violencia y la guerra no solo eran actividades sociales aceptables, sino también deseables. Y aún no ha llegado el mundo a un estado de evolución que permita dar por segura la desaparición definitiva de semejantes actitudes.

La cultura local, como apunta Pierre Servent, tiene una notable influencia en el comportamiento del ser humano en el combate, del mismo modo que las percepciones de cada sociedad se ven afectadas por su estructura, su cultura y su historia internas. Por ello, no se encontrarán dos pueblos que piensen y reaccionen de forma equiparable, por más que la globalización haya tendido a una cierta homogeneización.

Aun sabiendo esto, el problema suele surgir por la falta de interés en comprender al «otro», en conocer y entender su mentalidad, inquietudes y aspiraciones. Esta incomprensión, mezclada con amplias dosis de desprecio por los demás, y en directa relación con la soberbia como pecado geopolítico capital, es muy propio de las culturas que se han arrogado el distintivo de ser las avanzadas y evolucionadas del momento, como sucede ahora con el mundo occidental. Barbara W. Tuchman deja claro que quizá la humanidad tenga elementos comunes, pero las necesidades y aspiraciones varían según las circunstancias. Y pone como ejemplo que la suposición de que todos defienden el mismo concepto occidental democrático de libertad fue, y es, un engaño pergeñado por Estados Unidos. De hecho, así sucedió con las erróneamente definidas como «primaveras árabes», cuando los medios de comunicación occidentales, animados por discursos políticos sin fundamento, o al menos más volitivos que realistas, no dudaron en afirmar que la mayor parte de la población de esos países buscaba la implantación inmediata de la democracia. En realidad, la mayoría quería derribar a los autócratas —generalmente laicos— para imponer un islam político, es decir, un nuevo gobierno dirigido por islamistas, como ha quedado demostrado en Egipto o Libia, y puede llegar a suceder en Siria.

Howard propone, como situación ideal, el esfuerzo y la voluntad de comprender los problemas de los antagonistas aun no simpatizando con ellos. Se podría resumir en una empatía indiferente, que no significa más que comprender pero sin que nos afecte, ponerse en lugar del otro pero sin estar obligados a compartir ni justificar criterios, ni mucho menos adherirse a ellos, sino simplemente entender para poder superar con éxito la situación. Algo mucho más fácil de decir que de hacer, pues el ser humano no muestra especial inclinación, en general, a ponerse en el lugar de sus congéneres.

> En 2003, antes de que diera comienzo la invasión de Irak, la mayoría de los medios angloamericanos pensaban que los iraquíes iban a recibir a las tropas británicas y estadounidenses con flores y que la resistencia se vendría abajo.
>
> SEUMAS MILNE

A pesar de las lecciones que ofrece la Historia, se han cometido una y otra vez los mismos errores en escenarios como Afganistán, Pakistán, Irak o Yemen, donde han proliferado en los últimos tiempos el uso de drones y los bombardeos sistemáticos. Esto, unido al principio de la venganza, tan arraigado en estas partes del mundo, solo ha conseguido enraizar los conflictos durante muchos decenios venideros.

Sin ir más lejos, existe una gran incomprensión hacia el mundo oriental, que se agudiza cuando se trata de seguidores de la fe predicada por Mahoma. Según Pedro Herranz, los orientales tienen un ángulo visual que no se acomoda al punto de vista que, en la mayor parte de las cuestiones, suelen tener los occidentales. Señalando la misma diferenciación, Tuchman piensa que los hábitos lingüísticos orientales tienden a ocultar un núcleo de sustancia —a veces ni siquiera la hay— bajo la voluminosa envoltura de la forma. En el caso concreto de los chinos, Brzezinski entiende que estos han desarrollado un profundo sentimiento de humillación cultural como consecuencia de la explotación sufrida bajo potencias extranjeras, desde la guerra del Opio (1839-1842), con Gran Bretaña, a la invasión japonesa un siglo más tarde.

Tan importante es comprender a los pueblos que se pretende dominar que ya Maquiavelo alertaba, en *El príncipe*, de que, aun con un ejército poderoso, para entrar en una región siempre hay que contar con el apoyo de sus habitantes, cuyas características se deben conocer. Ponía el ejemplo del rey francés Luis XII, quien tardó tan poco en conquistar Milán como en perderla, pues las mismas gentes que le habían abierto las puertas no pudieron soportar los inconvenientes de tener un nuevo príncipe, tras sentirse defraudadas en sus convicciones y sus esperanzas de futuro bienestar. Y es que, como decía Jenofonte, los hombres contra nadie se levantan más que contra aquellos en quienes notan intención de gobernarlos.

AFGANISTÁN, O NO APRENDER EN CABEZA AJENA

Los soviéticos no aprendieron las lecciones históricas ni tampoco valoraron adecuadamente la idiosincrasia del pueblo afgano. El error les costó al menos quince mil soldados muertos (la cifra exacta sigue siendo secreto de Estado para Moscú) durante el conflicto en Afganistán (1979-1989), «el Vietnam de la URSS». A pesar de nunca resultar derrotados en una gran batalla, que tampoco son las habituales en este terreno tan abrupto, terminaron por perder la guerra frente a unos milicianos mal pertrechados y desorganizados, por más que recibieran ayuda financiera y material del exterior, incluidos los misiles Stinger —que tanta influencia tuvieron en la evolución del conflicto— proporcionados por Estados Unidos y que se volverían contra su propio ejército años después.

Pero todavía peor, si cabe, fue la imprevisión de Washington cuando en 2001, como reacción a los atentados terroristas del 11-S, decidió intervenir en Afganistán. Los dirigentes estadounidenses deberían haber prestado más atención a su propia película hollywoodiense *Rambo III*. Estrenada en 1988, poco después de que los soviéticos empezaran su salida de Afganistán, a lo largo del filme se ensalza el valor de los combatientes afganos contra el invasor soviético. El coronel Trautman, instructor y mentor del protagonista —John James Rambo, un veterano de Vietnam encarnado por el actor Sylvester Stallone—, ha caído prisionero de los soviéticos y Rambo entra en territorio afgano, dispuesto a rescatarlo. El punto más ilustrativo se alcanza cuando Trautman está siendo interrogado por un oficial ruso. En un momento determinado, el coronel le espeta a su torturador, refiriéndose a los afganos:

> Subestiman al enemigo; si conocieran su historia, sabrían que esa gente jamás se ha rendido ante nadie. Prefieren morir antes que ser esclavizados por un ejército invasor; no pueden ganarle a un pueblo así. Nosotros lo intentamos, ya tuvimos nuestro Vietnam; ahora ustedes tienen el suyo.

Como colofón, la película —dirigida por Peter MacDonald— se dedica «a los valerosos combatientes muyahidines de Afganistán».

Pero este caso no es único. En 1985, el entonces presidente estadounidense Ronald Reagan se había reunido en el Despacho Oval de la Casa Blanca con una representación de los muyahidines afganos y dijo públicamente de ellos: «Estos caballeros son los equivalentes morales a los padres fundadores de América». En realidad, esta expresión tan generosa como exagerada era el remate a haber dedicado, en 1982, el transbordador espacial *Columbia* «a los valerosos combatientes afganos por la libertad».

Pastunes: eternos incomprendidos

> Una persona que quiere venganza guarda sus heridas abiertas.
>
> FRANCIS BACON

Uno de los errores clásicos, y no por ello menos repetido, ha sido el cometido con los pastunes, una nación sin Estado formada actualmente por más de cuarenta millones de personas (13,8 millones en suelo afgano y 26,6 millones en Pakistán). Los pastunes fueron divididos entre dos países cuando, en 1893, los británicos decidieron establecer la línea Durand como límite de separación de las áreas de influencia de Afganistán y la India británica.

Además de la multiplicidad étnica que se da en Afganistán entre pastunes, tayikos, hazaras, uzbekos y turcomanos, solo entre los primeros hay unas sesenta tribus identificadas y que se diferencian entre ellas, de las que surgen otras cuatrocientas subtribus, que también se ven diferentes. Con una estructura política que solo responde a la familia o el clan, este gran grupo humano siempre ha estado orgulloso de su independencia, por lo que nunca ha aceptado al gobernante de turno establecido en Kabul, que a lo largo de los últimos ciento cincuenta años ha sido mayoritariamente impuesto desde el exterior.

Las únicas leyes que imperan entre este legendario pueblo —con más de cinco siglos de historia, que algunos cifran en 2.500 años por estimar que el historiador griego Herodoto ya los situaba en esas tierras— son las que se desprenden de su propio código no escrito: el *pastunwali*. Este código recoge algunos de los principios que son el verdadero pilar de su sociedad: *melmastia*, el deber de hospitalidad y protección para con los huéspedes; *nanawati*, que implica proporcionar asilo y santuario al fugitivo; y *badal*, la venganza ante cualquier insulto, robo de propiedad, ofensa a la reputación personal o de la familia inmediata, así como por herir o matar a un familiar.

Este aspecto de la venganza sigue sin ser bien entendido por los occidentales, especialmente por aquellos de los países donde no es habitual su práctica. Concretamente, en los de tradición católica es casi imposible de comprender el significado de la venganza. En estas sociedades, cuando alguien es víctima de una afrenta, por grave que sea, la reacción que se ha inculcado es la del perdón, y no la búsqueda de una satisfacción por medio del desquite personal.

Pero cuando un pastún se considera víctima de un agravio, máxime cuando media una muerte cercana, está obligado a lavar la afrenta por mucho tiempo que pase. De forma no muy diferente a lo que sucede en otras culturas, pues a pesar de que alguien quiera asociarlo a la religión, en este caso el islam, la venganza es una cuestión arraigada en la tradición cultural más que en la religiosa. Sin embargo, es algo que se olvida con demasiada frecuencia. De modo que cada vez que se ataca un campamento pastún o se bombardea con aviones o drones a un grupo de pastunes, sus familiares se ven forzados a lanzar su venganza contra los autores o los ciudadanos del país atacante. Con lo cual, en vez de solventar los problemas, de por sí sumamente complejos en esta parte del mundo, estos se agudizan y enquistan.

No hay que olvidar estas palabras del escritor británico Aldous Huxley:

> La guerra moderna destruye con el máximo de eficiencia y el máximo de indiscriminación, y en consecuencia, implica injusticias mucho más numerosas y mucho más graves que las que se pretendan enmendar. [...] Las guerras no concluyen con las guerras; las más de las veces terminan por una paz injusta, que hace inevitable otra guerra de venganza.

Si hay algún escenario en el que esta situación sea absolutamente cierta, ese es el afgano.

Además, la mera lectura de la Historia habría debido servir para que ni soviéticos ni estadounidenses repitieran los errores cometidos en el pasado al intentar dominar a estas tribus. Winston Churchill, tras su estancia en Afganistán en 1897, describió sus impresiones sobre los pastunes en unos términos que bien pueden aplicarse hoy en día:

> Excepto en época de cosecha, cuando la autopreservación las obliga a una tregua temporal, las tribus pastunes siempre están metidas en alguna guerra, privada o pública. Todo hombre es un guerrero, un político y un teólogo. Toda casa grande es una fortaleza feudal. [...] Toda aldea tiene sus defensas. Todas las familias cultivan su *vendetta*; todos los clanes, su feudo. Las numerosas tribus y combinaciones de tribus tienen que ajustar cuentas unas con otras. Nada se olvida y pocas deudas se dejan por pagar.

A pesar de ello, seguirá habiendo quien siga empeñado en intentar someter a un pueblo indomable, al que solo se podría vencer mediante la aniquilación completa de todos y cada uno de sus habitantes. Como esto es lógicamente imposible e inaceptable, los que de modo contumaz lo sigan intentando solo conseguirán estrellarse una y otra vez contra la muralla humana que conforma el indómito pueblo afgano.

A su llegada a Irak en 2003, al mando de la 101 División Aerotransportada estadounidense, el general David Howell Petraeus, exalumno de West Point y doctor por la Universidad de Princeton con una tesis sobre las lecciones de Vietnam, no pareció arrugarse ante un país envuelto en el caos y la muerte. Entendió que se le ofrecía la oportunidad de aplicar en Mosul todo lo que había aprendido sobre la guerra irregular. Su fuente de inspiración era el libro *Contrainsurgencia, teoría y práctica*, escrito en 1964 por el teniente coronel francés David Galula. Después de pasar diez años estudiando las tácticas subversivas empleadas en China, Grecia e Indochina, Galula fue destinado a la Argelia colonial y allí puso en marcha novedosas fórmulas, que luego consignó en su genial tratado. Más tarde, el nuevo manual que recogía la doctrina sobre contrainsurgencia de Estados Unidos, presentado en diciembre de 2006, se basó casi en su totalidad en esta obra.

Cuando, en junio de 2004, el general Petraeus pasó a hacerse cargo del Mando Multinacional de Irak, pudo poner en práctica todas las indicaciones del militar francés, debidamente adaptadas, con resultados notorios. En el prefacio de la edición francesa del libro de Galula impresa en esos años, el general Petraeus recordaba que hasta fechas muy recientes la intervención militar en un país extranjero se debatía entre la aniquilación de la insurgencia y el abandono precipitado de dicho territorio. Pero Galula enseñaba que nada puede hacerse sin el incondicional apoyo de una gran mayoría de la población, que respalde a un gobierno propio al que hay que conseguir que reconozca como legítimo y honrado.

Poco después, a Petraeus se le planteó un reto casi imposible, del que podría salir como gran generalísimo del siglo XXI y probable candidato a la Casa Blanca o, por el contrario, obligado a admitir que sus triunfos en Irak habían sido un espejismo, consecuencia de un conjunto de circunstancias irrepetibles. Afganistán, resistente a invasiones desde tiempos de Alejandro Magno, parecía mofarse ante tal incógnita, guarecida en medio de un intrincado laberinto de pobreza, incultura y fanatismo religioso. Eran demasiados los afganos que miraban a Petraeus con renovadas ansias por expulsar de su territorio al nuevo invasor, con la altivez de quienes todavía no han olvidado que hace siglo y medio acabaron con doce mil británicos y, mucho tiempo después, humillaron a trescientos mil soviéticos.

Cuando, el 31 de octubre de 2008, Petraeus asumió la responsabilidad del Mando Central de Estados Unidos, con sede en Tampa, el mundo afgano afrontaba una creciente ofensiva guerrillera, con el terrorismo operando desde la permeable y protectora frontera paquistaní y con los talibanes fustigando a las escasas tropas internacionales. Uno de los objetivos que se marcó Petraeus fue intentar ganarse los corazones y las mentes del pueblo afgano. Así lo había hecho en Irak, donde invirtió más de once mil millones de dólares, creó un contingente de cien mil miembros de las fuerzas de seguridad, resucitó el inicialmente desmantelado ejército e impulsó innumerables proyectos de reconstrucción. Todo para que fuesen los propios afganos los que se hicieran cargo de su seguridad, descargando paulatinamente de esta pesada tarea a las fuerzas multinacionales.

Pero para ello debía lograr una mejora palpable de la calidad de vida de la población y satisfacer sus necesidades. Un problema complejo, pues para la mayoría de los afganos la democracia, el liberalismo o los derechos humanos son palabras que ni siquiera existen en su universo cultural. El proyecto exigiría plazos de asimilación prolongados e invertir en un sistema educativo que rivalizara con las tradicionales madrasas, las escuelas coránicas. Una tarea difícil en un Kabul considerado un nido de corrupción política.

Petraeus no ignoraba que, incluso al lado de Irak, Afganistán es todavía más indómito. Hasta ese momento, el general había operado con una población iraquí mayoritariamente educada, con ciertos visos de modernidad, que había conocido un Estado sólido, que mantiene sentimientos de nación y con petróleo manando más que el agua del Tigris y el Éufrates. Pero ahora tenía que enfrentarse a las vicisitudes de un pueblo, el afgano, que vive mayoritariamente como en la Edad Media, con una esperanza de vida de 47 años, con mayor fidelidad al clan y a la tribu que a una nación que no reconocen, y con fronteras internacionales que ni tan siquiera imaginan.

La tarea se presentaba titánica pues, entre otras cosas, el territorio afgano es un 50 % más extenso y notablemente más abrupto e inhóspito que el iraquí, y su población —aunque similar en número— está más dispersa y fraccionada. Por no mencionar las casi inexistentes vías de comunicación.

De todo esto se dio perfectamente cuenta Petraeus cuando más tarde, en julio de 2010, fue designado por el presidente Obama como comandante en jefe de la Fuerza Internacional de Asistencia para la Seguridad (ISAF, por sus siglas en inglés) y de las fuerzas estadounidenses en Afganistán, puesto en el que apenas estuvo un año, sin poder repetir el éxito conseguido en Irak. Dejó tras de sí un país que no ha hecho más que sumergirse en el caos, a pesar de los inmensos esfuerzos humanos y económicos allí derrochados por multitud de países.

Y es que no entender la idiosincrasia de los pueblos lleva a estos irremediables fracasos. Fórmulas que fueron exitosas en un escenario concreto no significa que lo vayan a ser necesariamente en otros, y el afgano es uno de los más rebeldes.

El ignorado mundo árabe

T. E. Lawrence —el militar y escritor británico cuya participación en la revuelta árabe durante la Primera Guerra Mundial fue recreada en la película *Lawrence de Arabia* (David Lean, 1962)— refleja en su libro *Los siete pilares de la sabiduría*, escrito en 1926, la incomprensión mutua de dos mundos que se habían visto forzados a convivir temporalmente: el occidental y el árabe. En él, Lawrence describe así a los árabes: «Eran un pueblo dogmático que despreciaba la duda, nuestra moderna corona de espinas. No comprendían nuestras dificultades metafísicas, nuestras interrogaciones introspectivas».

Igual crítica hace de sus conciudadanos británicos, y de los occidentales en general, sobre la falta de interés por entender a los árabes cuando, en *Rebelión en el desierto* —una versión abreviada del libro anterior, escrita un año más tarde—, comenta: «Las mentes árabes funcionan lógicamente, como las nuestras; nada es radicalmente incomprensible o diferente sino las premisas; no hay excusa o razón, excepto nuestra pereza e ignorancia, para que les llamemos orientales herméticos y no nos molestemos en comprenderlos».

En el mundo árabe, la gente se inclina ante el hombre fuerte, el dominante, sea en forma de jefe tribal, patriarca familiar, líder espiritual o religioso, poderoso hombre de negocios, o perteneciente a la clase dirigente. A esta persona se le conceden los máximos honores y se le sigue por donde indique, con obediencia ciega. Pero en cuanto surge otra figura que lo supera en magnificencia o cae en desgracia perdiendo su prestigio, se considerará que ya no tiene honor y será ignorado. En cierto modo es lo que sucede con los líderes de los grupos salafistas-yihadistas, que consiguen ser seguidos por sus fieles mientras son los dominantes y los más mediáticos, como se ha visto en el traspaso de lealtades de Al Qaeda al Estado Islámico por parte de organizaciones terroristas de medio mundo.

Y mientras en Occidente ya nadie parece dispuesto a luchar por principios o valores fundamentales —más allá de temas que no dejan de ser anecdóticos, como el fútbol—, el árabe se mueve en una cultura de honor y vergüenza. Ese honor que es un verdadero pilar de su vida, y que habrá de mantener a toda costa. Mentirá, luchará y matará si es preciso por su honor y el de su familia. Y cuando un hombre es incapaz de proteger su honor, sufre una atormentadora vergüenza que le impulsará a vengarse de quien le haya ofendido, empleando para ello los medios que sean precisos, hasta la violencia más extrema. La ofensa puede venir incluso de un familiar, como puede ser el caso de una hija que se haya comportado de un modo considerado indecoroso, lo que puede llevar a que se cometan, en ciertos lugares, crímenes de honor contra los suyos propios. Este aspecto impulsa a los árabes a ser cumplidores con las normas de la sociedad en la que viven, así como con su religión.

Este mundo árabe, en donde hasta la perspectiva del tiempo es diferente, es difícil de comprender para quienes proceden de sociedades y culturas más abiertas y condescendientes, donde a pocas cosas se les da valor, los principios sociales se diluyen, todo se puede cuestionar y muchas tradiciones se han banalizado o directamente perdido. Un mundo occidental donde cualquier actitud es permisible y está tolerada, estando por el contrario mal visto quien se atreve a poner límites o barreras incluso a los mayores excesos, es incapaz de entender que existan sociedades tan diferentes basadas en principios que pueden a ser radicalmente opuestos.

Un militar español cuenta cómo son los magrebíes

El coronel Fernando Oswaldo Capaz Montes escribió en 1931 el libro *Modalidades de la guerra de montaña en Marruecos*, en el que narraba sus experiencias en la guerra del Rif a principios del siglo xx. En sus páginas apuntaba que los magrebíes no son enemigos despreciables a los que se les pueda negar el valor, en muchos casos exaltado por el profundo desprecio a la muerte que caracteriza al verdadero musulmán. Y abundaba en esa línea cuando manifestaba que su valor y su tenacidad son extraordinarios, pues esperan «pacientemente la retirada o alguna pequeña indecisión o debilidad para tomar nuevos bríos y crecerse de una manera poco común». También definía a los moros —los naturales del África septentrional frontera a España— como astutos, arteros, trapaceros, de mutable palabra, de histórica mala fe y fatalistas, aspectos de su carácter que el coronel Capaz llamaba a nunca olvidar.

Pero quizá la mejor lección que ofrece este militar español sea esta: «El desprecio al adversario no es a primera vista una táctica a adoptar en esta guerra, y aquí más que en otro lugar puede llevarse a la práctica un fin militar economizando sangre de los nuestros, con un conocimiento de esta guerra y de los indígenas». Con lo que exhortaba a conocer a la perfección la idiosincrasia de los pueblos con los que se guerrea o se planea hacerlo en el futuro como única fórmula para alcanzar el éxito.

LYAUTEY, EL GENERAL QUE VENCÍA CON ESCUELAS Y HOSPITALES

Un ejemplo positivo de cómo tratar a los distintos pueblos lo dio el general francés Hubert Lyautey. Este brillante militar, que había comenzado su carrera en Indochina, fue el precursor de una innovadora forma de actuar de los ejércitos con los habitantes de las colonias que las potencias europeas habían establecido en el siglo XIX en medio mundo.

Aplicada con éxito en el norte de África, la estrategia de Lyautey se basaba en combinar las operaciones militares con acciones políticas y sociales. La original fórmula implicaba abandonar el procedimiento anterior de someter a las poblaciones colonizadas mediante la exclusiva aplicación de la fuerza para, en su lugar, dar prioridad a un desarrollo social y económico apoyado por fuerzas muy ligeras y móviles que permitieran el contacto con la gente. De este modo, se buscaba conseguir la mayor aceptación posible de los colonizados y evitar el surgimiento de movimientos opositores.

El culmen de esta aproximación a la problemática del proceso colonizador se alcanzó cuando Lyautey, ya como general de brigada, fue enviado a la región de Orán para sofocar una revuelta. Una vez consiguió que sus superiores le dieran libertad de acción y control sobre la gestión política, este general francés decidió no lanzar sus tropas sobre los rebeldes —solo en contadas ocasiones hizo un limitado uso de la fuerza—, sino ganarse a las tribus mediante el ofrecimiento de protección y la promesa de proporcionarles hospitales y escuelas, además de otros beneficios sociales (pozos de agua, carreteras, mejora de los métodos agrícolas, etc.).

Posteriormente, cuando en 1911 fue enviado a Marruecos, entre otras medidas permitió las costumbres locales, al tiempo que potenció la economía y creó puestos de trabajo, dejando la utilización de los medios militares para situaciones extremas, para garantizar la seguridad y como medida disuasoria.

Otra de las duras lecciones en carne propia que tuvieron que aprender los estadounidenses se la ofreció Vietnam. Su fracasada guerra no tuvo en cuenta a un pueblo que prefería morir en masa a ser sometido. Y eso que habían sido advertidos. En 1963, cuando Estados Unidos ampliaba su implicación en Vietnam, el entonces primer ministro soviético Nikita Jruschov comentó a un alto funcionario estadounidense: «Si quieren, vayan y peleen en las selvas de Vietnam. Los franceses lucharon allí siete años y al final tuvieron que irse. Tal vez los norteamericanos puedan aguantar un poco más, pero al final van a tener que irse también».

Pero quizá el mejor resumen de lo sucedido lo hizo Võ Nguyên Giáp, el general al mando del ejército norvietnamita durante toda la contienda:

> En mil años de dominación no fuimos asimilados. El pueblo vietnamita tiene un espíritu patriota indoblegable. Los franceses dijeron que en Dien Bien Phu no podíamos ganar, pero ganamos. Cuando entró Estados Unidos, mucha gente dijo que no podíamos ganar. En definitiva fue el factor humano lo que determinó la victoria.

Al respecto de esta guerra tan desigual en medios, Barbara W. Tuchman critica que Washington subestimara el compromiso de Vietnam del Norte con su objetivo. Continúa comentando que la motivación del enemigo era algo que no entraba en los cálculos norteamericanos y, por consiguiente, la Casa Blanca pasó por alto todas las pruebas del fervor nacionalista y de la pasión por la independencia de los norvietnamitas. Igualmente, Estados Unidos desoyó la predicción del general francés Leclerc —líder de las fuerzas de la Francia Libre durante la Segunda Guerra Mundial—, quien auguró que la conquista requeriría medio millón de hombres y ni aun así se lograría. Añade Tuchman que los estadounidenses no supieron interpretar adecuadamente el estoicismo y el fatalismo de Oriente.

En definitiva, cometieron el error de desconocer la historia de Vietnam, sus tradiciones y su carácter nacional, cuando en cualquier manual sobre Indochina podrían haber descubierto la longeva resistencia vietnamita a todo régimen extranjero.

Por eso, cuando Washington intentó negociar con el régimen de Hanói, se encontró, en palabras del propio Kissinger, con leninistas devotos que se tenían por portavoces inexorables de un futuro inevitable, de una verdad absoluta y de un discernimiento moral superior, que no estaban dispuestos a hacer concesiones ni a aceptar nada que no fuera la inmediata y total retirada americana y la deposición del régimen de Saigón.

SOMALIA O LA FALTA DE COMPRENSIÓN

La intervención internacional en Somalia de los años 1992 y 1993 ofrece un ejemplo muy gráfico sobre lo que ocurre cuando se desconoce la idiosincrasia de los pueblos. En ese momento no se tuvo acierto al determinar cuál era la base social del país. La realidad era que su sistema social estaba basado en el clan o tribu, lo que es muy frecuente en África. Pero quizá la principal especificidad en este caso, desde una perspectiva cultural, es que los clanes tienden a unirse cuando uno de ellos es atacado, haciendo frente común contra el enemigo o el invasor.

Cuando la Fuerza Operativa Unida (UNITAF, por sus siglas en inglés) —formada por efectivos de diversos países, organizada y dirigida por Estados Unidos, y autorizada por el Consejo de Seguridad de la ONU— atacó a uno de los principales jefes tribales, el general Mohamed Farrah Aidid, se desencadenó una respuesta inesperada: los demás líderes y la mayor parte de la población somalí pensaron que estaban en guerra contra los extranjeros.

Otro error cultural cometido por los militares estadounidenses fue lanzar panfletos propagandísticos sobre la población de Mogadiscio, sin tener en cuenta que la mayoría era analfabeta y que tan solo se informaba por la radio.

Frente a una Rusia que adquiere mayor fortaleza e intenta recuperar su estatus perdido tras la desaparición de la Unión Soviética, cualquier aventura belicista que cometa el error de ignorar la idiosincrasia de su pueblo está condenada a fracasar. Los ciudadanos rusos ni siquiera van a ceder ante las acciones llevadas a cabo en el marco de la guerra económica declarada contra el Kremlin. Pues las sanciones económicas, las congelaciones de activos financieros o cualquier otra medida no van a conseguir poner de rodillas a una población muy sufrida, acostumbrada a la guerra y las penalidades, belicosa, cohesionada mediante un potente sentimiento patrio, fiel seguidora de sus líderes, y reforzada con una lengua común y entroncada con un excepcional pasado histórico y cultural. El intenso frío ha desarrollado en los rusos una inigualable capacidad para el sufrimiento, impasible ante cualquier reto. Así lo entendió Kissinger, quien se refiere al pueblo ruso como acostumbrado a grandes hazañas de resistencia y capaz de soportar las privaciones más terribles, como demostró durante las invasiones de Napoleón y Hitler.

Liddell Hart ofreció una imagen muy nítida de cómo eran los soldados rusos durante la Segunda Guerra Mundial, cuyas características los diferenciaban notablemente de otros combatientes a los que habían tenido que enfrentarse los alemanes. Hart destacaba que los rusos luchaban con la mayor tenacidad, tenían una asombrosa capacidad de resistencia y podían prescindir de casi todas las cosas que otros ejércitos consideraban indispensables, lo que hacía que el enemigo raramente encontrara columnas de aprovisionamiento a las que atacar. Además, tenían un gran desprecio por la vida y eran extremadamente abnegados y disciplinados.

Lo que enseñan las películas

Las películas que produce cada país son buen reflejo de la idiosincrasia de sus ciudadanos, pues muestran las características y condicionantes del conjunto de su sociedad. Por ello, de su análisis se puede desprender mucha información sobre cómo se comporta ese pueblo, incluso sobre qué principios puede aplicar su política exterior. En el caso estadounidense, una multitud de películas y series de televisión arroja datos muy significativos sobre los pilares de su actuación geopolítica. Más concretamente, las películas de acción, de las cuales Hollywood es el indudable gran maestro mundial, aportan una información valiosísima para comprender cómo va a reaccionar Estados Unidos en el mundo. Los parámetros comunes a este tipo de películas son los siguientes:

- Amplio uso de la fuerza y la violencia, en no pocas ocasiones totalmente gratuita, como fórmula exitosa para resolver situaciones.
- Simplicidad de argumentos, que hacen que en buena parte de los casos los resultados finales sean bastante predecibles.
- Máxima espectacularidad, para fijar la atención del espectador.
- Fuerte maniqueísmo, pues siempre hay una persona o una colectividad que encarna a los «malos» del momento, sean indios, nazis, soviéticos, talibanes, yihadistas, iraníes o norcoreanos. Son habitualmente presentados como torpes, bárbaros, amorales, bravucones, tiranos, injustos, etc. Por supuesto, son los obvios perdedores finales ante los «buenos».
- Absoluta prepotencia, fruto de la creencia de pertenecer a una cultura superior que ha alcanzado un cénit de desarrollo que la convierte en faro del mundo.
- Convencimiento de un destino manifiesto, que los lleva a considerarse los guardianes de todos los valores positivos del mundo por gracia divina. Además, se sienten en la obligación de exportarlos a todo el planeta aunque no hayan sido requeridos por los temerosos destinatarios.

Pero por encima de todas ellas destaca una que puede ser menos evidente e incluso llegar a pasar desapercibida pero que, sin embargo, es el argumento principal de un elevadísimo número de filmes: la venganza. Este parámetro se convierte así en el eje central de la trama de numerosas películas, en la principal fuerza motivadora del argumento.

Las invasiones de Afganistán e Irak, efectuadas tras los atentados terroristas del 11-S, pueden ser vistas como una mera aplicación de ese principio de venganza, pues en ellas influyeron más los sentimientos que una planificación estratégica meditada y coherente. Lo mismo podría decirse del ataque a Libia en 2011, ya que Gadafi era un enemigo declarado y Washington llevaba años esperando una excusa para acabar con él. Por ello, se podría concluir que la venganza es, si no el principal, uno de los más relevantes factores que impulsan a la Casa Blanca a adoptar decisiones geopolíticas.

¡QUE VIENEN LOS BÁRBAROS!

Otro aspecto que suele pasar inadvertido es la debilidad propia de las sociedades más desarrolladas. Esto ha sido una constante histórica, pues ya Jenofonte pensaba que los hombres en ninguna parte son más fáciles de someter que cuando comen, beben, se bañan, están acostados o duermen. Para Manuel Fraga, a partir de un cierto nivel de desarrollo, los pueblos tienden a perder la voluntad de lucha. Actualmente se confirma que, como decían Platón e Ibn Jaldún, los pueblos que viven en la opulencia se corrompen y decaen, y son presa de los más fuertes y sobrios. Lo que estos autores nos dan a entender es que las sociedades de la abundancia y la decadencia terminan invariablemente por ser víctimas de los bárbaros de turno, de esos que nada tienen y todo desean, de los que vienen a comerse el mundo con hambre desmedida, sin poner límites a sus ambiciones. Por eso, la clave es entender quiénes son ahora esos «bárbaros» que pueden acabar con los más evolucionados, aprovechando sus debilidades y el desmoronamiento social y de valores en que se han sumido. Los modernos «salvajes» se encontrarán con poblaciones tan colmadas, satisfechas y apoltronadas que las ganas de luchar las habrán abandonado, quedando como presas fáciles de los que serán sus conquistadores. ¿Podrán ser los chinos? ¿Lo serán los rusos? ¿Hay que contar con los hindúes? ¿De verdad pueden ser los musulmanes? ¿O nos llevaremos una sorpresa?

Lo peor de todo es que los civilizados no se darán cuenta de ello hasta que los bárbaros estén a las puertas de sus murallas, ya que, como escribe Howard, «a los hombres honrados que se han educado en una sociedad segura y tolerante les resulta casi imposible concebir la existencia de fanáticos rudos e implacables que no están interesados en ningún arreglo, sino solo en la lucha». Llegados a ese punto, no será posible la negociación con quienes ni siquiera conocen esa palabra, estando solo interesados en conquistar, destruir lo encontrado y construir una nueva sociedad. Esta invasión no se producirá con batallas al estilo clásico; por más que no sean descartables, hay otros medios de conseguirlo, facilitados por la tecnología en combinación con los medios de comunicación.

Cierto es también que los que defienden sus propios hogares luchan con la mayor determinación, como previene Liddell Hart, por lo que todavía cabría una esperanza de supervivencia. Pero la desmedida opulencia, la relajación de las costumbres, los muchos años de paz y bienestar pueden hacer que la sociedad atacada haya quedado inerme, desvalida ante el empuje de los que quieren hacerse con el poder. Vencida su antaña capacidad de resistencia, las sociedades gastadas pueden haber entrado en derrota preventiva.

Conoce a tu enemigo y conócete a ti mismo

> La guerra vuelve estúpido al vencedor
> y rencoroso al vencido.
>
> Friedrich Nietzsche

Para los políticos que se lanzan a aventuras insensatas por intereses perversos o por pura ignorancia, es luego muy fácil culpar a los servicios de inteligencia o a los Estados Mayores de los ejércitos de haberles informado inadecuadamente para adoptar su decisión. Pero, en la mayoría de los casos, los dirigentes solo leen y escuchan lo que les agrada, ignorando a quien les advierte de los peligros que se ciernen sobre la operación que pretenden llevar a cabo, a pesar de que algunos de ellos sean insalvables, por más medios y tecnología que se emplee. Y uno de los principales riesgos para el éxito de la misión es no entender la idiosincrasia del pueblo contra el que se actúa.

MOSTRAR EL PODER EXPONIENDO LAS DEBILIDADES

> Lo más grande es lo más ínfimo.
>
> Victor Hugo

Aseguraba el estratega chino Sun Bin (siglos II-I a. C.) que se puede vencer a una fuerza incluso diez veces mayor que la propia, pero para ello hay que esperar a cuando no esté preparada, a actuar cuando menos lo espera. La enseñanza que transmite puede ser doble. Por un lado, que el poder y la fuerza por sí mismos no garantizan el éxito ni la victoria, pues su mera posesión queda invalidada de no saberse emplear con inteligencia y prudencia. La segunda lección es que el rival, por despreciable que a primera vista pudiera parecer, intentará hacer uso efectivo de sus escasos recursos para sorprender a su poderoso contrincante, hacerle el mayor daño posible en sus flaquezas —de las que nadie carece— y conducirlo a una humillante derrota. Al final, la debilidad emplea las armas de la habilidad y la constancia, como ya advertía Maquiavelo.

Hacer gala del poder no deja de ser una manera de mostrar las debilidades. Se está ante el mito de David y Goliat, la lucha contra el gigante que parecía invencible pero que termina abatido por aquel del que se mofaba. Pero precisamente la altura de Goliat —unos dos metros y medio—, junto con el medio centenar de kilos de su armadura, lo hacían torpe y lento. Enfrente estaba un muchacho apenas vestido, David, con la habilidad para buscar el modo de que la batalla le fuese favorable, acercándose lo justo para que su honda resultara mortal, pero fuera del alcance del gigantón.

Mostrar músculo ejerce una enorme capacidad de disuasión y hace desistir de cualquier acción a la mayoría de los potenciales adversarios. Pero aquellos que se sientan directa e irremediablemente amenazados y abocados a la lucha, buscarán formas alternativas de enfrentamiento con las que vencer al poderoso adversario evitando la confrontación directa. Por esta razón, el poder omnímodo de un ejército es un arma de doble filo. Sentirse invencible y transmitirlo a los demás puede volverse en su contra.

El país más poderoso es a menudo el que tiene más enemigos y está más amenazado, dicen los coroneles chinos Liang y Xiangsui. Es lo que le ocurre a Estados Unidos. Según Marenches, el poderío estadounidense y sus principales aliados —sumidos en el laicismo, la indisciplina, la falta de respeto por las virtudes tradicionales y la búsqueda de paraísos artificiales— se enfrentan al «soldado político», motivado por una fe, una filosofía, una creencia, una religión, cualquiera que sea, buena o mala. Es el soldado de Cristo que va a recuperar Jerusalén, el jinete de Alá que cabalga hacia Budapest o a través de España, el Waffen-SS o el soldado ruso en Stalingrado, el combatiente vietnamita o el resistente afgano. Así sucede ahora con el creciente islamismo, que ofrece valores olvidados ya en otros lugares al mismo tiempo que genera combatientes dispuestos a los máximos sacrificios y deseosos de una oportunidad para hacerlos.

EL CONCEPTO DE ASIMETRÍA

> La regla de oro de Oriente es «besa la mano que no puedes cortar».
>
> ALEXANDRE DE MARENCHES

Puede resultar curioso empezar a hablar de lucha asimétrica con una alegoría, pero seguramente no se pueda resumir su significado en menos palabras de las que emplea Esopo en su fábula *El mosquito y el león*. Un mosquito se acercó a un león y le dijo: «Ni te temo ni eres más fuerte que yo; si no ¿qué fuerza tienes que arañas con tus garras y muerdes con tus dientes? Yo soy mucho más fuerte que tú. Si quieres, entremos en lucha». Hizo zumbar su trompetilla y le clavó el aguijón, picándole en la parte sin pelo de sus fauces, cerca de las narices. Y el león se puso a rascarse con sus propias garras hasta que desfalleció.

Lo que enseña este griego del siglo VI a. C. es que hasta la más débil e insignificante de las criaturas puede, si se lo propone, acabar con la vida del fiero y temible rey de la selva. Es decir, los que se ven en desventaja van a buscar esas partes más blandas y sensibles del adversario para, actuando sobre ellas, conseguir que la propia fuerza de su reacción termine por desangrarlo. Eso pretende el terrorismo con sus atentados, buscando siempre esa reacción desmedida del atacado que termine por perjudicarle.

El que aborda un enfrentamiento en inferioridad de condiciones persigue obtener cierta superioridad, aunque sea limitada en el tiempo o el espacio. Para lograrla, evitará los puntos fuertes del enemigo y se centrará en los más débiles, a ser posible en su centro de gravedad, que puede ser la opinión pública. Por supuesto, sin respetar normas ni inquietarse por las bajas que pueda sufrir. E intentando dilatar el enfrentamiento en el tiempo para consumir material y psicológicamente a su oponente.

LA ASIMETRÍA, OMNIPRESENTE EN LA HISTORIA

> Huid de un enemigo que conoce su debilidad.
>
> PIERRE CORNEILLE

La asimetría en el combate ha existido siempre. Cada bando enfrentado ha buscado la manera de superar al adversario de la manera que ha podido. Como el niño que llora para conseguir lo que quiere, ante la imposibilidad de emplear una fuerza de la que carece o una astucia de la que todavía no es consciente. Al final, se trata de conseguir el éxito en el enfrentamiento con los medios de los que se dispone.

El coronel Capaz Montes da una acertadísima definición de lo que es una guerra irregular, aunque sin pretenderlo. Para Capaz, este tipo de guerra —que hoy suele llamarse asimétrica— se basa en que uno de los adversarios emplea medios de combate, procedimientos tácticos y armamentos acusadamente diferentes de los de la otra parte enfrentada.

El enfrentamiento asimétrico ha sido el más normal a lo largo de la historia. Lo extraño han sido las grandes batallas decisivas, por más que haya quedado la impresión de lo sucedido en las dos contiendas mundiales o en la Guerra Fría, donde se esperaba el choque convencional a gran escala y de alta intensidad entre los bloques enfrentados.

Por ejemplo, durante los veintisiete años que duró la Guerra del Peloponeso (431-404 a. C.) únicamente tuvieron lugar dos grandes batallas terrestres: Mantinea (418 a. C.) y Delos (424 a. C.). Como relata Tucídides en su tratado sobre esta guerra, dada la asimetría entre el poder naval ateniense y la poderosa infantería espartana, las acciones más comunes fueron ataques sorpresa, hostigamientos a las tropas, acciones terroristas —así se llamarían hoy—, asedios, destrucción sistemática de las tierras de labranza (sabotajes) y envenenamientos de pozos.

Alejandro Magno es famoso por la batalla de Gránico, que tuvo lugar en el 334 a. C. en la actual Turquía, donde derrotó a los persas. Por la de Isos, allá por el 333 a. C., en la que venció a los 600.000 persas de Darío III, de los cuales murieron más de una cuarta parte, con apenas 150.000 efectivos y tan solo sufriendo la pérdida de 300 griegos. Muy especialmente por la de Gaugamela, su gran batalla por excelencia y una obra maestra de la táctica militar, acontecida en el 331 a. C.[1] Y también por la del río Hidaspes, sucedida en el 326 a. C., en el actual Punjab pakistaní, contra el rey Poros. Pero es mucho menos conocido que la mayor

---

1. Al derrotar a Darío III, puso fin al Imperio persa, a pesar de que este contaba con un millón de infantes, 40.000 jinetes, 200 carros y 15 elefantes. Alejandro apenas disponía de 40.000 infantes y 7.000 jinetes. Aún con esta desventaja, en las filas persas murieron 300.000 soldados, mientras que las bajas griegas se quedaron en 100 combatientes y un millar de caballos.

parte del tiempo se lo pasó combatiendo a la insurgencia en los Balcanes, el Hindú Kush y Bactriana, sufriendo importantes pérdidas humanas. En las tierras del actual Afganistán, Alejandro Magno tuvo que enfrentarse a bandas de guerreros dirigidas por señores locales y apasionadamente apegados a su independencia. Amparados en una orografía hostil al invasor, los guerrilleros adoptaron una estrategia de acoso, empleando a grupos más o menos numerosos de jinetes que atacaban a los elementos aislados del ejército alejandrino, para luego huir a la estepa o al desierto, volviendo a aparecer en otra parte horas o días más tarde.

El Imperio romano también tuvo que hacer frente a una lucha desigual contra bárbaros y rebeldes en Germania, Galia, Bretaña e Hispania. Precisamente en este último escenario se topó con Viriato, principal caudillo de la tribu lusitana, asentada entre los ríos Duero y Guadiana, que controlaba aproximadamente lo que hoy es parte de la provincia de Zamora, casi toda la provincia de Salamanca, el territorio occidental de la provincia de Ávila, Extremadura, el occidente de la provincia de Toledo y gran parte de Portugal. Tan temido fue Viriato por los romanos que ha pasado a la historia como el *Terror romanorum*.

Durante la Tercera Cruzada, las tropas de Ricardo Corazón de León, en su camino hacia Tierra Santa, tuvieron que hacer frente a incursiones turcas que los acosaban mediante ataques rápidos y sin empeñarse en el combate por parte de su caballería ligera.

Quizá una de las muestras más emblemáticas de lucha desigual en la que el teórico débil resulta victorioso sea la guerra de la Independencia española (1808-1814), en la que el pueblo español se alzó en armas contra los ocupantes franceses. Unos doscientos grupos guerrilleros acababan con una media de cuarenta franceses al día, empleando para ello tácticas irregulares que iban desde disparar a los rezagados hasta las emboscadas contra pequeñas escoltas. Así, con paciencia y perseverancia, y sin dar nunca batalla, ocasionaron a las tropas napoleónicas ochenta mil muertos anuales, abatiendo en total a más de medio millón de franceses en los siete años de guerra. Para hacerse una idea de la magnitud de la acción guerrillera —palabra netamente española—, durante el mismo tiempo solo murieron trescientos cincuenta mil franceses en batallas campales. Esto llevó a decir con profundo pesar a Napoleón Bonaparte: «Ah, la guerra de España; esa maldita guerra fue el origen de la tragedia de Francia». Y tanta repercusión tuvo esta victoria asimétrica que cuando, durante la Segunda Guerra Mundial, los generales nazis barajaron la opción de una hipotética invasión de España para hacerse con el control del estrecho de Gibraltar, entre otros objetivos, Hitler les espetó: «Ni hablar. Los españoles son el único pueblo mediterráneo verdaderamente valiente e inmediatamente organizarían guerrillas en nuestra retaguardia. No se puede entrar en España sin permiso de los españoles».

En su libro *Guerrilla*, T. E. Lawrence daba las claves de cómo debe actuar el débil contra el fuerte, basándose en las experiencias de los combatientes árabes contra los turcos durante la Primera Guerra Mundial: ser superior en algún aspecto que pueda considerarse decisivo; no entrar jamás en contacto con el enemigo; no ofrecer nunca un blanco al soldado enemigo; contar con una perfecta inteligencia; hacer amplio uso de la propaganda; constituir una fuerza muy dinámica y bien equipada, lo más pequeña posible; buscar el eslabón más débil del adversario y centrarse solo en él; entablar batallas morales, no físicas; golpear y correr, no presionar sino impactar; utilizar potentes explosivos; imponer la máxima irregularidad y articulación; disponer de una base intocable; contar con una población amistosa; y disponer de total movilidad.

La campaña maoísta es un buen referente de la aplicación exitosa de los consejos de Lawrence. El Ejército Rojo era pequeño y débil, mal armado y con dificultades logísticas, pero mediante una guerra prolongada en la que hizo amplio uso de unidades guerrilleras —hábilmente dirigidas por Mao Zedong— y sabiendo concentrar los esfuerzos, fue capaz de derrotar a un Kuomintang, el Partido Nacionalista Chino de Chiang Kai-shek, que combatía de forma convencional y al que de nada le sirvió recibir ayuda de los principales países, estar bien dotado de armas y material, y disponer de superioridad numérica.

La Alemania de la Segunda Guerra Mundial igualmente sufrió las acciones de las guerrillas en Rusia, Francia y Yugoslavia. En este último caso, Hitler se vio forzado a iniciar dos meses más tarde de lo previsto la Operación Barbarroja para invadir Rusia por culpa del hostigamiento llevado a cabo por los partisanos de Tito, motivo por el que el invierno sorprendió a las tropas nazis inadecuadamente equipadas. En los países anexionados (ocupados), Alemania consideraba a estos guerrilleros como delincuentes y asesinos, pues sus gobiernos legítimos habían capitulado y, según el derecho internacional, no se les podía considerar, por tanto, una resistencia legítima que estuviera haciendo frente a un ejército invasor.

Los asimétricos persiguen actualmente con su estrategia, sea en Afganistán o Irak, prolongar el conflicto, causar el mayor número posible de bajas, crear una sensación de inseguridad permanente, debilitar la cohesión nacional por el miedo, forzar a gobiernos democráticos a vulnerar sus propios valores, romper alianzas internacionales e influir en las poblaciones adversarias para que presionen a sus gobernantes a adoptar decisiones que les favorezcan. Maestros de la guerra psicológica y mediática, intentan conseguir la ventaja anímica frente a un enemigo que los aplastaría militarmente. Y tienen las manos libres por no tener una opinión pública a la que rendir cuentas, ni un Parlamento dubitativo e influenciable que frene sus iniciativas. El centro de gravedad sobre el que actúan son las opiniones públicas y los decisores políticos, pues, como decía la escritora y política francesa Suzanne Labin, las palabras y las ideas son las tropas de choque de la guerra revolucionaria.

En el contexto actual, un incremento de la fuerza no se traduce indefectiblemente en un aumento de poder. Además, el fuerte se ve imposibilitado para emplear todo su potencial bélico, por respeto a sus principios y valores democráticos, y por las limitaciones que imponen las opiniones públicas, algo que nunca antes había sucedido. Gracias a ello, el débil tiene posibilidades de convertirse en el vencedor y cada vez es más consciente de ello. Las estrategias asimétricas están al alcance de todos y con crecientes posibilidades de éxito, por lo que no debe extrañar que estén de moda. No se puede olvidar que, para el poderoso, no ganar es perder; para el débil, no perder es ganar.

Si existe una asimetría por excelencia, esa es el terrorismo, una herramienta abominable que provoca dolor, sufrimiento y psicosis en las sociedades que lo sufren. Los grupos armados influidos por ideologías extremistas —políticas y/o religiosas—, con independencia de la finalidad perseguida (insurgencia, revolución, separatismo, expulsión del invasor, lucha sectaria, etc.), acostumbran a realizar actos de terrorismo como procedimiento de actuación, sea de forma principal o para apoyar otras actividades más convencionales.

Con el empleo de esta asimetría, los denominados —por analogía— terroristas pretenden superar a un adversario al que estiman muy superior, y no solo militarmente, al tiempo que obtener una publicidad justificadora y legitimadora de su causa que también les aporte fondos, partidarios y combatientes.

Conscientes de que el terrorismo es espectáculo, estas organizaciones se dotan de sus propias agencias de comunicación, altamente profesionalizadas. A través de ellas difunden mensajes con una cuidada puesta en escena que persiguen la mayor resonancia mediática posible, con la finalidad de intimidar a opiniones públicas y decisores políticos, nacionales e internacionales.

Los grupos extremistas habituados, en mayor o menor medida, a cometer actos de terrorismo han comprendido a la perfección que en el mundo actual no hay nada que tenga mayor impacto mediático que una imagen. Conocedores de que los conflictos modernos se deciden en las opiniones públicas, no les bastan el daño y el sufrimiento causados. Tienen que pregonar al mundo la omnipresencia de su terrorífica amenaza. Para ellos, darse a conocer es existir. Saben que tan importante como actuar es comunicar, que el auténtico éxito de sus acciones se mide por la respuesta de la audiencia. En definitiva, tratan de conseguir publicidad, ese oxígeno que respiran los terroristas, como decía Margaret Thatcher.

Y para conseguir estos fines, los terroristas hacen uso de la infoesfera. De ese ciberespacio convertido en lugar de enfrentamiento que, con mínimo coste, les aporta instantaneidad, universalidad, y, hasta cierto punto, la impunidad propia de un sistema sin fronteras, sin limitaciones y con un control, aunque no imposible, sí ciertamente complejo.

Ante este panorama surgen dudas supremas. Si el objetivo de los grupos extremistas-terroristas es atemorizar mediante la difusión de sus acciones, conseguir sus objetivos y captar fondos y acólitos a través de la difusión de sus mensajes, ¿no contribuyen a su éxito, en gran medida, los medios de comunicación occidentales al hacerse eco de sus comunicados audiovisuales y difundirlos amplia e insistentemente? En este caso, ¿dónde empieza y dónde acaba el deber de informar de la prensa y el derecho a ser informado que tienen los ciudadanos en una sociedad democrática?

EL EMPLEO DEL SUICIDA

Las motivaciones para cometer atentados suicidas son tan variadas como los escenarios donde se llevan a cabo. En la mayoría de los supuestos existe un fuerte componente nacionalista, focalizado en el odio al extranjero, al usurpador, al invasor, al ocupante, al enemigo de la religión y la cultura local. En este sentido, la finalidad suele estar relacionada con obligar al adversario a retirar fuerzas del suelo patrio, recuperar y mantener la soberanía y la devolución de los derechos perdidos. También hay otras motivaciones, en ocasiones superpuestas a las nacionalistas, como pueden ser las pugnas sectarias o conseguir igualdad y justicia.

El primer antecedente bien documentado, del que habla Flavio Josefo en *La guerra de los judíos*, es el de los judíos zelotes, en el primer siglo de la era cristiana, cuando, en su particular lucha contra el dominio del Imperio romano, efectuaban atentados suicidas. Concretamente, los miembros más agresivos de la comunidad, denominados *sicarii* —literalmente, el hombre violento—, no dudaban en suicidarse para lograr sus fines o evitar caer en manos enemigas.

Otro ejemplo ampliamente conocido es el de los *asesinos* ismaelitas, cuyo nombre originario era *hashshashin* (según algunos estudios, el nombre provendría de su hábito de fumar hachís, lo que bien podría estar relacionado con la naturaleza de las acciones que cometían). En los siglos XI y XII, en territorios del actual Irán, los ismaelitas —una rama del chiismo— estaban enfrentados a los mayoritarios suníes, a los que habían jurado destruir y expulsar por considerarlos impíos y usurpadores. Con la finalidad de atemorizar a sus adversarios, con sus acciones perseguían la mayor publicidad y repercusión posible, por lo que no dudaban en cometer los ataques en lugares públicos y en los momentos de mayor concentración de personas —como durante la celebración de un acto religioso—, sin importarles poder ser detectados o neutralizados.

Los kamikazes japoneses constituyen un ejemplo palmario de cómo intentar superar a un enemigo muy superior en medios. En octubre de 1944, un año antes del fin de la Segunda Guerra Mundial, las autoridades niponas tomaron la decisión, ante el retroceso militar que sufrían en el Pacífico, de emplear a pilotos en misiones suicidas contra los barcos de guerra estadounidenses. En total, entre integrantes de la Marina y de la Aviación, se instruyó a unos cinco mil pilotos, de los cuales 3.912 perdieron la vida en esas misiones extremas.

También en el contexto de ese conflicto, un caso menos conocido es el de las judías polacas que se lanzaban cargadas de explosivos, en acciones suicidas, contra los soldados alemanes ocupantes de Varsovia.

En la guerra de Vietnam, el Vietcong llegó a emplear a más de veinte mil combatientes en acciones suicidas, en algunos casos, unidades completas. Llegó a ser considerada una táctica habitual de combate frente a la aplastante superioridad en medios de las tropas enemigas, apoyadas por el poderío estadounidense.

En los últimos años ha destacado el empleo de este execrable procedimiento por distintos grupos terroristas, especialmente —pero no exclusivamente— por los de afiliación salafista-yihadista. Los Tigres Tamiles de Sri Lanka, hinduistas, emplearon a multitud de mujeres y hombres en ataques suicidas durante el enfrentamiento que mantuvieron con las autoridades del país entre 1983 y 2009, llegando a institucionalizar este procedimiento como forma habitual de combate.

Dentro del mundo musulmán, el ataque suicida más relevante de los tiempos modernos tuvo lugar el 11 de noviembre de 1982 en la ciudad de Tiro, al sur de Líbano, cuando un miembro de Hezbolá, Ahmad Qassir, cometió un atentado suicida contra un cuartel israelí. A partir de ese momento, los atentados suicidas ya no cesaron hasta que Israel se retiró del Líbano en el año 2000. Desde entonces y hasta la actualidad, los atentados suicidas han sido una constante en lugares como Afganistán, Pakistán, Irak, Siria, Somalia o Nigeria.

EL FRACASO DE LA FUERZA:
LAS LECCIONES DEL «MILLENNIUM CHALLENGE»

> Cuanto más gigantesco es el enemigo, más fácil es provocar su derrota.
>
> ROBERT GREENE,
> *Las 48 leyes del poder*

A finales de agosto de 2002, en Suffolk (Virginia) y con la pompa propia de tamaña ocasión, el Mando de Fuerzas Conjuntas del Ejército de Estados Unidos (JFCOM, por sus siglas en inglés), se regalaba los oídos con sus propios elogios: «"Millennium Challenge 2002", el mayor juego de guerra de la historia, ha sido un éxito total».

No era para menos. El ejercicio había durado tres semanas y era la culminación de un planeamiento de casi dos años que había consumido un astronómico presupuesto de 250 millones de dólares. En él habían participado más de 13.500 personas procedentes de todos los ejércitos (Tierra, Armada, Aviación, Marines y Fuerzas Especiales) y de la Administración (Consejo de Seguridad Nacional, Departamento de Energía, Departamento de Estado y USAID). Los más prestigiosos analistas y expertos en programación informática de la nación se habían puesto a su servicio.

Con los jugadores situados en nueve emplazamientos militares reales y en diecisiete localizaciones virtuales, el enemigo era un país ficticio de Oriente Medio. La mayoría de los expertos no dudaban de que se trataba de Irak, aunque otros no descartaban que fuera Irán.

El objetivo era validar las teorías del entonces novedoso concepto de la «transformación militar», en cuya órbita se incluían términos como «operaciones basadas en efectos», «operaciones rápidas y decisivas», «planeamiento conjunto interactivo» y «red de valoración operacional». Y se había conseguido plenamente.

¡Perfecto! Semejante esfuerzo humano y económico quedaba rentabilizado. Lástima que el anunciado éxito encubriera un gran fracaso.

El teniente general Paul Van Riper, de los Marines, había actuado como jefe de las fuerzas enemigas y estaba profundamente decepcionado con los verdaderos resultados del ejercicio. Por tal motivo, poco antes de su finalización, envió un correo electrónico a algunos camaradas en el que exponía la manipulación vivida y las funestas consecuencias que podía tener para el Ejército la aplicación de unas teorías que se habían validado en falso.

Van Riper estaba verdaderamente enojado. No escatimaba descalificaciones hacia el ejercicio y, sobre todo, hacia sus organizadores. Según manifestaba, el resultado estaba amañado desde sus orígenes, de tal modo que solo podía haber un ganador: el Ejército estadounidense.

El escenario de la operación virtual más cara de la historia simulaba que un general del imaginario país adversario se había rebelado contra su gobierno y pretendía extender la revuelta armada a toda la región, basándose en lealtades étnicas y religiosas. Para añadir más emoción y dificultad, cuatro grupos terroristas apoyaban al militar sublevado. Obviamente, el ambiente era manifiestamente antiamericano y afectaba a sus aliados en la zona.

Desde el principio, los cuarenta y dos diferentes sistemas informáticos, considerados como los mejores del mundo, a los que debía enfrentarse el rebelde general (ninguna mejor definición para Van Riper) no le impusieron el menor temor. Al contrario, estimularon su genio militar hasta extremos insospechados por el bando azul, los «buenos», cuyas amenazas y exhibiciones de fuerza no solo no lo disuadían ni arrugaban, sino que conseguían que cada vez se mostrara más beligerante.

Mientras el azul hacía gala de todo lujo de medios y materiales, al bando rojo de Van Riper no le proporcionaron mucho más que avionetas y pequeñas embarcaciones, muchas de ellas de pescador.

El primer día, los azules desembarcaron decenas de miles de hombres y situaron una fabulosa fuerza naval frente a las costas del país rojo, al objeto de presionarle a aceptar sus condiciones. Pensando que esa demostración de fuerza sería suficiente, el bando azul emitió un ultimátum con ocho exigentes puntos, instando a los rojos a rendirse.

Todo parecía estar a favor de los azules. Sus megaordenadores habían analizado de miles de formas distintas cuáles podrían ser las reacciones de los rebeldes. Y todas ellas les daban como claros vencedores. Sin embargo, Van Riper estaba empeñado en aguarles la fiesta.

Con su poderosa tecnología, el bando azul destrozó las conducciones de fibra óptica e interceptó o anuló todas sus comunicaciones, incluidas las efectuadas con teléfonos móviles. El conjunto del espectro electromagnético de los rojos quedaba así bajo su total control.

Sin embargo, Van Riper supo sortear este bloqueo de las ondas empleando motoristas para transmitir las órdenes más confidenciales, y luces y banderas para el despegue y aterrizaje de los aviones. Y sabiéndose escuchado, saturó los medios del enemigo, desinformándole sobre sus intenciones y obligándole a distraer una ingente cantidad de analistas. Todo ello sin dejar ni un solo instante de maniobrar con sus fuerzas. Como se suponía que jugaba en casa, explotó al máximo el conocimiento del terreno y el apoyo de la población. De repente, los millones de datos sobre el bando rojo parecían no servir de nada.

El segundo día, en vez de acobardarse ante la impresionante fortaleza militar del adversario, Van Riper ordenó que todas las pequeñas embarcaciones y avionetas disponibles diesen vueltas sin aparente sentido alrededor de los barcos azules, con la finalidad de crear confusión. Cuando los azules, hartos de seguir la pista a esa armada de papel, los consideraron inofensivos y retiraron la estrecha vigilancia, Van Riper aprovechó la llamada a la oración matinal desde los innumerables minaretes que sembraban el país para enviar un mensaje en clave y así ordenó un ataque masivo con barquichuelas suicidas y misiles montados en barcos y avionetas e instalados en la costa más próxima. Tras una hora de bombardeo, el desastre dominaba las filas azules: dieciséis de sus barcos, el orgullo de su Armada, daban con su quilla en el fondo de las templadas aguas del Golfo, entre ellos el portaaviones y los más poderosos cruceros. Los muertos se elevaban a más de veinte mil. La desesperación del bando azul era total.

Ante semejante fracaso, el personal director del ejercicio decidió dar marcha atrás en el tiempo y reflotó los barcos hundidos. Impidió que los misiles que había utilizado Van Riper pudieran volver a ser utilizados, sacándose de la chistera un nuevo sistema antimisiles que los hacía ineficaces. Igualmente, resucitó a los líderes locales favorables a Estados Unidos eliminados por Rojo, al tiempo que le obligó a desconectar su radar para no causar interferencias y a desplazar fuerzas para que los azules pudieran desembarcar sin contratiempos.

A partir de ese momento, las instrucciones que daba Van Riper eran modificadas por su jefe de Estado Mayor, el coronel George Utter. En la vida real, este coronel retirado estaba contratado por el JFCOM y su jefe inmediato era Jim Smith, general de brigada del Aire, ni más ni menos que el director del ejercicio. Poco podía hacer Utter si no quería perder su puesto de trabajo salvo seguir las indicaciones contrarias a las órdenes de Van Riper, quien ya no pudo seguir con la farsa y abandonó el juego.

Obviamente, sin el «general rebelde», el bando azul ganó con holgura, tal y como se había planeado. Irak no iba a ser ningún problema. Todo estaba bajo control, bajo el control de la tecnología.

A la conclusión del ejercicio, Van Riper redactó un durísimo informe de veinte páginas. Según sus propias palabras, ni el principal promotor del simulacro, el entonces secretario de Defensa Donald Rumsfeld, ni los generales que habían ascendido a su sombra tenían ningún interés en que un militar retirado les amargara los planes que ya tenían establecidos para el golfo Pérsico.

La perdición del juego fue elegir al teniente general Van Riper, un militar de los que solo sabían ganar guerras, incluidas las simuladas. Se buscaba a alguien que pudiera dar cierta batalla, a alguien con prestigio para que, una vez que hubiera perdido —lo que nadie dudaba que fuese a ocurrir—, el resultado esperado tuviera la mayor solvencia.

Pero Van Riper no estaba dispuesto a dejarse vencer, como no lo había hecho nunca en su vida, convirtiéndose en la peor de las pesadillas de la cacareada «revolución militar». Fiel seguidor de Clausewitz, su experiencia en Vietnam le había confirmado que la guerra es esencialmente imprevisible, confusa y no lineal, y que hasta el enemigo aparentemente menos capacitado tiene sus opciones de victoria, que intentará conseguir con los medios a su alcance.

Las lecciones que este ejercicio ofrece son valiosísimas, pero da la impresión de que no han sido debidamente asimiladas por quien debiera, pues se siguen cometiendo los mismos errores, y nada hace pensar que se vayan a tener en cuenta en el futuro.

La debilidad de la sobreabundancia de información

Disponer de más información no implica necesariamente mayores garantías de éxito. Al contrario, el exceso de información se convierte en una pesada carga capaz no solo de ralentizar el proceso de toma de decisiones, sino incluso de hacerlo fracasar estrepitosamente.

Es más, disponer de abundante información puede llegar a generar un exceso de confianza que provoque falsa seguridad e impida que haya opiniones contrarias. Conviene recordar que, cuando se tienen demasiadas opciones, el mecanismo de pensamiento de una persona normal tiende a bloquearse.

Sin duda, la superabundancia de información puede servir al adversario para saturar la cadena de decisión y convertirse así en un arma poderosa.

EL EXCESO DE CONFIANZA EN LAS FUERZAS PROPIAS

> Al hombre que tiene un martillo, todos los problemas le parecen clavos.
>
> MARK TWAIN

Un error muy frecuente a lo largo de la historia, cometido por individuos, colectivos humanos y países, ha sido la convicción de poseer mucha más fortaleza y capacidad de la que en realidad se disponía. En una manifiesta falta de previsión, ha llevado a entrar en confrontación con mayor despreocupación, e incluso irresponsabilidad, con adversarios a los que se estaba seguro de poder derrotar por considerarlos inferiores, fuese en número, fortaleza, habilidades o tecnología.

En realidad, es algo muy propio de la condición humana considerarse superior a los demás, sin basar esta percepción más que en un deficiente análisis subjetivo de la realidad.

Lo curioso es que este hecho suele sucederle más a quien se ha preparado de algún modo para el choque, del tipo que sea, que a quienes se ven a sí mismos como más débiles o inferiores. Por naturaleza, estos últimos acostumbran a ser mucho más precavidos y prudentes, tratando de evitar el enfrentamiento directo y procurando superar las situaciones por otros métodos que les parecen más beneficiosos.

Así, han sido muchos los que han osado entrar en combate, habiéndolo provocado ellos mismos, o dejándose arrastrar a la menor provocación, con el convencimiento de que la victoria sería no solo segura, sino también rápida y sin repercusiones negativas.

Un ejemplo reciente podría ser el actual método de combate cuerpo a cuerpo practicado por el Cuerpo de Marines de Estados Unidos, en vigor desde 2001. Denominado Programa de Artes Marciales, combina elementos de diversos métodos de lucha y ha sido específicamente desarrollado para su empleo por esta unidad, siendo su práctica obligatoria para todos sus integrantes, al menos en los niveles más básicos de conocimiento. Pero, precisamente por los conocimientos que ofrece a los marines sobre cómo neutralizar con rapidez y eficacia a un adversario, sea con las manos desnudas o con armas improvisadas, tiene también sus detractores incluso dentro del propio Cuerpo de Marines. Se acusa a este exigente entrenamiento de generar una falsa sensación de seguridad a sus practicantes, haciéndoles creer que su destreza los ha convertido en mejores luchadores que cualquier otra persona, y casi en invencibles frente a todo aquel ajeno a este programa. Los que así lo critican también piensan que algunos marines puedan sentirse tentados, precisamente por esa ficticia superioridad ante cualquier combate cuerpo a cuerpo, a entrar en liza con compañeros de filas o con civiles —sea en operaciones o fuera del ámbito militar—, a pesar de que este arte marcial también tiene un importante componente de control mental.

NO HAY ENEMIGO PEQUEÑO, NI SIQUIERA EL ASIMÉTRICO

> Exagerar la fuerza es descubrir la debilidad.
>
> MADAME DE GIRARDIN

Como el adversario asimétrico enseña, la realidad es que un mal golpe, pero tremendamente demoledor, puede proporcionarlo prácticamente cualquiera. En geopolítica sucede lo mismo que en las artes marciales, donde, ante un púgil dotado de poderosos músculos, pero al que su propia fortaleza hace lento y torpe, el luchador experto en judo o jiu-jitsu aprovecha precisamente la fuerza y el peso del contrario para someterlo. Lo mismo que el hábil practicante de kárate, con sus manos desnudas, o el de taekwondo, con sus patadas voladoras, transforma en ventaja su destreza y agilidad.

Por tanto, la principal conclusión es que la mejor guerra es la que nunca comienza, pues, una vez desencadenada, el resultado siempre es incierto por desequilibradas que *a priori* parezcan las fuerzas. Aunque se sea aparentemente muy superior al contrincante, este siempre buscará la forma de superarnos y hacerse con la victoria. Con otras armas o métodos, con una capacidad de sufrimiento mayor, una superior moral, un total desprecio por la vida o, simplemente, atacando nuestro punto débil, que siempre existirá.

Por otro lado, cuando se tiene mucho poder, sea económico o militar, no es infrecuente creerse en la obligación de actuar permanentemente y aplicarlo. Por eso es importante moderar tanto las intervenciones como la forma en que se actúa.

También se da el caso, todavía más grave si cabe, de los que no teniendo tanto poder están firmemente convencidos de poseerlo, metiéndose en complicaciones de las que nunca pueden salir airosos.

NO ESTAR PREPARADO PARA LO INESPERADO

> Un hombre de Estado tiene que tener el ánimo dispuesto a cambiar según le indiquen los vientos de la suerte y los cambios de las cosas.
>
> NICOLÁS MAQUIAVELO,
> *El príncipe*

No hay ningún gran estratega, por siglos que hayan pasado desde que plasmó sus pensamientos por escrito, que no tuviera claro que el conflicto —y especialmente el enfrentamiento supremo, la guerra— es el dominio de lo inesperado, como lo definía Liddell Hart, y que no se compone más que de sorpresa, según Napoleón. Idénticas ideas sirven para cualquier otro ámbito, incluidos los más complejos, sean geopolíticos o económicos.

En muchas ocasiones, la sorpresa es debida a una deficiente percepción de los acontecimientos actuales y de los previsibles futuros, como consecuencia de apoyarse más en subjetividades que en un análisis ecuánime. Estas percepciones subjetivas suelen estar basadas en aspectos culturales e incluso morales, que tienden a deformar la realidad. Winston Churchill decía que «todo se halla en constante movimiento, siempre y simultáneamente», por lo que sobrevive quien, siendo consciente de ello, es capaz de incorporarse al ritmo de ese movimiento.

El futuro siempre es una incógnita

> Los hombres de Estado serán juzgados por la historia en función de su habilidad para asumir los cambios.
>
> Henry Kissinger,
> *Diplomacia*

Es evidente que adivinar el futuro siempre ha sido un reto imposible, por lo que en todo momento hay que esperar lo inesperado. Por emplear un término moderno, se puede hablar de los «cisnes negros», esos sucesos que acontecen por sorpresa y generan un gran impacto. En este mundo actual de cambio acelerado, son más posibles que nunca porque nada es descartable, incluso lo impensado e impensable. Si ya en el siglo XIX Otto von Bismarck advertía que el curso de los acontecimientos solamente se puede prever por cuatro o cinco años, hay que plantearse que hoy en día los ciclos de cambio cada vez son más cortos.

Entonces, ¿cómo reaccionar?

> No podemos resolver nuestros problemas con el mismo planteamiento que empleamos cuando los creamos.
>
> Albert Einstein

Un método que nunca falla es actuar basándose en el menos favorable de los escenarios. Entre los principios clásicos de la estrategia militar figura el de desarrollar la maniobra según el escenario más previsible, pero establecer el dispositivo de seguridad atendiendo a la situación más peligrosa. Es decir, llevar a cabo los planes previstos sin ponerse a sí mismo excesivas trabas que los ralenticen, limiten o lleguen a impedir. Pero tampoco de una forma imprudente, pues debemos ser conscientes de que el riesgo siempre existe, la sorpresa puede surgir en cualquier momento, y que quien no esté preparado para ello terminará, antes o después, por sucumbir.

Es conveniente tener siempre en mente que, como dice la ley de Murphy, «cualquier situación, por mala que sea, siempre es susceptible de empeorar». Esto obliga a no caer en la tentación de pensar que el actual contexto se va a mantener en el tiempo ni tampoco que las soluciones aplicadas en el pasado seguirán siendo válidas en el futuro.

Y siempre habrá algo fundamental: la inteligencia emocional. Es decir, ponerse en lugar del otro, la forma empática de saber escuchar «activamente», comprender el entorno y a las personas, evitando la prepotencia, aceptando ideas y soluciones ajenas.

En definitiva, el éxito futuro lo conseguirá quien sepa qué hacer cuando nadie lo sepa. Así lo entendía Maquiavelo al comentar, en *El príncipe*, que triunfa aquel que adapta su forma de proceder a la naturaleza de los tiempos que corren, de la misma forma que fracasa aquel cuyo proceder no armoniza con su época. Para reaccionar ante lo imprevisto es esencial tener las mentes preparadas, abiertas, entrenadas. Flexibilidad mental que permita adaptarse a lo inesperado. Lo que no implica dejadez ni abandonarse al azar, sino simplemente que los planes, que siempre deben establecerse, han de estar dotados de la mayor adaptabilidad posible, siendo conscientes de que nunca se podrán cumplir en su totalidad.

La guerra exige flexibilidad

> Ningún plan de operaciones puede prever más allá del choque inicial de las fuerzas principales.
>
> J. C. F. Fuller

La guerra es permanente adaptación. Y solo sobrevivirá quien mejor se ajuste a ella. De ahí que sea tan importante la flexibilidad mental, la capacidad para amoldarse a lo imprevisto, aprender a esperar lo inesperado.

Según Liang y Xiangsui, la guerra exige dominar la técnica, pero esta no puede reemplazar el espíritu y las capacidades humanas. La guerra no obedece a fórmula alguna. Nadie ha ganado todas las guerras con una única táctica. Requiere precisión matemática, pero sin repetición mecánica ni rigidez. Como arte, exige más recurrir a la intuición que a la deducción matemática para dominar los cambios permanentes en el campo de batalla.

Por más sorprendente que parezca, al igual que la victoria, la derrota debe ser planeada. No significa que los planes deban estar encaminados al fracaso propio, sino que se debe considerar esa posibilidad y no caer en la trampa de pensar que los medios propios son suficientes para garantizar el éxito, pues el enemigo siempre buscará una fórmula para intentar conseguir la ventaja, aunque sea temporal.

Se sigue produciendo el debate, que será eterno, entre los que aplican las clásicas teorías de Clausewitz y los seguidores del pensamiento del general suizo Antoine-Henri de Jomini. Para Jomini, la guerra se reduce a un mero estudio analítico, donde la aplicación de unos procedimientos adecuados garantiza sistemáticamente la victoria. En su opinión, las estrategias son simétricas y se basan en principios matemáticos y científicos.

Por el contrario, Carl von Clausewitz se opone frontalmente a esa álgebra de la acción, puesto que considera que ignora los efectos físicos y psicológicos de la batalla, los factores morales y la personalidad de los comandantes. El desarrollo de la guerra, impregnado por el azar, siempre es impredecible e incierto, quedando tres cuartas partes de lo que en ella ocurre envuelto en la más densa niebla. Para Clausewitz, es el terreno de la incertidumbre y el desorden, que resume en el concepto de «fricción». Así, lo matemático, lo absoluto, no encuentra en la guerra dónde sembrar sus semillas. La fricción hace que ningún plan sea capaz de resistir el primer contacto con el enemigo, surgiendo los acontecimientos de un modo totalmente imprevisto, por más que se haya reflexionado sobre ellos.

No se debe olvidar que la sorpresa nunca será eliminada completamente por ninguna tecnología. Ya lo avisó Maquiavelo: «No hay empresa tan fácil de ejecutar como la que el enemigo cree irrealizable, y las más veces daña a los hombres lo que menos temen», añadiendo que «nunca debe creerse que el enemigo no sea capaz de hacer lo que le conviene», lo que exige «estar más sobre aviso cuanta mayor debilidad e imprevisión manifieste». Liddell Hart, al exponer su «estrategia indirecta», indicaba que todo consiste en elegir la línea de acción menos prevista por el enemigo, la cual siempre existe.

En el enfrentamiento entre voluntades, entre seres humanos tan complejos y diferenciados, nada puede ser totalmente predecible. El talento preciso para abarcar todo el conjunto de la situación y del campo de batalla con un solo golpe de vista, algo característico de los grandes generales, solo está reservado a unos pocos privilegiados. Pero no debe ser óbice para que a los mandos de los ejércitos se les mentalice de esta necesidad.

> No es la especie más fuerte la que
> sobrevive, ni la más inteligente, sino
> la que responde mejor al cambio.
>
> Charles Darwin

Apenas comenzada la Primera Guerra Mundial, el káiser Guillermo II cayó en la cuenta de que hubiese sido posible combatir únicamente con Rusia. Según el embajador alemán en Londres, Gran Bretaña no entraría en la guerra mientras Alemania no atacara Francia, al tiempo que impediría que París apoyara militarmente a Moscú. Pero para cuando el káiser pudo leer el informe de su embajador, hacía poco más de una hora que tropas alemanas se habían hecho con un nudo de comunicaciones ferroviario en Luxemburgo, una operación que tuvo como consecuencia que tanto franceses como británicos se lanzaran a la guerra contra Alemania.

El error fundamental fue la falta de flexibilidad del Estado Mayor alemán para adaptarse a las nuevas circunstancias geopolíticas, que siempre deben ser las generadoras de los planes militares, y no al revés.

En este caso, el alto mando militar alemán, encabezado por el general Helmuth von Moltke, había dedicado más de una década a planificar con todo detalle el ataque a Francia, conocido como Plan Schlieffen —por el general que lo había diseñado, Alfred von Schlieffen—. El concepto esencial de este plan consistía en, tras una muy bien diseñada fase de movilización y despliegue de fuerzas, iniciar el ataque en dirección occidental, mientras se contenía por el este a un ejército ruso que se esperaba reaccionara con lentitud. Una rápida penetración a través de Bélgica y Holanda sorprendería a Francia, la cual debería ser fácilmente conquistada. Siguiendo con el plan, a continuación las fuerzas alemanas se dirigirían hacia el frente ruso. Una vez iniciado, el Plan Schlieffen parecía virtualmente imposible de detener.

De este modo, cuando Guillermo II apuntó a Moltke la posibilidad de modificar la estrategia a la que había dedicado buena parte de su vida —a pesar de que con grandes esfuerzos hubiera sido todavía posible ejecutarla de otro modo—, el general decidió hacer oídos sordos y continuar con el programa establecido.

Esta incapacidad para adaptarse al nuevo contexto hizo que Alemania perdiera la oportunidad de enfrentarse exclusivamente con Rusia, en vez de contra las potencias europeas, condenando, de este modo, su propio destino.

Lo incierto del mundo actual

> Un estadista debe ser capaz de pensar en lo impensable.
>
> Robert D. Kaplan,
> *El retorno de la Antigüedad*

Muchos han sido los acontecimientos a lo largo de la historia que han sorprendido a los hombres, incluso a los más ilustrados y preparados del momento. Basta con pensar en algunos recientes como la caída del Muro de Berlín, la desaparición de la Unión Soviética, los atentados terroristas del 11-S y la crisis de 2008. Pero hoy en día la imprevisibilidad es mayor que nunca.

El acrónimo VUCA, formado por las iniciales en inglés de los términos *vulnerabilidad, incertidumbre, complejidad* y *ambigüedad,* define el mundo actual y el previsible futuro. Este concepto fue concebido en la Escuela de Guerra del Ejército de Estados Unidos (Pensilvania) en la década de 1990 tras el análisis de la herencia dejada por la Guerra Fría, por la que se pasaba de un mundo peligroso pero estable a otro acusadamente inestable, incierto y cambiante. Un nuevo panorama en el que la dificultad para planear, decidir, gestionar y resolver problemas, riesgos y cambios era máxima.

A esas cuatro palabras habría que añadir hoy en día otras tres —inmediatez, aceleración y simultaneidad de disparidades— para completar el complejo cuadro, resumido en otro acrónimo, VI^{2}CA^{2}S (ya con todas las iniciales en español), al que se deben enfrentar los analistas y estadistas que intenten descifrar el mundo y el rumbo de los acontecimientos. Una realidad polifacética y rápidamente cambiante que deben conocer, en la medida de lo posible, para poder adoptar las decisiones más coherentes y beneficiosas tanto para sus ciudadanos como para el resto del planeta.

La inmediatez obliga a dar respuestas casi instantáneas. Los acontecimientos se suceden sin cesar, sin dar el menor respiro para madurarlos y obtener lecciones, llegando a saturar el ciclo de la decisión. Buena parte de la causa está en los avances de las comunicaciones, que exigen a los interlocutores una respuesta cada vez más rápida, como sucede con los sistemas de mensajería instalados en los teléfonos inteligentes.

La aceleración se relaciona con la velocidad del cambio, que no deja de aumentar en una progresión geométrica. Desde el siglo I de nuestra era y hasta 1900 —momento de la mayor expansión de la Revolución Industrial—, las personas vivían prácticamente igual que lo habían hecho todos sus antepasados, o al menos las modas y las costumbres evolucionaban a un ritmo que se podía medir en siglos. Pero en los tiempos actuales todo fluye con una rapidez pasmosa. Lo que hace que sea imposible prever cuál puede ser la ideología o las usanzas de aquí a dentro de muy pocos años, entre otras cosas por los medios de comunicación de masas (como internet y las redes sociales) que posibilitan la difusión —y la manipulación— de ideas como nunca antes había sucedido.

Pero eso no es todo, pues hay que añadir la simultaneidad de disparidades. A pesar de la globalización —o quizá precisamente por ella y por el rechazo que ha generado entre los que no quieren perder sus ancestrales formas de vida, de pensar y de organizarse—, en el mundo hay diferencias y desigualdades solapadas y divergentes. Dentro de esas disparidades se puede incluir la demográfica: mientras los países más desarrollados pierden población, los menos avanzados crecen exponencialmente. A esto se une un enorme aumento de la población urbana, en detrimento del mundo rural, con una creciente clase media que demanda mayor consumo de todo tipo de recursos (comenzando por agua, alimentos y energía). Pero también se da la extraña convivencia de mundos que no se entienden y, en ocasiones, no se quieren entender. O todavía peor, que piensan —en un imperdonable ejercicio de prepotencia y soberbia— que los demás son los equivocados y los necios por no aceptar su estilo de vida y su sistema político, considerado como muy superior a todos los demás existentes en el planeta. Esto no pocas veces impulsa a exportarlos a lugares donde no han sido solicitados y ni siquiera existen las condiciones para que puedan prender. Una debilidad muy propia de las avanzadas sociedades crecidas en los países democráticos occidentales (apenas un 13 % del total de la población mundial).

Y se podrían poner muchos más ejemplos de disparidades en un mundo más variado de lo que muchos ni siquiera imaginamos. Como muestra, pensemos en la moda. En los países occidentales triunfa el «estilo mendigo», es decir, comprar y vestir ropa, especialmente los pantalones, llena de rotos y agujeros, lo que no deja de ser un verdadero insulto a la pobreza tan acusada que sufren cientos de millones de personas en el mundo. Para entenderlo en su totalidad, pongámonos en la cabeza de un adolescente, quizá todavía un niño, que trabaja en una fábrica de pantalones de un país asiático en vías de desarrollo —donde las empresas occidentales suelen deslocalizar sus fábricas para conseguir mayores beneficios, dados los bajos salarios que reciben los trabajadores y la menor fiscalidad—, en algunos casos en condiciones de semiesclavitud, ganando un jornal paupérrimo que seguramente apenas le da para comer, cuando se dé cuenta del tipo de pantalones que está fabricando para los «avanzados» que nunca repararán en su mísera existencia, cuando su sueño sería poder comprarse un pantalón nuevo de verdad, sin intencionados desperfectos.

Para sobrevivir en el mundo de hoy, el mundo VI^2CA^2S, las grandes claves son la agilidad y la flexibilidad. Agilidad para reaccionar y flexibilidad para adaptarse a los cambios, pues no gana el más fuerte o inteligente, sino quien se acomoda mejor y más rápido a las circunstancias.

Lo inesperado puede superarse con una dosis adecuada de flexibilidad, que no es más que la capacidad para adaptarse, para modificar unas disposiciones que eran adecuadas en pasadas circunstancias pero que se tornan inapropiadas a causa de un cambio en la situación, las prioridades o el objetivo. Solo las organizaciones que saben adaptarse a lo inesperado salen airosas. La flexibilidad es más importante que desarrollar innumerables planes y ejercicios de prospectiva, que en raras ocasiones aciertan. Basta con un planteamiento genérico de lo que se desea realizar en el futuro, que luego debe ser convenientemente modificado, a tenor de las siempre cambiantes circunstancias, para que lo novedoso ni sorprenda ni paralice a la organización.

CONFIAR EN VENCER CON RAPIDEZ Y SIN PÉRDIDAS PROPIAS

> Siempre el agresor se hace la ilusión
> de una victoria fácil y rápida.
>
> Manuel Fraga

Es habitual cometer el error de pensar que la guerra va a ser breve y fácil de ganar, obteniendo grandes ventajas con mínimos esfuerzos y sufrimientos. No es ninguna novedad, pues normalmente los ejércitos han entrado en combate creyendo a pies juntillas que iban a vencer, y además con rapidez y sin desgaste propio, despreciando la capacidad de respuesta del adversario.

En muchas ocasiones, la guerra es vista como una aventura intensa pero corta, en la que se puede obtener la gloria y el reconocimiento al valor sin sufrir pérdidas. Así mismo, el exceso de confianza en la fortaleza propia ha llevado a emprender acciones que, a la larga, se han vuelto en contra de los agresores. Ese convencimiento surge de ignorar el punto de vista del adversario. De hecho, a este se le suele ridiculizar, siendo habitual considerarlo inferior y débil mental, incapaz de desarrollar un buen plan de acción, lo que en muchas ocasiones ha llevado al desastre al presuntuoso que así lo ha interpretado.

La historia está jalonada de casos así. Esparta fue a la guerra del Peloponeso convencida de que lograría una fácil victoria sobre Atenas, con lo que conseguiría incrementar su poder y su prestigio con un coste mínimo. Durante la guerra de Secesión americana, el Sur estaba completamente persuadido de que iba a resultar victorioso, pues contaba con superioridad militar, la mayoría de los oficiales del ejército eran sureños, solo tenía que limitarse a realizar una guerra defensiva, impidiendo que el Norte lo conquistara, y confiaba en que una Europa necesitada de algodón se pondría de su parte. Hitler creyó que la *Blitzkrieg* —la guerra relámpago—, que era tanto una táctica como una estrategia, haría rápida y rentable la victoria. En ese mismo escenario de la Segunda Guerra Mundial, Japón no dudaba de su capacidad para desarrollar una guerra controlada que podría concluir mediante negociaciones en el momento en que estimase oportuno. Algo parecido le debió pasar a Washington cuando se planteó entrar en la guerra de Vietnam, pues nadie en la Administración norteamericana ponía en duda que Estados Unidos alcanzaría su objetivo gracias a su supremacía militar. En 1982 Argentina entró en la guerra de las Malvinas pensando que iba a conseguir una victoria rápida y barata que aplacaría el malestar nacional. Y en el Oriente Medio de 2003, los neoconservadores estadounidenses insistían en que «liberar» Irak sería un paseo militar, hasta el punto de que el secretario de Defensa, Donald Rumsfeld, vaticinó que la guerra duraría seis días.

No solo los líderes se equivocan, los pueblos también yerran

John G. Stoessinger llega a la conclusión de que el factor más importante que precipita el inicio de una guerra es un conjunto de percepciones erróneas, las cuales se manifiestan principalmente de cuatro modos diferentes: la imagen que el líder tiene de sí mismo; la perspectiva del líder sobre el carácter de su adversario; la visión del líder de las intenciones del adversario hacia él; y la imagen del líder respecto a las capacidades y poder del enemigo. Como podemos observar, el líder va a ser el gran responsable de la entrada en guerra, principalmente por su visión distorsionada del poder y del carácter del adversario.

Pero no culpemos solo a los dirigentes. En ocasiones la ciudadanía se emociona en exceso con las guerras, considerándolas en sus inicios poco menos que una excursión campestre sembrada de medallas y honores que esperan para ser recolectados sin ningún sacrificio propio. Por ejemplo, la Primera Guerra Mundial fue bien recibida por unos pueblos entusiastas que vislumbraban un enfrentamiento bélico breve y glorioso, unos pueblos que habían olvidado los horrores de la guerra por haber gozado de medio siglo de paz desde que finalizara la conflagración franco-prusiana de 1870.

Un peligro que puede reproducirse en la Europa actual, ya que, después de más de setenta años de paz ininterrumpida —con la excepción de las focalizadas guerras de los Balcanes de los años noventa en el marco de la disolución de Yugoslavia—, no es descartable que una parte de la juventud se vuelva más proclive a entrar en guerra. En un contexto de ejércitos profesionales, los jóvenes europeos, que en su mayor parte nunca han empuñado un arma de verdad ni pasado siquiera las penalidades de unas maniobras militares, pueden caer en la tentación de sentir cierto impulso belicista, facilitado por el virtual mundo de la televisión, el cine, internet y los videojuegos. Y todo ello puede generar en las poblaciones europeas unas irracionales e insensatas ansias de entrar en combate, de lo que pronto se arrepentirían.

Cuando el 11 de octubre de 1899 entró en guerra con los bóeres sudafricanos, Gran Bretaña estaba totalmente convencida de que le sería sumamente fácil alcanzar la victoria. No parecían faltar motivos para este razonamiento. Poco antes, concretamente el 2 de septiembre del año anterior, las tropas inglesas habían infligido una terrible derrota a los derviches en la batalla de Omdurmán, en Sudán. El ejército angloegipcio al mando del general británico Horatio Kitchener, duplicado en número por las fuerzas de Abdallahi ibn Muhammad, había acabado en apenas cinco horas con la vida de casi cincuenta mil derviches, perdiendo en su bando tan solo cuarenta y ocho soldados. Si para ello fue determinante la disciplina de un ejército regular, mucho más lo había sido la superioridad tecnológica, pues, contra unos adversarios mayoritariamente armados con lanzas y fusiles de avancarga, los europeos utilizaron fusiles de repetición y, sobre todo, ametralladoras y artillería.

Así que Londres, viendo que su ejército de casi medio millón de hombres se iba a enfrentar en el escenario sudafricano a menos de cincuenta mil bóeres, muy inferiores en armas y organización, dio la batalla por rápidamente ganada. Pero los afrikáneres supieron reaccionar, y en vez de enfrentarse en campo abierto, actuaron mediante tácticas de guerrillas, que llevaron a los británicos a ejercer máxima violencia contra los civiles que apoyaban a los guerrilleros —la mayoría de la población blanca— y a recluirlos en los primeros campos de concentración de la historia. Al final, el Imperio británico se impuso tras tres años de combates y extinguió las repúblicas independientes de Orange y Transvaal fundadas por los bóeres. Pero con un coste altísimo, pues se dejó en el camino hacia la victoria a casi cincuenta mil soldados muertos y cientos de millones de libras gastadas.

El 30 de noviembre de 1939, la Rusia soviética, amparándose en un incidente fronterizo sucedido pocos días antes, invadió a la vecina Finlandia, que se había independizado de los rusos en 1917, después de más de un siglo anexionada al Imperio de los Romanov. En pleno movimiento expansionista, el objetivo estratégico de Rusia era garantizar la seguridad de Leningrado, situada muy próxima al suelo finlandés, para lo que precisaba hacerse con el control de dicho territorio.

La guerra de Invierno comenzó con un notable desequilibrio de fuerzas. Mientras Rusia —con un territorio cincuenta veces mayor que el de Finlandia, y con veintiséis veces más población— empeñaba unos 6.500 carros de combate y más de 3.800 aviones, Helsinki apenas disponía de una treintena de carros de combate y de poco más de un centenar de aviones.

En ese contexto tan sumamente desequilibrado, nadie dudaba de qué lado se decantaría la victoria, empezando por los soviéticos. El primer convencido era Stalin, quien, al igual que sus ministros implicados en la operación, no dudaba ni por un instante que la superioridad de sus fuerzas haría que Finlandia cayera en sus garras antes de que acabara el año.

Lo que muy pocos podían prever era que los finlandeses pusiesen todo el empeño en defender su territorio y que, ante la ostensible diferencia de medios y fuerzas, decidieran aplicar una guerra de guerrillas, con la finalidad de ir desgastando a los rusos hasta que, agotados, optaran por retirarse. Con ese fin, emplearon unidades pequeñas, ligeras y muy móviles, perfectamente adaptadas al entorno, que aprovechaban su conocimiento del terreno. Además, estas contaban con una población que las apoyaba incondicionalmente y les proporcionaba la logística de supervivencia. Y, en una maniobra perfecta, se hicieron fuertes en la estrecha franja del istmo de Carelia para impedir el acceso ruso.

Durante este breve pero intenso conflicto, los finlandeses popularizaron los explosivos improvisados caseros fabricados con líquidos inflamables, a los que, en un rasgo de humor macabro, llamaron «cóctel molotov» como burla al que en ese momento era el ministro de Asuntos Exteriores soviético, Viacheslav Mijáilovich Skryabin, más conocido como Mólotov («martillo», en ruso). Mólotov emitía con regularidad mensajes de radio propagandísticos argumentando que las fuerzas rusas no arrojaban bombas sobre la población enemiga, sino alimentos para que no murieran de hambre, y los finlandeses —que no estaban hambrientos— escogieron una contrapropaganda irónica, llamando a las bombas rusas «las cestas de pan de Mólotov» y diciendo que ellos acompañarían esa comida con su «bebida», en clara alusión a las botellas que empleaban para tales «cócteles».

A diferencia de lo que sucedería posteriormente cuando Hitler invadió Rusia en junio de 1941, en este escenario el «general Invierno» se puso del bando finlandés, jugando una mala pasada a los soviéticos (aunque también les ofreció lecciones que ya no olvidarían y que aplicaron con notable éxito años más tarde en su propio territorio). El intenso frío, junto con la compartimentación del terreno —en Finlandia hay más de 188.000 lagos de diverso tamaño y 5.100 rápidos—, imposibilitaba el eficaz empleo de los carros de combate, mientras que las condiciones climáticas adversas tampoco permitían el adecuado apoyo de la aviación a la unidades terrestres. Y esto era aprovechado por las partidas finlandesas para atacar la cadena logística soviética, dejando a las tropas rusas sin suministros.

El resultado fue que los finlandeses, contra todo pronóstico, lograron aguantar la fuerte presión soviética hasta marzo del año siguiente, si bien a un alto coste, pues perdieron unos veintiséis mil soldados, la práctica totalidad de sus carros de combate y casi la mitad de sus aviones.

Pero para los soviéticos el castigo de su osadía fue mucho peor, muriendo en el intento unos ciento cincuenta mil efectivos, dejándose en suelo finlandés más de tres mil quinientos carros de combate y habiendo perdido medio millar de aviones.

Desde un punto de vista puramente estratégico, el balance final fue también incierto. Por un lado, Rusia consiguió parte de los objetivos que perseguía —pues Helsinki tuvo que ceder una décima parte de su territorio a los rusos, incluida la mayor parte de Carelia—. Pero, por otro, no fue capaz de hacerse con el resto de los territorios finlandeses que anhelaba. Además, Moscú ofreció una imagen de debilidad militar que animó a Hitler a lanzarse a la conquista de su territorio poco más de un año después.

ARABIA SAUDÍ SE EQUIVOCA EN SU PRONÓSTICO

> Hay una constante de la perspectiva que tienen todos los dirigentes cuando van a entrar en guerra: todos esperan la victoria tras una campaña breve y triunfante.
>
> JOHN G. STOESSINGER

El ataque por parte de Arabia Saudí a Yemen proporciona uno de los ejemplos más actuales de cómo un país entra en guerra contra otro teóricamente más débil estando convencido de que la abrumadora diferencia en capacidades militares le va a proporcionar una victoria rápida y sin apenas bajas propias.

Cuando, el 25 de marzo de 2015, Arabia Saudí comenzó la campaña aérea contra los hutíes, ante el temor de que Adén —el bastión del presidente yemení Abdrabbo Mansur Hadi— cayera en manos de los rebeldes y que Irán lo aprovechara para influir en el país, el joven ministro de Defensa saudí, Mohamed bin Salmán Al Saúd, declaró que esta sería una guerra rápida, sencilla, sin bajas propias y rotundamente exitosa.

Para el hijo de Salmán bin Abdulaziz, guardián de los Santos Lugares del islam, rey de Arabia Saudí y jefe de la Casa Saúd desde hacía dos meses, no podía haber la menor duda al respecto. Mohamed bin Salmán puso en marcha al día siguiente, el 26 de marzo, una coalición de diez países, financiada con los fondos de su gobierno, tan poderosa que, según su visión, sería capaz de aplastar a los rebeldes yemeníes en pocos días. Quién podía dudar de ello pensando que en esa alianza participaban activamente países tan ricos o con ejércitos tan numerosos como Bahréin, Egipto, los Emiratos Árabes Unidos, Jordania, Kuwait, Marruecos, Qatar[2] y Sudán, a los que encima proporcionaban apoyo logístico nada menos que Estados Unidos y Reino Unido. Imposible que la Operación Tormenta Definitiva, como se la llamó, no alcanzara un concluyente e inmediato éxito.

La realidad, nuevamente, ha sido terca en mostrar que los augurios de los poderosos se suelen estrellar contra otras habilidades o características de sus adversarios, a los que desprecian por su aparente inferioridad.

A pesar de ser un comprador desmedido de armamento, principalmente estadounidense, y de llegar a emplear miles de mercenarios procedentes de Sudán o Iberoamérica, por no mencionar la aplicación de un férreo bloqueo naval que está generando una hambruna generalizada en el país, Arabia Saudí se ha empantanado en Yemen, sin visos de que pueda llegar a constituir un gobierno estable que imponga cierta paz en el caos absoluto actual.

A buen seguro, a Mohamed bin Salmán —el ministro de Defensa más joven del mundo (nació en 1985) y, desde junio de 2017, heredero al trono saudí— le habría sido de utilidad leer la historia de la guerra civil de Yemen del Norte antes de lanzar al vuelo las campanas de la victoria. En ese conflicto librado entre 1962 y 1970, Egipto —secundando a la Unión Soviética— se puso del lado de los republicanos, liderados por Abdullah as-Sallal, que había dado un golpe de Estado contra el rey Imam al-Badr, refugiado en Arabia Saudí. Para apoyar a

---

2. Qatar fue expulsada de la coalición el 5 de junio de 2017, en el marco de la ruptura de relaciones con Arabia Saudí, Emiratos Árabes Unidos, Bahréin, Egipto y Yemen, al ser acusada por estos países de dar apoyo a varios grupos terroristas y sectarios que tendrían como objetivo desestabilizar la región, entre los que podrían estar incluidos Al Qaeda, el Estado Islámico y los Hermanos Musulmanes. Pocas semanas después, el 11 de julio, Qatar —que recibió el apoyo de Turquía e Irán— firmó un acuerdo con Estados Unidos para combatir la financiación del terrorismo.

la recién creada república, el presidente egipcio Gamal Abdel Nasser tomó la decisión de enviar setenta mil soldados. Pero estos se toparon con un escenario abrupto y hostil, debiendo hacer frente a unos combatientes aguerridos, decididos y austeros, casi invencibles por su determinación en la lucha. Ante la imposibilidad de victoria, Nasser terminó por retirar sus fuerzas. Pero el daño ya estaba hecho, pues no solo le perjudicó para llevar a cabo la guerra de los Seis Días contra Israel, sino que Yemen se convirtió en el Vietnam de Egipto.

DESPRECIAR LAS RELIGIONES Y OFENDER A SUS FIELES

> Las ideologías pasan y las religiones permanecen.
>
> AMIN MAALOUF,
> *El desajuste del mundo*

Uno de los mayores fallos que se pueden cometer es ir en contra de las religiones. Los que así lo han hecho, por lo general han terminado fracasando. La religión da a las personas que la profesan con pasión una fuerza que se convierte en imparable, que multiplica sus capacidades y su moral, impulsándolas a sacrificios inimaginables. No hay enemigo más temible, ni con el que sea más imposible cualquier tipo de negociación, que el combatiente fanatizado por sus creencias religiosas. Es el soldado perfecto, deseoso de entrar en guerra y morir en ella en defensa de sus credos. Por eso, los grandes líderes inteligentes han buscado la forma de alcanzar algún tipo de pacto con los guías religiosos. Mientras, los que se empeñaron en ir contra los dogmas de fe ajenos se vieron envueltos en largos y sangrientos enfrentamientos, resultando en muchos casos perdedores aun cuando teóricamente disponían de ventaja, fuera por calidad del armamento o por superior número de combatientes. Igualmente sucede en el ámbito político y geopolítico, en el que se siguen estrellando dirigentes que tienen una percepción errónea del significado de la religión por el simple hecho de no ser ellos mismos practicantes, lo que los incapacita, en la inmensa mayoría de los casos, para ponerse en el lugar del creyente.

Cuenta Barbara W. Tuchman que en el Vietnam de los años sesenta del siglo pasado existía un fuerte resentimiento entre los budistas por el favoritismo con que los franceses trataban a los católicos. Cuando, en mayo de 1963, Saigón prohibió la conmemoración del nacimiento de Buda, ese resentimiento se desbordó y se registraron numerosos disturbios en el país, que las tropas del gobierno trataron de sofocar disparando contra los manifestantes. La situación acabaría desembocando, meses después, en un golpe de Estado —organizado por la CIA— que acabó con el gobierno autocrático de Ngô Đình Diệm.

LA REBELIÓN DE LOS CIPAYOS

En 1857, la rebelión de los cipayos —tropas indias a sueldo del Imperio británico— fue provocada por numerosas y complejas causas de muy diversa índole, pero no cabe duda de que la incomprensión cultural y religiosa jugó un destacado papel.

Por un lado, la estrecha relación que los oficiales de la Compañía Británica de las Indias Orientales habían tenido con las tropas locales —la cual les había permitido conocer bien su cultura— se había perdido con el paso del tiempo, tanto por la llegada de las familias de los mandos británicos, como porque estos habían empezado a privilegiar el trato con otros oficiales y funcionarios de su misma nacionalidad. De esta manera, los británicos se alejaron de los idiomas y las tradiciones de los lugareños.

Por otro, la introducción de las modernas tecnologías inglesas (como el ferrocarril, considerado una obra del demonio) era vista por los hindúes como una amenaza a su forma de vida y su organización socioeconómica. Esto ahondó su preocupación por la paulatina introducción de las costumbres europeas y por el proceso de cristianización en los territorios de los que se iba adueñando la Compañía. Lo mismo suscitaba la prohibición de algunas de sus prácticas ancestrales, como matar a las niñas al nacer, el matrimonio infantil o la muerte de la viuda en la misma pira funeraria de su marido. Además, el sistema judicial que los británicos habían impuesto era visto como manifiestamente desfavorable para los locales.

Pero aunque no fuera el factor determinante, el principal motivo esgrimido por los insurrectos para justificar la revuelta fue que se habían cubierto de grasa animal los cartuchos de papel para el recién introducido fusil de avancarga Enfield modelo 1853. Como era habitual que los soldados los rasgaran mordiéndolos para hacer más rápido el proceso de recarga, las tropas nativas mostraron su reticencia a hacerlo. En caso de haberse empleado grasa de cerdo, sería ofensivo para los musulmanes, al considerar a este animal como impuro (*haram*), mientras que si la grasa procedía de las vacas, los hindúes lo tomarían como una provocación extrema, pues para ellos son animales sagrados. El rumor se extendió por todo el ejército, a pesar de que los británicos hicieron lo posible por convencer a las tropas de que no era grasa animal, llegando a proponer a los cipayos que preparasen su propia cobertura con las sustancias que consideraran más adecuadas o que rompieran los cartuchos con las manos, aun a costa de perder operatividad, en vez de con los dientes.

Pero a esas alturas, tanto hindúes como musulmanes (de los que había casi doscientos mil en el ejército británico) habían llegado al convencimiento de que se trataba de una estratagema deliberada de los ingleses para minar sus valores sociorreligiosos e ir imponiendo los europeos, por lo que no había vuelta atrás, y estalló la rebelión.

En Delhi y Meerut, esa visión —que en muchos aspectos coincidía con la realidad de que la interferencia británica en la cultura nativa tenía tintes de un plan para cristianizar el país— llevó a que los rebeldes proclamaran: «Hermanos, hindúes y musulmanes, apresuraos y juntaos con nosotros, vamos a una guerra por la religión [...] los *kafires* [infieles] han decidido liquidar la casta de todos los musulmanes e hindúes».

La insurrección, que propició en la metrópoli la proliferación de escabrosos relatos sobre la crueldad desplegada por los «infieles» rebeldes contra hombres y mujeres, fue percibida como una verdadera afrenta por el movimiento evangélico británico, ya que su oferta de extender la civilización cristiana a la India había sido contestada no solo con el rechazo, sino mediante el empleo de la violencia.

Impresionada por la sublevación, la reina Victoria —hasta entonces indiferente respecto a los asuntos del Imperio— llamó al conjunto de la nación a realizar un día de penitencia y oración. En el palacio de Cristal, la soberana fue testigo, junto con una audiencia de veinticinco mil personas, de las incendiarias proclamas del predicador baptista Charles Sturgeon: «La religión de los hindúes no es más que un amasijo de la mugre más rancia que la imaginación haya podido concebir. Los dioses que adoran no merecen el menor ápice de respeto. [...] La espada debe ser sacada de su vaina para cercenar a esos miles de súbditos».

Las palabras del predicador contenían todas las características de un auténtico llamamiento a la guerra santa, máxime cuando su sermón en ocasiones fue tomado en su literalidad. Como sucedió en Cawpore, donde un general de brigada británico de apellido Neill obligó a los prisioneros rebeldes a lamer la sangre de sus víctimas occidentales antes de proceder a su ejecución. En Peshawar, cuarenta rebeldes fueron atados a la boca de cañones que posteriormente se dispararon. En la capital metropolitana, el diario *The Times* exigía que en cada árbol y en cada tejado colgase el esqueleto de un sublevado. A los ojos de los misioneros evangélicos, la rebelión no se debía a la imposición de unos ritos ajenos, sino a que la modernización no se había implementado con la suficiente presteza.

En definitiva, no haber tenido en cuenta los principios en que se asentaban estas sociedades tuvo consecuencias imprevistas pero no por ello menos relevantes. Al año siguiente, se disolvió la Compañía Británica de las Indias Orientales y Londres reorganizó su ejército y reformó el sistema administrativo-financiero de la India, que pasó a denominarse Raj británico, bajo la dependencia directa de la Corona.

Samuel P. Huntington entiende que los esfuerzos simultáneos de Occidente por universalizar sus valores e instituciones, mantener su superioridad militar y económica, e invertir en conflictos en el mundo islámico han generado una profunda animosidad entre los musulmanes. Algo que se observa con nitidez en las arbitrariedades cometidas durante el proceso colonizador-descolonizador en Oriente Medio, el Magreb y el Sahel, especialmente tras la Primera Guerra Mundial.

Otro craso error ha sido interferir en procesos electorales de los países musulmanes por intereses espurios, habitualmente fomentados desde el exterior. Así sucedió en la Argelia de los años noventa, con la expulsión del poder del Frente Islámico de Salvación (FIS), el primer partido islamista de África. Creado en 1989, el FIS había ganado las elecciones municipales en junio de 1990 con el 54 % de los votos, lo que le había llevado a desarrollar un programa para establecer un Estado islámico en el país. Tras obtener el 47 % de los votos en la primera vuelta de las elecciones generales de diciembre de 1991, el ejército decidió suspender el proceso electoral e ilegalizar al FIS, encerrando a diez mil supuestos islamistas en campos de prisioneros, lo que terminó por derivar en una guerra civil que duraría hasta 1997.

La lección que se había dado al mundo musulmán era que ajustarse al juego democrático y presentarse a elecciones no garantizaba el acceso al poder ni mucho menos mantenerse en él, pues las élites locales, con el decidido apoyo de los países occidentales, nunca iban a permitir un régimen islamista en un país en el que tuvieran intereses. En consecuencia, se dejaba como única opción el recurso a la violencia para poder hacerse con las riendas de un país.

Y esta es la misma lección que más tarde, en 2012, se repitió en Egipto, donde los Hermanos Musulmanes fueron expulsados del poder mediante un golpe de Estado a pesar de haber ganado legítimamente las elecciones democráticas.

Un caso que tuvo trágicas consecuencias por ignorar el significado que la religión tiene para algunas personas ocurrió en Irak a mediados de la década de 2000. Una patrulla del ejército británico, tras sufrir una emboscada de insurgentes iraquíes, decidió perseguir a los atacantes. Estos se refugiaron en una mezquita y los soldados ingleses entraron en ella. Pero lo hicieron portando sus armas, ignorantes de la grave ofensa que estaban cometiendo a los ojos de los musulmanes iraquíes. La consecuencia fue que se produjeron manifestaciones masivas contra las tropas británicas, a las que costó casi un mes reconstituir las relaciones con los habitantes de la zona, incluso con los menos hostiles a su presencia en el país.

Para comprender la trascendencia de la religión en estos escenarios, basta decir que, a pesar de los violentos y constantes enfrentamientos sectarios que ha padecido Irak en los últimos años, en un contexto en el que una parte de los iraquíes se han mostrado descontentos y beligerantes con el gobierno de Bagdad, ha sido muy extraña la profanación de las distintas banderas nacionales que ha habido desde enero de 1991 hasta la fecha. La razón es que todas ellas han llevado escrito el *takbir* —la expresión de fe del islam—, es decir, «*Allahu Akbar*» (Alá es el más grande), por lo que cualquier musulmán, con independencia de la rama o escuela de pertenencia, se refrenaría de atentar contra tal fundamento de la religión del profeta Mahoma.

Militares estadounidenses queman el Corán

Uno de los casos recientes más notables sobre las terribles consecuencias de un conocimiento escaso o nulo de la idiosincrasia, los principios y los valores de una sociedad tuvo como escenario Afganistán. Ocurrió en 2012, cuando los once años que en ese momento cumplía la intervención internacional deberían haber servido, ya que no se había conseguido pacificar el país ni acabar con el terrorismo islamista, al menos para conocer la cultura, la religión, las costumbres y las reacciones del pueblo afgano.

La historia comienza a mitad del mes de febrero, cuando varios soldados estadounidenses procedieron a recoger todos los ejemplares del Corán y otros textos islámicos que se encontraban en la biblioteca del centro de detención de Parwan, situado en las inmediaciones de la base aérea de Bagram, la más importante de Estados Unidos en Afganistán. La motivación fue que se pensaba que podrían estar siendo empleados por los detenidos para realizar proselitismo islamista o intercambiarse mensajes extremistas, así que los militares norteamericanos se plantearon su destrucción.

En las primeras horas del martes 21 de febrero, unos trabajadores afganos de la base observaron a un camión de carga escoltado por un vehículo militar que llegaba al vertedero del acuartelamiento. Según los testigos oculares, en ese momento dos soldados estadounidenses —una mujer y un hombre— comenzaron a descargar del camión sacos llenos de lo que parecían libros y a arrojarlos al pozo de incineración, aparentemente de una forma rutinaria, sin darle mayor importancia a lo que estaban haciendo ni intentar ocultar el contenido de las bolsas.

Al darse cuenta de que los soldados lanzaban libros al fuego, la curiosidad de los trabajadores locales hizo que se acercaran al lugar, quedando estupefactos al ver que se trataba de ejemplares del Corán. Inmediatamente, los afganos presentes, exaltados y enfurecidos, se dirigieron contra los soldados para impedirles que siguieran con su cometido, gritándoles que se trataba de su libro sagrado, por lo que no podía ser quemado.

Ante esta inesperada reacción, los soldados se alejaron del lugar. Pero ya habían arrojado al fuego dos sacos de copias del Corán, que estaban empezando a arder. Los testigos afganos intentaron apagar el fuego y sacar las bolsas, y en parte lo consiguieron. Pero una decena de ejemplares quedó total o parcialmente destruida.

Con los ejemplares chamuscados que habían conseguido salvar de las llamas, los trabajadores locales corrieron a informar a los otros afganos de la base. Algunos de estos lograron salir de la instalación con los ejemplares medio quemados ocultos entre sus ropas para mostrárselos a sus compatriotas del exterior. La noticia corrió como la pólvora.

Pocas horas después de ocurrido el incidente ya se habían reunido más de dos mil personas a las puertas de la base para protestar de forma airada, e incluso violenta, por esta gravísima ofensa a la fe practicada por la inmensa mayoría del pueblo afgano. La noticia del agravio se extendió por casi todo el país. Las manifestaciones de repulsa se fueron generalizando, y en algunos casos se convirtieron en expresiones violentas contra instalaciones de personal extranjero, especialmente estadounidenses.

No fue solo el pueblo el que reaccionó al ultraje, pues un miembro de la policía afgana, de servicio en el Ministerio del Interior en Kabul, uno de los lugares más protegidos del país, disparó sendos tiros en la nuca a un teniente coronel y a un comandante estadounidenses que ejercían labores de asesoramiento.

La convulsión en Afganistán fue total y supuso la práctica paralización burocrática, dado que, al ordenarse la retirada del personal extranjero en funciones de asesoramiento, se tuvieron que cerrar numerosas instalaciones oficiales. Esto, por otra parte, evidenciaba la fuerte dependencia del país, ya no solo de la ayuda económica, sino también de los abundantes colaboradores internacionales presentes en los organismos oficiales. El balance final de víctimas de este grave incidente fue de medio centenar de fallecidos y más de doscientos heridos de diversa consideración.

Pero las protestas no se circunscribieron a Afganistán, pues también se extendieron al vecino Pakistán, especialmente a las zonas fronterizas, donde decenas de miles de personas, ya muy resentidas por sufrir frecuentemente los ataques de los drones, se manifestaron en contra de Estados Unidos.

Por su parte, los talibanes no desaprovecharon la oportunidad que les ponían en bandeja sus enemigos y promovieron manifestaciones animando a los afganos a exigir la retirada de todas las tropas extranjeras, acusándolas, y no sin razón, de falta de respeto hacia su religión, sus tradiciones y su cultura. También hicieron llamamientos específicos a los militares y policías afganos para que se volvieran contra las tropas de la OTAN.

A finales de agosto de 2012 y como resultado de una larga investigación, el ejército estadounidense informó a los medios de comunicación que había castigado con sanciones administrativas —sin proporcionar más detalles— a seis de sus soldados por la quema de los libros sagrados, aunque haciendo constar que no había habido ni mala intención ni falta de respeto al islam.

No cabe duda de que fue un enorme fallo de «inteligencia cultural», al desconocer que el Corán es el objeto material más sagrado e importante para cualquier musulmán, sin necesidad de que sea un fanático. Los seguidores de la fe del islam consideran que en este libro está recogida la palabra de Dios, dada a conocer al profeta Mahoma directamente por el Creador para que la transmitiera a las gentes del mundo. Tanto es así que ni siquiera ningún otro objeto puede colocarse físicamente encima del Corán, que siempre debe ocupar una posición superior y prominente. Y hasta la menor parte de este libro venerado por los mahometanos, aunque solo sea una pequeña porción de una de sus hojas, debe ser tratada con la mayor consideración.

Persisten los errores en Afganistán

El 5 de septiembre de 2017, fuerzas estadounidenses destinadas en Afganistán distribuyeron en la provincia de Parwan unos panfletos propagandísticos en los que se mostraba a un león (queriendo representar al ejército y la policía afgana) persiguiendo a un perro (en referencia a los talibanes).

Para que la población entendiera que el perro simbolizaba a los talibanes, los diseñadores del panfleto superpusieron a su imagen una sección de la bandera talibana, pero sin darse cuenta de que precisamente en esa parte estaban escritas las letras de la *Shahada*, la profesión de la fe y primer pilar del islam («No hay más dios que Alá y Mahoma es su Profeta»), ignorando además que el perro es considerado por los musulmanes como un animal impuro.

Inmediatamente los talibanes aprovecharon el error para movilizar a la población contra los militares extranjeros y el gobierno de Kabul, y lanzaron un ataque suicida contra la base aérea de Bagram en venganza por el insulto al islam.

También hubo declaraciones institucionales de condena, como las realizadas por el gobernador provincial, Mohammad Asim, exigiendo responsabilidades y que se llevara a juicio a los autores.

La situación se tensó de tal modo que al día siguiente el comandante en jefe de la Fuerza Conjunta de Operaciones Especiales desplegada en Afganistán (SOJTF-A, por sus siglas en inglés), el general estadounidense James B. Linder, se vio obligado a pedir públicas disculpas por haberse cometido el fallo de diseñar el panfleto con una imagen altamente ofensiva para los musulmanes y la religión del islam, tratando así de que no hubiera más manifestaciones de repulsa ni nuevos ataques.

LO QUE HICIERON LOS GOBERNANTES INTELIGENTES

También han existido dirigentes habilidosos que han sabido no ofender a las religiones, y en algunos casos incluso valerse de ellas.

El emperador persa Ciro II el Grande tuvo la habilidad y la inteligencia de respetar los sentimientos nacionales y religiosos de los pueblos de Oriente Medio que conquistaba. Uno de sus gestos más celebrados fue la liberación, en 539 a. C., de unos 40.000 descendientes de los judíos que habían sido llevados cautivos a Babilonia medio siglo antes por Nabucodonosor II, a los que autorizó a regresar a Palestina y a reconstruir su comunidad religiosa. En la misma Babilonia decretó que todas las religiones serían toleradas. Así mismo, el emperador persa Darío I el Grande, sucesor de Ciro, aplicó la regionalización administrativa del Imperio aqueménida mediante un sistema de satrapías que se caracterizaban, entre otras cosas, por permitir que cada provincia fuera libre de profesar la religión que tenía antes de ser sometida. Por su parte, Alejandro Magno, durante la ocupación de Egipto, conocedor de la importancia política que tenía congraciarse con el clero egipcio, en las ciudades por donde pasaba visitaba los templos y ofrecía sacrificios a los dioses.

La fe es un arma poderosa

Si hay algo por lo que una persona, de modo absolutamente irracional, esté dispuesta a morir y matar, es por su fe, por sus creencias religiosas. No importa si posee un alto coeficiente intelectual o una amplia cultura, pues la inteligencia no excluye el fanatismo, ni este es propio únicamente de ignorantes.

En todas las religiones hay extremistas que, astutamente manipulados, pueden llegar a convertirse en verdaderos salvajes en defensa de sus dogmas. Fanáticos cuyas ideas, una vez que han permeado su mente, son prácticamente imposibles de extirpar y tampoco se pueden encerrar en una prisión. Por eso, cuando se trata con la religión, el cuidado ha de ser exquisito. De otro modo, puede ser la ruina de la sociedad que contra ella se enfrente.

6

Los pecados capitales de la geopolítica

> Los individuos están permanente-
> mente guiados por razones de ho-
> nor, temor o interés propio.
>
> TUCÍDIDES

Cuando el historiador militar estadounidense Victor Davis Hanson habla de las guerras, asegura que la naturaleza de la tecnología cambia, pero los motivos, las emociones y la retórica se repiten a través de los siglos. La arrogancia, los errores de cálculo, la avaricia, el honor mal entendido y toda una colección de emociones han llevado a menudo a los generales a tentar la suerte y entrar en combate aun cuando el sentido común aconsejaba hacer lo contrario. Hanson tampoco tiene reparos en decir que la ira, el orgullo, el honor, el miedo y el interés propio suelen explicar mejor el deseo de librar guerras, grandes y pequeñas, que cualquier otra causa.

Lo cierto es que las eternas pasiones y flaquezas humanas tienen una influencia determinante en la erupción, desarrollo y conclusión de los conflictos bélicos. Lo mismo puede decirse de la íntima relación que existe entre la geopolítica y las debilidades humanas, pues al final son personas las que toman las decisiones, y no siempre la racionalidad es lo único que impera y dirige sus acciones. Por ecuánime, imparcial, inteligente y reflexivo que se sea, nadie escapa a las bajezas a las que impulsan la vanidad, la envidia, la avaricia, la gula, la lujuria o el siempre presente egoísmo.

Para Hanson, esta reflexión es completamente válida, pues asegura que la visión helenística de la guerra y las lecciones que se pueden extraer de los antiguos griegos se resumen en que el conflicto es a menudo irracional por naturaleza, y más el resultado de emociones intensas que de una necesidad material. En definitiva, las guerras no siempre comienzan debido a ideas cósmicas, intereses o una cierta ideología, sino que a menudo son el resultado de impulsos humanos de personas de carne y hueso, con sentimientos hipertrofiados sobre el honor, el prestigio o los agravios (más imaginarios que reales).

Barbara W. Tuchman infiere que las razones de los gobernantes se han visto dominadas muchas veces por las flaquezas humanas no racionales: la ambición, la ansiedad, el afán de notoriedad, el intento de salvar la cara, las falsas alusiones, el autoengaño, los prejuicios establecidos. Y concluye que, aunque la estructura del pensamiento humano se basa en el procedimiento lógico que lleva de la premisa a la conclusión, no está a salvo de las flaquezas y las pasiones.

Veamos, pues, cuáles son los pecados capitales que se cometan en geopolítica como consecuencia de esos eternos impulsos y bajos instintos a los que el ser humano es incapaz de sustraerse.

El egoísmo

> Las pasiones y las motivaciones humanas han cambiado poco en el transcurso de los milenios.
>
> Robert D. Kaplan,
> *El retorno de la Antigüedad*

Todas esas bajezas y pasiones descritas quedan resumidas en el egoísmo, tanto individual como colectivo. Es el verdadero motor del mundo, pues incluso las permanentes ansias de placer, poder, fama, gloria, prestigio, admiración o reconocimiento no son más que medios para conseguir satisfacer el ego propio.

Las acciones individuales tienen siempre un componente de egoísmo. Lo mismo puede decirse de los grupos humanos organizados, de los cuales el Estado es su máximo exponente. Pero hay que distinguir entre el egoísmo positivo —aquel que, buscando el beneficio, la satisfacción y el provecho propio, al mismo tiempo favorece a un tercero— y el negativo —cuando tan solo la persona que realiza la acción u omisión resulta beneficiada, o bien perjudica con su actitud, en mayor o menor medida, a un tercero—, más extendido y común que el anterior.

Hasta la persona más generosa y entregada del mundo, como puede ser un religioso-misionero o un cooperante de una oenegé absolutamente altruista, ayuda a otra persona porque encuentra cierta gratificación en ello, aunque sea de modo inconsciente. También los Estados, si bien estos normalmente actúan de modo planificado y despojado de cualquier filantropía, por más que se intente enmascarar de cara a la galería. No hay nadie —sea persona o grupo social— que, de modo permanente y consciente, actúe en perjuicio propio indefinidamente, y tampoco sin esperar recibir algún tipo de satisfacción personal, aunque sea interna y en ocasiones incluso imperceptible. Quizá con la excepción del sentimiento de una madre por sus hijos, único ejemplo de amor y entrega absolutamente desinteresada que nos ofrece la naturaleza; y aun así, la madre también se siente internamente gratificada al volcar ese infinito cariño en sus vástagos.

Otto von Bismarck tenía muy claro que «la única base saludable para las políticas de una gran potencia es el egoísmo». Este egoísmo camuflado hizo que De Gaulle y otros dirigentes europeos se esforzaran por disuadir a Estados Unidos de la campaña vietnamita por temor a que la atención y los recursos norteamericanos se dedicasen enteramente a Asia, en detrimento de Europa, lo que sin duda distaba mucho del altruismo que preconizaban. Consciente de esta realidad, Estados Unidos combina adecuadamente el idealismo con el egoísmo para ejercer su influencia mundial, según Brzezinski.

La ambición, las ansias de ser respetado y considerado, o de tener una posición de privilegio, mueve montañas. Y los que por cualquier motivo no consiguen su propósito, o piensan que no lo alcanzarán nunca, buscan sus objetivos de autosatisfacción en otros aspectos o ambientes, sean ideologías alternativas, religiones, sectas o diversos grupos sociales de lo más variopinto.

LA LUJURIA

> Lo permanente es la persistencia de la condición humana, suspendida entre el cielo y el infierno.
>
> GEORGE FRIEDMAN

También la lujuria encuentra su hueco en el ámbito de la política y la geopolítica. Este deseo sexual exacerbado e incontrolable ha tenido un gran peso a lo largo de la historia. Por ejemplo, Catalina la Grande de Rusia, bien conocida por su irrefrenable apetito sexual, impuso a uno de sus amantes, Estanislao Augusto Poniatowski, como rey de Polonia.

Otro caso paradigmático de cómo este pecado capital influyó en la política de su tiempo y ha perdurado hasta nuestros días es el del monarca inglés Enrique VIII, cuyas pasiones amorosas generaron el surgimiento de una nueva Iglesia, la anglicana. Este rey, casado en seis ocasiones, rompió con la Iglesia católica de Roma con motivo de la disputa por la anulación de su matrimonio con Catalina de Aragón, hija de los Reyes Católicos, y aprovechó para erigirse como cabeza suprema de la Iglesia de Inglaterra.

En tiempos más actuales, el caso más notable fue el protagonizado en 1998 por el entonces presidente de Estados Unidos, Bill Clinton. A finales de ese año, Clinton se encontraba muy presionado políticamente por el escándalo protagonizado con la que había sido becaria en la Casa Blanca, Mónica Lewinsky, la cual había denunciado haber mantenido al menos nueve encuentros sexuales con el presidente, algunos de ellos en el Despacho

Oval, entre noviembre de 1995 y marzo de 1997. Justo cuando se estaba efectuando la votación en el Congreso del juicio político que podría haberle costado ser destituido de su cargo, a mediados de diciembre Clinton ordenó el inicio de la Operación Zorro del Desierto contra Irak en represalia por la falta de cooperación de Sadam Hussein con los inspectores de Naciones Unidas para la eliminación de las armas de destrucción masiva. Con la excusa de proteger «intereses nacionales», la operación de bombardeo comenzó con el lanzamiento de más de 200 misiles contra instalaciones iraquíes y se prolongó durante cuatro días. De esta forma, Clinton consiguió que se suspendiera la votación, y fue finalmente exonerado de los cargos. Esta estratagema ya había sido empleada por Bill Clinton pocos meses antes, pues, apenas tres días después de ser llamado a declarar ante un gran jurado por el «*Sexgate*», el 20 de agosto había lanzado la Operación Alcance Infinito para bombardear presuntas bases terroristas en Afganistán y Sudán, teóricamente en venganza por los atentados perpetrados dos semanas antes por terroristas afines a Al Qaeda contra las embajadas estadounidenses de Nairobi y Dar es Salaam.

La pereza

Aunque en principio pudiera parecer que debería ser excluida de este ámbito, la pereza también juega su papel a la hora de definir las relaciones internacionales y la geopolítica.

Los pueblos que se consideran satisfechos, o que al menos piensan que han conseguido un grado de desarrollo superior al del mundo que los rodea, tienden a tornarse perezosos y descuidados, no siendo conscientes de que habrá otros pueblos «hambrientos» que desearán hacerse con sus riquezas y beneficios, ejerciendo para lograrlo cuantos esfuerzos sean necesarios. La realidad es que quien no padece calamidades no progresa, pues aquel al que la vida y la naturaleza le son generosas tiende a estancarse. No sintiendo la necesidad de evolucionar, se pone una venda en los ojos que le impide ver que hay otros muchos, menos favorecidos, dispuestos a hacerse con sus abundancias.

Por otro lado, hay naciones a las que, históricamente, se podría definir como perezosas, bien sea porque lo propicie el clima, la abundancia de recursos naturales directamente accesibles o una idiosincrasia muy particular. Los pobladores de estos lugares ven pasar el tiempo de brazos cruzados, apáticos, displicentes, indolentes, dejándose invadir y conquistar, pues no tienen inconveniente en que otros dirijan sus destinos, contentándose en muchos casos con que, sea quien sea el regidor de turno, su vida no se vea especialmente alterada y puedan seguir «cantando y bailando».

Ha habido incluso dinastías enteras que así se han comportado, como la merovingia, los últimos monarcas que se ganaron precisamente el apelativo de *rois fainéants* (reyes perezosos), los cuales ejercían de manera nominal la acción de gobierno en el territorio franco, pero su poder real era inexistente.

La gula

> Los hombres son ingratos, inconstantes, falsos y fingidores, cobardes ante el peligro y ávidos de riquezas; y mientras les beneficias, son todo tuyos; pero cuando la necesidad se acerca te dan la espalda.
>
> Nicolás Maquiavelo,
> *El príncipe*

En el ámbito geopolítico, la gula podría considerarse como el afán desmedido por hacerse con los recursos naturales, intentando acaparar todos los posibles, incluso más de los realmente necesarios, al tiempo que se excluye a los demás de su disfrute.

Así sucede con el caso de la apetencia mostrada por algunos de los principales dirigentes del mundo hacia una de las principales reservas de biodiversidad y recursos naturales del mundo, la selva amazónica, lo que es visto con extrema preocupación por los brasileños. Algunas de las citas de estos personajes de peso mundial desde luego no dejan a nadie indiferente: «Al revés de lo que piensan los brasileños, la Amazonía no les pertenece a ellos, sino a todos nosotros» (Al Gore, vicepresidente de Estados Unidos, en 1989); «Brasil necesita aceptar una soberanía relativa sobre la Amazonía» (François Mitterrand, presidente de Francia, en 1989); «Brasil debe delegar parte de sus derechos sobre la Amazonía a los organismos internacionales competentes» (Mijaíl Gorbachov, último líder de la URSS, en 1992).

Otra cita que viene al caso, y que refleja a las claras que tanto la invasión de Kuwait por Sadam Hussein como la guerra posterior tuvieron como objetivo el crudo, es la de Norman Schwarzkopf, el general estadounidense al mando de las fuerzas de la coalición durante la Primera Guerra del Golfo (1990-1991): «Si todo Kuwait hubiese tenido zanahorias en lugar de petróleo, nunca me habrían enviado aquí».

También puede manifestarse este apetito desproporcionado en el dispendio excesivo de los fondos estatales, algo muy extendido entre la clase política, en muchos casos desconocedora del gran esfuerzo que tienen que hacer los contribuyentes para aportar fondos a un erario público que no siempre es administrado con pulcritud y mucho menos atendiendo a principios de economía, por aquello de que no duele en bolsillo propio cuando se «dispara con pólvora del rey». Fue el caso de Jean-Bédel Bokassa, cuya ceremonia de coronación como emperador en diciembre de 1976 costó más de veinte millones de dólares de la época, un coste desorbitado respecto al PIB de la República Centroafricana. Lo mismo sucedió con la celebración, en octubre de 1971, de los 2.500 años de la monarquía persa desde su fundación por Ciro el Grande, en la que el sha Mohamed Reza Pahlevi pudo llegar a gastar hasta doscientos millones de dólares de entonces.

LA IRA

> La ira no da sino golpes, heridas y
> muertes.
>
> BALTASAR GRACIÁN,
> *El Criticón*

La furia interna que en mayor o menor medida anida en el interior de todo ser humano se convierte en generadora de violencia, en ocasiones con inusitada rapidez y virulencia, incluso entre personas aparentemente templadas, y también tiene su protagonismo a la hora de dirigir las acciones geopolíticas. Como si se tratara de un volcán de lava ardiente únicamente a la espera de que un incidente abra una brecha por la que salir despedida, los seres humanos son más tendentes al enojo y la ira de lo que incluso ellos mismos piensan, por más que estos intentos estén sometidos por la presión de la educación social y refrenados por las consecuencias punibles de sus actos.

El verdadero problema surge cuando la indignación ante lo que se cree una ofensa grave se transforma y degenera en una espiral de violencia de la que resulta muy difícil sustraerse, y más aún frenar en su desbocada carrera por una pendiente en la que, cual creciente bola de nieve, aumentan sin cesar la brutalidad y el salvajismo más primitivos. Tristemente, se puede observar en todas las guerras, incluso en las llevadas entre países o grupos humanos considerados desarrollados. No debe olvidarse que, como decía el filósofo y poeta alemán Friedrich Nietzsche, quien combate contra dragones acaba por convertirse él mismo en dragón.

Los clásicos también temían a la ira. Lucio Anneo Séneca la comparaba con un ácido que puede hacer más daño al recipiente en el que se almacena que en cualquier cosa sobre la que se vierte. Esta reflexión puede relacionarse con la que Albert Einstein hizo en una carta que dirigió a Sigmund Freud en 1932: «El hombre tiene dentro de sí un apetito de odio y destrucción. En épocas normales, esta pasión existe en estado latente, y únicamente emerge en circunstancias inusuales;

pero es relativamente sencillo ponerla en juego y exaltarla hasta el poder de una psicosis colectiva».

La envidia

> De todos los desórdenes de la vida, la
> envidia es el único que nadie confiesa.
>
> Plutarco

Hoy en día, la envidia se puede enlazar con la percepción de injusticia. Los actuales medios de comunicación, desde la televisión vía satélite a internet, facilitan que una gran mayoría de los habitantes del planeta conozcan lo que sucede en otras partes del mundo, lo que no ocurría hasta hace pocos años. Este conocimiento, muy impregnado por un materialismo que propugna la felicidad a través de posesiones físicas, lleva a que los más desfavorecidos se planteen por qué ellos no pueden disfrutar de las mismas ventajas de las que otros se benefician, sobre todo cuando de forma machacona se les inculca la idea de que una persona es desgraciada si no disfruta de abundantes bienes materiales. Este factor, también impulsor de movimientos migratorios en busca de ese paraíso terrenal que se anuncia, no es más que una forma de envidia, en el sentido, no necesariamente perverso, incluso legítimo, de aspirar a poseer lo mismo que los demás.

En este punto debe decirse que hay dos tipos de envidias. Por un lado, la que aspira a tener y hacer lo que ve en otros, pero con esfuerzo personal, estudiando y trabajando duro. Se la puede considerar una motivación constructiva y honrada, un motor que impulsa a evolucionar en buena lid, pues, como decía Miguel de Cervantes, «ambición es, pero ambición generosa, la de aquel que pretende mejorar su estado sin perjuicio de tercero». Pero también existe la que, de un modo retorcido y vil, solo es satisfecha a costa de que el otro no haga ni tenga. Ante la incapacidad propia para conseguir llegar a la altura de los que destacan, por falta de medios o por simple pereza, solo se plantea entorpecer y destruir la obra y la vida ajena, recurriendo, si lo cree preciso, a las mayores bajezas. Lamentablemente, está mucho más extendida la segunda que la primera. Según algunos estudiosos de la materia, la religión imperante en las sociedades va a revestir una gran relevancia para que prime una u otra forma de envidia. Para los que así opinan, la versión más positiva es propia de los países protestantes (por ejemplo, los calvinistas), donde la riqueza individual se percibe como un bien social, mientras que la peor se daría entre los católicos, que consideran la riqueza como algo negativo e injusto.

Esto también sucede entre países, pues la existencia de un gran desequilibrio entre unos y otros supone un importante factor generador de inestabilidad y, por tanto, de conflictos. La contribución de la envidia a la situación actual del mundo no puede subestimarse. Los Estados, como las personas, pueden ser envidiosos. Según Bernhard Bülow, antes de la Primera Guerra Mundial los alemanes nunca habían sido queridos, pero a medida que progresaban comenzaron a ser odiados. Nada extraño si se considera que ostentar poder, destacar y sobresalir siempre genera peligrosas envidias. Así lo ve también Pierre Servent, para quien, desde la noche de los tiempos, las tierras ricas y poco pobladas siempre han atraído a los pueblos de las regiones pobres y superpobladas. Por ello, los privilegiados del planeta se ven forzados a disponer de una buena defensa, pues, como avisa George Friedman, no hay peor cosa en el mundo que ser rico y débil.

Los templarios: destruidos por la envidia

> Los hombres pueden soportar que se elogie a los demás mientras crean que las acciones elogiadas pueden ser ejecutadas también por ellos; pero en caso contrario sienten envidia.
>
> TUCÍDIDES

Si hay un claro precedente en la historia en el que llegar a alcanzar una posición de privilegio y gozar del máximo poder haya significado la perdición por culpa de las envidias generadas, este es el caso de la Orden del Temple.

Creada en 1118 por nueve caballeros —encabezados por el que luego sería el primer gran maestre, Hugo de Payens— con la misión original de proteger el peregrinaje a Jerusalén de los cristianos, en sus apenas dos siglos de existencia los templarios fueron capaces de reunir tantas riquezas y de organizar un sistema económico tan sumamente eficaz que despertó los celos y los deseos de aniquilación de reyes y papas.

Uno de los grandes logros de la Orden fue conseguir en 1139 una serie de privilegios fiscales ratificados por bulas, las cuales garantizaban al Temple una absoluta independencia de la burocracia civil y religiosa, debiendo únicamente rendir cuentas ante el Papa, al tiempo que se les concedía el derecho a recibir anualmente el óbolo —los donativos que los fieles hacían a las iglesias—. A estos privilegios vino a sumarse el de edificar castillos e iglesias a su libre albedrío y al margen de limitaciones civiles y religiosas, circunstancias todas ellas que les posibilitaron ampliar sus dominios.

Otra importante fuente de ingresos que colaboró a que el Temple amasara una formidable fortuna la constituían las donaciones de la más variada naturaleza que les llegaban a los templarios por doquier, comenzando por las generosas aportaciones que hacían los miembros que se unían a la Orden, muchos pertenecientes a las familias más pudientes.

De este modo, a mediados del siglo XIII los templarios se habían convertido en un verdadero imperio militar y económico. En el plano castrense, se estima que tenían en filas a más de 30.000 efectivos, al tiempo que contaban con unas 9.000 granjas y propiedades rústicas, y sus imponentes castillos y fortalezas superaban la cincuentena.

Por si fuera poco, habían creado sofisticados procedimientos financieros que dieron origen al considerado como el primer sistema bancario moderno. Viendo un rentable negocio en prestar el dinero que iban acumulando a un interés más bajo que el de los mercaderes judíos, consiguieron copar el sector y obtener pingües beneficios. Para rentabilizar los procedimientos, fueron pioneros en los principios de la contabilidad moderna, los pagarés y las letras de cambio. Cada vez más ricos gracias a la buena gestión de las riquezas que les llegaban sin cesar, fueran propiedades, derechos o poblaciones enteras, los templarios llegaron a convertirse en tesoreros reales.

Fruto de la misma impresionante habilidad organizativa, la Orden fue creando una amplia flota que, unida a su dominio de la navegación, le permitía llevar peregrinos a Tierra Santa, prestar navíos a los nobles y comerciar con los productos de sus muchas propiedades a través de extensas y bien controladas rutas marítimas.

Felipe IV de Francia, al igual que otros monarcas y señores feudales, se había visto obligado a pedir préstamos a los templarios, lo que incrementaba la animadversión hacia ellos que ya de por sí generaba la notoria acumulación de poder. Así las cosas, el rey francés, ciego de envidia, comenzó en 1307 una campaña para acabar con la Orden del Temple.

El monarca francés convenció al papa Clemente V —a quien él mismo había aupado al papado desde la archidiócesis de Burdeos, por entender que era persona que podría ser manejada a su antojo— para que disolviera a los templarios basándose en más de un centenar de falsas acusaciones, que iban desde la sodomía y la blasfemia a la herejía y la idolatría. Siete años más tarde de iniciada la ofensiva contra los templarios, en 1312 Clemente V disolvió la Orden. Más de 15.000 templarios fueron apresados, muchos de ellos sometidos a tormentos y quemados vivos.

Como conclusión, la mayoría de las extensísimas propiedades de la Orden del Temple fueron a engrosar las arcas de Francia, al tiempo que su rey se liberaba de las deudas contraídas con los templarios, con lo que se colmaban plenamente las aspiraciones de Felipe IV.

> En la tierra hay suficiente para satisfacer las necesidades de todos, pero no tanto como para satisfacer la avaricia de algunos.
>
> Mahatma Gandhi

Hacer de los intereses de un país el principio director de su política, como decía lord Palmerston, se puede considerar una forma de pura avaricia, en el sentido de «todo para mí y nada para los demás». Al fin y al cabo, la avaricia no es más que el afán desmedido por poseer tantas riquezas como sea posible por el solo placer de atesorarlas sin compartirlas con nadie. Un pecado insaciable y, por tanto, infinito.

La situación internacional es altamente preocupante, pues la desigualdad es creciente, y la crisis económica generalizada desde 2008 solo ha servido para hacer aún más rica a una minoría. Actualmente, se estima que el 1 % más rico de la población mundial posee más riqueza que el 99 % de las personas del planeta. Y eso no es todo, pues esta llamativa desigualdad va en aumento, según informes de Oxfam. Así, en 2010 la riqueza de las 338 personas con mayor fortuna del mundo equivalía a la de la mitad de la población mundial (unos 3.700 millones de seres humanos); en 2015, esa cifra se había reducido a 62 personas; pero en 2016, apenas un año más tarde, «solo» había ocho supermillonarios: Bill Gates (Microsoft, 75.000 millones de dólares); Amancio Ortega (Inditex, 67.000 millones); Warren Buffett (inversor, 60.800 millones); Carlos Slim (Grupo Carso, 50.000 millones); Mark Zuckerberg (Facebook, 44.600 millones); Jeff Bezos (Amazon, 45.200 millones); Larry Ellison (Oracle, 43.600 millones); Michael Bloomberg, exalcalde de Nueva York (Bloomberg, 40.000 millones).

A esto se une que mientras mil millones de personas viven con menos de 1,25 dólares al día, la conocida revista *Forbes* estima que en los paraísos fiscales —según muchos analistas, controlados de modo más o menos directo por el mundo anglosajón, básicamente Estados Unidos y Reino Unido— una minoría privilegiada puede estar ocultando hasta veintiún billones (21.000.000.000.000) de dólares. Es muy probable que buena parte de esas ingentes cantidades depositadas en paraísos fiscales pertenezcan a los dirigentes políticos de medio mundo, incluso prioritariamente a los que gobiernan en países donde la mayoría de la población está sumida en la indigencia más absoluta, pues ya hemos comentado que la pobreza de los demás siempre ha sido aprovechada para el beneficio de unos pocos.

Esta misma avaricia puede convertirse en una trampa mortal, pues, como expuso el historiador británico Paul Kennedy, la sobreextensión de las fronteras ha sido la causa principal del fracaso de muchos imperios. Así le sucedió a la Roma imperial, pues en su caída tuvo más influencia la creciente distancia geográfica de los nuevos dominios a la capital que la capacidad militar y política de los indómitos pueblos que la combatían.

LA SOBERBIA

> ¡Vanidad, pura vanidad! ¡Nada más que vanidad!
>
> ECLESIASTÉS 1: 2-3

Este pecado capital está ampliamente extendido en el ámbito de las relaciones internacionales, donde el sentimiento de superioridad, el convencimiento de tener la razón, la ciega confianza en ser el único en posesión de la verdad que se arrogan los Estados que se consideran a sí mismos los más avanzados y desarrollados, los lleva a despreciar, humillar e incluso querer modificar las maneras de entender la vida y la sociedad de los demás grupos humanos. O peor aún, se llega a invadir países simplemente por entender que se alejan de los parámetros socioeconómicos y políticos de los poderosos de turno. La soberbia también genera enfado cuando los prepotentes son contrariados, y algunos responden de modo violento a quien ha osado disgustarlos.

Samuel P. Huntington describe de modo magistral la soberbia occidental en su obra *El choque de civilizaciones*:

> Occidente es una civilización cuya gente está convencida de la universalidad de su cultura y cree que su poder superior, aunque en decadencia, les impone la obligación de extender esta cultura por todo el mundo. Y por eso hay un conflicto entre este Occidente y un mundo islámico cuya gente está convencida de la superioridad de su cultura y está obsesionada con la inferioridad de su poder.

Durante un discurso dado en 1848, lord Palmerston —entonces secretario de Estado para Relaciones Exteriores— no tuvo ningún reparo en mostrar sin ambigüedades la prepotencia británica: «Puedo decir, sin vana jactancia, que los británicos estamos en la cima de la civilización, moral, social y políticamente. Nuestra tarea es mostrar el camino y guiar la marcha de las otras naciones». Lo que sin duda hizo durante decenios Gran Bretaña en buena parte del mundo, haciendo y deshaciendo a su antojo con países y personas. Pero a veces la soberbia les jugó malas pasadas, como le sucedió al almirante inglés Edward Vernon, quien en 1741, con ocasión de la batalla de Cartagena de Indias, había publicitado su victoria anticipadamente e incluso había encargado que se acuñaran monedas conmemorativas, para ser finalmente derrotado por el almirante español Blas de Lezo.

La soberbia también es muy propia de quien ha alcanzado puestos de alta responsabilidad, sobre todo en los cargos públicos. Alejandro VI, el papa Borja, aseguraba que un gobernante nunca oye la verdad y acaba por no querer oírla. Quizá porque la posesión del poder, como apuntaba Kant, daña inevitablemente el libre juicio de la razón. En este sentido, Marenches es rotundo cuando afirma que los gobernantes estadounidenses, como consecuencia de una mezcla de miopía, deficiente información e ingenuidad histórica, creen que su sistema democrático y su *American way of life* pueden aplicarse en cualquier lugar.

Por otro lado, el idealismo suele ser un equivalente de la soberbia, tal como afirma George Friedman. Lo trágico es que en nombre de los ideales se ha generado mucho dolor a lo largo de la historia. Enarbolando su bandera se han hecho guerras innecesarias, se han destruido países y segado numerosísimas vidas humanas. Los idealistas, cegados por sus propias ideas, suelen ser incapaces de comprender las de los demás, las cuales no se suelen molestar en conocer. Según el filósofo Georges Sorel, durante el Terror (1793-1794) —el período más represivo y violento de la Revolución francesa—, los hombres que más sangre hicieron correr fueron aquellos que tenían el más vivo deseo de que sus semejantes llegasen a gozar de la Edad de Oro. Así mismo, los que más preocupados estaban por las miserias humanas —optimistas, idealistas y sensibles— se mostraban tanto más inflexibles cuanta mayor era su sed de felicidad universal. Y lo peor de todo es que las lecciones siguen sin aprenderse, y los ejemplos actuales de Oriente Medio dan buena fe de ello. Por ello, los pobres y los desfavorecidos siempre claman: ¡que no quieran hacerme feliz!

El afán de poder

> [¿Cuál es el gran mal del mundo?] Lo tengo clarísimo: la ambición de poder y de dinero. Es la madre de todas las desgracias que han sucedido y que sucederán.
>
> QUINO

En el breve libro *¿Por qué la guerra?* que recoge la correspondencia entre Albert Einstein y Sigmund Freud, llama la atención el contenido de la carta que el físico envió al psicoanalista el 30 de julio de 1932, desde su todavía residencia de Potsdam. En ella, Einstein —que tras la llegada de Hitler al poder decidiría renunciar a la ciudadanía alemana y emigrar a Estados Unidos— responde a la pregunta que traslada a

Freud: ¿Hay algún camino para evitar a la humanidad los estragos de la guerra?

La carta aporta profundas reflexiones sobre la condición humana, el afán de poder y la supremacía de la economía:

> El afán de poder caracteriza a la clase gobernante de todas las naciones [...]. Esta hambre de poder político suele medrar gracias a las actividades de otro grupo guiado por aspiraciones puramente mercenarias, económicas. Pienso especialmente en este pequeño pero resuelto grupo, activo en toda nación, compuesto de individuos que, indiferentes a las consideraciones y moderaciones sociales, ven en la guerra, en la fabricación y venta de armamentos, nada más que una ocasión para favorecer sus intereses particulares y extender su autoridad personal. [...] ¿Cómo es posible que esta pequeña camarilla someta al servicio de sus ambiciones la voluntad de la mayoría, para la cual el estado de guerra representa pérdidas y sufrimientos? (Al referirme a la mayoría, no excluyo a los soldados de todo rango que han elegido la guerra como profesión en la creencia de que con su servicio defienden los más altos intereses de la raza y de que el ataque es a menudo el mejor método de defensa.)

Sin duda, el afán de poder también arrastra el deseo de dominio, de imponer la opinión, de disponer de dinero abundante con el que satisfacer caprichos y vanidades (sin olvidar el sexo). Y de destacar a costa de los demás, pues al basar todo en un estado de comparación, para ser mejor, los demás deben ser peores.

Epílogo

> Para averiguar la verdad, es necesario, una vez en la vida, dudar de todas las cosas tanto como sea posible.
>
> René Descartes

Una nueva guerra mundial, que afecte a la mayoría de los países, es hoy por hoy improbable, aunque no imposible. Se viven momentos de enorme incertidumbre y volatilidad en un escenario mundial cada vez más complejo en el que los cambios se suceden con una rapidez inusitada, favorecidos por la tecnología, especialmente la de las comunicaciones. Por esto no debemos descartar que, en última instancia, la permanente tensión pueda desembocar en un choque militar a gran escala y de alta intensidad entre potencias, por más que por ahora la probabilidad sea baja.

De momento, la pugna solo se está librando a través de actores interpuestos y de las llamadas «guerras híbridas», en las que se combinan coacciones económicas, desinformación, terrorismo, actividad criminal y subversión para provocar desórdenes civiles y confrontaciones localizadas.

En este contexto tiene especial relevancia el enfrentamiento existente a escala planetaria a través de la economía, es decir, la guerra económica, la que se realiza por intereses económicos y mediante instrumentos económico-financieros. Todos los países participan de ella, como agentes activos y/o sujetos pasivos.

También hay otra pugna geopolítica constante, principalmente entre las grandes potencias, que consiste en influir —y simultáneamente intentar no ser influido o serlo lo menos posible— en las decisiones y acciones mundiales, mediante los servicios de inteligencia, la diplomacia, las fuerzas de operaciones especiales y las operaciones psicológicas de ámbito planetario (manipulación mediática, propaganda, noticias falsas, etc.). Curiosamente, estos enfrentamientos se dan no solo entre antagonistas, sino también entre países teóricamente aliados y amigos, siendo constantes las denuncias de casos de espionaje, aunque en la mayoría de las ocasiones no lleguen a nuestro conocimiento.

Estas guerras geoeconómicas y geopolíticas —con rivalidades regionales y planetarias— están íntimamente relacionadas entre sí. Se libran además en el ciberespacio, convertido en un teatro de enfrentamiento privilegiado, mediante la obtención fraudulenta de datos, la destrucción o alteración de sistemas y servidores, con filtraciones interesadas de documentos, robo de tecnología, etcétera.

Además, hay otra serie de factores y elementos que provocan gran inestabilidad en el mundo y cuyas consecuencias son imprevisibles: los movimientos migratorios masivos e incontrolados, el calentamiento global, el desequilibrio demográfico, las crecientes diferencias sociales y económicas, las renovadas ansias de poder y expansión de algunos países, los riesgos sanitarios, los ataques cibernéticos, los impredecibles desastres naturales, el terrorismo y la inestabilidad en amplias zonas del mundo (regiones como Oriente Medio, el Magreb y el Sahel, pero también países como Turquía, Ucrania o Nigeria). Para rematar, el nuevo orden mundial en juego es una incertidumbre aún mayor con la llegada de Donald Trump a la presidencia de Estados Unidos.

La solución pasa por la coexistencia pacífica, en la que cada actor, con independencia de su tamaño o poder, sea capaz de desarrollarse de acuerdo con su propio sistema político-ideológico, sus circunstancias (grado de desarrollo, historia, cultura, religión, tradiciones, etc.), sin pretender imponerlo a los demás.

En este mundo utópico de convivencia de las diferentes culturas, religiones, ideologías y sensibilidades, en el que el respeto mutuo debe impedir de modo eficaz el enfrentamiento entre ellas, no hay necesidad de alianzas. En las diferentes sociedades, para convivir en paz y armonía no se precisa la integración plena de todos los grupos e individuos que la componen, ni mucho menos la asimilación a la forma de vida de la mayoría. Basta con que todos estén incorporados a la sociedad, se sientan parte de ella, y compartan derechos y deberes, sin imposiciones y con absoluta tolerancia a las diferencias, con un límite común que siempre debe ser el exquisito respeto a la ley.

Así mismo, es preciso que impere una verdadera justicia que garantice una paz social universal, y que los recursos se repartan con equidad tanto dentro de los Estados como entre ellos, pues de otro modo siempre habrá profunda inestabilidad que dé origen a episodios violentos.

Pero tristemente no es así, y se duda mucho de que algún día lo llegue a ser. Como he intentado mostrar, las ambiciones humanas, los deseos de dominación, de imponerse sobre los demás, las ansias de riquezas y honores, la maldad genética, el desprecio a los otros y la aspiración a controlar el mundo conforman un eterno círculo vicioso del que la humanidad parece incapaz de salir.

Para esos fines perversos se han empleado y se siguen utilizando las geoestrategias descritas, por más que tantas veces se las quiera disimular con un barniz de humanitarismo. Los ejemplos actuales así lo indican. Tanto Kim Jong-un como Donald Trump, líderes respectivos de dos potencias nucleares como Corea del Norte y Estados Unidos, juegan a la estrategia del loco al tiempo que aplican la de la intimidación.

Las «armas de comunicación masiva» son empleadas sistemáticamente por las potencias con intereses en los actuales conflictos de Siria e Irak, siendo cada vez más complejo llegar a conocer la verdad de lo que acontece.

Las escenas dantescas en los actuales campos de refugiados establecidos en la propia Europa representan el «abuso de los pobres».

La «patada a la escalera» continúa siendo un principio fundamental de los poderosos, que no quieren que otros países se encaramen a la atalaya desde la que dominan el mundo, y así no dejan que otros países dispongan de armamento nuclear o empleen otras monedas para realizar transacciones comerciales.

La tan cacareada justicia internacional no es más que una herramienta en manos de las grandes potencias, la «lawfare», que emplean a su antojo, como se ve en los actuales escenarios de conflicto, sea en África o en Oriente Medio.

En su afán por intentar disimular el acaparamiento de poder, los grandes hacen uso de la estrategia de las «copas de champán». Y siguen «creando enemigos y necesidades» para tener a los demás sometidos y de paso venderles grandes cantidades de armas.

El «fervor religioso» se emplea para movilizar personas y sentimientos, cuyos fines últimos son ignorados, las más de las veces, por sus acólitos, que sin embargo, una vez exacerbado su fanatismo, no dudan en recurrir a los actos más bárbaros en defensa de su fe.

«Fomentar la división» puede ser una bien calculada estrategia de balcanización del planeta. Afecta a todos los continentes —comenzando por Europa—, y quizá esté dirigida por alguna gran potencia con la finalidad de controlar mejor el mundo.

La «dominación indirecta» también se puede estar ejerciendo mediante el control de la imprescindible energía, cuya demanda seguirá creciendo, desde los combustibles fósiles a la electricidad. Y lo mismo puede pasar con el agua, cuyo consumo, directo o virtual, irá en aumento, fruto del crecimiento de la población urbana y del incremento del nivel de vida.

El «quítate tú para ponerme yo» se vivirá en el espacio, peleando por las estratégicas y finitas órbitas geoestacionarias y los puntos de libración, lo mismo que paulatinamente irá sucediendo en la conquista de planetas.

De todo lo que he expuesto en estas páginas se puede inferir que no hay buenos ni malos, ni mejores ni peores, pues todas las naciones persiguen los mismos objetivos, a su manera y con los medios disponibles. En realidad, la bondad o la maldad, siempre subjetivas, vendrán determinadas por el lado en que se esté. No debemos olvidar que solo hay intereses, más o menos transparentes y legítimos. Todos los servicios de inteligencia y los ejércitos hacen básicamente lo mismo: cada uno defiende lo suyo.

La alerta debe venir del riesgo de estar cada vez más cerca de la sociedad que el escritor George Orwell describió en *1984*. En ella, la manipulación de la información se convierte en norma, las personas están sometidas a una vigilancia permanente y las libertades individuales tienden a desaparecer. Un escenario en el que la gente tiene miedo de pensar aunque le digan que puede hacerlo, pues teme que actúe cruelmente contra ella la «policía del pensamiento» y los muchos colaboradores de esta represión intelectual, amparada en la corrección política impuesta. Esto podría estar también manifestándose en la actual reducción del vocabulario que algunos especialistas ya han detectado, una simplificación comparable a la «neolengua» que describe Orwell.

Si se sigue por este camino, se puede llegar al concepto de dictadura perfecta con apariencia de democracia de la que alertaba Aldous Huxley en *Un mundo feliz*, que básicamente consistiría en una prisión sin muros de la que los presos ni siquiera sueñan con escapar. Esencialmente, un sistema de esclavitud en el que, gracias al consumo y el entretenimiento, los esclavos amarían su servidumbre.

Para acabar, esta obra habrá conseguido la finalidad que me había propuesto si las personas, especialmente las más humildes, las que sufren por diversas causas, las explotadas y las sometidas de distintas formas, se conciencian de cómo son manejadas y entre todas hacen frente común para llegar a un acuerdo que facilite alcanzar un sociedad mejor y auténticamente evolucionada, donde las ideas de cada uno pueden convivir en paz y armonía. Un mundo cuya verdadera preocupación y finalidad sea la seguridad humana, la única que debe primar a la hora de adoptar cualquier decisión geopolítica o geoeconómica, al contrario de lo que ocurre hoy en día a pesar de las apariencias. Es una utopía, lo sé, pero sigue mereciendo la pena aspirar a ella. De todos es labor, y espero haber despertado o incrementado sensibilidades en este sentido.

Agradecimientos

Vaya mi primera muestra de agradecimiento para Francisco Martínez Soria, director de la Editorial Ariel, por haberme propuesto escribir este libro y por su plena confianza en que podría realizarlo. Sin sus consejos y constante apoyo, no habría sido capaz.

Mi familia no se merece menos. Mis hijos nunca dejaron de animarme, con insistente tesón. En varias ocasiones, cuando el ritmo de otras actividades me abrumaba, impidieron que tirase la toalla. Además, mi hija Irene, como la periodista de raza que es, se mostró implacable con las correcciones. Mi esposa aguantó mis momentos de tensión, que los hubo y muchos, con su característico estoicismo. Sin todos ellos, estoy seguro de que nunca hubiera culminado esta obra.

También he tenido la gran fortuna de contar con el apoyo de buenos amigos, algunos antiguos alumnos, que en cuanto les expuse el proyecto inmediatamente se ofrecieron a colaborar. Lo hicieron aportando ideas, corrigiendo borradores o actuando como documentalistas e investigadores.

Se entregaron con pasión Ángel Gómez de Ágreda, coronel del Ejército del Aire, diplomado de Estado Mayor, y uno de los militares más capacitados y mejor preparados que conozco, lo mismo que Delfín Mariño Espiñeira, teniente coronel del Cuerpo de Ingenieros Politécnicos, exconsejero técnico del Ministerio de la Presidencia del Gobierno y dotado de una mente privilegiada que volcó en detectar errores. El miembro de la Guardia Civil Luis Antonio González Francisco, magnífico investigador y analista, nunca cesó de aconsejarme y orientarme. Daniel Martín Menjón, un entusiasta de la historia militar y la estrategia, se desvivió por proporcionar una valiosísima ayuda. Mario Sánchez Grasa, activista de las causas sociales, fue la voz de la conciencia. Clara Palacios Fernández demostró una preparación, iniciativa y capacidad de trabajo fuera de serie. Nuria Hernández García fue una colaboradora excepcional y clave para el desarrollo del libro.

Y por supuesto, las gracias más efusivas a todos ustedes, los lectores, por tomarse la molestia de coger entre sus manos este libro, con la esperanza de que les sea de utilidad y también disfruten con su lectura.

Bibliografía

Andelman, David A., y Marenches, Alexandre de. *The fourth world war.* Morrow. Nueva York. 1992.

Bernays, Edward Louis. *Propaganda.* Melusina. Santa Cruz de Tenerife. 2008.

Bernier, François. *Viaje al Gran Mongol, Indostán y Cachemira.* Espasa-Calpe. Madrid. 1999.

Bin, Sun. *El arte de la guerra II.* EDAF. Madrid. 2007.

Bouthoul, Gaston. *Tratado de polemología.* Ediciones Ejército. Madrid. 1984.

Brzezinski, Zbigniew. *El gran tablero mundial.* Paidós. Barcelona. 1998.

Bullitt, Willian C. *La amenaza mundial.* Ediciones y Publicaciones Españolas. Madrid. 1957.

Bülow, Bernardo. *Memorias del canciller Príncipe de Bülow.* Espasa-Calpe. Madrid. 1931.

Butler, Smedley Darlington. *War is a racket.* Feral House. Los Ángeles. 2003.

Capaz Montes, Fernando Oswaldo. *Modalidades de la guerra de montaña en Marruecos. Asuntos indígenas.* Alta Comisaría de la República Española en Marruecos. Inspección de Intervención y Fuerzas Jalifianas. Ceuta. 1931.

Celerier, Pierre. *Geopolítica y Geoestrategia.* Pleamar. Buenos Aires. 1979.

Chang, Ha-Joon. *Kicking Away the Ladder: Development Strategy in Historical Perspective.* Anthem. Londres. 2002.

Chevallier, Gabriel. *El miedo.* Acantilado. Barcelona. 2009.

Chomsky, Noam, y Herman, Edward S. *Los guardianes de la libertad.* Planeta. Barcelona. 2013.

Clarke, Richard A. *Contra todos los enemigos.* Santillana. Madrid. 2005.

Clausewitz, Carl von. *De la guerra.* La Esfera de los Libros. Madrid. 2005.

Coffey, Michael. *Días de infamia.* Comunicaciones & Publicaciones S. A. Barcelona. 2000.

Daoren, Huanchu. *Retorno a los orígenes: reflexiones sobre el Tao.* EDAF. Madrid. 1993.

Einstein, Albert y Freud, Sigmund. *¿Por qué la guerra?* Minúscula. Barcelona. 2001.

Eltchaninoff, Michel. *En la cabeza de Vladímir Putin.* Librooks. Barcelona. 2015.

Entraygues, Olivier. *La pensée politique de J. F. C. Fuller.* Le Polémarque. Nancy. 2015.

Esparza, José Javier. *Historia de la yihad.* La Esfera de los Libros. Madrid. 2015.

Fraga Iribarne, Manuel. *Guerra y conflicto social.* Instituto de Estudios Políticos. Madrid. 1962.

Frattini, Eric. *Manipulando la historia: operaciones de falsa bandera.* Temas de Hoy. Barcelona. 2017.

Friedman, George. *La próxima década.* Destino. Barcelona. 2011.

Fukuyama, Francis. *El fin de la historia y el último hombre.* Planeta. Barcelona. 1992.

Fuller, J. F. C. *La dirección de la guerra.* Ediciones Ejército. Madrid. 1984.

Gallois, Pierre M. *Geopolítica. Los caminos del poder.* Ediciones Ejército. Madrid. 1992.

Görlitz, Walter. *La compra del poder.* Dopesa. Barcelona. 1976.

Greene, Robert. *Las 48 leyes del poder.* Espasa. Madrid. 1999.

— *Las 33 estrategias de la guerra.* Espasa. Madrid. 2006.

Guangqian, Peng, y Youzhi, Yao. *The Science of Military Strategy.* Military Science Publishing House. Academy of Military Science of the Chinese People's Liberation Army. Pekín. 2005.

Haldeman, H. R., y Dimona, Joseph. *The ends of power.* W. H. Allen & Co. Ltd. Londres. 1978.

Hanson, Victor Davis. *Guerra. El origen de todo.* Turner. Madrid. 2011.

Hastings, Max. *La guerra secreta.* Planeta. Barcelona. 2016.

Herranz, Pedro. *Status belli.* Las Antorchas. Madrid. 1953.

Heuser, Beatrice. *The evolution of strategy.* Cambridge University Press. Cambridge. 2010.

Howard, Michael. *Las causas de la guerra.* Ediciones Ejército. Madrid. 1987.

Huntington, Samuel P. *El choque de civilizaciones.* Paidós Ibérica. Barcelona. 1997.

Kaplan, Robert D. *El retorno de la antigüedad. La política de los guerreros.* Ediciones B. Barcelona. 2002.

— *La venganza de la geografía.* RBA. Barcelona. 2013.

Kennedy, Paul. *Auge y caída de las grandes potencias.* Debolsillo. Barcelona. 1987.

Kissinger, Henry. *Diplomacia.* Ediciones B. Barcelona. 1996.

— *China.* Debate. Barcelona. 2016.

— *Orden mundial.* Debate. Barcelona. 2016.

Labévière, Richard, y Thual, François. *La bataille du grand Nord a commencé.* Perrin. París. 2008.

Lang, Anthony F. *Agency and Ethics: The Politics of Military Intervention.* Suny Press. Albany. 2002.

Launay, Jacques de. *La diplomacia secreta durante las dos guerras mundiales.* Belacqva. Barcelona. 2005.

Lawrence, T. E. *Los siete pilares de la sabiduría.* Optima. Barcelona. 2000.

— *Rebelión en el desierto.* Valdemar. Madrid. 2005.

— *Guerrilla.* Acuarela & A. Machado. Madrid. 2008.

Lenin. *La guerra de guerrillas.* Editorial Progreso. Moscú. 1973.

Liang, Qiao, y Xiangsui, Wang. *La guerre hors limites.* Rivages. París. 1999.

Liddell Hart, B. H. *Al otro lado de la colina.* Ediciones Ejército. Madrid. 1983.

— *Estrategia: La aproximación indirecta.* Ministerio de Defensa. Madrid. 1989.

Lorot, Pascal, y Thual, François. *La géopolitique.* Montchrestien. París. 2002.

Maalouf, Amin. *Identidades asesinas.* Alianza Editorial. Madrid. 1998.

— *El desajuste del mundo.* Alianza Editorial. Madrid. 2009.

Macías Fernández, Daniel. *El islam y los islamismos.* Fundación Investigación en Seguridad y Policía. Madrid. 2015.

Marenches, Alexandre de, y Ockrent, Christine. *Dans le secret des princes.* Stock. París. 1986.

Milne, Seumas. *La venganza de la historia.* Capitán Swing. Madrid. 2011.

Moniz Bandeira, Luiz Alberto. *A desordem mundial.* Civilização Brasileira, Grupo Record. Río de Janeiro. 2016.

Noelle-Neumann, Elisabeth. *La espiral del silencio.* Paidós. Madrid. 2010.

Nye, Joseph S. Jr. *Soft Power: The Means to Success in World Politics.* Public Affairs. Nueva York. 2005.

Olier, Eduardo. *Los ejes del poder económico.* Pearson. Madrid. 2016.

Renouvin, Pierre. *Historia de las relaciones internacionales*. Akal. Madrid. 1990.

Ritzer, George. *La McDonalización de la sociedad*. Ariel. Barcelona. 1996.

Rogan, Eugene. *La caída de los otomanos*. Barcelona. Crítica. 2015.

Sánchez Ferlosio, Rafael. *Sobre la guerra*. Destino. Barcelona. 2008.

Servent, Pierre. *Les guerres modernes*. Buchet Chastel. París. 2009.

Shaw, Martin. «Militarismo de transferencia y riesgo y la legalidad de la guerra tras Irak». *Revista Académica de Relaciones Internacionales*, 3, 2006, pp. 1-22.

Sorel, George. *Reflexiones sobre la violencia*. Alianza. Madrid. 1976.

Stoessinger, John G. *Why nations go to war*. St. Martin's. Nueva York. 1993.

Thual, François. *Contrôler et contrer. Stratégies géopolitiques*. Ellipses. París. 2000.

— *La planète émiettée*. Arléa. París. 2002.

— *Géopolitique des Caucases*. Ellipses. París. 2004.

Tuchman, Barbara W. *La marcha de la locura*. RBA. Barcelona. 2013.

Tzu, Sun. *El arte de la guerra*. Altorrey. Buenos Aires. 1996.

Ulfkotte, Udo. *Gekaufte Journalisten*. Kopp. Rottenburg. 2014.

Verstrynge, Jorge. *Frente al imperio*. Foca. Madrid. 2007.

Vicens Vives, J. *Geopolítica*. Vicens Vives. Barcelona. 1950.

Weinberger, Eliot. *Lo que oí sobre Irak*. Turner. Madrid. 2005.

Zakaria, Fareed. *El mundo después de USA*. Espasa. Madrid. 2009.

Zedong (Tse Tung), Mao. *La guerra de guerrillas*. Huemul. Buenos Aires. 1963.

Zimbardo, Philip. *El efecto lucifer*. Paidós. Barcelona. 2008.

www.booket.com

www.planetadelibros.com